# Maanduister

# KATHARINE KERR

LUITINGH ~ SIJTHOFF

Tweede druk
© 1987 Katharine Kerr
All rights reserved
© 1996, 1999 Nederlandse vertaling
Uitgeverij Luitingh ~ Sijthoff B.V., Amsterdam
Alle rechten voorbehouden
Oorspronkelijke titel: *Darkspell*
Vertaling: Ytje Holwerda
Omslagontwerp: Karel van Laar
Omslagillustratie: Geoff Taylor
Kaarten: Eleanor Kostyk

ISBN 90 245 2497 0
NUGI 335

*Voor mijn vader, Sgt. John Carl Brahtin (1918-1944), die is gesneuveld toen hij vocht om Europa te bevrijden van een erger kwaad dan alles wat een romanschrijver kan verzinnen.*

# DANKBETUIGINGEN

Duizendmaal dank aan al mijn vrienden en familieleden, te talrijk om op te noemen, die mijn aanvallen van verstrooidheid, mijn perioden van verwoed schrijven en mijn bezetenheid voor deze fantasiewereld voor lief moesten nemen. Mijn dank gaat echter in de eerste plaats uit naar mijn man, Howard Kerr, die tenslotte met mij moet samenleven wanneer ik schrijf.

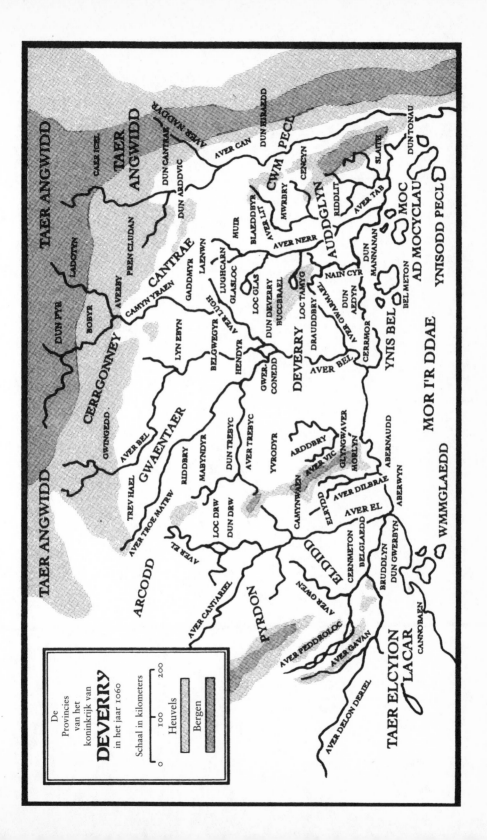

De
Provincies
van het
koninkrijk van
**DEVERRY**
in het jaar 1060

Schaal in kilometers

0    100    200

Heuvels

Bergen

De taal die in Deverry wordt gesproken is een P-Keltische taal. Ofschoon nauw verwant aan het Welsh, het Bretons en het Cornish, is het beslist niet identiek aan elk van deze levende talen en mag daarom nooit als zodanig worden beschouwd.

KLINKERS worden door Deverriaanse schrijvers verdeeld in twee klassen: edel en gewoon. Edele klinkers hebben twee uitspraken; gewone maar één.

A zoals in *elan* als hij lang is; een kortere versie van dezelfde klank zoals in *hak*, als hij kort is.

O zoals in *boon* bij een lange, zoals in *pot* bij een korte klank.

W soms met een lange, soms met een korte oe-klank.

Y als in de *i* van *machine* bij een lange, als de *e* in *boter* bij een korte klank.

E zoals in *pen.*

I zoals *pin.*

U zoals in *dun.*

Klinkers zijn doorgaans lang in beklemtoonde lettergrepen; kort in niet beklemtoonde. Y is de voornaamste uitzondering op deze regel. Als dat de laatste letter van een woord is, is hij altijd lang, of de lettergreep beklemtoond is of niet.

TWEEKLANKEN hebben gewoonlijk een vaste uitspraak.

AE als de *ee* in *meent.*

AI als in *beige.*

AU als de *au* in *nauw.*

*EO* als een combinatie van *eh* en *o*.

*EW* zoals in het Welsh, een combinatie van *eh* en *oe*

*IE* als in *pier*.

*OE* als de *oy* in *boy*.

*UI* als de *oei* in *boei*.

NB. *OI* is nooit een tweeklank, maar bestaat uit twee aparte klanken, zoals in de naam Benoic (BEHN-o-ik).

Medeklinkers zijn grotendeels hetzelfde als in het Engels, met de volgende uitzonderingen:

*C* is altijd hard zoals in *kat*.

*G* is altijd hard zoals in *goal*.

*DD* is de Engelse *th*-klank, altijd stemhebbend, zoals in het Engelse *mother*. N.B.: dd en th worden altijd als enkele letters beschouwd.

*R* wordt zwaar gerold.

*RH* is een stemloze *R*, zo ongeveer uitgesproken alsof hij in Deverry zelf *hr* werd gespeld. Het onderscheid is nauwelijks merkbaar, en wordt in Eldidd steeds vaker verwaarloosd.

*DW, GW en TW* zijn meestentijds afzonderlijke klanken, zoals doorgaans in *twit*, maar er zijn uitzonderingen.

*Y* is nooit een medeklinker.

*I* voor een zelfstandig naamwoord aan het begin van een woord doet dienst als medeklinker, zoals in het meervoudeinde -*ion*, dat wordt uitgesproken als het Engelse *yawn*.

Dubbele medeklinkers worden, in tegenstelling tot in het Engels, beide duidelijk uitgesproken. Bedenk echter dat DD en RR als enkele letters worden beschouwd, evenals de twee 'm's' in de naam van de god Wmm.

Het accent ligt doorgaans op de voorlaatste lettergreep, maar samengestelde woorden en plaatsnamen vormen vaak een uitzondering op deze regel.

Ik heb over het geheel genomen zowel Elfen- als Bardekse namen bewerkt volgens het bovenstaande spellingssysteem dat vooral zeer goed op het Bardekiaans toe te passen is. Wat de Elfentaal betreft zou het in een boek als dit niet alleen verwarrend werken maar ook te wetenschappelijk zijn om de volledige werkwijze te hanteren waarmee geleerden deze uiterst verfijnde en genuanceerde taal proberen te verklaren. Voor het gemiddelde menselijke oor gaan verschillen zoals die tussen de diverse A-klanken verloren. Waarom zouden we proberen die in druk zichtbaar te maken? De lezer moet echter wel bedenken dat de klemtoon bij woorden in de Elfentaal heel anders ligt dan bij Deverriaanse en Bardekse woorden. Aangezien in de Elfentaal de woorden veelal aan elkaar worden geregen, wordt in de diverse onderdelen van een naam de nadruk soms eerder op hun betekenis gelegd dan op hun plaats in het patroon van de lettergrepen. Canbaramelim bijvoorbeeld, dat is samengesteld uit de eenheden voor ruig + naamaanduiding + rivier, wordt uitgesproken als CAHN-BAHR-ah-MEH-lim.

# Proloog

## Winter, 1062

Elk licht veroorzaakt een schaduw. De dweomer doet dat ook.
Sommigen staan graag in het licht; anderen in de duisternis. Wees
u er altijd van bewust dat ge de plaats waar ge staat zelf kunt
kiezen, en laat u niet ongemerkt besluipen door de schaduw...

*Het Geheime Boek van Cadwallon de Druïde*

Z e kwamen bijeen diep in de Binnenwerelden, op een plaats die alleen bereikbaar was voor hen die de essentie van de dweomer beheersten. Hun stoffelijke lichamen lagen in diverse steden van het koninkrijk Deverry in trance, zodat hun geesten vrij waren om een nieuwe gedaante aan te nemen en de verre reis te maken naar het oeroude eikenbos dat zich uitstrekte onder een omfloerste, aangename zon. Gedurende wel duizend jaar hadden zoveel dweomermeesters dat bos in hun verbeelding gezien, het zich met hun geoefende geest voorgesteld en het onder elkaar tot in de kleinste bijzonderheden besproken, dat het beeld inmiddels op het astrale niveau een eigen leven was gaan leiden. Het was er altijd als degenen die wisten hoe ze het moesten bereiken ernaartoe kwamen.

Degenen die er samenkwamen hadden een eenvoudige gedaante voor hun geest gekozen. Hun gezicht leek op hun fysieke gezicht, maar hun lichaam was slank, wonderlijk smal, en gehuld in een gestileerde versie van hun gewone kleren; de mannen in witte brigga en hemden, de vrouwen in witte, enkellange jurken. De kleur wit had geen bijzondere betekenis; het in stand houden ervan vroeg minder energie dan felle kleuren. De een na de ander verscheen in het bos, tot op het laatst het voltallige gezelschap van tweeëndertig aanwezig was, zwevend boven het onstoffelijke gras, wachtend tot de man die deze vergadering bijeen had geroepen, het woord zou nemen.

Hij was lang, al heel oud en had een dikke bos wit haar en doordringende ogen. Ofschoon hij de titel Meester van de Ether had, stond hij liever bekend als Nevyn, een naam die een schimpscheut bevatte, omdat hij 'niemand' betekende. Naast hem stond een kleine, tengere man met grijs haar en met donkere ogen die het opvallendste onderdeel van zijn gezicht waren. Hij heette Aderyn en had eigenlijk niet het recht om naar het bos te komen, omdat zijn Wyrd niet bij zijn eigen mensenras lag, maar bij het elfenras, de Elcyion Lacar, die ten westen van Deverry woonden. Hij kon echter een getuigenverklaring afleggen over de vreemde gebeurtenissen die ze hier met elkaar kwamen bespreken.

'Zijn we er allemaal?' vroeg Nevyn tenslotte. 'Welnu, jullie hebben allemaal wel iets gehoord over wat er van de zomer is gebeurd.'

De aanwezigen knikten bevestigend, waarbij hun schijngedaanten de bewegingen maakten die hun lichamen zouden hebben gemaakt. Het bericht dat in een uithoek van de provincie Eldidd een edelman genaamd Corbyn in opstand was gekomen tegen zijn opperheer, tieryn Lovyan van Dun Gwerbyn, was alom vernomen. Normaliter zou de dweomer zich daar niets van hebben aangetrokken; opstanden en bloedvergieten waren in Deverry aan de orde van de dag, en opperheren hadden legers om dat soort dingen het hoofd te bieden. Maar Corbyn was betoverd geweest door een krankzinnig geworden dweomerman, Loddlaen genaamd, een halve elf, die Aderyns leerling was. Loddlaen was nu dood en de opstand neergeslagen, maar de kwestie was bij lange na niet opgelost.

'Zodra ik me bij Aderyn had aangesloten om Loddlaen te verslaan,' vervolgde Nevyn, 'begreep ik dat iemand hem had betoverd en hem gebruikte om kwaad te stichten. Die iemand moest een meester van de duistere dweomer zijn. Zodra hij besefte dat hij mij tegenover zich vond, is hij gevlucht. Voor zover ik weet is hij scheep gegaan naar Bardek.'

Onder de aanwezigen ontstond een lichte beroering. Caer, een lange, magere man, wiens lichtbruine ogen op het ogenblik groen waren, zweefde naar voren om iets te zeggen.

'Wat had die duistere meester zich precies ten doel gesteld? Heb je dat kunnen ontdekken?'

'Slechts heel vaag. Tieryn Lovyan heeft een zoon genaamd Rhodry. Ik heb jaren geleden een teken gekregen dat zijn Wyrd voor Eldidd van doorslaggevende betekenis is, en daarom heb ik over hem gewaakt. Het schijnt dat deze vervloekte oorlog uitsluitend bedoeld was om hem te doden. Hij voerde zijn moeders leger aan als cadvridoc, zie je.'

'De duistere meesters hebben dus kennelijk ontdekt hoe belangrijk die jongeman is,' zei een vrouw genaamd Nesta. 'Weet je ook wat zijn Wyrd is?'

'Absoluut niet, en dat is een deel van het probleem. Onze vijanden weten daar ongetwijfeld meer van dan ik. Zij zijn degenen die zich altijd zorgen maken over de toekomst. Mensen zoals wij vertrouwen op het Licht.'

Ze knikten bevestigend. De Groten die achter de dweomer staan, de Heren van Wyrd en de Heren van het Licht, communiceren nooit rechtstreeks en duidelijk met hun dienaren, om de eenvoudige reden dat die onstoffelijke geesten zich ophouden op een niveau dat onvoorstelbaar ver van de fysieke wereld verwijderd is. Ze kunnen onmogelijk zo ver omlaag reiken dat ze meer dan vage aanwijzingen, gevoelens, droombeelden en waarschuwingen kunnen zenden naar het brein van hen die opgeleid zijn om die vluchtige boodschappen te ontvangen. Voor hen die in het Licht wandelen zijn dergelijke aanwijzingen voldoende, maar de duistere dweomer peutert aan de toekomst als aan een wondkorst.

'Ik hoop dat je de jongeman goed bewaakt,' zei Caer. 'Ze zullen ongetwijfeld opnieuw proberen hem te doden.'

'Tja, dat is juist zo raadselachtig.' Nevyn bracht langzaam zijn gedachten onder woorden. 'Ik heb vele uren in meditatie doorgebracht, maar ik heb geen waarschuwingen ontvangen dat hij nog steeds in gevaar is. En dat is dubbel vreemd omdat hij na het einde van de oorlog door zijn oudere broer is verbannen.'

'Wat?' zei Nesta. 'Wie is die oudere broer? Ik ben niet zo goed op de hoogte van de politieke situatie in Eldidd.'

'Neem me niet kwalijk. Dit is allemaal zo belangrijk voor mij, dat ik vergeet dat anderen er niet zo in geïnteresseerd zijn. Rhodry's moeder is Lovyan, die persoonlijk het bewind voert over het tierynrhyn van Dun Gwerbyn dat haar door haar familieband met de Clw Coc clan is toegevallen. Zijn vader was Tingyr, een Maelwaedd van Aberwyn, en Rhodry's oudere broer, Rhys, is nu gwerbret van Aberwyn.'

Ze knikten allemaal, alsof ze wilden zeggen dat ze aan die informatie wel genoeg hadden. Kennis van het ingewikkelde web van bloedlijnen en grondbezit van de adel vergde de lange studie van een bard of een priester.

'Welnu, Rhys en Rhodry haten elkaar al jaren. Dat heeft niets te maken met dweomer of Wyrd; het is gewoon een van die onverkwikkelijke dingen die tussen bloedverwanten plaatsvinden. En in Aberwyn heeft Rhys op een avond zijn broer zo diep beledigd dat Rhodry zijn zwaard tegen hem wilde trekken – en vergeet niet dat Rhys een gwerbret is.'

'Rhodry mag van geluk spreken dat zijn broer hem niet heeft laten ophangen,' zei Caer.

'Inderdaad. Rhys zag een kans om zich van zijn gehate bloedverwant te ontdoen, en hij heeft die kans gegrepen. Nu zwerft Rhodry als zilverdolk door het land.'

'Is het heus?' viel Nesta in. 'Het verwondert me dat je hem als huursoldaat hebt laten gaan.'

'Ik had er niets in te zeggen, dat verzeker ik je, anders zou ik het niet hebben toegelaten. Maar Rhodry is slechts de minste van onze problemen. Nesta hier heeft het spoor van de duistere meester gevolgd toen hij door Cerrmor kwam, en zij noch ik noch een van onze elementaire geesten heeft de man herkend. Terwijl we toch dachten dat we bekend waren met elke dwaas die die onzalige kunst beoefent. Ach, we zijn allemaal te zelfvoldaan geweest.'

'En hij kon zonder moeite ontkomen,' vulde Nesta aan. 'Het leek wel of hij langs de hele weg schuilplaatsen klaar had. Hij moet dit alles heel lang hebben voorbereid, pal onder onze neus.'

Een aantal van de mannen mompelde binnensmonds nogal grove verwensingen. Aderyn kwam naar voren en nam het woord.

'Wat mij verontrust is het feit dat hij Loddlaen zo makkelijk kon betoveren. Loddlaen had meer de geest van een elf dan van een mens. Begrijpen jullie wat dat betekent? Onze vijand moet goed op de hoogte zijn van elfenzeden, maar ik weet absoluut zeker dat er nooit een duistere dweomerman door het elfenland is getrokken.'

'Het is inderdaad slecht nieuws,' zei Caer. 'De harde waarheid is dus dat we niet waakzaam genoeg zijn geweest. Dat moet veranderen.'

'Precies,' zei Nevyn. 'We kunnen de bijzonderheden later wel met elkaar uitwerken, maar er is nog één ding dat ik de Raad van Tweeëndertig zou willen voorleggen. Tijdens die oorlog hebben honderden mannen de dweomer openlijk zien bedrijven.'

Een ogenblik heerste er een geschokt zwijgen; toen barstte het gepraat los, zoals een zomers onweer, waarbij de hemel loodgrijs wordt en de wolken zich samenpakken, terwijl de vogels hun gezang staken, en het opeens, na een knetterende donderslag, begint te regenen. Nevyn wendde zich tot Aderyn.

'Het wordt tijd dat je ons verlaat. Ik neem nog wel contact met je op via het vuur.'

'Goed. Jullie hebben inderdaad heel wat te bespreken.'

Aderyns schijngedaante was op slag uit het bos verdwenen. De vergadering kwam langzaam tot rust.

'Welaan, dit is een ernstige kwestie,' zei Caer tenslotte. 'Natuurlijk zal niemand buiten Eldidd hen geloven. Het verhaal zal mettertijd wel uitsterven.'

'Als niemand het tenminste weer laat herleven met meer dweomer.'

'Alle goden! Denk je dat de duisterlingen doelbewust hebben geprobeerd ons in de openbaarheid te brengen?'

'Dat is mogelijk, nietwaar?'

De aanwezigen werden onrustig, en terecht. Lang geleden, in de Begintijd, toen het volk van Bel pas uit zijn oorspronkelijke vaderland aan de overzijde van de oostelijke zeeën naar Deverry was gekomen, hadden de priesters van de eikenbossen, de drwiddion, openlijk de dweomer bedreven. De mensen vreesden hen, vleiden hen en kropen voor hen tot de onvermijdelijke corruptie optrad. De priesters werden rijk en verwierven grote landgoederen; ze ontwierpen wetten die hen bevoordeelden en gedroegen zich als machthebbers. Langzaam, helemaal vanzelf, verliet de dweomer hen, tot hun rituelen lege vertoningen werden en hun verkondigingen banaal gezwets. De verleidingen van aardse macht zijn zo groot dat de priesterstand vergat dat ze ooit de ware dweomer had bezeten. En in Nevyns tijd deed men de verhalen van wonderen verrichtende priesters af als fantasie, goed voor een bardenlied en anders niets.

Maar de dweomer bleef bestaan en werd in het geheim van meester op leerling doorgegeven. De beoefenaren van de dweomer zwoeren plechtig onopvallend te zullen leven en beoefenden hun vak in het verborgene, om niet ook door vleierij en rijkdom te worden aangetast. Caer was de opperstalmeester van gwerbret Lughcarn; Nesta was de weduwe van een specerijenkoopman uit Cerrmor. Nevyn zelf leidde een wel zeer sober bestaan omdat hij een kruidenman was die met een muildier door het land trok en de kwalen genas van mensen die te arm waren om een chirurgijn of een apotheker te kunnen betalen. Als er een einde zou komen aan die lange jaren van geheimhouding, zouden de dweomermeesters hoogstwaarschijnlijk bezwijken voor dezelfde verleidingen die de priesters van het goede pad hadden gelokt.

'En dan is er nog iets,' zei Caer. 'De meeste mensen van het koninkrijk zouden ons voor heksen uitmaken. Stel dat ze ons zouden gaan vervolgen?'

Nesta huiverde. Als oudere vrouw was zij bijzonder kwetsbaar voor dergelijke aantijgingen.

'Dat zou best kunnen,' zei Nevyn. 'Dus moeten we...' Hij brak zijn zin af, getroffen door een gedachte die zo indringend was dat die, wist hij, buiten hemzelf was ontstaan, en toen hij weer sprak had zijn geestenstem een profetische klank. 'Het is nu zover dat de dweomer in de openbaarheid moet komen, in het begin nog terughoudend, maar de tijd zal komen dat we allemaal openlijk te werk gaan.'

De aanwezigen hoorden de klank en wisten dat de Heren van het Licht door hun dienaar hadden gesproken.

'Verdraaid nog aan toe!' fluisterde Caer. 'Ik had nooit gedacht dat ik dit nog zou beleven.'

Dat waren ze allemaal met hem eens, vooral Nevyn.

'Dit vraagt om vele uren meditatie,' merkte hij op. 'Ik beloof jullie dat ik die ook zal bijdragen. We moeten voorzichtig te werk gaan, zo voorzichtig als een kat in een badhuis.'

Ze bespraken de profetie nog een tijdlang en kwamen tenslotte overeen dat Nevyn dit vreemde idee zou uitwerken, terwijl de anderen zouden leven zoals ze altijd hadden gedaan. De raad brak op, de schijngedaanten doofden als uitgeblazen kaarsen, maar Caer en Nevyn bleven in de vredige stilte van het astrale bos achter. Om hen heen bogen de bomen als in de wind toen het astrale getij begon te wisselen, een zacht bewegen dat ze in hun geest voelden.

'Het is een vreemd idee dat we vandaag hebben gehoord, Meester van de Aarde,' merkte Nevyn op. 'Maar ik ben vast van plan om het uit te werken, hoe lang ik er ook over zal doen.'

'O, daar maak ik me geen zorgen over. Je bent altijd al zo koppig geweest als een varken op marktdag.'

Ze wisselden een glimlach van oprechte genegenheid. Ooit, wel zo'n vierhonderd jaar geleden, was Caer de leermeester geweest van Nevyn toen die zich moeizaam in de dweomer begon te bekwamen. Hoewel Rhegor, zoals hij toen heette, het gewone patroon van dweomermensen had gevolgd en inmiddels vele malen was gestorven en herboren, had Nevyn zelf maar één enkel leven geleefd, geschraagd door de elementaire krachten die hij beheerste. En ofschoon heel wat mensen zo'n lang leven zouden begeren, was het een hard Wyrd dat hij te dragen had gekregen, omdat hij in zijn leertijd een ernstige fout had begaan die de dood van drie onschuldige mensen tot gevolg had gehad, en overhaast een gelofte had afgelegd dat hij niet zou rusten voor hij zijn fout had goedgemaakt.

'Vertel me eens,' zei Caer. 'Denk je dat je binnenkort je gelofte kunt nakomen?'

'Ik weet het niet, werkelijk niet. Ik heb al zo vaak gedacht dat dat moment naderde, en dan ontglipte alles me toch weer. Maar dit kan ik je wel vertellen: Gerraent en ik hebben elkaar leren aanvaarden. Een deel van de keten is voorgoed verbroken.'

'Alle goden zij dank. Ik heb toen geprobeerd je te beletten die gelofte...'

'Ik weet het, ik weet het, en je hebt volkomen gelijk: ik ben altijd te koppig geweest voor mijn eigen vervloekte bestwil. Ach goden, die arme Brangwen! Je weet dat ik haar in gedachten nog altijd zo noem, ook al heeft ze die naam maar erbarmelijk weinig jaren gedragen. Ik ben zo vreselijk tekortgeschoten jegens haar, en ook jegens Blaen, maar toen ik zwoer dat ik het goed zou maken, had ik nooit gedacht dat het vierhonderd afschuwelijke jaren zou duren!'

'Kom, daar moet je niet alleen jezelf de schuld van geven. Er zijn nu vele levens overheen gegaan, en ieder heeft meegewerkt aan het verstrengelen van zijn eigen Wyrd. En ik veronderstel dat ze het in dit leven allemaal nog erger maken.'

'Inderdaad. Brangwen – Jill, bedoel ik – zwerft door het land met Rhodry.'

'Die, neem ik aan, dezelfde ziel is die heel vroeger heer Blaen van de Boar heette.'

'Precies. Was ik vergeten je dat te vertellen? Neem me niet kwalijk, maar, ach goden, ik haal alles door elkaar nu de jaren zich maar aaneen blijven rijgen. Ik begrijp werkelijk niet hoe de elfen hun geheugen zo helder kunnen houden.'

'Hun hersens zijn daarop ingesteld. Onze mensenhersens niet.'

'Soms vraag ik me af hoe lang ik het nog zal volhouden.'

Caers schijngedaante keek hem doordringend aan met een bezorgdheid waar zijn scherpzinnigheid niets aan afdeed. Nevyn wendde zijn blik omhoog naar de oeroude bomen die zacht wiegden in een wereld die geen verval of verandering kent. Hij was soms zo moe dat hij wel wilde dat hij zich in een boom kon veranderen, zoals de tovenaars in de oude legenden, die dan eindelijk rust vonden door op te gaan in de eiken die ze aanbaden.

'Hoor eens,' zei Caer, 'als je ooit mijn hulp nodig hebt, hoef je het maar te zeggen.'

'Dank je. Daar zal ik je misschien nog eens aan houden.'

'Goed. Wat ik zeggen wilde, is er nog een kansje dat je voor het invallen van de winter Lughcarn aandoet? Het is altijd prettig oude vrienden in levenden lijve te ontmoeten.'

'Dat is zo, maar misschien volgend voorjaar. Ik moet voorlopig in Eldidd blijven.'

'Nog meer duistere zaken op til?'

'Dat niet. Ik ben op een bruiloft genodigd.'

De provincie Eldidd was in die tijd een van de dunner bevolkte gedeelten van Deverry, en in zijn westelijke gebieden waren maar weinig steden. De grootste was Dun Gwerbyn, die binnen zijn hoge stenen muren plaats bood aan zo'n vijfhonderd ronde huizen met rieten daken, een paar herbergen en drie tempels. Op een heuvel in het centrum van de stad stond de dun, het fort, van de tieryn. Een tweede reeks muren omringde de stallen, de kazerne voor de honderd man sterke krijgsbende van de tieryn, een verzameling hutten en voorraadschuren, en het brochcomplex zelf, een vier verdiepingen hoge ronde stenen toren met twee lagere torens eraan vast gebouwd.

Op die bijzondere dag liepen op het binnenplein van de broch de bedienden af en aan; ze brachten levensmiddelen naar het kookhuis of hout naar de haarden in de zaal en ze rolden grote vaten bier van de schuren naar de broch. Bij de met ijzer beslagen toegangspoort verwelkomden andere bedienden buigend de bruiloftsgasten. Cullyn van Cerrmor, hoofdman van de krijgsbende van de tieryn, had zijn mannen op het binnenplein opgesteld en nam ze goedkeurend op. Ze waren voor de verandering allemaal gewassen, geschoren en toonbaar. 'Dik voor mekaar, mannen,' zei Cullyn. 'Jullie zien er niet slecht uit voor zo'n stel tuig van de richel. En denk erom, alle edelen en hun dames van het tierynrhyn zullen hier vandaag aanwezig zijn. Ik wil niet dat een van jullie straalbezopen raakt, en ik wil ook geen vechtpartijen. Bedenk dat dit een bruiloft is. Het moet een mooie dag worden, dat komt de vrouwe toe na alles wat ze heeft doorgemaakt.' Ze knikten ernstig. Als een van hen zich niet aan zijn orders zou houden, zou hem dat berouwen – dat wisten ze.

Cullyn leidde hen naar de grote zaal, een enorm rond vertrek dat de hele begane grond van de broch besloeg. Vandaag lagen er pas gevlochten biezen op de vloer; de wandtapijten waren geklopt en weer opgehangen. En er waren extra tafels neergezet. Er was niet alleen een groot aantal adellijke gasten, maar elke edele had ook nog vijf man van zijn krijgsbende meegebracht als ere-escorte. Bedienden baanden zich met kroezen bier en manden brood zijwaarts en voorzichtig dringend een weg door de drukte; het gezang van de bard was bijna niet te horen; de ruiters dobbelden om kopergeld en maakten grappen; bij de erehaard kwetterden de edelvrouwen als vogels terwijl hun echtgenoten zaten te drinken. Cullyn bezorgde zijn mannen een plaats, herhaalde zijn bevel om niet te vechten en baande zich toen een weg naar de eretafel waar hij naast de tieryn neerknielde.

Tieryn Lovyan was een vreemd verschijnsel in Deverry: een vrouw die geheel zelfstandig een groot gebied bestuurde. Oorspronkelijk had haar enige broer de dun bezeten, maar toen hij zonder erfgenaam was gestorven, had zij alles geërfd, dank zij een kronkel in de wet die ten doel had om grote bezittingen in een clan te houden, ook al moest een vrouw ze dan besturen. Ze was nu achtenveertig, maar nog steeds een knappe vrouw, met grijzend ravezwart haar, grote diepblauwe ogen en de kaarsrechte houding van iemand die gewend is te heersen. Ze droeg die dag een jurk van rode Bardekse zijde, onder een tunica met de rood-wit-bruine ruit van de Clw Coc clan.

'De krijgsbende is present, vrouwe,' zei Cullyn.

'Uitstekend, hoofdman. Heb je Nevyn al gezien?'

'Nog niet, vrouwe.'

'Het zou net iets voor hem zijn om weg te blijven. Hij heeft een vreselijke hekel aan drukte en veel mensen, maar als je hem ziet, zeg hem dan dat hij bij mij moet komen zitten.'

Cullyn stond op, boog en ging naar zijn mensen terug. Van zijn plaats kon hij de eretafel zien, en terwijl hij zijn bier dronk keek hij aandachtig naar de bruid, vrouwe Donilla, een mooie vrouw met lang, kastanjebruin haar dat voor deze gelegenheid als bij een jong meisje van achteren met een speld bijeengehouden werd. Cullyn had met haar te doen. Haar eerste man, gwerbret Rhys van Aberwyn, had haar kortgeleden verstoten omdat ze onvruchtbaar was. Als Lovyan geen man voor haar had gevonden, had ze in schande naar de dun van haar broer moeten terugkeren. Haar nieuwe echtgenoot, heer Garedd, was een goed uitziende man, een paar jaar ouder dan zij, met wat grijs in zijn blonde haar en zijn dikke snor. Te oordelen naar wat de mannen van zijn krijgsbende zeiden, was hij een rechtschapen man, zacht en vriendelijk in vredestijd en keihard in de strijd. Hij was tevens weduwnaar met een hele stoet kinderen en dus maar al te blij een mooie, jonge vrouw te kunnen krijgen, onvruchtbaar of niet.

'Garedd is zo te zien stapelgek op haar, nietwaar?' merkte Nevyn op. Cullyn draaide zich met een zachte kreet om en zag de oude man die hem breed toelachte. Want ook al was Nevyns gezicht zo gerimpeld als een oude leren zak, hij had de energie en het uithoudingsvermogen van een jonge kerel en hij stond daar kaarsrecht, met zijn handen in zijn zij.

'Ik wilde je niet laten schrikken,' zei hij met een plagend lachje.

'Nee maar, ik heb je helemaal niet binnen zien komen!'

'Je keek mijn kant niet uit, heel gewoon. Ik heb me echt niet onzichtbaar gemaakt, al moet ik toegeven dat ik je even te pakken wilde nemen.'

'Nou, dat is je dan gelukt. Zeg, de tieryn wil dat je bij haar komt zitten.'

'Aan de eretafel? Wat stomvervelend. Maar goed dat ik een schoon hemd heb aangetrokken.'

Cullyn lachte. Nevyn kleedde zich gewoonlijk als een boer in sjofele bruine kleren, maar vandaag had hij zowaar een wit hemd aan met Lovyans rode leeuwenblazoen op de schouderstukken en een gelapte maar nog nette grijze brigga.

'Voor je gaat,' zei Cullyn. 'Ben je nog... eh, iets over mijn Jill aan de weet gekomen?'

'Je bedoelt of ik haar kort geleden nog heb gescryed. Kom maar mee.' Ze gingen naar de tweede haard, waar een heel varken aan een spit hing te roosteren. Nevyn staarde een ogenblik strak in de vlammen. 'Ik zie Jill en Rhodry en ze maken een opgewekte indruk,' zei hij tenslotte. 'Ze lopen op een mooie zonnige dag door een stad en gaan naar een of andere winkel. Wacht eens! Ik ken die winkel. Die is van Otho de Zilversmid in Dun Manannan, maar hij schijnt er op het ogenblik niet te zijn.'

'Je kunt zeker niet zeggen of ze zwanger is.'

'Als dat zo is, dan is het niet te zien. Ik begrijp je bezorgdheid.'

'Nou ja, het zal er vroeg of laat toch van komen. Ik hoop alleen dat ze zo verstandig zal zijn om naar huis te komen als het zover is.'

'Aan verstand heeft het haar nooit ontbroken.'

Ofschoon Cullyn dat beaamde, voelde hij een knagende ongerustheid. Jill was tenslotte zijn enig kind.

'Laten we maar hopen dat ze genoeg geld hebben om de winter door te komen,' merkte de hoofdman op.

'Ach, we hebben hun met ons beiden genoeg toegestopt, als Rhodry het tenminste niet allemaal opdrinkt.'

'O, daar zal Jill hem geen kans voor geven. Mijn meidje zit op de centen als een ouwe boerin.' Hij glimlachte vluchtig. 'En ze kent in elk geval het leven langs de weg vervloekt goed.'

Omdat het matras krioelde van de bedwantsen, zat Rhodry op de vloer van het kleine herbergkamertje en keek naar Jill die fronsend van inspanning een scheur in zijn enige hemd herstelde. Ze was gekleed in een vuile blauwe brigga en een mannenoverhemd zonder enige garnering. Haar goudblonde haar was, ook net als bij een jongen, kortgeknipt, maar ze was zo mooi met haar blauwe ogen en haar fijnbesneden gezicht en zachte mond, dat hij het heerlijk vond om alleen maar naar haar te kijken.

'O, bij de harige kont van de heer der hel!' brieste ze na een poosje. 'Zo moet het maar goed zijn. Ik heb een hekel aan naaien.'

'Ik breng je mijn nederige dank omdat je je ertoe verlaagt om mijn kleren te verstellen.'

Met een nieuwe snauw gooide ze het hemd in zijn gezicht. Hij klopte het hemd uit, dat ooit wit was geweest maar nu vol vlekken van zweet en roest van zijn maliënkolder zat. Op de schouderstukken zat het blazoen van de rode leeuw, het enige dat hem restte van zijn oude leven toen hij nog erfgenaam van het tierynrhyn van Dun Gwerbyn was. Hij trok het hemd aan en gespte zijn zwaardgordel eroverheen. Aan de linkerkant hing zijn zwaard, een mooie kling van het beste staal met een handbeschermer in de vorm van een draak, en aan de rechterkant de zilveren dolk die hem kenmerkte als een onteerd man. Het was het kenteken van een verbond van huurlingen die alleen of in groepjes door het land trokken en uitsluitend voor geld vochten, niet voor trouw of eer. In zijn geval brandmerkte die dolk hem als een nog vreemdere figuur, en daarom waren ze naar Dun Manannan gekomen.

'Zou de zilversmid er nu zijn?' vroeg hij.

'Vast en zeker. Otho laat zijn winkel nooit lang alleen.'

Ze gingen naar buiten en liepen door de niet ommuurde stad, een rommelige verzameling van ronde, met riet gedekte huizen en winkels langs een rivier. Op de oever lagen vissersboten, oude, armoedige scheepjes, en zo te zien nauwelijks zeewaardig.

'Ik snap niet dat deze mensen op zee hun kost kunnen verdienen,' merkte Rhodry op.

'Sst.' Jill keek om zich heen om zich ervan te vergewissen dat er niemand in de buurt was, maar ze dempte haar stem toch tot een gefluister.

'Ze hebben een reden om die boten er zo aftands te laten uitzien. Ze brengen onder de makreel allerlei soorten lading binnen.'

'Alle goden! Bedoel je dat we in een smokkelaarsnest logeren?'

'Niet zo hard praten! Ja, dat bedoel ik.'

Otho's winkel lag aan de buitenkant van de stad, aan een zandpad langs een veld met kool. Rhodry was blij te zien dat het hangslot niet meer op de deur zat. Toen Jill hem opende tinkelden er zilveren belletjes boven hun hoofd.

'Wie is daar?' bulderde een zware stem.

'Jill, de dochter van Cullyn van Cerrmor, met nog een zilverdolk.'

Rhodry ging achter haar een lege kamer binnen, een kleine wig van het ronde huis, afgescheiden door vuile schermen van gevlochten wilgeteen. In een van die schermen deed een smerige groene deken dienst als deur, want Otho schoof hem opzij en kwam te voorschijn. Hoewel hij maar een meter vijftig lang was, was hij goed geproportioneerd en bovendien gespierd, met armen als een miniatuursmid. Hij had een volle grijze, keurig geknipte baard en pientere donkere ogen.

'Nee maar, daar hebben we Jill,' zei hij. 'Ik ben blij je weer eens te

27

zien. Waar is je va en wie is deze knul?'
'Va is in Eldidd. Die is tegenwoordig hoofdman van de krijgsbende van een tieryn.'
'Is het heus?' Otho glimlachte vergenoegd. 'Ik heb altijd gevonden dat hij een te goeie kerel was om de zilveren dolk te dragen. En jij? Ben jij ervandoor gegaan met deze mooie jongen?'
'Zeg 'es even!' grauwde Rhodry. 'Cullyn heeft haar toestemming gegeven om met me mee te gaan.'
Otho liet een ongelovig gesnuif horen.
'Het is waar,' kwam Jill tussenbeide. 'Va heeft hem zelfs als zilverdolk beëdigd.'
'Heus?' De smid keek nog steeds ongelovig, maar hij liet de kwestie rusten. 'En wat brengt jou hier, jongen? Kom je oorlogsbuit verkopen?'
'Nee. Ik kom voor mijn zilveren dolk.'
'Wat heb je gedaan, hem gekrast of zo? Ik snap niet dat iemand dat metaal kan beschadigen.'
'Hij wil de dweomer eraf laten halen,' zei Jill. 'Kun jij dat doen, Otho? De betovering van die dolk verbreken?'
De smid keek haar stomverbaasd aan.
'Ik weet drommels goed dat hij betoverd is,' vervolgde ze. 'Rhoddo, laat hem die dolk eens zien.'
Rhodry haalde de dolk met tegenzin uit zijn versleten schede. Het was een prachtige dolk, de kling glansde zilverig maar was harder dan staal, van een legering die maar een paar smeden wisten te vervaardigen. In die kling was het embleem van een aanvallende valk gegraveerd (Cullyns oude embleem, omdat de dolk vroeger van hem was geweest) maar in Rhodry's hand was het embleem bijna onzichtbaar in een gloed en een schittering van dweomerlicht dat als water van de kling droop.
'Elfenbloed in je aderen, hè?' snauwde Otho. 'En niet zo'n beetje ook.'
'Ja, wel iets,' gaf Rhodry onwillig toe. 'Ik kom uit het westen, zie je, en dat oude spreekwoord over elfenbloed in Eldiddse aderen is maar al te waar.'
Toen Otho de dolk pakte, verflauwde het licht tot een zachte glans. 'Ik laat je niet in mijn werkplaats,' verklaarde hij. 'Jullie zijn allemaal dieven. Dat kunnen jullie ook niet helpen, denk ik; dat komt zeker door jullie opvoeding.'
'Bij alle goden in het hiernamaals, ik ben geen dief! Ik ben geboren en getogen in Maelwaedd, en het is verdorie niet mijn schuld dat er ergens wild bloed in de kwartieren van mijn clan zit.'

'Hah! En toch laat ik je niet in mijn werkplaats.' Hij wendde zich af en sprak demonstratief alleen tegen Jill. 'Wat jij daar vraagt is niet makkelijk, meidje. Ik heb de echte dweomer niet. Ik kan alleen deze toverkunst doen, en ik begrijp niet eens wat ik doe. Het is gewoon iets dat we van vader op zoon doorgeven, degenen van ons die het kunnen, wel te verstaan.'

'Daar was ik al bang voor,' zei ze met een zucht. 'Maar we moeten er iets aan doen. Hij kan die dolk niet aan tafel gebruiken als die telkens wanneer hij hem trekt dweomer wordt.'

Otho dacht na, kauwend op zijn onderlip.

'Tja, als dit een gewone dolk was, zou ik je een nieuwe verkopen zonder de betovering, maar omdat hij van Cullyn is geweest, zal ik proberen de dweomer te verbreken. Misschien gaat de toverkracht eraf als ik de bewerking in omgekeerde volgorde uitvoer. Maar het gaat je veel geld kosten. Het is niet ongevaarlijk om je met dat soort dingen in te laten.'

Na een paar minuten van stevig loven en bieden overhandigde Jill hem vijf zilverstukken, ongeveer de helft van Otho's vraagprijs.

'Kom tegen zonsondergang maar terug,' zei de smid. 'Dan zullen we zien of het me gelukt is.'

Rhodry was die hele middag bezig om een werkgever te vinden. Zo vlak voor de winter werd er geen oorlog meer gevoerd, maar hij vond een koopman die een lading goederen naar Cerrmor moest brengen. Ondanks hun eerverlies waren zilverdolken erg in trek als begeleiders van handelskaravanen, omdat ze door de reputatie van het verbond waartoe ze behoorden eerlijker bleven dan de meeste anderen. Men kon niet zomaar zilverdolk worden. Een krijger die zo in de problemen zat dat hij de dolk wilde aannemen, moest eerst een andere zilverdolk vinden, een tijd met hem optrekken en zichzelf bewijzen, voor hij in kennis werd gebracht met een van de weinige smeden die het verbond dienden. Pas dan kon hij echt 'de lange weg opgaan', zoals de zilverdolken hun manier van leven noemden.

En als Otho de betovering kon verbreken, zou Rhodry zijn dolk niet langer in de schede hoeven te houden uit angst zijn eigenaardige bloedlijn te onthullen. Hij gunde Jill haast geen tijd om te eten en sleepte haar kort voor zonsondergang mee naar de winkel van de zilversmid. Otho's baard was een heel stuk korter en hij had helemaal geen wenkbrauwen meer.

'Ik had wijzer moeten zijn en zo'n vervloekte elf geen dienst bewijzen.'

'Otho, ik bied je mijn nederige verontschuldigingen aan.' Jill greep zijn hand en drukte die. 'En ik ben vreselijk blij dat je je niet erg hebt verbrand.'

'Ben jíj blij? Hah! Nou, kom hier, jongen.'

Toen Rhodry de dolk aannam, bleef het lemmet gewoon metaal, zonder enige gloed. Hij stak hem glimlachend in de schede.

'Dank je wel, beste smid, duizendmaal dank. Ik zou willen dat ik je beter kon belonen voor het gevaar dat je hebt gelopen.'

'Ik ook. Maar zo gaat het altijd met jullie soort: een hoop mooie woorden en geen poen.'

'Toe nou, Otho,' zei Jill. 'Zoveel elfenbloed heeft hij nou ook weer niet.'

'Hah! Dat is mijn enige commentaar, kleine Jill. Hah!'

De hele dag kwamen de Volkers op de alardan aan. Ze kwamen met hun troepen paarden en kudden schapen in groepjes naar een weiland zo ver van Eldidd, dat maar één mens het ooit had gezien. Nadat ze hun dieren hadden geweid zetten ze hun leren tenten op die in heldere kleuren waren beschilderd met afbeeldingen van dieren en bloemen. Kinderen en honden renden door het kamp; overal gloeiden kookvuren op; de geur van een feestmaal vervulde de lucht. Tegen zonsondergang stonden er meer dan honderd tenten. Toen het laatste vuur aangestoken was, begon een vrouw te zingen, de lange droevige geschiedenis van Donabel en zijn verdwenen geliefde, Adario. Een harpspeler viel in, toen een trommelaar en tenslotte kwam er iemand bij met een conaber, drie aan elkaar bevestigde rietfluiten die een zoemend geluid voortbrachten.

Devaberiel Silverhand, die in dit gedeelte van het elfenland als de beste bard werd beschouwd, dacht erover om zijn harp uit te pakken en mee te spelen, maar hij had te veel honger. Hij haalde een houten nap en een lepel uit zijn tent en liep het feestterrein over. Elke ruitergroep, of alar, om ze bij hun elfennaam te noemen, had een enorme hoeveelheid van één bepaald gerecht gemaakt. Iedereen liep rond en at hier en daar wat van datgene wat hun bijzonder lekker leek, terwijl de muziek, het gelach en het gepraat steeds doorgingen. Devaberiel was op zoek naar Manaverr, wiens alar traditiegetrouw een heel lam in een kuil roosterde.

Hij vond hen eindelijk aan de rand van het kamp. Een paar jonge mannen waren juist bezig het lam op te graven, terwijl anderen bladeren aandroegen om het op een schone ondergrond te kunnen leggen. Manaverr zelf kwam toegesneld om de bard te begroeten. Zijn haar was bijna witblond en zijn ogen met de katte-pupil waren dieppaars. Elk legde bij wijze van begroeting een hand op de rechterschouder van de ander.

'Het is een grote bijeenkomst,' zei Manaverr.

'Ze wisten allemaal dat jij een lam zou komen roosteren.'

Manaverr gooide lachend zijn hoofd achterover. Een kleine groene sylfide verscheen uit het niets en zette zich op zijn schouder. Toen hij zijn hand omhoog stak om haar te strelen, glimlachte ze twee rijen puntige tandjes bloot.

'Heb je Calonderiel al gezien?' vroeg Manaverr.

'De legerleider? Nee. Hoezo?'

'Hij vraagt elke bard hier naar een onduidelijk punt in de afstamming van iemand. Hij zal vroeg of laat ook nog wel bij jou komen.'

De sylfide trok opeens aan zijn haar en was verdwenen voor hij haar een tik kon geven. De alardan was vol wezens van het Natuurvolk, die opgewonden ronddartelden als kinderen. Watergeesten, aardmannetjes, sylfen, salamanders, de geesten van de elementen, die af en toe een tastbare gedaante aannamen, ook al lag hun thuis ergens anders in het veelgelaagde universum. Devaberiel wist niet precies waar; alleen dweomermensen wisten dat soort dingen.

Met een laatste krachtsinspanning tilden de mannen het lam, dat in een ruwe, geschroeide doek was gewikkeld, uit de kuil en lieten het op de bladeren ploffen. De geur van geroosterd vlees, scherp gekruid en klaargemaakt met fruit was zo uitnodigend, dat Devaberiel zonder het te weten dichterbij kwam, maar hij moest toch op zijn beurt wachten. Calonderiel, de legerleider, kwam aangelopen en riep hem. Hij leek sprekend op zijn neef Mandaverr.

'Wat is die geheimzinnige vraag?' vroeg de bard hem.

'Gewoon iets waar ik nieuwsgierig naar ben,' zei Calonderiel. 'Je weet toch dat ik met Aderyn mee ben gegaan toen hij achter Loddlaen aanzat, nietwaar?'

'Daar heb ik iets van gehoord, ja.'

'Goed dan. Ik heb toen een menselijke legeraanvoerder leren kennen, een zekere Rhodry Maelwaedd, een knul van twintig. Vreemd genoeg heeft hij een stevige druppel van ons bloed in zijn aderen. Ik vroeg me af of jij soms wist hoe dat in zijn clan was gekomen.'

'Een vrouw van de Volkers is met een Pertyc Maelwaedd getrouwd in... o, wanneer was dat... tja, zo'n tweehonderd jaar geleden.'

'Zo lang? Maar ik zag Rhodry een stuk dwergenzilver opnemen en dat schitterde als vuur in zijn handen.'

'O ja? Dat kan niet alleen door zo'n verre verwantschap komen. Hoe heette zijn vader?'

'Tingyr Maelwaedd, en zijn moeder is Lovyan van de Clw Coc.'

Devaberiel werd opeens stil. Wanneer was dat geweest? Hij kon zich haar gezicht nog voor de geest halen, een mooi meisje ondanks haar stompe oren en ronde ogen, en ze was erg verdrietig over iets geweest. Maar wanneer? In die uitzonderlijk droge zomer, was het niet? Ja, en dat was inderdaad eenentwintig jaar geleden.

'O, bij de Duistere Zon zelf!' barstte Devaberiel uit. 'Ik heb nooit geweten dat ik Lovva zwanger heb gemaakt!'

'Is dat geen goeie grap?' zei Calonderiel met een schaterlach. 'Ik heb in elk geval de juiste bard gevraagd mijn vraag te beantwoorden. Jij hebt een zwak voor rondorige vrouwen, beste vriend.'

'Zóveel zijn het er niet geweest.'

Toen Calonderiel weer begon te lachen, gooide Devaberiel hem een priem naar het hoofd.

'Sta daar niet te schateren als een kobold! Vertel me liever over die zoon van me. Alles wat je je kunt herinneren.'

Niet veel dagen later was Rhodry opnieuw het onderwerp van gesprek, deze keer in Bardek, ver over de Zuidelijke Zee. In een bovenkamer van een afgelegen villa, diep in het heuvelland van het grootste eiland, zaten twee mannen op een paarse divan en keken naar een derde die aan een tafel zat die bezaaid was met boeken en perkamentrollen. Hij was monsterlijk dik, uitgezakt en gerimpeld als een versleten leren bal, met alleen nog een paar slierten wit haar op de donkere huid van zijn schedel. Als hij opkeek zakten zijn oogleden half over zijn bruine ogen. Hij had zich zo lang en zo grondig in het beoefenen van de duistere dweomer verdiept, dat hij geen naam meer had. Hij was gewoon de Oude.

De andere twee mannen kwamen allebei uit Deverry. Alastyr, die eruitzag als vijftig maar in werkelijkheid bijna zeventig was, was klein en stevig, hij had een vierkant gezicht en grijs haar. Op het eerste gezicht leek hij een typisch Cerrmorse koopman, met zijn geruite brigga en zijn mooi geborduurd hemd. Hij deed ook inderdaad zijn best om die rol te spelen. De andere, Sarcyn, was nog maar net dertig. Hij zou, met zijn dik blond haar, zijn blauwe ogen en regelmatige trekken, een knappe man moeten zijn, maar iets in de manier waarop hij glimlachte, iets in de broeierige blik in zijn ogen maakte dat de meeste mensen een afkeer van hem hadden. Geen van beiden zei iets tot de Oude opkeek en zijn hoofd achterover hield, zodat hij hen kon zien.

'Ik heb alle belangrijke berekeningen nagegaan.' Zijn stem klonk als het langs elkaar wrijven van twee dode takken. 'Er is hier iets in het verborgene aan het werk dat ik niet begrijp, een geheim, een kracht van het noodlot misschien, dat onze plannen heeft doorkruist.'

'Zou het gewoon de Meester van de Ether kunnen zijn?' vroeg Alastyr. 'Loddlaens oorlog verliep prachtig, tot hij tussenbeide kwam.'

De Oude schudde ontkennend zijn hoofd en nam een vel perkament op.

'Dit is de horoscoop van Tingyr, Rhodry's vader. Mijn vak is zeer ingewikkeld, kleine Alastyr. Een enkele horoscoop onthult maar weinig geheimen.'

'Ach zo, dat wist ik niet.'

'Natuurlijk niet, want slechts weinigen kennen de sterren zoals ik ze ken. De meeste stommelingen denken dat wanneer een man sterft, zijn horoscoop niet bruikbaar meer is, maar astrologie is de kunst van het steeds weer een begin bestuderen. Alles waar iemand in zijn leven mee begint – een zoon bijvoorbeeld – wordt beïnvloed door zijn sterren, zelfs na zijn dood. Welnu, toen ik deze horoscoop op één lijn bracht met bepaalde passages van hemellichamen, leek het duidelijk dat Tingyr deze zomer door bedrog van iemand een zoon zou verliezen. Uit de horoscoop van de andere broer bleek dat hij niet in gevaar was, dus Rhodry moest kennelijk de zoon zijn die ten dode opgeschreven was.'

'Nou ja, het jaar is nog niet om. We kunnen makkelijk genoeg huurmoordenaars op hem afsturen.'

'Ja, dat is makkelijk en volkomen nutteloos. De voortekenen tonen duidelijk aan dat hij in de strijd zal sneuvelen. Ben je dan alles vergeten wat ik je verteld heb?'

'Mijn nederige verontschuldigingen.'

'Bovendien eindigt het Deverriaanse jaar op Samaen. We hebben niet eens een maand meer. Nee, het is zoals ik zeg. Er is hier iets in het verborgene aan het werk.' Hij liet zijn blik op de volgeladen tafel rusten. 'En toch leek ik alle informatie te hebben die ik nodig had. Dit kan een slecht voorteken zijn – voor ons allemaal. Nee, Alastyr, we sturen geen huurmoordenaars op hem af, geen overhaaste stappen voor ik dit raadsel heb ontrafeld.'

'Zoals u wilt, natuurlijk.'

'Natuurlijk.' De Oude nam een benen schrijfstift op en tikte verstrooid op een ander perkament. 'Deze vrouw, die Jill stelt me ook voor een raadsel. Een groot raadsel. De voortekenen spraken niet van een vrouw die kon vechten als een man. Ik moet meer gegevens over haar hebben, haar geboortedatum indien mogelijk, zodat ik haar sterren kan berekenen.'

'Ik zal mijn uiterste best doen om dit voor u te weten te komen als ik terugga.'

Met een goedkeurende hoofdknik die zijn kinnen deed trillen, ging de Oude verzitten.

'Laat je leerling mijn eten halen.'

Alastyr maakte een gebaar tegen Sarcyn, die gehoorzaam opstond en de kamer verliet. De Oude keek een ogenblik peinzend naar de gesloten deur.

'Die haat jou,' zei hij tenslotte.

'O ja? Daar was ik me niet van bewust.'

'Hij zal ongetwijfeld zijn uiterste best doen om het te verbergen. Het is natuurlijk wel goed dat een leerling zich tegen zijn meester afzet. Een echte man leert immers het best als hij voor zijn kennis moet vechten. Maar haat? Dat is erg gevaarlijk.'

Alastyr vroeg zich af of de Oude een voorteken had gezien dat erop wees dat Sarcyn een bedreiging vormde. De meester zou hem dat nooit vertellen, tenzij hij er dik voor betaalde. De Oude was de grootste levende deskundige op een bepaald gebied van de duistere dweomer, dat van het loswrikken van voortekenen van gebeurtenissen aan een universum dat die niet wilde onthullen. Zijn persoonlijke verdraaiing van de astrologie was maar een onderdeel van die kunst, waartoe ook meditatie en een gevaarlijk soort astraal scryen behoorden. Aangezien hij op zijn manier zowel strikt eerlijk als waardevol was, dwong hij een respect en trouw af die zeer zeldzaam waren onder duistere dweomermeesters en was hij, in beperkte zin, de beste leider die hun 'broederschap' ooit kon hebben. Omdat zijn leeftijd en omvang hem aan zijn villa kluisterden, had Alastyr een overeenkomst met hem gesloten. In ruil voor hulp van de meester bij zijn eigen plannen, deed hij voor de Oude het gedeelte van diens werk waarvoor gereisd moest worden.

Sarcyn kwam na een paar minuten terug met een kom op een dienblad dat hij voor de Oude neerzette voor hij weer naast Alastyr ging zitten. De kom bevatte rauw vlees van een pas geslacht dier, vermengd met nog warm bloed, een noodzakelijk voedsel voor bejaarde meesters van de duistere kunsten.

De Oude schepte er een vingervol uit en likte het op.

'En nu wat jouw eigen werk betreft,' zei hij. 'De tijd is bijna rijp om te verkrijgen wat je zoekt, maar je moet erg voorzichtig zijn. Ik weet dat je vele voorzorgen hebt genomen, maar bedenk eens hoe nauwgezet we te werk zijn gegaan om Rhodry uit de weg te ruimen. En je weet maar al te goed hoe dat is afgelopen.'

'Ik verzeker u dat ik voortdurend op mijn hoede zal zijn.'

'Mooi zo. De komende zomer ligt een bepaalde groepering van de planeten ongunstig in de horoscoop van de Eerste Koning van Deverry. Die groepering wordt op haar beurt beïnvloed door subtiele factoren die jouw begrip te boven gaan. Al die voortekenen bij elkaar wijzen erop dat de koning een machtige beschermgeest kan verliezen als iemand daarop aanstuurt.'

'Prachtig! Het juweel dat ik zoek is zo'n beschermgeest.'

De Oude zweeg even om zijn vinger in de kom te dopen en af te likken.

'Dit is allemaal hoogst interessant, kleine Alastyr. Tot nu toe ben jij jouw deel van de overeenkomst nagekomen, misschien nog wel beter dan je beseft. Zoveel vreemde dingen.' Zijn stem klonk bijna dromerig. 'Heel, heel interessant. We zullen zien of er, als je weer naar Deverry gaat, nog meer vreemde dingen op je pad komen. Begrijp je wat ik bedoel? Je moet onafgebroken op je hoede zijn.'

Alastyr voelde een ijzige greep in zijn binnenste. Hij werd gewaarschuwd, zij het uiterst omzichtig, dat de Oude niet langer op zijn eigen voorspellingen kon vertrouwen.

Devaberiel Silverhand zat op zijn knieën in zijn rode leren tent en doorzocht methodisch een met ranken en rozen geborduurde wandzak. Omdat het een vrij grote zak was, duurde het een tijd voor hij vond wat hij zocht. Hij rommelde geërgerd in oude trofeeën van zangwedstrijden, het broddelige eerste borduurwerkje van zijn dochter, twee niet bij elkaar passende zilveren gespen, een fles Bardeks reukwater en een houten paardje, ooit gekregen van een geliefde wier naam hij was vergeten. Helemaal onderin vond hij het leren zakje, zo oud dat het begon te barsten.

Hij maakte het open en schudde de ring in zijn hand. Ofschoon die was gemaakt van dwergenzilver, en dus nog even mooi glansde als op de dag toen hij hem had opgeborgen, lag er geen dweomer op, althans geen dweomer die een wijze of een dweomerman had kunnen ontrafelen. Het was een zilveren band, ongeveer anderhalve centimeter breed, aan de buitenkant gegraveerd met rozen en aan de binnenkant met een paar woorden in elfenkarakters, maar in een onbekende taal. In de tweehonderd jaar dat hij de ring bezat, had hij nooit een wijze kunnen vinden die kon lezen wat erin stond.

De manier waarop hij eraan gekomen was, was al even wonderlijk. Hij was toen nog een jonge man geweest, net klaar met zijn bardenopleiding, en hij reed mee met de alar van een vrouw op wie hij verliefd was. Op een middag kwam er een ruiter op een mooie goudkleurige hengst aanrijden. Toen Devaberiel en een paar andere mannen naar hem toe gingen om hem te begroeten, keken ze vreemd op. Ofschoon hij van een afstand gewoon een man van de Volkers leek, met het donkere haar en de gitzwarte ogen van iemand uit de verre westhoek, was het van dichtbij moeilijk te zeggen hoe hij er precies uitzag. Het leek net of zijn trekken voortdurend, zij het nauwelijks merkbaar, veranderden, of zijn mond nu eens breder was en dan weer smaller, of hij nu eens kleiner werd en dan weer langer. Hij steeg af en nam het ontvangstcomité op.

'Ik wil Devaberiel de bard spreken,' verklaarde hij.

'Hier ben ik.'

'Mooi zo. Ik heb een geschenk voor een van je zonen, jonge bard, voor de zonen die je nog zult krijgen. Telkens wanneer er een geboren is moet je iemand raadplegen die de dweomer kent. Die zal je kunnen vertellen welke zoon het geschenk krijgt.'

Toen hij Devaberiel het zakje met de ring overhandigde, leken zijn ogen eerder blauw dan zwart.

'Dank u, goede heer, maar wie bent u?'

De vreemdeling glimlachte alleen maar, toen steeg hij weer op en reed zonder iets te zeggen weg.

In de tussenliggende jaren was Devaberiel niets meer over de ring en zijn mysterieuze gever aan de weet gekomen, noch van een wijze noch van een dweomermeester. Na de geboorte van elk van zijn twee zoons had hij gehoorzaam een dweomerman geraadpleegd, maar beide keren hadden de voortekens hem verboden de ring door te geven. Nu had hij echter een derde zoon gekregen. Met de ring in zijn hand liep hij naar de deur van zijn tent en keek naar buiten. Er viel een koude, grauwe motregen en er stond een gure wind. Het zou een onaangename reis worden, maar hij was vastbesloten de dweomerman te vinden die zich het meest met de ring verwant zou voelen. Zijn nieuwsgierigheid zou hem geen rust laten voor hij wist of hij toebehoorde aan de jonge Rhodry ap Devaberiel, die nog steeds dacht dat hij een Maelwaedd was.

Voortgejaagd door een bitter koude wind striemde de regen hard op de grauwe straten van Cerrmor. Jill en Rhodry konden weinig anders doen dan zich schuilhouden in hun herberg bij de noorderpoort. Omdat ze genoeg geld hadden om de hele winter van onderdak en eten verzekerd te zijn, voelde Jill zich zo rijk en gelukkig als een edelvrouw, maar Rhodry verzonk in de sombere stemming die alleen omschreven kan worden met het onvertaalbare woord hiraedd, een schrijnend verlangen naar iets onbereikbaars. Hij kon uren in de gelagkamer in een kroes bier zitten staren en tobben over zijn eerverlies. Wat Jill ook zei of deed, niets kon hem uit die stemming halen. Uiteindelijk liet ze hem dan maar met rust, ook al deed het haar verdriet.

Gelukkig kon ze hem 's nachts, als ze alleen in hun kamer waren, met kussen en liefkozingen opmonteren. Na het vrijen was hij wel weer een poosje gelukkig en praatte met haar, terwijl ze in elkaars armen lagen. Als hij in slaap was gevallen, bleef zij nog een tijdje wakker en nam hem aandachtig op, alsof hij een raadsel was waar ze een oplossing voor moest vinden. Rhodry was een lange man, zwaar gespierd, maar recht van lijf en leden, met lange, gevoelige handen die op zijn elfenbloed duidden. Hij had het ravezwarte haar en de diepblauwe ogen die zo kenmerkend waren voor Eldiddse mannen, maar zijn knappe uiterlijk was uitzonderlijk. Zijn trekken waren zo regelmatig, dat ze meisjesachtig zouden zijn geweest als hij niet diverse kleine littekens en schrammen in zijn gezicht had gehad. Sinds ze een paar mannen van de Elcyion Lacar had leren kennen, wist Jill dat die net zo knap waren. Ze vroeg zich vaak af hoe dat vleugje elfenbloed in zijn clan kwam dat, zo had Nevyn haar uitgelegd, toevallig in hem aan de dag trad, als een soort terugslag. Logisch gezien leek dat erg onwaarschijnlijk.

Op zekere nacht bracht haar eindeloos gepieker haar het antwoord op de vraag. Af en toe had Jill voorspellende dromen, die eigenlijk dweomervisioenen waren die buiten haar wil om verschenen. Ze kwamen gewoonlijk, evenals deze, wanneer ze een tijdlang over een probleem had nagedacht. Op een nacht, toen de regen tegen de luiken sloeg en de wind om de herberg gierde, viel ze in Rhodry's armen in slaap en droomde van de Elcyion Lacar. Het leek net of ze boven de westelijke weilanden vloog op een dag dat de zon af en toe door de wolken brak om meteen weer te verdwijnen. Ver beneden haar, in een groene zee van gras, stond een groep elfententen, fleurig als veelkleurige juwelen.

Opeens stond ze tussen die tenten op de grond. Een lange, in een rode mantel gehulde man liep langs haar heen en ging een paars met blauwe tent binnen. In een opwelling ging ze hem achterna. De tent was weelderig ingericht met stoffen gordijnen en geborduurde wandzakken, en Bardekse tapijten als vloerbedekking. Op een stapel leren kussens zat een elfenvrouw. Haar lichtblonde haar hing in twee lange vlechten achter haar oren, die lang en fijn gepunt waren als schelpen. Haar bezoeker drukte zijn handpalmen tegen elkaar en boog voor haar, toen ontdeed hij zich van zijn mantel en ging tegenover haar op een tapijt zitten. Zijn haar was zo licht als manestralen en zijn diepblauwe ogen hadden, zoals alle elfenogen, verticale pupillen als van een kat. Jill vond hem op zijn eigenaardige manier, net zo knap als haar Rhodry en hij kwam haar ook merkwaardig bekend voor.

'Ja, Devaberiel,' zei de vrouw, en ofschoon ze elfentaal sprak, kon Jill haar verstaan. 'Ik heb mijn stenen bestudeerd en ik heb een antwoord voor je.'

'Dank je wel, Valandario.' Hij boog zich wat voorover.

Pas toen zag Jill dat er een doek tussen hen in lag, waarop geometrische patronen geborduurd waren. Op diverse punten van het netwerk van driehoeken en vierkanten lagen bolvormige edelstenen: robijnen, gele berillen, saffieren, smaragden en amethisten. In het midden van de doek lag een eenvoudige zilveren ring. Valandario begon de stenen langs diverse lijnen te schuiven tot er tenslotte van iedere kleur een in het midden lag en ze een vijfhoek om de ring vormden.

'De lotsbestemming van je zoon is omsloten door deze ring,' zei ze. 'Maar ik weet niet wat die lotsbestemming zal zijn, alleen dat hij ergens in het noorden ligt en vrij vaag is. Dat alles zal te zijner tijd ongetwijfeld worden onthuld.'

'Zoals de goden willen. Ik dank je hier ten zeerste voor. Ik zal zorgen dat Rhodry de ring krijgt. Misschien dat ik zelf naar Dun Gwerbyn rijd om die zoon van me eens te zien.'

'Het zou niet verstandig zijn hem de waarheid te vertellen.'

'Natuurlijk niet. Ik wil me ook niet met de politieke opvolging in Eldidd bemoeien. Ik wil hem gewoon eens zien. Je kijkt tenslotte wel even vreemd op als je hoort dat je een volwassen zoon hebt van wiens bestaan je niets afwist. Maar ja, Lovyan kon me moeilijk bericht sturen, natuurlijk, omdat ze toen nog getrouwd was met die machtige krijgsheer.'

'Dat ben ik met je eens.' Valandario keek plotseling op, recht in Jills gezicht. 'Zeg eens even! Wie ben jij, dat je me in de geest komt bespioneren?'

Toen Jill probeerde te antwoorden, merkte ze dat ze niet kon spreken. Valandario stak geërgerd een hand omhoog en maakte een teken in de lucht. Op hetzelfde moment merkte Jill dat ze wakker was en rechtop in bed zat, terwijl Rhodry naast haar lag te snurken. Het was koud in de kamer, dus ging ze liggen en kroop haastig onder de dekens. Dat was een ware droom, dacht ze, o bij de Godin van de Maan, mijn geliefde is een halve elf!

Ze lag nog lang over de droom na te denken. Devaberiel kwam haar natuurlijk bekend voor omdat hij Rhodry's vader was. Ze was oprecht geschokt door de ontdekking dat vrouwe Lovyan, die ze zo bewonderde, haar man hoorntjes had opgezet, maar ja, Devaberiel was een bijzonder knappe man. Heel even overwoog ze Rhodry de droom te vertellen, maar Valandario's waarschuwing weerhield haar. Bovendien zou de wetenschap dat hij geen echte Maelwaedd was, maar een bastaard, Rhodry's hiraedd alleen maar erger maken. Ze wist zich nu al nauwelijks raad met zijn buien.

En dan was daar de zilveren ring. Nog een bewijs van wat Nevyn haar had verteld: dat Rhodry's Wyrd diep en verborgen was. Ze besloot dat ze de oude man, als ze hem ooit nog eens zou zien, van de voortekenen zou vertellen. Terwijl ze weer indoezelde vroeg ze zich af of haar pad het zijne nog wel eens zou kruisen. Ondanks het feit dat zijn dweomer haar angst aanjoeg, was ze erg op Nevyn gesteld, maar het koninkrijk was erg groot, en wie wist waar de oude man heen zou trekken.

Toen ze de volgende morgen met Rhodry in de gelagkamer zat, drong de betekenis van de droom pas goed tot haar door. Weer was de dweomer haar geest binnengedrongen en had haar onverhoeds overmeesterd. Een ogenblik kromp ze ineen, zoals de haas, wanneer hij de honden hoort blaffen, in het kreupelhout verstart.

'Is er iets, mijn lief?' vroeg Rhodry.

'Nee, nee. Ik dacht even aan... o, Loddlaens oorlog vorige zomer.'

'Ja dat was heel vreemd.' Hij liet zijn stem dalen tot een gefluister. 'Al die vervloekte dweomer! Ik hoop bij alle goden dat de dweomer ons verder bespaard zal blijven.'

Hoewel ze instemmend knikte, wist Jill dat hij het onmogelijke hoopte. Terwijl hij praatte, verscheen haar kleine grijze dwerg op de tafel en ging naast Rhodry's bierkroes zitten. Jill had haar hele leven het Natuurvolk kunnen zien, en dit broodmagere ventje met zijn grote neus was een goede vriend van haar. Ach, mijn arme Rhoddo, dacht ze, de dweomer is overal om je heen! Ze was zowel kwaad als angstig, ze zou willen dat haar bijzondere gave haar zou verlaten en vreesde dat dat nooit zou gebeuren.

Toch had Nevyn haar vorige zomer eens verteld dat haar gave, als ze die niet gebruikte, zou wegkwijnen en uiteindelijk verdwijnen. Hoewel ze hoopte dat de oude man gelijk had – en hij wist tenslotte veel meer over die dingen dan zij – betwijfelde ze het, vooral als ze bedacht dat hoe de dweomer haar die zomer in Rhodry's oorlog en Rhodry's leven had gesleurd. Ze was een totaal onbekend persoontje geweest, de onechte dochter van een zilverdolk, tot haar vader de schijnbaar heel gewone opdracht had aangenomen om een handelskaravaan naar de westelijke grens van Eldidd te begeleiden. Maar vanaf het moment dat de koopman Cullyn die baan had aangeboden, had ze geweten dat er iets ongewoons zou gebeuren, had ze met een onverklaarbare zekerheid voorvoeld dat haar leven op een kruispunt was gekomen. En ze had gelijk gehad! De karavaan was eerst naar het westen gegaan, naar het land van de Elcyion Lacar, de elfen, een volk dat zogenaamd alleen in sprookjes en mythen bestond. Daarna waren ze, met een paar elfen in hun gezelschap, naar Eldidd teruggekeerd en middenin een dweomeroorlog terechtgekomen.

Zo had zij net op tijd Rhodry's leven kunnen redden door een man te doden die, volgens de dweomer, onoverwinnelijk was – heer Corbyn zal nooit door de hand van een màn sterven, had een profetie geluid. Zoals alle dweomer-raadsels had ook deze twee scherpe kanten, en de hand van een meisje had hem wel gedood. Terwijl ze erover nadacht leek het allemaal te uitgekiend, te keurig geregeld, alsof de goden iemands Wyrd vormden zoals een Bardekse ambachtsman een puzzeldoos maakt met allemaal precies in elkaar passende stukjes die uiteindelijk geen enkele betekenis blijken te hebben. Ze dacht ook weer aan de elfen, die geen mensen in de ware zin van het woord waren, en aan Rhodry zelf, die maar voor de helft een mens was. En toen zag ze in dat Rhodry zelf ook zijn vijand had kunnen verslaan, als hij maar had geloofd dat hij het kon, en dat haar komst, al kwam die zeer gelegen, evenmin voorbeschikt hoefde te zijn als een sneeuwstorm in de winter aan een daad van dweomer toegeschreven kon worden.

Toch had dweomer hen samengebracht; daar was ze zeker van, zo niet om zijn leven te redden, dan toch om een of andere duistere reden. Ofschoon ze huiverde bij de gedachte, merkte ze ook dat ze zich afvroeg waarom de dweomer haar zoveel angst aanjoeg, waarom ze er zo zeker van was dat het volgen van de dweomer tot haar dood zou leiden. Opeens begreep ze het; ze was bang dat, als ze zich ooit met dweomer zou inlaten, dat niet alleen haar dood tot gevolg zou hebben, maar ook die van Rhodry. En ook al hield ze zichzelf voor dat het een onzinnige gedachte was, toch duurde het lang voor ze die irrationele angst van zich af kon zetten.

# DEVERRY, 773

Alle mensen hebben de twee glimlachende gezichten van de Godin gezien, Zij die goede oogsten schenkt en Zij die liefde in de harten der mensen brengt. Sommigen hebben Haar streng gezicht gezien, de Moeder die soms haar dwalende kinderen moet kastijden. Maar hoevelen hebben het vierde gezicht van de Godin gezien, dat zelfs voor de meeste vrouwen op aarde verborgen blijft?

*De Verhandelingen van de Priesteres Camylla*

# I

De ruiter was stervende. Hij gleed van zijn paard op de keien, deed een wankele stap en viel op zijn knieën. Gweniver wierp zich naar voren en greep hem bij de schouders voor hij op zijn gezicht viel. Warm bloed sijpelde door zijn hemd op haar handen toen Claedd haar met omfloerste blik aankeek.

'Verloren, vrouwe. Uw broer is dood.'

Bloed welde in zijn mond en spatte uiteen in het gerochel van de dood. Toen ze hem neerlegde gooide zijn kreupel gereden paard het hoofd één keer achterover en bleef toen trillend staan, druipend van het zweet. Ze kwam overeind op het moment dat er een staljongen kwam aanrennen.

'Doe wat je kunt voor dat paard,' zei ze. 'En zeg dan tegen de bedienden dat ze hun bullen moeten pakken en ervandoor gaan. Jullie moeten hier weg, anders overleef je de nacht niet.'

Haar handen aan haar jurk afvegend rende Gweniver over het binnenplein naar de hoge broch van de Wolf-clan, die die nacht zou afbranden zonder dat ze er iets tegen kon doen. In de grote zaal zaten haar moeder, Dolyan, haar jongere zusje, Macla en hun bejaarde dienstbode, Mab, ineengedoken bij de haard.

'De mannen van de Boar moeten de krijgsbende onderweg hebben overvallen,' zei Gweniver. 'Avoic is dood, en de strijd is afgelopen.'

Dolyan gooide haar hoofd achterover en jammerde een weeklacht voor haar man en drie zoons. Macla barstte in snikken uit en klemde zich aan Mab vast.

'O, houden jullie je mond toch!' snauwde Gweniver. 'De krijgsbende van de Boar is ongetwijfeld al op weg hierheen om ons gevangen te nemen. Willen jullie als oorlogsbuit eindigen?'

'Gwen!' jammerde Macla. 'Hoe kun je zo ijskoud zijn?'

'Beter ijskoud dan verkracht. En schieten jullie nu op. Pak alles in wat je op één paard kunt meenemen. We rijden naar de Tempel van de Maan. Als we die levend bereiken zullen de priesteressen ons een toevlucht bieden. Hoor je me, ma, of wil je Maccy en mij door de hele krijgsbende zien verkrachten?'

Haar moedwillige grofheid bracht Dolyan tot zwijgen.

'Mooi zo,' zei Gweniver. 'En nu opschieten jullie.'

Ze volgde de anderen die hijgend de trap beklommen, maar in plaats van naar haar eigen kamer ging ze naar die van haar broer. Uit de gebeeldhouwde kist naast zijn bed nam ze een oude brigga en een hemd van hem. Terwijl ze die kleren aantrok moest ze even huilen – ze had veel van de pas veertienjarige Avoic gehouden – maar ze had geen tijd om te treuren. Ze gordde zijn op een na beste zwaard om en een oude dolk. Ze was beslist geen geoefende krijger, maar haar broers hadden haar wel geleerd met een zwaard om te gaan, gewoon omdat men in die dagen nooit wist wanneer een vrouw het zou moeten hanteren om zichzelf te verdedigen. Tenslotte maakte ze haar lange blonde haar los en sneed het met de dolk kort af. Bij nacht zou ze in zoverre op een man lijken dat een eenzame struikrover zich wel eens zou bedenken voor hij haar en haar reisgenoten zou aanvallen. Omdat ze bijna vijftig kilometer moesten rijden om een veilige plaats te bereiken, dwong Gweniver de andere vrouwen met bedreigingen tot hard doorrijden, steeds in draf en soms even in galop. Af en toe draaide ze zich in haar zadel om en tuurde de weg af naar een stofwolk die zou betekenen dat de dood hen op de hielen zat. Kort na zonsondergang kwam de volle maan op en verlichtte hun pad met haar heilige schijn. Tegen die tijd zat haar moeder van uitputting te wankelen in het zadel. Gweniver zag een elzenbosje aan de kant van de weg en leidde de anderen erheen voor een korte rustpauze. Dolyan en Mab moesten uit het zadel worden geholpen.

Gweniver liep naar de weg terug om de wacht te houden. Ver weg aan de horizon, in de richting van waaruit ze gekomen waren, verscheen een goudkleurig schijnsel als het opkomen van een kleine maan. Dat was waarschijnlijk de dun die in brand stond. Ze trok haar zwaard en omklemde het gevest terwijl ze gedachteloos naar de gloed staarde. Opeens hoorde ze hoefgetrappel en zag een ruiter de weg afkomen. Achter haar in het bos hinnikten de paarden een begroeting, als onbewuste verraders.

'Opstijgen!' gilde ze. 'Maak je klaar om weg te rijden.'

De ruiter hield stil, steeg af en trok zijn zwaard. Toen hij op haar af kwam, zag ze zijn bronzen mantelspeld schitteren in het maanlicht: een Boarsman.

'Zo, wie mag jij wel zijn, jongen?' vroeg hij.

Gweniver hurkte neer in vechthouding.

'Een page van de Wolf, naar je zwijgen te oordelen. En wat bewaak jij zo trouw? Ik vind het akelig om een jochie als jou te moeten doden, maar orders zijn orders, dus kom op, lever de dames maar aan me uit.'

In opperste radeloosheid deed Gweniver een uitval en sloeg toe. De ruiter, die dat niet had verwacht, gleed uit en zwaaide wild met zijn zwaard. Ze viel opnieuw aan, bracht hem eerst een harde houw aan de rechterkant van zijn hals toe en toen aan de linkerkant, zoals haar oudere broer Benoic haar had geleerd. De Boarsman zakte met een kreet van ongeloof door zijn knieën en stierf aan haar voeten. Gweniver moest bijna overgeven. In het maanlicht was de kling van haar zwaard donker en nat van het bloed, niet glanzend schoon, zoals bij de oefengevechten. Haar moeders gil van afgrijzen bracht haar weer bij haar positieven. Ze rende naar het paard van de Boarsman, dat er juist vandoor wilde gaan, greep het bij de teugel en leidde het naar het bosje terug.

'Dat het ooit zover moest komen!' snikte Mab. 'Dat een meisje dat ik heb grootgebracht iemand langs de weg moet afslachten! O heilige goden, wanneer zullen jullie ooit erbarmen hebben met dit koninkrijk?'

'Wanneer het hun uitkomt en geen minuut eerder,' zei Gweniver. 'En nu opstijgen! We moeten maken dat we hier wegkomen.'

Diep in de nacht bereikten ze de Tempel van de Maan, die bovenop een heuvel stond met een stevige stenen muur om zijn gebied. Gwenivers vader had, met enkele vrienden en vazallen, het geld geschonken om die muur te bouwen, vrijgevigheid met een vooruitziende blik, die nu zijn vrouw en dochters het leven redde. Mocht de een of andere brooddronken krijger ooit zo gek zijn om het geis te doorbreken en de toorn van de Godin te riskeren door toegang te eisen, dan zou de muur hem buiten houden tot hij weer tot bezinning kwam. Bij de poort gekomen riep en gilde Gweniver net zo lang tot een angstige stem terugriep dat haar eigenares onderweg was. Een in een sjaal gehulde priesteres deed de poort op een kier open, maar opende hem verder toen ze Dolyan zag.

45

'O vrouwe, heeft het ongeluk uw clan getroffen?'

'Ja. Wilt u ons onderdak verschaffen?'

'Met genoegen, maar ik weet niet hoe het moet met die jongen die u bij u hebt.'

'Dat is Gwen maar in de kleren van haar broer,' kwam Gweniver tussenbeide. 'Het leek me het beste om net te doen of we een man bij ons hadden.'

'Dan is het goed,' zei de priesteres met een nerveus lachje. 'Komen jullie dan maar gauw binnen.'

Het enorme, in maanlicht en schaduwen gehulde tempelcomplex stond vol gebouwen, sommige van steen, andere haastig samengeflanst uit hout. Priesteressen met mantels over hun nachtgoed verdrongen zich om de vluchtelingen en hielpen de oudere vrouwen onder het fluisteren van geruststellende woorden uit het zadel. Sommigen brachten de paarden naar de stallen; anderen brachten Gweniver en haar gezelschap naar het lange houten gastenhuis. Wat vroeger een stijlvolle behuizing voor bezoekende edelvrouwen was geweest, stond nu stampvol bedden en kisten omdat er vrouwen van allerlei rang en stand onderdak hadden gevonden. De bloedvete die de Wolf-clan had teruggebracht tot drie vrouwen, was slechts één draadje in een afschuwelijk tapijt van burgeroorlog.

Bij het licht van een kaarslantaarn vonden de priesteressen in een hoek een paar lege bedden voor de nieuwkomers. Gweniver ging temidden van het gefluister en de drukte op het dichtstbijzijnde bed liggen en viel met laarzen, zwaardgordel en al in slaap.

Ze werd wakker in een stille, lege slaapzaal die baadde in het licht uit de smalle ramen vlak bij het dak. Ze had deze tempel zo vaak bezocht dat ze even in verwarring was: was ze hier om voor haar roeping te bidden of om haar clan te vertegenwoordigen bij de oogstritus? Toen kwam de herinnering terug, scherp als een messteek.

'Avoic,' fluisterde ze. 'O, Avoic.'

Toch kwamen er geen tranen, en ze merkte dat ze honger had. Ze rekte haar pijnlijke lichaam uit, stond op en ging door een deur aan het eind van de slaapzaal naar de eetzal, een smalle ruimte, stampvol tafels voor wanhopige gasten. Een jonge priesteres in een wit kleed met een groene tunica gaf een harde gil.

'Neem me niet kwalijk, Gwen,' zei ze toen lachend. 'Ik dacht even dat je een jongen was. Ga zitten, dan haal ik pap voor je.'

Gweniver deed de zwaardgordel af en legde hem op de tafel naast haar terwijl ze ging zitten. Ze volgde met één vinger de lijnen van Avoics op één na beste schede. Die was van gebrand zilver en ingelegd met spiralen en dooreengevlochten wolven. Volgens de wet was zij nu het hoofd van de Wolf-clan, maar ze betwijfelde of ze haar positie ooit kon opeisen. Om in de vrouwelijke lijn te kunnen erven zou ze meer hindernissen uit de weg moeten ruimen dan tieryn Burcan van de Boar.

Even later kwam Ardda, de hogepriesteres van de tempel, binnen en ging naast haar zitten. Hoewel ze bijna zestig was, grijs haar had en een web van rimpeltjes rond haar ogen, waren Ardda's houding en tred zo lenig als die van een jong meisje.

'Wel, Gwen,' zei ze, 'je hebt me al jaren verteld dat je priesteres wilde worden. Is dat ogenblik nu aangebroken of niet?'

'Ik weet het niet, vrouwe. U weet dat ik altijd twijfel omtrent mijn roeping heb gehad... maar ja, nu zal ik misschien niet veel keus meer hebben.'

'Vergeet niet dat je het grondbezit van de Wolf-clan als bruidsschat hebt. Als dat bekend wordt, wil ik wedden dat menige man onder je vaders bondgenoten je hier graag zal komen weghalen.'

'Maar lieve goden, ik heb nooit willen trouwen!'

Ardda slaakte een lichte zucht en beroerde onbewust haar rechterwang, die de blauwe tatoeage van de wassende maan droeg. Elke man die een vrouw met dat merkteken uit begeerte aanraakte, werd ter dood gebracht. Niet alleen edelen, maar elke vrijgeboren man zou de schender doden, want als de Godin vergramd zou raken, zouden de oogsten mislukken en zou geen enkele man nog ooit een zoon verwekken.

'Je zou moeten trouwen om het bezit van de Wolf te kunnen behouden,' merkte Ardda op.

'Het is niet zo dat ik de bezittingen niet wil behouden. Ik wil mijn clan laten voortbestaan, en mijn zusje is er ook nog. Als ik me aan de Godin trouw zou wijden, zou het erfrecht op Maccy overgaan. Zij heeft altijd veel aanbidders gehad, ook toen ze nog maar een kleine bruidsschat kon verwachten.'

'Maar zou zij over de clan kunnen heersen?'

'Natuurlijk niet, maar als ik de juist man voor haar uitzoek – o, luister alstublieft. Hoe kan ik ooit bij de koning komen om mijn smeekschrift in te dienen? Ik wil wedden dat de Boar nu al naar hier onderweg is om te zorgen dat we hier voorgoed opgesloten blijven.'

Haar voorspelling kwam nog geen uur later uit. Gweniver liep rusteloos rond over het terrein toen ze het geluid van paarden en mannen hun richting uit hoorde komen. Ze rende naar de poort toe, tegelijk met enkele priesteressen die de poortwachteres toeriepen dat ze de poort moest sluiten. Gweniver hielp juist de ijzeren staaf in de houders te dreunen toen de ruiters met hoefgetrappel en metaalgekletter arriveerden. Ardda stond al op de richel boven de poort. Gweniver klom bevend van woede omhoog en voegde zich bij haar.

Beneden, op een eerbiedige afstand van vijftien meter, verdrong zich de zeventig man sterke krijgsbende van de Boar. Burcan zelf stuurde zijn paard uit het gedrang en reed brutaal tot vlak voor de poort. Hij was een man van achter in de dertig, met een brede streep grijs in zijn ravezwarte haar en zware snor. Gweniver, die tegen de borstwering leunde, haatte hem, die man die haar clan had vermoord.

'Wat wilt u?' riep Ardda. 'Wie de Heilige Maan met krijgszuchtige bedoelingen nadert, beledigt de Godin.'

'Neem me niet kwalijk, heilige vrouwe,' riep hij met zijn zware, schorre stem terug. 'Ik heb alleen heel hard gereden. Ik zie dat vrouwe Gweniver bij u in veiligheid is.'

'En ze zal in veiligheid blijven, tenzij u wilt dat de vloek van de Godin uw landerijen onvruchtbaar maakt.'

'Ziet u mij nu werkelijk aan voor iemand die de tempel zou ontheiligen? Nee, ik kom de vrouwe een vredesaanbod doen.' Hij draaide zich in het zadel om en keek Gweniver aan. 'Menige bloedvete is met een huwelijk geëindigd, vrouwe. Neem mijn tweede zoon tot echtgenoot en bestuur het land van de Wolf in naam van de Boar.'

'Ik zou me door familie van jou nooit met één smerige vinger laten aanraken, smeerlap!' riep Gweniver zo hard ze kon. 'En dacht je nu heus dat ik me zou scharen achter die valse koning die jij dient?'

Burcans brede gezicht liep rood aan van woede.

'Dan zweer ik je dit,' grauwde hij. 'Als mijn zoon je niet krijgt, zal geen enkele man je krijgen, en dat geldt ook voor je zuster. En ik zal evengoed jullie land opeisen bij recht van de bloedvete als het moet.'

'U vergeet uzelf, heer!' snauwde Ardda. 'Ik verbied u nog een minuut langer op tempelgrond te blijven. Haal uw mannen weg en uit geen bedreigingen meer tegen iemand die de Godin vereert!'

Burcan aarzelde, toen haalde hij zijn schouders op en wendde zijn paard. Onder het schreeuwen van bevelen verzamelde hij zijn mannen en ging terug naar de openbare weg aan de voet van de heuvel. Gweniver balde haar vuisten zo stijf dat ze pijn deden, want de krijgsbende verspreidde zich op de weide aan de overkant van de weg, die technisch gesproken buiten het grondgebied van de tempel lag, maar hun een perfecte positie verschafte om die te bewaken.

'Ze kunnen daar niet eeuwig blijven,' zei Ardda. 'Ze zullen eerstdaags naar Dun Deverry moeten om hun verplichtingen jegens hun koning na te komen.'

'Dat is waar, maar ik wil wedden dat ze daar zo lang blijven als ze kunnen.'

Ardda leunde tegen de borstwering en zuchtte. Ze zag er opeens heel oud en heel moe uit.

De burgeroorlog was op deze wijze uitgebroken. Vierentwintig jaar tevoren was de Eerste Koning zonder mannelijke erfgenaam gestorven, en zijn dochter, een ziekelijk jong meisje, was korte tijd later ook overleden. Elk van zijn drie zusters had echter zoons bij hun hooggeboren echtgenoten, gwerbret Cerrmor, gwerbret Cantrae en de erfprins van het koninkrijk Eldidd. Bij wet zou de troon moeten overgaan op de zoon van de oudste zuster, die getrouwd was met Cantrae, maar de gwerbret stond onder zware verdenking zowel de koning als de prinses te hebben vergiftigd om de troon voor zijn zoon te kunnen opeisen. Gwerbret Cerrmor buitte die verdenking uit om de troon voor zijn zoon op te eisen, en de prins van Eldidd eiste hem op voor zijn zoon vanwege diens dubbel vorstelijke bloed. Omdat Gwenivers vader nooit een vreemdeling uit Eldidd zou hebben gesteund, stond de keus voor de Wolf-clan vast toen de lang gehate Boars de eis van Cantrae steunden.

Jaar na jaar woedde de strijd rond de eigenlijke inzet daarvan, de stad Dun Deverry, die nu eens door de ene partij werd ingenomen om een paar jaar later voor de andere te vallen. Gweniver betwijfelde of er nog veel van de Heilige Stad over was, maar de inname ervan was van doorslaggevend belang voor het verwerven van het koningschap. De stad was de hele winter in handen van Cantrae geweest, maar nu was het lente. Overal in het verscheurde koninkrijk riepen de troonpretendenten hun vazallen bijeen en bliezen ze hun bondgenootschappen nieuw leven in. Gweniver was er zeker van dat de bondgenoten van haar clan inmiddels in Cerrmor zouden zijn. 'Dus, Maccy,' zei ze, 'wij zullen hier misschien de hele zomer moeten blijven, maar uiteindelijk zal iemand zijn krijgsbende sturen om ons te bevrijden.'

Macla knikte triest. Ze zaten op een bankje in de tempeltuin, tussen de bedden wortelen en kool. De zestienjarige Macla was in gewone doen een knap meisje, maar die dag was haar blonde haar achterover gekamd in een slordige dot, en haar ogen waren rood en gezwollen van het huilen.

'Ik hoop maar dat je gelijk hebt,' zei Macla tenslotte. 'Maar stel dat niemand ons land de moeite waard vindt? Zelfs als ze met jou trouwden, zouden ze nog tegen die akelige Boar moeten vechten. En jij kunt me nu ook geen bruidsschat meer geven, dus ik zal waarschijnlijk de rest van mijn leven in deze afschuwelijke tempel zitten kniezen.'

'Praat toch geen onzin! Als ik de heilige gelofte afleg, krijg jij al het land als bruidsschat dat een vrouw zich maar kan wensen.'

'O.' Haar ogen kregen een hoopvolle blik. 'Je hebt altijd al gezegd dat je priesteres wilde worden.'

'Precies. Dus maak je maar geen zorgen. We zullen heus wel een man voor je vinden.'

Macla glimlachte, maar haar klaagliederen hadden twijfel bij haar zusje gezaaid. Stel dat inderdaad niemand de bezittingen van de Wolf wilde hebben, omdat die de bloedvete van de Wolf meebrachten? Omdat Gweniver haar hele leven naar het voortdurende geprat over oorlog had geluisterd, wist ze iets wat Maccy in haar onschuld niet wist: dat het land van de Wolf strategisch zeer ongunstig gelegen was, vlak aan de grens met Cantrae en zo ver ten oosten van Cerrmor dat het moeilijk te verdedigen was. En stel dat de koning in Cerrmor besloot zijn grens te consolideren?

Ze liet Maccy in de moestuin zitten en begon aan een rusteloze wandeling. Kon ze maar naar Cerrmor gaan en de koning om haar recht vragen! Iedereen zei dat hij een gewetensvol en fatsoenlijk man was, dus hij zou misschien wel naar haar willen luisteren. Als ze er maar kon komen. Ze klom op de muur en keek in de verte. Burcan en zijn mannen kampeerden nu al drie dagen in het veld.

'Hoe lang denken jullie daar nog te blijven, smeerlappen?' mompelde ze halfluid.

Niet veel langer, bleek het. Toen ze de volgende morgen kort na zonsopgang naar de borstwering klom, zag ze de krijgsbende de paarden zadelen en de voorraadkarren opladen. Maar toen ze vertrokken, lieten ze vier mannen en één kar achter, bewakers met voldoende voorraden om daar maanden te kunnen blijven. Gweniver riep alle gemene scheldwoorden die ze ooit had gehoord, tot ze hijgde en buiten adem was. Uiteindelijk hield ze zichzelf voor dat ze zoiets had kunnen verwachten. Ze voelde zich opeens vreselijk moedeloos. Zelfs als Burcan al zijn mannen had meegenomen, had ze toch nooit alleen de bijna driehonderd kilometer naar Cerrmor kunnen reizen.

'Tenzij ik als priesteres reisde,' zei ze hardop.

Als ze eenmaal die blauwe tatoeage op haar wang had, zou ze onschendbaar zijn en even veilig reizen als een rondtrekkend leger. Ze zou geschraagd door haar heilige gelofte naar de koning kunnen gaan en om het voortbestaan van haar clan smeken, ze zou een man voor Maccy kunnen zoeken en de naam van de Wolf voor uitsterven behoeden. Daarna kon ze hierheen terugkeren en aan haar leven in de tempel beginnen. Ze draaide zich om en keek tegen de borstwering geleund naar het tempelcomplex. De neofieten en de priesteressen van lage rang werkten in de tuin of brachten brandhout naar de keukens. Een paar kuierden mediterend in de buurt van de tempel zelf. Toch was het ondanks alle activiteit stil in de warme voorjaarszon. Niemand sprak tenzij het echt nodig was, en dan nog met zachte stem. Gweniver voelde even hoe haar adem stokte door het beklemmende vooruitzicht van haar toekomst hier.

Toen werd ze opeens gegrepen door een blinde, redeloze woede. Ze zat in de val, als een wolf in een kooi, die aan de tralies knauwt en klauwt. Haar haat tegen Burcan welde op als een niet te stuiten drang en vloeide over naar de koning in Cerrmor. Ze zat tussen die beiden gevangen, ze moest de ene smeken om dat wat haar rechtens toekwam en de andere om wraak voor haar te nemen. Trillend als een waanzinnige wierp ze haar hoofd van links naar rechts alsof ze tegen het hele universum nee wilde roepen. Ze werd gegrepen door een gevoel dat buiten haar begrip lag, omdat de wortels ervan ver in het verleden lagen, in een ander leven in feite, waarin ze ook buiten haar schuld tussen twee mannen klem had gezeten. De herinnering was natuurlijk ongrijpbaar, maar de essentie van het gevoel bleef, scherp en hard als een glassplinter in haar keel.

Langzaam bracht ze zichzelf weer tot kalmte. Toegeven aan woedeaanvallen zou haar niet baten.

'Je moet nadenken,' beval ze zichzelf. 'En de Godin bidden om hulp.'

'Het grootste deel is vertrokken,' zei Dagwyn. 'Maar ze hebben vier man achtergelaten.'

'Smeerlappen!' grauwde Ricyn. 'Onze vrouwe behandelen of ze een duur paard is of zo, dat iedereen als oorlogsbuit kan meenemen.'

Camlwn knikte grimmig. Zij drieën waren de enige overlevenden van de krijgsbende van de Wolf en ze kampeerden al dagen in de beboste heuvels achter de Tempel van de Maan, waar ze konden waken over de vrouw die ze beschouwden als het clanhoofd aan wie ze trouw hadden gezworen. Het drietal had de Wolf-clan van jongsaf gediend en ze waren bereid om hem te blijven dienen.

'Houden ze scherp de wacht?' vroeg Ricyn. 'Gewapend en klaar om te vechten?'

'Ben je gek?' Dagwyn gunde zich tijd voor een verbeten glimlachje. 'Toen ik hen bespiedde zaten ze, zo vrolijk als het maar kan, met opgestroopte hemdsmouwen in het gras te dobbelen.'

'Is het heus? Nou, laten we dan hopen dat de goden hen lekker lang laten dobbelen.'

De vrije mannen die het land van de tempel bewerkten, waren buitengewoon loyaal jegens de hogepriesteres, gedeeltelijk omdat die veel minder van hun oogsten als belasting hief dan een edelman zou hebben gedaan, maar voornamelijk omdat ze het als een eer voor hun familie en henzelf beschouwden om de Godin te dienen. Ardda was er zeker van, dat zei ze tenminste tegen Gweniver, dat een van die mannen de lange reis naar Dun Deverry wel voor haar zou willen maken om een boodschap over te brengen.

'Hier moet een eind aan komen! Ik kan die mannen niet wegsturen van land dat niet van mij is, maar ik vertik het om ze daar de hele zomer te laten zitten. Je bent geen misdadigster die hier een toevlucht heeft gezocht, maar we weten allemaal dat ze je zouden vermoorden als ze de kans kregen. We zullen eens zien of die koning die Burcans opperheer is, kan zorgen dat hij zijn mannen terugroept.'

'Denkt u dat de koning naar uw petitie zal luisteren?' vroeg Gweniver. 'Ik wil wedden dat hij ons land aan een van zijn vazallen wil geven.'

'Hij zal wel moeten luisteren! Ik vraag de hogepriesteres van de tempel in Dun Deverry om persoonlijk te bemiddelen.'

Gweniver hield de telganger bij de teugel terwijl Ardda opsteeg, drapeerde haar lange gewaden over het dameszadel en liep naast haar paard mee naar de poort. Omdat de vier Boarsmannen blijkbaar niet van plan waren pogingen te ondernemen het tempelcomplex te betreden, stond de poort open. Gweniver en Lypilla, de poortwachteres van die dag, keken Ardda na toen ze wegreed, kaarsrecht en ongenaakbaar in het zadel gezeten. Toen ze bij de weg kwam, krabbelden de Boarsmannen overeind en bogen diep en eerbiedig voor haar.

'Schurken,' mompelde Gweniver. 'Ze houden zich strikt aan de letter van de wet terwijl ze de strekking ervan geweld aandoen.'

'Zeg dat wel. Ik denk dat ze misschien zelfs in staat zijn om jou te vermoorden.'

'Ze zouden me eerder naar Burcan brengen voor een gedwongen huwelijk. Maar dan zou ik liever sterven!'

Ze wisselden een bezorgde blik. Gweniver kende Lypilla, die begin veertig was, al haar hele leven, net zoals ze Ardda altijd had gekend. Ze stonden haar even na als tantes of oudere zusters, toch twijfelde ze diep in haar hart of ze het zou uithouden als ze hun streng geregeld leven moest delen. Op de weg reed Ardda om de voet van de heuvel in noordelijke richting en verdween uit het gezicht. De Boarsmannnen gingen weer zitten en hervatten hun dobbelspel. Gweniver moest weer aan de man denken die ze onderweg had gedood en wilde wel dat ze die vier hetzelfde Wyrd kon laten ondergaan. Ofschoon ze terug had kunnen gaan om zich nuttig te maken in de keuken, bleef Gweniver nog een tijdje bij de poort staan; ze praatte wat met Lypilla en keek naar de vrijheid van heuvels en velden die haar werd ontzegd. Plotseling hoorde ze in de verte hoefslagen die in snelle draf uit het zuiden naderden.

'Ik denk dat Burcan zijn mannen boodschappers of zo stuurt,' merkte Lypilla op.

Dat schenen de Boarsmannen in het veld ook te denken, want ze stonden op, rekten zich loom uit en wendden zich naar het geluid. Opeens stormden er uit een bosje drie ruiters in volle wapenrusting en met getrokken zwaard. De Boarsmannen stonden even als versteend, toen trokken ze schreeuwend en vloekend hun zwaard: de ruiters deden een gerichte aanval op hen. Gweniver hoorde Lypilla gillen toen een Boarsman met zijn hoofd half van zijn schouders gehakt neerstortte. Een paard steigerde en zwenkte schuin weg, waardoor Gweniver het schild van de ruiter van voren kon zien.

'Wolven!'

Zonder erbij na te denken rende ze met het zwaard in de hand de heuvel af, terwijl Lypilla gilde en haar smeekte terug te komen. De tweede Boarsman viel terwijl ze rende, de derde werd door twee ruiters ingesloten, de vierde nam de benen en rende de heuvel op, alsof hij in zijn doodsangst probeerde het heiligdom van de tempel te bereiken dat hij puur door zijn aanwezigheid al ontheiligde. Toen hij Gweniver recht op zich af zag komen, aarzelde hij en sprong toen opzij, alsof hij om haar heen wilde rennen. Met een holle schaterlach, die vanzelf uit haar mond kwam, viel ze aan, haalde uit en hieuw hem op zijn rechterschouder voor hij de aanval kon afweren. Terwijl het zwaard uit zijn willoze vingers gleed, lachte ze nog eens en stak hem in de hals. Haar lach zwol aan tot het krijsen van een onheilsgeest toen het helrode bloed er uitstroomde en hij viel.

'Vrouwe!' Ricyns stem doorsneed haar lach. 'O, bij de heer der hel!' De lach verstomde, en ze stond koud en misselijk naar het lijk aan haar voeten te staren. Ze was er zich vaag van bewust dat Ricyn afsteeg en naar haar toe rende.

'Vrouwe! Vrouwe Gweniver! Weet u wie ik ben?'

'Wat?' Ze keek bevreemd op. 'Natuurlijk, Ricco. Heb ik je niet mijn halve leven gekend?'

'Ja, vrouwe, maar dat betekent geen bliksem meer als iemand bevangen is door razernij, zoals u daarnet.'

Het was of hij ijskoud water in haar gezicht had gegooid. Ze bleef hem een ogenblik wezenloos aankijken, terwijl hij haar met verbijsterde bezorgdheid opnam. Ricyn, even oud als zij, net negentien en een blonde jongeman met een breed, opgewekt gezicht was volgens haar broers een van de meest betrouwbare mannen van de krijgsbende, zo niet van het koninkrijk. Het was vreemd dat hij haar nu aankeek of ze gevaarlijk was.

'Ja, zo was het, vrouwe,' zei hij, 'Alle goden, mijn bloed stolde toen ik u zo hoorde lachen.'

'Het mijne stolde nog harder, geloof ik. Bevangen door razernij. Bij de Godin zelf, dat was ik inderdaad.'

De donkerharige, slanke, altijd lachende Dagwyn leidde zijn paard naar haar toe en boog voor haar.

'Jammer dat ze maar vier mannen hadden achtergelaten, vrouwe,' merkte hij op. 'U had eigenhandig twee aangekund.'

'Misschien wel drie,' zei Ricyn. 'Waar is Cam?'

'Helpt zijn paard uit zijn lijden. Een van die schurken kon zowaar een zwaard in de goede richting zwaaien.'

'Nou ja, wij hebben nu hun paarden en al hun voorraden op de koop toe.' Ricyn keek naar Gweniver. 'We hebben al die tijd in het bos gewacht tot we konden toeslaan. Volgens ons kon de Boar hier niet de hele vervloekte zomer blijven zitten. Overigens, de dun is met de grond gelijk gemaakt.'

'Ik had niet anders verwacht. En Blaeddbyr?'

'Dat staat er nog. De mensen daar hebben ons eten gegeven.' Ricyn wendde zijn blik af, zijn gezicht betrok. 'De Boar heeft de krijgsbende op de weg overvallen, ziet u. Het was bij het ochtendkrieken en we waren nog maar half gekleed toen dat tuig over de heuvel stormde, zonder zelfs maar een strijdkreet of het geluid van een hoorn. Ze hadden twee keer zoveel mensen als wij, dus heer Avoic riep dat we voor ons leven moesten rennen, maar dat deden we al, en hard ook. Vergeef me, vrouwe. Ik had daar met hem moeten sneuvelen, maar ik dacht aan u, nou ja, aan u en de andere vrouwen bedoel ik, dus het leek me beter om op het binnenplein te sneuvelen terwijl ik u verdedigde.'

'Dat vonden wij ook,' viel Dagwyn in. 'Maar we kwamen te laat. We moesten drommels voorzichtig zijn, omdat de wegen wemelden van de Boars, en toen we de dun bereikten, stond die al in brand. En we waren alle drie halfgek van verdriet omdat we dachten dat u vermoord was, maar Ricco hier zei dat u wel naar de tempel kon zijn gegaan.'

'Dus zijn wij hierheen gekomen,' nam Ricyn het relaas over. 'En toen we die vervloekte Boars voor de poort zagen kamperen, wisten we dat u hier binnen moest zijn.'

'En dat waren we ook,' zei Gweniver. 'Dat is dan prima gegaan. Jullie hebben hier nu die paarden en een kar met mondvoorraad. En hierachter staan een paar hutten voor de echtgenoten van vrouwen die maar enkele dagen blijven. Daar kunnen jullie je intrek nemen, terwijl ik besluit wat we verder gaan doen.'

Dagwyn haastte zich weg om de opdracht uit te voeren, maar Ricyn bleef achter en wreef over zijn vuile gezicht met de rug van een nog vuilere hand.

'We moesten die Boars maar gaan begraven, vrouwe. Dat mogen we niet aan de gewijde vrouwen overlaten.'

'Dat is waar. Eh... ik ben benieuwd wat de hogepriesteres hiervan zal zeggen. Maar goed, dat is mijn probleem, niet het jouwe. Bedankt dat jullie me hebben gered.'

Bij die woorden glimlachte hij, alleen een nauwelijks merkbaar trekken van zijn mond, toen ging hij snel achter de anderen aan.

Ofschoon Ardda het niet prettig vond dat er vier mannen voor haar poort waren gedood, aanvaardde ze het gelaten en merkte zelfs op dat de Godin de goddeloosheid van de Boar in deze kwestie misschien had willen straffen.

'Ongetwijfeld,' zei Gweniver. 'Want Zij was het die die ene man heeft gedood. Ik was niets dan een zwaard in Haar hand.'

Ardda keek haar doordringend aan. Ze zaten in haar studeerkamer, een kale stenen kamer met langs de ene wand een plank met zestig heilige boeken en langs de andere een tafel met tempelverslagen. Zelfs nu, nu haar besluit haar steeds helderder voor ogen kwam te staan, overlegde Gweniver nog bij zichzelf. Het was ooit haar grootste wens geweest hier zelf nog eens hogepriesteres te worden en deze studeerkamer de hare te mogen noemen.

'De hele middag heb ik tot haar gebeden,' vervolgde Gweniver. 'Ik ga u verlaten, vrouwe. Ik leg mijn gelofte af jegens de Maan en ik geef de clan door aan Macla. Dan ga ik met mijn mannen naar Cerrmor om de koning de petitie van de Wolf te overhandigen. Als ik eenmaal de tatoeage draag, zal de Boar geen reden meer hebben om me kwaad te doen.'

'Dat is waar, maar het blijft gevaarlijk. Ik vind het een nare gedachte dat je die lange reis onderneemt met maar drie ruiters als escorte. Wie weet wat mannen iemand, ook al is het een priesteres, tegenwoordig kunnen aandoen?'

'Niet maar drie, vrouwe. Ik ben de vierde.'

Ardda zweeg, ineengedoken in haar stoel liet ze Gwenivers woorden tot zich doordringen.

'Weet u niet meer dat u me eens hebt verteld over het vierde gezicht van de Godin?' vervolgde Gweniver. 'Over haar duistere zijde, wanneer de maan bloedrood en zwart wordt, over de moeder die haar eigen kinderen opeet?'

'Gwen, dat niet.'

'Dat wel.' Ze stond met een ongeduldige hoofdbeweging op en begon de kamer op en neer te lopen. 'Ik wil met mijn mannen aan de oorlog deelnemen. Het is al te lang geleden dat een aan de Maan gewijde krijger in Deverry heeft gevochten.'

'Je zult sneuvelen.' Ardda stond ook op. 'Ik zal het niet toestaan.'

'Is het aan een van ons om het wel of niet toe te staan als de Godin me roept? Ik heb vandaag Haar handen op me gevoeld.'

Terwijl hun blikken elkaar ontmoetten, en elkaar vasthielden in een machtsstrijd, besefte Gweniver dat ze niet langer een kind was, maar een vrouw, toen Ardda het eerst haar blik afwendde.

'Er zijn manieren om dat soort roepingen te beproeven,' zei Ardda tenslotte. 'Kom vanavond naar de tempel. Als de Godin je een visioen zendt is het niet aan mij om nee te zeggen. Maar als ze dat niet doet...'

'Zal ik me laten leiden door uw wijsheid in deze kwestie.'

'Goed dan. En als ze je wel een visioen zendt maar niet het visioen dat jij dacht te willen hebben?'

'Dan zal ik toch mijn gelofte aan Haar afleggen. De tijd is rijp, vrouwe. Ik wil de geheime naam van de Godin horen en mijn gelofte afleggen.'

Ter voorbereiding op de plechtigheid vastte Gweniver die avond. Terwijl de tempelbewoonsters aan het avondmaal zaten, haalde zij water uit de put, warmde het en nam een bad bij de keukenhaard. Toen zij zich daarna aankleedde, keek ze even naar Avoics hemd, dat ze het jaar tevoren voor hem had gemaakt. Op elk schouderstuk was met rood garen de aanstormende wolf van de clan geborduurd, omgeven door een ineengestrengelde sierrand. Het motief was zo kunstig verwerkt, dat het net een keten van knopen leek, samengesteld uit een groot aantal lijnen, terwijl het in werkelijkheid maar één lijn was en de ene knoop onvermijdelijk tot de volgende leidde. Mijn Wyrd is net zo'n verstrengeld geheel, dacht ze.

En met die gedachte kwam een ijzig gevoel, alsof ze meer had gezegd dan ze kon verantwoorden. Terwijl ze zich verder aankleedde, werd ze bang. Niet omdat ze misschien in de strijd zou sneuvelen; ze wist dat ze gedood zou worden, misschien al gauw, misschien pas over vele jaren. De Duistere Godin placht haar priesteressen op te roepen het laatste offer te brengen wanneer Zij de tijd daartoe gekomen achtte. Toen Gweniver de zwaardgordel opnam, aarzelde ze, even in de verleiding komend om hem neer te gooien; toen gordde ze hem met een ongeduldige hoofdbeweging om.

De ronde houten tempel stond in het midden van het complex. Aan beide zijden van de deur verhieven zich als vlammen twee kronkelige cipressen, die helemaal uit Bardek kwamen en dank zij veel zorg en liefde vele koude winters hadden overleefd. Toen Gweniver ertussendoor liep voelde ze een golf van kracht, alsof ze door een poort een andere wereld binnenging. Ze klopte negen keer op de eikehouten deur en wachtte tot er ten antwoord binnen negen gedempte tikken klonken. Toen deed ze de deur open en betrad het voorvertrek, flauw verlicht door een enkele kaars. Een in het zwart gehulde priesteres wachtte haar op.

'Draag die kleren in de tempel. Neem ook je zwaard mee. De hogepriesteres heeft het zo bevolen.'

In het binnenste heiligdom glansden de geboende houten wanden in het licht van negen olielampen, en de vloer was belegd met verse biezen. Voor de achterste muur stond het altaar, een ruwe zwerfkei waarvan alleen de bovenzijde tot een glanzende tafel gepolijst was. Daarachter hing een enorme ronde spiegel, het enige beeld van Haar dat de Godin in Haar tempels wil hebben. Links van de spiegel stond Ardda, in het zwart gekleed.

'Neem het zwaard uit de schede en leg het voor het altaar.'

Gweniver boog eerbiedig voor de spiegel en deed toen wat de hogepriesteres had bevolen. Door een zijdeur kwamen drie priesteressen binnen en gingen zwijgend aan de rechterkant staan. Zij zouden getuigen zijn van haar gelofte.

'Wij zijn hier verenigd om een vrouw die de Godin van de Maan wil dienen, te onderrichten en te ontvangen,' vervolgde Ardda. 'Gweniver van de Wolf is ons allen bekend. Zijn er bezwaren tegen haar kandidatuur?'

'Nee,' zeiden de drie in koor. 'Wij kennen haar als een die gezegend is door Onze Vrouwe.'

'Dan is het goed.' De hogepriesteres wendde zich tot Gweniver. 'Zweer je de Godin al je dagen en nachten te zullen dienen?'

'Dat zweer ik, vrouwe.'

'Zweer je nooit gemeenschap met een man te zullen hebben?'

'Dat zweer ik, vrouwe.'

'Zweer je nooit het geheim van de heilige naam te zullen verraden?'

'Dat zweer ik, vrouwe.'

Ardda hief haar handen en klapte ze drie keer tegen elkaar, toen nog eens drie keer en tenslotte nogmaals drie keer, het heilige getal zorgvuldig afmetend. Gweniver voelde een plechtige en toch zalige rust, een zoetheid die als mede door haar lichaam vloeide. Het besluit was eindelijk genomen, en haar gelofte was afgelegd.

'Van alle godinnen,' vervolgde Ardda, 'is alleen Onze Vrouwe niet met name bekend bij het gewone volk. Men spreekt over Epona, men spreekt over Sirona, men spreekt over Aranrhodda, maar Onze Vrouwe is gewoon de Godin van de Maan.' Ze wendde zich tot de drie getuigen. 'En waarom zou dat zijn?'

'De naam is een geheim.'

'Hij is een mysterie.'

'Hij is een raadsel.'

'En toch,' zei Ardda na de antwoorden, 'is het een gekkelijk op te lossen raadsel. 'Wat is de naam van de Godin?'

'Epona.'

'Sirona.'

'Aranrhodda.'

'En,' zeiden ze in koor, 'al het andere.'

'Dat is naar waarheid gesproken.' Ardda wendde zich tot Gweniver. 'Hier is dus het antwoord op het raadsel. Alle godinnen zijn één godin. Zij heeft alle namen en geen naam, want Zij is Eén.'

Gweniver begon te beven van een intense vreugde.

'Wat mannen en vrouwen elkaar ook vertellen, Zij is Eén,' vervolgde Ardda. 'Er is maar één orde van priesteressen die Haar dient. Zij is als het reine licht van de zon wanneer dat langs een van regen vervulde hemel schijnt en in een regenboog verandert, vele kleuren maar allemaal Eén aan de bron.'

'Dat heb ik al lang gedacht,' fluisterde Gweniver. 'Nu weet ik het.'

Weer klapte de hogepriesteres negen keer in haar handen, toen wendde ze zich tot de getuigen.

'De vraag is hoe Gweniver, niet langer vrouwe maar nu priesteres, de Godin zal dienen. Laat haar in gebed aan het altaar knielen.'

Gweniver knielde voor het zwaard. In de spiegel zag ze zichzelf, een schimmige gedaante in het flakkerende licht, maar ze herkende nauwelijks haar gezicht met het kortgeknipte haar, de verbeten trek om de mond, de ogen fonkelend van wraaklust. Help me, Vrouwe van het Hemelrijk, bad ze, ik wil bloed en wraak, geen tranen en rouw.

'Kijk in de spiegel,' fluisterde Ardda. 'Vraag Haar tot je te komen.'

Gweniver legde haar handen breeduit op het altaar en keek. Aanvankelijk zag ze alleen haar gezicht en de tempel erachter. Toen begon Ardda een hoog klaaglied te zingen in de oude taal. Het leek net of de olielampen flakkerden op de maat van de uit lange en korte tonen bestaande cadans waarin het lied rees en daalde en als een koude noordenwind door de tempel golfde. In de spiegel veranderde het licht, het verflauwde, werd duisternis, een trillende duisternis zo koud als een sterrenloze hemel. Het lied klaagde voort met oer-oude woorden. Gweniver voelde de haren in haar nek prikken toen in de spiegel-duisternis de sterren verschenen, het rad en de wente-ling van de eindeloze hemel. En ertussen vormde zich het beeld van De Andere.

Ze torende boven de sterren uit, en haar gezicht was wreed en bloed-dorstig toen ze haar hoofd schudde en haar lang zwart haar over de hemel uitspreidde. Gweniver voelde haar adem stokken toen de don-kere ogen haar aankeken. Dit was de Godin van het Maanduister, Wier eigen hart met zwaarden is doorboord en Die hetzelfde vraagt van degenen die Haar willen dienen.

'Vrouwe,' fluisterde Gweniver. 'Aanvaard mij als offerande, ik zal U altijd dienen.'

De ogen namen haar een tijdlang op, doordringend, glanzend, ijs-koud. Gweniver voelde de aanwezigheid overal om zich heen, alsof de Godin zowel naast en achter haar stond als voor haar.

'Neem mij,' zei ze. 'Ik zal niets dan een zwaard in Uw hand zijn.'

Op het altaar gloeide haar zwaard op in een bloedkleurig licht dat zijn schijnsel omhoog wierp en de spiegel rood kleurde. Het gezang hield op. Ardda had het teken gezien.

'Zweer haar.' De stem van de priesteres beefde. 'Dat je in haar dienst zult leven...' haar stem brak, 'en sterven.'

'Dat zweer ik, uit het diepst van mijn hart.'

In de spiegel straalden de ogen van de Godin van vreugde. Het licht op het zwaard laaide op als vuur, toen verflauwde het. Tegelijkertijd doofde het licht in de spiegel, even waren daar de wentelende ster-ren, toen alleen nog diepe duisternis.

'Het is gebeurd!' Ardda klapte in haar handen, wat dreunend in de tempel weergalmde.

De spiegel weerkaatste Gwenivers bleke, bezwete gezicht.

'Ze is tot je gekomen,' zei de hogepriesteres. 'Ze heeft je de zegen ge-geven die velen een vloek zouden noemen. Je hebt gekozen en je hebt gezworen. Dien Haar goed, of de dood zal de minste van je zorgen zijn.'

'Ik zal Haar nooit verraden. Hoe zou ik dat kunnen, nu ik in de ogen van de Nacht heb geblikt?'

Ardda klapte negen keer in haar handen, afgemeten in drie maal drie. Gweniver kwam, nog steeds bevend, overeind en nam haar zwaard weer op.

'Ik had nooit gedacht dat Ze je zou aanvaarden.' Ardda was bijna in tranen. 'Maar nu kan ik alleen nog maar voor je bidden.'

'Die gebeden zullen me kracht geven, hoe ver ik ook weg ben.'
Er kwamen nog twee priesteressen de tempel binnen. De ene droeg een kom met blauw poeder, de andere twee dunne zilveren naalden. Toen ze het zwaard in Gwenivers hand zagen, wisselden ze een geschrokken blik.
'Geef haar het teken op haar linkerwang,' zei Ardda. 'Zij dient onze Vrouwe van de Duisternis.'

Dank zij de voorraden die ze op de Boarsmannen hadden buitgemaakt, kregen Ricyn en de anderen voor het eerst sinds dagen weer eens een lekker warm ontbijt, gerstepap en gebakken spek. Ze aten langzaam, genietend van elke hap en nog meer van de tijdelijke veiligheid. Ze waren net klaar toen Ricyn iemand met een paard naar de hut hoorde komen. Hij vloog overeind en naar buiten, met getrokken zwaard voor het geval de Boar een spion had gestuurd, maar het was Gweniver, in de kleren van haar broer en met een groot grijs strijdros aan de teugel. Haar linkerwang zag er in de morgenzon verbrand uit, hij was rood en gezwollen en in het midden van de verkleuring stond de blauwe maansikkel. Ze staarden haar alle drie sprakeloos aan, terwijl ze hen kalm toelachte.
'Vrouwe?' zei Dagwyn tenslotte. 'Blijft u toch in de tempel?'
'Nee. We pakken onze spullen en gaan vandaag nog op weg naar Cerrmor. Laad zoveel mondvoorraad op als de buitgemaakte paarden kunnen dragen.'
Het drietal knikte in onvoorwaardelijke gehoorzaamheid. Ricyn kon zijn ogen niet van haar gezicht afhouden. Ofschoon niemand Gweniver ooit mooi zou hebben genoemd (daarvoor was haar gezicht te breed en haar kaak te wilskrachtig), was ze wel aantrekkelijk, lang en slank, met in haar bewegingen de gratie van een wild dier. Hij was al jaren hopeloos verliefd op haar en had elke winter aan de ene kant van de zaal van haar broer zitten kijken naar haar, die onbereikbaar aan de andere kant zat. Het feit dat ze de gelofte had afgelegd, bezorgde hem een grimmig soort voldoening. Nu zou geen andere man haar ooit krijgen.
'Is er iets?' vroeg ze hem.
'Nee, vrouwe. Maar als ik zo vrij mag zijn het te vragen, ik verwonder me alleen over die tatoeage. Waarom zit die aan de linkerkant van uw gezicht?'
'Dat mag je best weten. Die tekent me als een aan de Maan gewijde krijger.' Als ze glimlachte leek ze een andere vrouw te worden, koud, met een harde blik, onverzettelijk. 'En jullie dachten dat zoiets alleen in bardenliederen voorkwam, nietwaar?'

Ricyn was zo perplex alsof ze hem een klap had gegeven. Dagwyn hapte naar adem van verbazing.

'Vrouwe Macla is nu het hoofd van de Wolf-clan,' vervolgde ze. 'Zij heeft me tot hoofdman van de krijgsbende benoemd tot ze trouwt en haar man zijn eigen ruiters meebrengt. Als wij dan nog in leven zijn, krijgen jullie de keus: haar nieuwe echtgenoot trouw zweren of mij volgen. Maar voorlopig gaan we naar Cerrmor om aan de zomergevechten deel te nemen. De Wolf heeft gezworen mannen mee te brengen, en de Wolf breekt nooit zijn woord.'

'Dat is goed, vrouwe,' zei Ricyn. 'Als krijgsbende stellen we misschien niet veel voor, maar als iemand één kwaad woord van onze hoofdman zegt, snijd ik de schoft de keel af.'

Toen ze vertrokken deden ze dat heel behoedzaam, voor het geval er Boarsmannen op de loer zouden liggen. Dagwyn en Camlwn reden om beurten vooruit en ze volgden de achterpaden door de heuvels. Ofschoon Cerrmor ruim tien dagreizen ver was, konden ze dichterbij al een veilig onderdak vinden in de duns van de vroegere bondgenoten van de Wolf in het zuiden en oosten. Twee dagen lang trokken ze om het grondgebied van de Wolf heen. Ze durfden niet over hun eigen land te rijden, omdat er Boars zouden kunnen patrouilleren. Op de morgen van de derde dag staken ze op een weinig gebruikte doorwaadbare plaats de rivier de Nerr over en trokken meer in oostelijke dan in zuidelijke richting, met als doel het land van de Stag-clan. Die avond sloegen ze hun kamp op aan de rand van een bos dat het gezamenlijk jachtgebied van de Wolf- en de Stag-clan was geweest. Bij het zien van de bekende bomen schoten Gwenivers ogen vol tranen, omdat ze zich herinnerde hoe graag haar broers hier hadden gejaagd.

Terwijl de mannen de paarden vastbonden en het kamp opzetten, liep Gweniver rusteloos rond. Ze begon nu toch zwaar aan zichzelf te twijfelen. Zeggen dat ze ten strijde trok was allemaal goed en wel, maar naar haar piepkleine krijgsbende kijken en beseffen dat hun leven van haar aanvoerderskwaliteiten afhing, was punt twee. Onder het voorwendsel hout te willen sprokkelen voor het kampvuur, ging ze het bos in en dwaalde tussen de bomen tot ze bij een beekje kwam dat tussen met varens begroeide oevers kalm over grote stenen kabbelde. De oude eiken om haar heen wierpen schaduwen die er sinds het begin der tijden leken te liggen.

'Godin,' fluisterde ze. 'Heb ik de juiste weg gekozen?'

In het glinsterende wateroppervlak zag ze geen visioen. Ze trok haar zwaard en keek naar de kling die op het altaar van de Godin had gefonkeld van een vurig licht. Nu had ze het idee dat ze de geesten van de doden rondom zich voelde, Avoic, Maroic, Benoic en als laatste haar vader, Cadryc, al die grote, wilskrachtige mannen wier levens het hare hadden beheerst, wier trots de hare had gewekt.

'Ik zal jullie niet ongewroken laten.'

Ze hoorde hen zuchten over de bitterheid van hun Wyrd, of misschien was het de wind in de bomen, want ze verdwenen even geruisloos en snel als ze waren gekomen. Toch wist ze dat de Godin haar een teken had gegeven, net als toen Ze het zwaard had gezegend.

'Wraak! Ik zal wraak nemen omwille van de Godin, ik zal ons allemaal wreken.'

Met het zwaard nog in de hand wilde Gweniver teruggaan naar haar mannen, maar ze hoorde een twijg knappen en voetstappen achter zich. Ze draaide zich met een ruk om en hief het zwaard.

'Kom te voorschijn!' riep ze kortaf. 'Wie durft een gewijde priesteres van het Maanduister te storen?'

Twee mannen, gekleed in vuile, gescheurde kleren, met stoppelbaarden en haar dat plakte van het vuil, kwamen met getrokken zwaard uit het kreupelhout. Toen ze haar met half samengeknepen ogen opnamen, voelde Gweniver dat de Godin achter haar kwam staan, een tastbare aanwezigheid, die haar nekharen overeind deed komen. Ze bekeek de mannen met een koele glimlach die uit zichzelf op haar gezicht leek te verschijnen.

'Nou, geef antwoord,' zei Gweniver. 'Wie zijn jullie en wat doen jullie hier?'

De donkerharige, slanke kerel keek de andere met een flauw glimlachje aan; maar de roodharige schudde afwijzend zijn hoofd en kwam naar voren.

'Is er hier in de buurt een tempel, vrouwe?' vroeg hij. 'Of leeft u als kluizenaarster in dit woud?'

'Ik draag mijn tempel in mijn zadeltassen. Jullie hebben nooit eerder een priesteres van mijn orde ontmoet en dat zal jullie waarschijnlijk ook nooit meer overkomen.'

'Ze heeft het merkteken op haar gezicht, dat is waar,' viel de donkerharige in. 'Maar ik wil wedden dat ze...'

'Hou je mond, Draudd,' grauwde de roodharige. 'Er is iets vreemds aan haar. Zeg eens, vrouwe, bent u echt helemaal alleen in dit vervloekte woud?'

'Wat gaat jou dat aan? De Godin ziet elke heiligschennis, al wordt die nog zo ver van de bewoonde wereld bedreven.'

Toen Draudd iets wilde zeggen, kwam Gweniver naar voren en zwaaide de punt van haar zwaard omhoog alsof ze hem tot een duel uitdaagde. Ze ving zijn blik en hield die vast tot hij zijn ogen neersloeg, terwijl ze de Godin als een donkere schim achter zich voelde en de glimlach om haar mond bevroor. Draudd deed haastig een stap terug, met ogen groot van angst.

'Ze is gek,' fluisterde hij.

'Ik zei: hou je mond!' snauwde de roodharige. 'Iemand kan gek zijn of uitverkoren, lelijke schurk! Vrouwe, vergeef ons dat we u hebben gestoord. Wilt u ons de zegen van uw Godin geven?'

'Met plezier, maar je weet niet wat je vraagt.' Ze schoot in de lach, een kille opwelling van vrolijkheid die ze niet kon bedwingen. 'Kom mee, dan zullen we nog eens over die zegen nadenken.'

Gweniver maakte rechtsomkeert en liep tussen de bomen door. Hoewel ze hoorde dat ze haar volgden, Draudd onder gefluisterde protesten, keek ze niet om voor ze het kamp bereikten. Toen Ricyn zag dat de twee mannen haar volgden, kwam hij met zijn zwaard in de hand aanrennen.

'Er is geen onraad,' zei Gweniver. 'Ik geloof dat ik een paar rekruten voor onze troep heb gevonden.'

'Draudd! Abryn!' riep Ricyn uit. 'Bij alle goden, wat is er met jullie gebeurd? Waar is de rest van de krijgsbende?'

Pas toen zag Gweniver de nauwelijks zichtbare blazoenen op hun vuile hemden: Stags.

'Dood,' zei Abryn toonloos. 'En heer Maer ook. Een vervloekt grote bende Cantrae-ruiters heeft ons een paar dagen geleden overvallen. De dun is met de grond gelijk gemaakt en ik mag hangen als ik weet wat er met de vrouwe en de kinderen van onze heer is gebeurd.'

'We wilden proberen de Wolf te bereiken, zie je,' viel Draudd in. Hij zweeg even om wrang te glimlachen. 'Ik neem aan dat we er verrekt weinig aan gehad zouden hebben.'

'Niets,' zei Gwen. 'Onze dun is ook verwoest. Zeg, hebben jullie honger? Wij hebben eten.'

Terwijl Abryn en Draudd scheepsbeschuit en kaas verslonden of het een feestmaal was, deden ze tussen de happen door hun relaas. Ongeveer honderdvijftig man van de valse koning hadden de Stag overvallen toen die hun dun verlieten om naar Cerrmor te gaan. Lord Maer had zijn mannen bevolen zich te verspreiden, net als Avoic had gedaan, maar toen Abryn en Draudd hadden geprobeerd zich vrij te vechten, waren hun paarden gedood. De mannen van Cantrae hadden hen niet achtervolgd; die waren rechtstreeks op de dun afgegaan en waren er binnengestormd voor de poort gesloten kon worden.

'Tenminste, dat denken we,' besloot Abryn. 'Hij was in elk geval ingenomen toen we hem eindelijk weer bereikten.'

Gweniver en haar mannen knikten ernstig.

'Tja,' zei ze tenslotte. 'Zo te horen hebben ze die overval tegelijk met die op ons beraamd. Ik begrijp wat die armzalige kleine lafbekken van plan zijn: de bezittingen van de Wolf isoleren, zodat die verwenste Boars ze gemakkelijker kunnen behouden.'

'Het zal die schoften niet meevallen om de bezittingen van de Stag in te nemen,' zei Abryn. 'Heer Maer heeft twee broers in dienst van de koning.'

'Nee, ze zullen het niet wagen het land van jullie clan te bezetten,' zei Gweniver. 'Dat ligt te ver naar het zuiden. Maar door de dun te verwoesten en jullie heer te doden, hebben ze onze trouwste bondgenoot weggenomen. Ze zullen nu eerst proberen een fort op het gebied van de Wolf te vestigen en later aan het gebied van de Stag gaan knabbelen.'

'Daar hebt u gelijk in.' Abryn keek haar met oprechte bewondering aan. 'De vrouwe heeft verstand van oorlog voeren, dat staat vast.'

'Ik heb immers mijn hele leven over deze oorlog horen praten. Maar luister, wij hebben extra paarden. Als jullie willen, kun je je bij ons aansluiten, maar ik waarschuw jullie, de Godin die ik dien is een godin van bloed en duisternis. Dat bedoelde ik toen ik over haar zegen sprak. Denk goed na voor je die aanneemt.'

Ze dachten erover na, waarbij ze haar onafgebroken aankeken, tot Abryn voor hen beiden het woord nam.

'Wat rest ons anders, vrouwe? We zijn niets dan een stel eerloze mannen zonder een heer om te dienen of een clan die ons wil opnemen.'

'Goed dan. Van nu af staan jullie onder mijn bevel, en ik beloof jullie dat je de kans zult krijgen om wraak te nemen.'

Ze glimlachten dankbaar. In die tijd was een krijger die een veldslag overleefde waarbij zijn heer sneuvelde, een eerloze die nergens onderdak kreeg en door iedereen werd bespot.

Terwijl de krijgsbende verder zuidwaarts naar Cerrmor trok, pikten ze nog meer mannen als Abryn en Draudd op; sommigen waren overlevenden van de krijgsbende van de Stag, anderen zwegen koppig over hun verleden, maar allen waren zo ten einde raad dat ze hun verbazing over een priesteres die een krijgsbende aanvoerde opzij zetten. Op het laatst had Gweniver zevenendertig man, maar drie minder dan het aantal dat Avoic had beloofd mee te brengen. Het feit dat ze haar maar al te graag trouw zwoeren en haar zo gemakkelijk accepteerden, verwonderde haar. Op de laatste avond van hun tocht zat ze bij het kampvuur naast Ricyn, die als een oppasser voor haar zorgde.

'Vertel me eens,' zei ze tegen hem. 'Denk je dat deze mannen mijn bevelen ook nog zullen opvolgen als we eenmaal in Cerrmor zijn?'

'Natuurlijk, vrouwe.' Hij leek verbaasd dat ze hem dat vroeg. 'U hebt hen gered van het zwerversbestaan en hun het recht gegeven zich weer man te voelen. Bovendien bent u een priesteres.'

'Kan hun dat iets schelen?'

'Vast en zeker. We kennen immers allemaal die verhalen over aan de Maan gewijde krijgers, nietwaar? Maar het is een dubbel wonder om er echt een te zien. De meeste mannen denken dat het een teken is, ziet u. Het is net dweomer, en u bezit de kracht van dweomer. We weten allemaal dat ons dat geluk zal brengen.'

'Geluk? Nee, dat zal het niet brengen, alleen de gunst van de Maan in haar duistere periode. Verlang jij werkelijk naar die gunst, Ricyn? Het is een hardvochtig iets, een koude wind uit het hiernamaals.'

Ricyn huiverde, alsof hij die wind al voelde. Hij staarde lange tijd in het vuur.

'Hardvochtig of niet, het is alles wat ik nog heb,' zei hij tenslotte. 'Ik zal u volgen en de Godin volgen, en dan zien we wel wat Zij ons beiden brengt.'


Cerrmor lag aan de monding van de Belaver, de rivier die de ruggegraat van het koninkrijk vormde, waar de riviermond een brede haven uit de krijtrotsen had geschuurd. Met meer dan tachtigduizend mensen binnen zijn stenen muren was het de op een na grootste stad van het koninkrijk, nu Dun Deverry verwoest was. De stad strekte zich vanaf een lange rij pieren en steigers stroomopwaarts uit in een uitdijende reeks gebogen straten, als kringen van een steen die in een vijver wordt geworpen. Zolang zijn gwerbrets zijn veiligheid waarborgden, zorgde de handel met Bardek voor rijkdom. Dun Cerrmor stond als een vesting binnen een vesting op een lage kunstmatige heuvel in het centrum van de stad, niet ver van de rivier. Binnen een dubbele rij muren stonden het stenen brochcomplex, stenen bijgebouwen en kazernes, allemaal met leien daken; nergens was ook maar een stukje hout dat door een brandende pijl kon ontvlammen. Buiten de hoofdpoort stonden vestingtorens, en de poorten zelf waren met ijzer beslagen en werden met een lier geopend en gesloten.

Toen Gweniver haar krijgsbende over het met keien bestrate binnenplein leidde, ging er een gejuich op: het is de Wolf! Alle goden, het is de Wolf! Mannen stroomden uit de broch en de kazerne om naar hen te kijken, en pages in de koninklijke kleuren rood en zilver kwamen aangerend om hen te verwelkomen.

'Heer,' riep een jongeman uit. 'We hadden gehoord dat u gesneuveld was!'

'Mijn broer is gesneuveld,' zei Gweniver. 'Ga tegen de koning zeggen dat vrouwe Gweniver hier is om Avoics belófte gestand te doen.' De page staarde met uitpuilende ogen naar haar getatoeerde gezicht en rende terug naar de broch. Ricyn kwam naast haar gereden en glimlachte breed tegen haar.

'Ze dachten dat u een geest uit het hiernamaals was, vrouwe. Zal ik de mannen laten afstijgen?'

'Goed. Hoor eens, je hebt nu al zo lang als hoofdman gefungeerd. Het wordt tijd dat ik je officieel als zodanig benoem.'

'Mijn vrouwe bewijst me te veel eer.'

'Dat doet ze niet en dat weet je best. Je bent nooit bescheiden geweest, Ricyn, dus doe nu niet of je het wel bent.'

Hij maakte lachend een halve buiging vanuit het zadel en wendde zijn paard weer naar de mannen.

Gweniver stond naast haar paard en overzag nerveus het brochcomplex terwijl ze op de terugkomst van de page wachtte. Haar broers hadden haar wel over de pracht van Cerrmor verteld, maar ze was er nooit geweest. De kolossale, zeven verdiepingen hoge toren was verbonden met drie lagere halfbrochs, een donkergrijs complex als de vuist van een reus die door dweomer in steen was veranderd. Eromheen stonden genoeg kazernes en stallen om honderden mannen te huisvesten. Boven dat alles woei een rood met zilverkleurige vlag die fier verkondigde dat de koning er verbleef. Om zich heen kijkend naar de groeiende menigte zag ze dat alle edelen naar haar keken, maar niets durfden te zeggen tot de koning zijn oordeel over deze vreemde kwestie had gegeven. Net toen ze de page verwenste omdat hij zo lang wegbleef, gingen de met ijzer beslagen deuren open en kwam de koning zelf naar buiten, vergezeld door een gevolg van pages en raadslieden.

Glyn, Gwerbret Cerrmor, of koning van heel Deverry, zoals hij het liefst werd genoemd, was een jaar of zesentwintig. Hij was een lange, blonde man met bijna wit gebleekt haar dat naar vorstelijk gebruik verstevigd was met kalkbrij, zodat het als leeuwenmanen uit zijn breed gezicht gekamd kon worden. Zijn diepliggende blauwe ogen hadden voortdurend een gekwelde uitdrukking, omdat hij zijn verantwoordelijkheden net zo ernstig opvatte als zijn rechten. Toen Gweniver voor hem knielde, voelde ze een oprecht ontzag. Ze had haar hele leven over deze man horen praten en nu stond hij voor haar; hij zette zijn handen in zijn zij en nam haar met een peinzend glimlachje op.

'Sta op, vrouwe Gweniver,' zei Glyn. 'Ik hoop dat het niet onbehou-
wen klinkt, maar ik had nooit gedacht nog eens te zullen beleven dat
een vrouw me mannen kwam brengen.'
Gweniver maakte, zo goed en zo kwaad als dat in een brigga ging,
een revérence.
'Maar mijn vereerde leenheer, de Wolf heeft nog nooit zijn eed gebroken, heel deze lange oorlog niet.'
'Dat weet ik.' Hij aarzelde om zorgvuldig zijn woorden te kiezen. 'Ik
heb gehoord dat u een zuster hebt. Later, wanneer u uitgerust bent,
zult u ongetwijfeld met mij over het lot van de Wolf willen spreken.'
'Inderdaad, heer, en ik voel me vereerd dat u aandacht aan deze kwestie wilt schenken.'
'Dat spreekt vanzelf. Wilt u intussen als geëerde gast bij mij verblij-
ven of moet u onmiddellijk naar uw tempel terug?'
Daar was het kernpunt, en Gweniver riep in stilte de Godin aan.
'Mijn heer,' zei ze. 'De allerheiligste Maan heeft mij uitverkoren Haar
als Maan-gewijde krijger te dienen. Ik kom u verzoeken mij mijn
plaats aan het hoofd van mijn krijgsbende te laten behouden, om met
u in uw leger ten strijde te mogen trekken en me onder uw bevel te
mogen stellen.'
'Wat?' Hij vergat heel zijn rituele hoffelijkheid. 'Dat kunt u niet me-
nen. Wat zou een vrouw in veldslagen en dergelijke kunnen zoeken?'
'Wat elke man zoekt, heer: eer, roem en de kans de vijanden van de
koning te verslaan.'
Glyn weifelde en staarde naar de tatoeage alsof hij zich de oude verhalen herinnerde van degenen die de Godin van het Maanduister
dienden, toen wendde hij zich tot de krijgsbende.
'Mannen,' riep hij. 'Erkennen jullie de vrouwe als jullie hoofdman?'
De krijgsbende riep als één man uit dat ze dat deed. In het achterste
gelid riep Dagwyn vrijmoedig dat Gweniver dweomer was.
'Dan aanvaard ik het als een gunstig voorteken dat een aan de Maan
gewijde krijger aan mijn hof is gekomen,' zei Glyn. 'Het is goed, vrouwe. Ik willig uw verzoek in.'
Op een handgebaar van Glyn kwamen de bedienden als een zwerm
sprinkhanen opzetten. Staljongens schoten toe om de paarden over
te nemen; ruiters van 's konings eigen krijgsbende haastten zich naar
Ricyn om hem en zijn mannen naar de kazerne te brengen; raadslieden maakten Gweniver hun opwachting en bogen voor haar; twee
onderkamerheren kwamen naar haar toe om haar naar de grote zaal
te begeleiden. De aanblik van die zaal deed haar versteld staan. Hij
kon meer dan honderd tafels bevatten voor de krijgsbenden en had
vier enorme haarden. Rode en zilveren banieren hingen tussen fraaie

wandtapijten aan de muren, en de vloer was niet bedekt met stro maar met gekleurde leien. Gweniver stond met open mond te kijken als het plattelandsmeisje dat ze was toen de opperkamerheer, Orivaen genaamd, zich naar voren haastte om haar te begroeten.

'Wees gegroet, vrouwe,' zei hij. 'Sta mij toe een onderkomen voor u te zoeken in onze nederige broch. Omdat u zowel edelvrouw als priesteres bent, weet ik eigenlijk niet welke rang u hebt, ziet u. Misschien dezelfde als tieryn?'

'Ach, beste heer, zolang de kamer een bed en een haard heeft, is alles goed. Een priesteres van de Duistere Maan geeft niet om rang.'

Orivaen kuste haar oprecht dankbaar de hand, nam haar mee naar een kleine suite in een zijtoren en stuurde pages weg om haar uitrusting te halen. Zodra ze alleen was, begon ze rusteloos op en neer te lopen terwijl ze zich afvroeg of de koning het de moeite waard zou vinden de bezittingen van de Wolf te behouden, nu de clan van de Stag zulke grote verliezen had geleden. Na een paar minuten werd er op de deur geklopt en een mogelijk wapen in haar strijd om de clan te redden, kwam binnen. Heer Gwetmar was een lange, magere jongeman met een vierkante kaak en een slordige bos donker haar. Ofschoon hij van hoge geboorte was, bezat zijn familie haast geen land en genoot zijn familie weinig aanzien bij de grote clans. Gwenivers verwanten hadden hem echter altijd als een gelijke behandeld. Hij greep haar beide handen en drukte die stevig.

'Gwen, bij alle goden, wat ben ik blij je te zien. Toen het bericht van Avoics dood binnenkwam, heb ik me ziek van angst afgevraagd of jou en je zusje iets was overkomen. Ik was het liefst onmiddellijk naar het noorden gereden, maar dat vond onze leenheer niet goed.'

'Hij wilde jou en je mannen natuurlijk niet ook nog verliezen. Maccy zit veilig in de tempel, en moeder ook.'

Gwetmar liet zich breed glimlachend in een stoel zakken. Gweniver ging in de vensterbank zitten en keek hem peinzend aan.

'Vertel eens,' zei hij. 'Wil je je heus bij ons aansluiten?'

'Ja. Ik wil een kans op wraak, al wordt het mijn dood.'

'Dat begrijp ik. Ik bid alle goden dat ik Avoics moordenaar zal mogen neerslaan. Hoor eens, als we in het najaar nog leven, zal ik mijn mannen bij de jouwe voegen en je met deze vete helpen.'

'Dank je. Ik hoopte al dat je zoiets zou zeggen, omdat ik over de bezittingen van de Wolf heb nagedacht. Die zijn nu van Maccy, althans dat zullen ze zijn, als de koning mijn verzoek inwilligt om ze in de vrouwelijke lijn te vererven. Maar ik ben nog steeds haar oudere zus en bovendien priesteres en ze zal verdraaid nog toe de man trouwen die ik voor haar uitkies.'

'En je zult ongetwijfeld een goede kiezen.' Gwetmar wendde zijn blik af, opeens zwaarmoedig. 'Dat verdient Maccy ten volle.'

'Luister, uilskuiken. Ik heb het over jou. Ik weet dat Maccy altijd koel en nesterig tegen je heeft gedaan, maar ze zou nu desnoods met de heer der hel trouwen om uit die tempel te komen. En ik ben niet van plan om de een of andere op land azende edelman hier te vertellen waar ze is, voor jij een kans hebt gehad haar een boodschap te sturen.'

'Gwen! Ik hou toevallig echt van je zusje, niet alleen van haar bezittingen!'

'Dat weet ik. Waarom denk je anders dat ik je dit voorstel doe?'

Hij gooide zijn hoofd achterover en lachte, zo helder als de zon die door de onweerswolken breekt.

'Ik had nooit gedacht dat ik nog eens de kans zou krijgen met haar te trouwen,' zei hij tenslotte. 'De naam en de vete van de Wolf overnemen lijkt me daar een verdraaid lage prijs voor.'

Gwetmar begeleidde haar naar de grote zaal. Langs de ene kant was een verhoging, waarop de koning en de edelen hun maaltijden gebruikten. Glyn was nergens te zien, maar er zat wel een aantal edelen te drinken en naar de bard te luisteren. Gweniver en Gwetmar gingen bij heer Maemyc zitten, een oudere edelman die Gwenivers vader goed had gekend. Hij streek langs zijn grijze snor en keek haar treurig aan, maar tot haar opluchting zei hij geen woord over de weg die ze had gekozen. Nu de koning haar keuze had goedgekeurd, durfde niemand die meer in twijfel te trekken.

Het gesprek ging onvermijdelijk over de naderende zomergevechten. Die zouden pas langzaam op gang komen. Na de bloedige veldtochten van de laatste paar jaar had Cerrmor gewoon niet genoeg mensen om Dun Deverry te belegeren, en had Cantrae er evenmin genoeg om een echte aanval op Cerrmor te doen.

'Het zal wel bij een heleboel schermutselingen blijven, als je het mij vraagt,' voorspelde Maemyc. 'En misschien één flinke aanval in het noorden om de clans van de Wolf en de Stag te wreken.'

'Een paar snelle aanvallen en niet veel meer,' beaamde Gwetmar. 'Maar Eldidd kan ons aan de westelijke grens ook nog aardig dwarszitten.'

'Dat is waar.' Hij keek Gweniver aan. 'Die is steeds brutaler geworden en tot diep in het land doorgedrongen om zowel ons als Cantrae te laten bloeden. Ik wil wedden dat hij het grootste deel van zijn leger achterhoudt tot we geen van beiden meer tegenstand kunnen bieden.'

'Juist, ja. Dat klinkt inderdaad aannemelijk.'

Aan de andere kant van het podium ontstond enige drukte bij de kleine deur die naar de privé-trap van de koning leidde. Twee pages knielden eerbiedig neer terwijl een derde de deur wijd openzwaaide. Gweniver, die de koning verwachtte, wilde opstaan, maar er verscheen een andere man, die even bleef staan en het gezelschap opnam. Hij was met zijn blonde haar en blauwe ogen het evenbeeld van Glyn, maar hij was slank, terwijl de koning gezet was. Hij sloeg zijn lange zwaardvechtersarmen over elkaar en bezag de edelen met verachtelijk samengeknepen ogen.

'Wie is dat?' fluisterde Gweniver. 'Ik dacht dat de broer van de koning dood was.'

'Zijn echte broer wel,' zei Gwetmar. 'Dat is Dannyn, een van de bastaarden van de oude gwerbret, de enige jongen van het stel. Maar de koning is erg op hem gesteld en heeft hem tot hoofdman van zijn lijfwacht benoemd. Als je hem hebt zien vechten, kun je hem zijn afkomst niet misgunnen. Hij hanteert een zwaard als een god, niet als een man.'

Dannyn kwam met zijn duimen achter zijn zwaardgordel naderbij, gaf Gwetmar een vriendelijk, zij het gereserveerd knikje en nam toen Gweniver onderzoekend op. Op de schouderstukken van zijn hemd was het schepenblazoen van Cerrmor geborduurd, maar zijn mouwen waren van boven tot onder versierd met een patroon van stotende valken.

'Zo,' zei hij tenslotte. 'U bent de priesteres die denkt dat ze een krijger is, nietwaar?'

'Ja, en u bent zeker een man die me het tegendeel denkt te kunnen vertellen.'

Dannyn ging naast haar zitten en draaide zich om, zodat hij tegen de tafel kon leunen. Terwijl hij sprak keek hij naar de zaal in plaats van naar haar.

'Hoe komt u op het idee dat u een zwaard kunt hanteren?' vroeg hij.

'Vraag het mijn mannen. Ik poch nooit op mezelf.'

'Ik heb al met Ricyn gesproken. Hij had het lef me te vertellen dat u in razernij ontsteekt.'

'Dat doe ik inderdaad. Gaat u me nu een leugenaarster noemen?'

'Het is niet aan mij u wat ook te noemen. De koning heeft me bevolen u en uw mannen in zijn garde op te nemen, en ik doe wat hij zegt.'

'Ik ook.'

'Van nu af doe je wat ik zeg, begrepen, meidje?'

Met een snelle polsbeweging smeet Gweniver de inhoud van haar kroes recht in zijn gezicht. Terwijl de edelen aan de tafel geschrokken vloekten, kwam ze overeind en keek Dannyn aan, die minzaam naar haar opkeek, zonder iets te doen aan het bier dat langs zijn gezicht stroomde.

'Hoor eens,' zei ze. 'Jij bent een hoerenjong, dat valt niet te ontkennen, maar ik ben de dochter van een Wolf. Als je met alle geweld mijn vaardigheid op de proef wilt stellen, kom dan mee naar buiten.'

'Moet je dat horen. Opvliegende kleine del die je bent.'

Ze sloeg hem zo hard in zijn gezicht dat hij een halve draai maakte.

'Ik laat me door niemand een del noemen.'

In de grote zaal werd het doodstil, toen alle aanwezigen, van pages tot edelen, zich omdraaiden om te kijken.

'Jij vergeet tegen wie je het hebt,' vervolgde ze. ' Of ben je blind en kun je de tatoeage op mijn gezicht niet zien?'

Dannyn bracht langzaam zijn hand naar zijn gezicht en wreef over de zere plek, maar zonder zijn ogen af te wenden van de hare. Die waren koud, diep en angstaanjagend in hun felheid.

'Wil de vrouwe mijn verontschuldigingen accepteren?'

Toen hij aan haar voeten knielde, slaakte de hele zaal een zucht die klonk als het ruisen van de zee.

'Het spijt me heel erg dat ik u heb beledigd, heilige vrouwe. Eerlijk waar, ik moet gegrepen zijn geweest door waanzin. Als iemand u ooit nog een del durft te noemen, zal ik hem met mijn zwaard ter verantwoording roepen.'

'Dank u. Dan vergeef ik u.'

Dannyn stond met een glimlachje op en veegde met zijn mouw het bier van zijn gezicht, maar hij bleef haar aankijken. Heel even speet het haar dat ze de gelofte van kuisheid had afgelegd. Zijn soepele manier van bewegen, zijn hele houding, zijn hooghartigheid, gaven haar een gewaarwording van iets moois, iets dat sterk en zuiver was als de scherpe kling van een zwaard in de zon. Toen herinnerde ze zich de donkere ogen van de Godin en de spijt ging over.

'Vertel me eens,' zei hij. 'Voert u werkelijk uw krijgsbende aan?'

'Ja. Ik zou liever sterven dan dat men van me zou zeggen dat ik mijn mannen vanuit de achterhoede aanvoerde.'

'Ik had niet anders verwacht.'

Dannyn boog en liep toen langzaam en arrogant tussen de edelen door naar de deur. Zodra die achter hem gesloten was, barstte er overal in de zaal gefluister los.

'Alle goden!' Gwetmar veegde het zweet van zijn voorhoofd. 'Ik dacht werkelijk dat je laatste uur geslagen had. Jij bent de enige persoon in het koninkrijk die Dannyn de voet dwars heeft gezet en dat vijf minuten heeft overleefd.'

'Ach, onzin,' zei Gweniver. 'Hij zal heus wel zo verstandig zijn om een aan de Maan gewijde priesteres niets te doen.'

'Huh!' snoof Maemyc. 'Dannyn maakt iemand eerst af en denkt dan pas na.'

Een paar minuten later kwam er een page naar Gweniver met de mededeling dat de koning haar onder vier ogen wilde spreken. Zich bewust van de enorme eer die haar te beurt viel, volgde ze hem naar de tweede verdieping van de hoofdbroch. Glyn bewoonde daar een reeks vertrekken gemeubeld met gebeeldhouwde tafels en stoelen, behangen met wandtapijten en belegd met prachtige Bardekse vloerkleden. De koning stond bij een haard van lichte zandsteen met gebeeldhouwde schepen en randversieringen. Toen ze voor hem knielde, verzocht hij haar op te staan.

'Ik dacht aan al uw verwanten die in mijn dienst omgekomen zijn,' zei Glyn. 'Die kwestie van de Wolf drukt zwaar op me, heilige vrouwe. Wilt u me verzoeken de bezittingen en de naam in de vrouwelijke lijn te laten vererven?'

'Ja, heer. Nu ik de gelofte heb afgelegd, mag ik niet meer bezitten dan wat ik in een reiszak kan meenemen, maar mijn zuster zal binnenkort verloofd zijn met een man die bereid is mèt onze naam ook de vete over te nemen.'

'Ach zo. Nu, ik zal eerlijk zijn. Wat de kwestie van uw bezittingen betreft, zal ik misschien niet zo snel kunnen handelen als ik zou willen, maar ik ben bereid toe te staan dat de naam op de zoons van uw zuster overgaat. Hoe graag ik de Boars ook van uw gebied zou verdrijven, er hangt veel af van de afloop van de zomergevechten.'

'U bent buitengewoon goed en edelmoedig, heer. Ik begrijp dat de rampspoed van mijn clan maar een van uw vele problemen is.'

'Helaas wel, heilige vrouwe, dat is maar al te waar. Ik wilde wel dat het anders was.'

Toen ze de koninklijke vertrekken verliet, kwam Gweniver Dannyn tegen, die de voor bijna ieder gesloten deur zonder aankondiging of plichtplegingen opende. Hij glimlachte flauwtjes tegen haar.

'Heilige vrouwe,' zei hij, 'ik heb veel verdriet over de dood van uw verwanten. Ik zal mijn best doen hen te wreken.'

'Dat is heel nobel van u, heer Dannyn, en ik dank u dan ook zeer.'

Gweniver liep met snelle passen de gang uit, maar bij de trap wierp ze een blik achterom en zag dat hij haar nog steeds nakeek, zijn hand op de deurklink. Ze huiverde plotseling van de kou en voelde het gevaar als een klamme hand langs haar rug glijden. Ze moest wel aannemen dat de Godin haar deze waarschuwing zond.

De volgende morgen liep Gweniver met Ricyn over het buitenplein toen ze een sjofele oude man twee zwaar bepakte muildieren de poort zag binnenleiden. Hoewel hij een vuile bruine brigga aan had en een vaak gelapt hemd met de blazoenen van Glyn erop, was zijn houding zo recht en zijn stap zo energiek als die van een jonge prins. Verscheidene pages schoten toe om hem met de muildieren te helpen, en ze zag dat ze de oude man met veel respect behandelden.

'Wie is dat, Ricco?'

'De oude Nevyn, vrouwe, en zo heet hij werkelijk. Hij zegt dat zijn vader hem in een vlaag van woede "niemand" heeft genoemd.' Ricyn zei het of hij een merkwaardig ontzag voor de oude man koesterde. 'Het is een kruidenman, ziet u. Hij zoekt wilde kruiden voor de chirurgijns en hij kweekt sommige hier ook in de dun.'

De pages leidden de muildieren weg. Een onderkamerheer die langskwam, bleef staan om een buiging voor de kruidenman te maken.

'Nou zeg,' zei Gweniver, 'die Nevyn is uiteraard een nuttig soort dienaar, maar waarom behandelt iedereen hem als een edelman?'

'Eh, tja.' Ricyn leek geen raad te weten met de vraag. 'De oude man heeft nu eenmaal iets dat eerbied inboezemt.'

'O ja? Voor de dag ermee! Ik merk best dat je iets verbergt.'

'Tja, vrouwe, iedereen zegt dat hij dweomer is, en ik geloof het zelf ook min of meer.'

'Ach, wat een onzin!'

'Dat is het niet, vrouwe. Het is bijvoorbeeld algemeen bekend dat de koning zelf naar Nevyns tuin gaat en urenlang met hem praat.'

'En wil dat zeggen dat hij dweomer is? De koning wil de staatszaken natuurlijk af en toe eens opzij zetten en hij vindt die oude man waarschijnlijk alleen maar amusant of zo.'

'Dat is mogelijk.' Maar het was duidelijk dat hij geen woord van haar uitleg geloofde.

Op dat ogenblik kwam Nevyn zelf naar hen toe met een vriendelijke groet voor Ricyn, die prompt voor hem boog. Toen de oude man Gweniver aankeek, werden zijn ogen zo koud als de noordenwind en leken tot in het diepst van haar ziel door te dringen. Ze was er opeens zeker van dat ze hem kende, dat ze op de een of andere vreemde manier had gewacht tot ze hem zou vinden, dat haar hele leven erop gericht was geweest om haar hier naar die sjofele kruidenman te brengen. Toen verflauwde het gevoel en schonk hij haar een vriendelijke glimlach.

'Goedemorgen, vrouwe,' zei hij. 'Uw roem heeft zich door de hele dun verspreid.'

'Werkelijk?' Gweniver was nog steeds enigszins van streek. 'Nou ja, daar ben ik eigenlijk wel blij om.'

'Tja, een aan de Maan gewijde krijger is een zeldzaamheid, maar het is een feit dat de tijden donker genoeg zijn voor de Vrouwe van het Zwaard-Doorboorde Hart.'

Gweniver staarde hem verbluft aan. Hoe wist een man die geheime naam? Nevyn boog plechtig voor haar.

'Wilt u mij excuseren, heilige vrouwe? Ik moet zorgen dat die pages de kruiden voorzichtig uitpakken. We zullen elkaar ongetwijfeld nog wel zien.'

Toen hij wegliep, staarde Gweniver hem lange tijd na. Tenslotte wendde ze zich tot Ricyn.

'Je hebt gelijk, hoofdman,' zei ze bits. 'Hij is dweomer, vast en zeker.'

Op ongeveer datzelfde ogenblik zat de koning met zijn raadslieden in de raadszaal, een kaal vertrek met een lange tafel en een perkamenten kaart van Deverry aan de stenen muur. Aan het hoofd van de tafel zat Glyn in een stoel met een hoge rugleuning waar de traditionele geruite doek van het koningschap overheen hing. Dannyn zat aan zijn rechterhand en de raadslieden die op krukken zaten, leken in hun zwarte gewaden net kraaien rond gemorst graan. De koning had deze morgen Amain, de hogepriester van Bel, verzocht de vergadering bij te wonen. Terwijl de raadslieden een voor een opstonden om gewichtig hun advies over oorlogszaken te geven, staarde Dannyn uit het raam en dacht aan andere dingen, omdat de werkelijke besluiten later door de koning en zijn bondgenoten zouden worden genomen. Toch kwam er tegen het eind van de vergadering een discussie over een kwestie die Dannyns aandacht deed herleven. Saddar, een oude man met witte bakkebaarden en een bibberende kin, stond op en boog voor de koning.

'Mijn nederigste verontschuldigingen, heer, omdat ik u een vraag stel,' zei hij. 'Maar ik vroeg me af waarom u vrouwe Gweniver in uw krijgsbende hebt opgenomen.'

'Na alles wat haar clan voor mij heeft gedaan,' zei Glyn, 'vond ik dat ik haar de gunst die ze me vroeg, niet mocht weigeren. Ik weet zeker dat Dannyn hier zal zorgen dat haar niets overkomt, bovendien zal het oorlog voeren haar gauw genoeg gaan tegenstaan.'

'Ah.' De oude man zweeg en keek naar de andere raadslieden om steun. 'Wij dachten dat u haar die ongemakken veel eenvoudiger zou kunnen besparen, ziet u, door haar gewoon onder dwang naar haar tempel terug te sturen en het haar mannen pas later te vertellen.'

Dannyn trok zijn met juwelen bezette dolk en wierp hem pal voor Saddar in de tafel. De man deinsde met een kreet terug toen de dolk trillend in het hout bleef steken.

'Vertelt u me eens,' zei Dannyn. 'Hoe kan een lafaard als u over een krijger zoals zij oordelen?'

Toen de koning lachte, lachten alle raadslieden gedwongen mee, zelfs Saddar.

'Dannyn heeft een hoge dunk van haar moed, heren,' zei Glyn. 'Ik moet in dergelijke zaken op zijn oordeel vertrouwen.'

'Ik zou heer Dannyns oordeel in dit soort zaken nooit in twijfel trekken, heer. Het ging mij alleen over het fatsoen van het geval.'

'Nou, steek dat maar in je achterste,' snauwde Dannyn.

'Zwijg!' greep de koning krachtig in. 'Beste raadsheer, ik verzeker u dat ik meer achting voor uw wijsheid heb dan mijn broer, maar ik heb de vrouwe al mijn erewoord gegeven. Bovendien heb ik zijne heiligheid hier uitgenodigd om ons de kwestie uit te leggen.'

Iedereen keek naar de priester, die met een knikje naar de aanwezigen opstond. Zoals bij alle dienaren van Bel was zijn hoofd kaalgeschoren, hij droeg een gedraaide gouden ring rond zijn hals en een eenvoudige linnen tuniek die rond het middel met een gewoon stuk touw bijeen werd gehouden. Aan die gordel hing een kleine gouden sikkel.

'De koning wilde op de hoogte worden gesteld van de status van vrouwe Gwenivers godsdienst,' zei Amain met zijn zachte, lage stem. 'Die is alleszins erkend en gaat terug tot de Begintijd, toen, zoals de kronieken vermelden, vrouwen door de zware druk van de omstandigheden genoodzaakt waren krijger te worden. De verering van de Godin van het Maanduister mag beslist niet verward worden met de riten van Epona of Aranrhodda.' Bij het noemen van de tweede naam zweeg hij om zijn vingers te kruisen in het teken tegen tovenarij. De meeste raadslieden deden hetzelfde. 'Ik moet zeggen dat ik verrast was te vernemen dat de krijgsrite nog voortleeft, maar ik vermoed dat de heilige vrouwen van de tempels de overlevering intact hebben gehouden.'

Toen Amain weer ging zitten, keken de mannen elkaar met enig onbehagen aan.

'Dus u ziet, beste Saddar,' zei Glyn, 'dat ik in deze de wil van de Heilige Godin niet mag doorkruisen.'

'Natuurlijk niet, heer. Moge zij me vergeven dat ik aan de bedoelingen van de vrouwe heb getwijfeld.'

De vergadering ging met verzoenende knikjes en buigingen naar elkaar uiteen. Toen Glyn de kamer uitging, bleef Dannyn even achter om zijn dolk uit de tafel te halen. Terwijl hij hem weer in de schede stak, sloeg Saddar hem met giftige blikken gade. Dannyn haastte zich achter de koning aan en volgde hem naar zijn privé-vertrekken. Glyn liet door een page voor hen elk een kroes bier halen en ging toen in een stoel bij de haard zitten. Hoewel Dannyn de stoel nam die zijn broer hem aanbood, zou hij net zo lief als een hond aan zijn voeten hebben gezeten.

'Hoor eens, Danno,' zei de koning. 'Dat stel blaaskaken verveelt mij net zo erg als jou, maar ik ben op hun loyaliteit aangewezen. Wie moet er anders dit armzalige koninkrijk besturen als wij op veldtocht zijn?'

'U hebt gelijk, heer, en ik bied u mijn excuses aan.'

Glyn dronk zuchtend zijn bier en staarde in de lege haard. Hij had de laatste tijd wel vaker van die sombere buien; zijn broer maakte zich daar ernstig ongerust over.

'Wat zit u dwars, heer?' vroeg Dannyn.

'De dood van heer Avoic en van al zijn broers. Ach goden, ik vraag me soms af of ik wel koning mag zijn, als ik denk aan al die doden die mijn aanspraak op het koninkrijk al heeft gekost.'

'Wat? Heus, alleen een ware koning kan een dergelijke twijfel koesteren. Ik wil wedden dat het Cantrae geen bliksem kan schelen wie er voor zijn zaak sneuvelt.'

'Dus jij gelooft in me, Danno?'

'Ah, bij alle helleschachten, ik zou voor u willen sterven.'

'Weet je,' Glyn keek op, zijn ogen troebel van iets dat verdacht veel op tranen leek, 'ik denk soms dat ik zonder jou gek zou worden.'

Dannyn was te geschrokken om iets te zeggen. Glyn stond met een ongeduldige hoofdbeweging op.

'Ga weg,' zei hij kortaf. 'Wij willen alleen zijn.'

Hoe graag hij ook zou willen blijven, toch volgde Dannyn dit bevel onmiddellijk op. Terneergeslagen ging hij naar het binnenplein. Zijn enige troost was dat Glyns sombere stemming wel zou verdwijnen als ze op veldtocht gingen, maar het was een schrale troost. Er zouden deze zomer waarschijnlijk weinig echte veldslagen zijn. Hijzelf zou vermoedelijk de paar te verwachten overvallen aanvoeren, terwijl de koning in zijn dun bleef zitten piekeren, omdat hij te belangrijk was om bij een onbetekenende actie verwondingen te riskeren.

Zijn doelloos wandelen voerde hem tenslotte naar het kazerneterrein. De krijgsbende van de Wolf was voor de stallen hun paarden aan het verzorgen. Vrouwe Gweniver zelf zat er op de disselboom van een kar naar te kijken. In weerwil van haar kortgeknipte haar en haar mannenkleren, zag Dannyn haar alleen als een vrouw, en een aantrekkelijke vrouw bovendien. Haar grote, heldere ogen waren het opvallendst aan haar gezicht, ze straalden als bakens die hem naar haar toe trokken. Ook de manier waarop ze zich bewoog trok hem aan;

elk gebaar was doelbewust en toch soepel, alsof ze uit een verborgen energiebron putte. Toen ze hem zag gleed ze van de disselboom en kwam naar hem toe.

'Heer Dannyn, mijn mannen hebben dekens en kleren nodig.'

'Dan krijgen ze die vandaag nog. U maakt nu deel uit van de koninklijke huishouding, dus alles wat u en uw mannen nodig hebben hoort nu bij de zorg voor uw levensonderhoud.'

'Dank u. Onze leenheer is bijzonder edelmoedig.'

'Dat is hij zeker. Ik heb meer reden dan wie ook om zijn edelmoedigheid te prijzen. Hoeveel bastaardzoons hebben ooit een titel en een functie aan het hof gekregen?'

Toen ze zichtbaar schrok, glimlachte hij. Hij had er plezier in openlijk over het gevoelige onderwerp van zijn afkomst te praten en de edelen ermee te confronteren, voor ze het tegen hem konden gebruiken. Hij weifelde even, terugdenkend aan Amains uitleg over haar godsdienst, maar iets leek hem tot spreken te dwingen.

'Die maan op uw wang, is dat een teken van een echte gelofte?'

'Wat zou het anders zijn?'

'Nou, een list, dacht ik, om veilig te kunnen reizen, dat zou ik u heus niet kwalijk nemen. Een vrouw die met een krijgsbende rondtrekt, kan maar beter onder bescherming van de Godin staan – of de mannen laten denken dat dat zo is.'

'Dat is waar, maar die halvemaan beheerst nu mijn hele leven. Ik heb Haar trouw gezworen en ik blijf Haar trouw.'

De rustige koelheid in haar stem bracht hem een boodschap.

'Ik begrijp het,' zei hij haastig. 'Ik zou het natuurlijk nooit wagen de visioenen van een priesteres in twijfel te trekken. Ik zou u iets anders willen vragen. Heeft uw zusje een aanbidder die u een geschikte huwelijkskandidaat vindt? Dan zal ik bij de koning voor hem pleiten.'

'Heus? Dat is een enorme gunst die u mij aanbiedt.'

'Wat? Waarom zegt u dat?'

'Kom nou, heer, ziet u niet wat een schat u bezit in de ogen van het hof? U hebt meer invloed bij de koning dan welke man ook. Als u die niet naar waarde weet te schatten, zou hij wel eens in een vloek kunnen veranderen.'

Dannyn glimlachte alleen maar, verwonderd over de nadrukkelijke klank in haar stem. Het verbaasde hem altijd dat vrouwen zo konden doordraven over onbelangrijke details.

'Maar goed,' vervolgde ze, 'de huwelijkskandidaat die ik geschikt vind is heer Gwetmar van de Alder-clan.'

'Ik heb naast hem gevochten, en hij is een goede man. Ik zal er met de koning over spreken.'

'Dank u.'
Gweniver liep met een vluchtig knixje weg en liet hem achter met een duister hiraedd voor deze vrouw die hij nooit kon krijgen.

Heer Dannyn kwam zijn belofte om met de koning te spreken veel eerder na dan Gweniver had verwacht. Nog diezelfde middag kwam raadsheer Saddar naar haar kamer met belangrijk nieuws. Uit eerbied voor zijn leeftijd bood ze hem de stoel bij de haard aan en schonk hem een bekertje mede in, waarna ze tegenover hem ging zitten.
'Dank u, heilige vrouwe,' zei hij met zijn ijle, dorre stem. 'Ik wilde u persoonlijk komen vertellen dat het me verheugt dat de Wolf-clan zal voortleven.'
'Dank u wel, goede heer.'
Hij glimlachte en nam een teugje mede.
'Welnu, de koning zelf heeft me gevraagd met u te spreken,' zei hij, met de nadruk op de woorden 'de koning zelf'. 'Hij heeft het belangrijke besluit genomen dat heer Gwetmar zijn band met de Alderclan mag verbreken en met uw zuster trouwen.'
'Geweldig!' Gweniver dronk hem toe met haar beker. 'Het enige dat ons nu te doen staat is Maccla ongedeerd uit de tempel krijgen.'
'Ah, daar heb ik ook een boodschap over. De koning wil dat u haar spoedig haalt. Hij zal u en Gwetmar tweehonderd man van zijn persoonlijke garde meegeven ter versterking van uw eigen krijgsbenden.'
'Allemachtig! Onze leenheer is bijzonder edelmoedig.'
'Dat is hij zeker. Heer Dannyn zal als hun hoofdman meegaan.'
Saddar zweeg even, alsof hij een betekenisvolle reactie verwachtte. Gweniver hield haar hoofd scheef en nam hem peinzend op.
'Eh ja,' zei de raadsheer tenslotte. 'Mag ik vragen wat de heilige vrouwe van heer Dannyn vindt?'
'Mijn mannen zeggen dat hij een dappere krijger is, en heus, goede heer, dat is het enige wat voor mij telt.'
'Werkelijk?'
Iets in de glimlach van de oude man bracht haar de eigenaardige waarschuwing van de Godin in herinnering, maar ze zei nog steeds niets.
'Tja,' zei Saddar, 'het is niet aan mij om te twijfelen aan degenen die de heilige geloften hebben afgelegd, maar toch komt hier een kleine waarschuwing van iemand die door zijn ouderdom soms wat openhartig wordt. Heer Dannyn is een zeer onstuimig man. Ik zou hem goed in het oog houden, als ik u was.' Hij zweeg om zijn laatste slokje mede te nemen. 'Ah, het verheugt me dat u hier bent, heilige vrou-

we. Uw Godin heeft u ongetwijfeld als een bewijs van haar gunst naar onze koning gezonden.'

'Laten we hopen van niet. Haar gunst is zo donker en hard als een bebloed zwaard.'

Saddars glimlach bestierf op zijn lippen. Hij stond meteen op, maakte een beleefde buiging en ging er haastig vandoor.

Gweniver dacht nog een tijdlang over de vreemd verontrustende woorden van de raadsheer na. Ze zou de Godin om raad willen vragen, maar ze wist niet goed hoe ze dat moest doen. Eigenlijk wist ze maar heel weinig van de Maanduister-riten, omdat er maar zo weinig van bewaard was gebleven. De tempelpriesteressen kenden diverse gewijde liederen en rituelen die bij afnemende maan uitgevoerd moesten worden; er waren flarden van overleveringen uit de Begintijd over bepaalde gebeden voor op het slagveld; dat was alles. Zonder een tempel met altaar en spiegel wist Gweniver niet hoe ze haar Godin moest benaderen. In haar zadeltassen zat een introductiebrief van Ardda voor de hogepriesteres van de tempel in Cerrmot, maar ze durfde niet goed naar die met stad en hof vertrouwde vrouw toe te gaan met haar wonderlijke verhaal over de Maan in Haar Duistere Periode.

Een spiegel was evenwel onontbeerlijk. Dus ging ze later die dag toch nog naar de stad, maar in plaats van naar de tempel ging ze naar de markt en kocht daar een bronzen spiegel met een verzilverd spiegelvlak, klein genoeg om in een zadeltas te passen. Die avond sloot ze zich na het eten in haar kamer op, stak alleen een kaarslantaarn aan en zette de spiegel tegen een kist, terwijl ze er zelf voor neerknielde. Haar spiegelbeeld keek haar zilverig en verwrongen aan.

'Vrouwe,' fluisterde ze. 'Mijn vrouwe van het Maanduister.'

Ze haalde zich haar visioen in de tempel weer voor de geest, maar het bleef een herinneringsbeeld en kwam niet tot leven. Ze had de afgelopen weken zoveel over die herinnering nagedacht, dat hij haar nog helder voor de geest stond, een duidelijk beeld, dat ze vanuit verschillende hoeken kon zien, waarbij ze eerst naar haar zwaard op het altaar keek en dan naar de spiegel of naar Ardda, die vlakbij stond. Als er maar een manier was om het in deze spiegel te zien, dacht ze, zou het misschien gaan bewegen. Ze probeerde het beeld op het zilveren oppervlak te projecteren, maar het bleef halsstarrig leeg. Opeens vond ze zichzelf mal en onnozel. Wat zij wilde was vermoedelijk onmogelijk, maar een koppig instinct dwong haar te proberen het beeld van de Godin door haar ogen naar buiten en op het glanzende zilver te brengen.

Het was ook al erg laat; ze geeuwde en vond het steeds moeilijker haar ogen op het goede punt gericht te houden. En toen had ze plotseling de slag te pakken, zoals wanneer een kind wil leren hoepelen en het lijkt of de hoepel, hoe ze ook haar best doet, toch telkens weer omvalt tot hij opeens, zonder bewuste inspanning, begint te rollen en ze het nooit meer verkeerd doet. Eerst zag ze een vaag flakkeren in de spiegel. Toen verscheen plotseling het beeld van de Godin, heel even slechts, maar het was er.

'Geloofd zij de naam van mijn Vrouwe!'

Gweniver was niet langer moe. Ze bleef de halve nacht voor de spiegel knielen, met stijve en pijnlijke knieën en rug, tot ze de Godin zo duidelijk kon zien of het beeld op het zilver geschilderd was. Eindelijk bewoog het visioen en de donkere ogen van de nacht keken haar weer recht aan. De Godin glimlachte en zegende haar enige vereerster in het koninkrijk Deverry. Gweniver huilde, maar van pure, heilige vreugde.

Omdat het plan zo eenvoudig was, geloofde Dannyn vast dat het succes zou hebben. Terwijl hij Gweniver en haar mannen naar de Tempel van de Maan begeleidde, zouden de twee broers van heer Maer van de Stag een strafexpeditie aanvoeren tot diep in het door Cantrae bezette gebied en, indien enigszins mogelijk, tot het gebied van de Boar doordringen.

'Dan zullen ze het te druk hebben om zich zorgen te maken over de bezittingen van de Wolf,' merkte Glyn op.

'Dat denk ik ook, heer. Ze hoeven die aanval niet langer voort te zetten dan nodig is om de valse koning te dwingen heer Maers echtgenote vrij te laten. Tegen die tijd zijn wij al lang op de terugweg naar Cerrmor.'

'Over het geheel genomen een goed plan.' Glyn dacht even na. 'En de echte gevechten om het grondbezit van de Wolf beginnen toch niet voor de herfst, wanneer de Boar de tijd heeft om zijn bloedvete voort te zetten.'

Nadat de koning hem had laten gaan, ging Dannyn eerst naar de vrouwenverblijven om zijn zoontje te zien. Een paar jaar geleden had Glyn een vrouw uit een adellijke clan voor hem gevonden, die bereid was zijn onwettigheid over het hoofd te zien in ruil voor de gunst van de koning. Hoewel Garaema aan de kraamvrouwenkoorts was gestorven, was het kind gezond geboren. Cobryn was nu vier jaar en kwebbelde al over wapens en oorlog voeren. Die middag haalde Dannyn hem uit de koninklijke kinderkamer en nam hem mee naar het binnenplein om de paarden te zien. Omdat de krijgsbenden net terugkeerden na een dag oefenen in het veld, was het plein vol mannen en paarden. Dannyn tilde zijn jongen op en legde hem als een zak graan tegen zijn schouder. Cobryn was een mooi kind, met het vlasblonde haar en de diepblauwe ogen van zijn vader. Hij sloeg zijn armpjes om zijn vaders hals en drukte zich stijf tegen hem aan.

'Ik hou van je, va.'

Dannyn was even te verbaasd om te antwoorden, omdat hij als jongen zijn vader altijd had gehaat.

'Is het heus?' zei hij tenslotte. 'Nou, daar ben ik blij om.'

Terwijl ze over het binnenplein slenterden, Cobryn babbelend over elk paard dat hij zag, zag Dannyn Gweniver bij de hoofdpoort met een groep edelen staan praten. Toen ze ernaartoe liepen, draaide Cobryn zich in zijn vaders armen om en wees op haar.

'Va, die man is een vrouw.'

Toen iedereen begon te lachen, werd het ventje verlegen en verborg zijn gezicht tegen Dannyns schouder. Gweniver kwam naar hen toe om hem van dichtbij te zien.

'Wat een mooi kind,' zei ze. 'Dat is toch zeker niet van jou?'

'Ja hoor. Ik ben getrouwd geweest.'

'Dat verwondert me. Ik dacht dat jij het soort man was dat nooit trouwt.'

'Dan hebt u me helemaal verkeerd beoordeeld, vrouwe.'

Gweniver was opeens op haar hoede als een geschrokken ree. Terwijl hij haar aankeek en het moment zich rekte in een pijnlijke stilte, verwenste Dannyn zichzelf om zijn halsstarrig begeren van deze vrouw die voor hem onbereikbaar was. Cobryn redde hem tenslotte door met zijn hoge kinderstem de stilte te breken.

'De koning is mijn oom.'

'Dat weet ik.' Gweniver richtte haar aandacht enigszins opgelucht op het kind. 'Houd je veel van hem?'

'O ja. Hij is geweldig.'

'Geweldiger dan dit joch van mij op zijn leeftijd kan beseffen,' zei Dannyn. 'Onze leenheer heeft mijn zoon officieel in de rij van de troonopvolgers opgenomen, vlak na zijn eigen zoons. Het gebeurt niet vaak dat het jong van een bastaard het tot prins brengt.'

'Bij de zwarte kont van de heer der hel! Nou, kleine Cobryn, je hebt gelijk, hoor. Hij is inderdaad geweldig.'

Onder het avondmaal merkte Dannyn dat hij Gweniver begerig gadesloeg, ook al waren dergelijke gedachten op zichzelf al heiligschennis. Een oud gezegde bracht zijn positie helder onder woorden: een man die een aan de Maan gewijde vrouw liefheeft, kan maar het beste kilometers afstand tot zijn hopeloze liefde houden. Haar goudblonde haar glansde in het kaarslicht en ze hield een zilveren beker in haar slanke vingers die zo mooi en zo fijngevormd waren, dat hij haast niet kon geloven dat ze werkelijk een zwaard kon hanteren. Uit wat Ricyn hem had verteld, had hij opgemaakt dat het puur geluk was geweest dat ze die mannen had kunnen doden, en geluk pleegt iemand in een veldslag te verlaten.

Na het eten stond Dannyn op en liep naar haar tafel, waar hij voor haar op de vloer hurkte en haar dwong zich naar hem over te buigen en onder vier ogen met hem te praten.

'Ik heb u aldoor al iets willen vragen,' zei hij. 'Hebt u een maliënkolder?'

'Nee. Ik heb er zelfs nog nooit een gedragen.'

'Wat? Alle goden, dan hebt u zeker geen idee hoe zwaar zo'n ding is, is het wel?'

'Ik zal er heus wel aan wennen. Mijn Godin zal me beschermen zolang Ze me in leven wil houden, en Ze zal me laten neerslaan als ze wil dat ik sterf. Als dat ogenblik gekomen is, maakt het niets uit, al draag ik de beste maliënkolder van het koninkrijk.'

'Dat zal ongetwijfeld zo zijn, want als iemands Wyrd hem treft, dan is er niets tegen te doen, maar een goede maliënkolder houdt vaak een ongelukje tegen.'

Toen ze glimlachte, ontmoetten hun ogen elkaar en op dat ogenblik voelde hij dat ze elkaar op een gevaarlijk intense wijze begrepen. Hij stond haastig op.

'Maar als het aan mij ligt, zult u deze zomer niet sneuvelen, heilige vrouwe. U zult het ongetwijfeld pijnlijk vinden om bevelen van een bastaard te gehoorzamen, maar zodra we uw zusje hebben gehaald, gaat u met mij oefenen als een dertienjarige ruiter die pas bij zijn krijgsbende is. Heel wat van die jongens bereiken een volwassen leeftijd, nietwaar? Als u doet wat ik zeg, geldt dat ook voor u.'

Haar ogen fonkelden van woede, en ze wilde al opstaan, maar hij dook haastig achteruit, buiten haar bereik.

'Goedenacht, vrouwe, en mogen uw dromen allemaal vrome dromen zijn.'

Hij haastte zich weg, voor ze hem tot een gevecht kon uitdagen. Hij had aan haar ogen gezien dat ze dat van plan was.

Nevyn wist niet precies wanneer de koning was gaan vermoeden dat zijn sjofele oude dienaar de dweomer had. Toen hij een jaar of zes geleden zijn diensten op Dun Cerrmor was komen aanbieden, had hij alleen met een onderkamerheer gesproken en een onderkomen gekregen in een echt bediendenhutje. Dat eerste jaar had hij Glyn alleen van een afstand gezien, gewoonlijk bij officiële gelegenheden. De anonimiteit beviel Nevyn goed; hij was daar alleen om een oogje op de gebeurtenissen te houden, niet om zich met politiek te bemoeien, althans zo zag hij het, en hij had Glyns hof alleen gekozen omdat hij een hartgrondige hekel had aan Slwmar van Cantrae, die niet alleen sluw en onbetrouwbaar was, maar ook achterdochtig op het paranoïde af.

Toch had Glyn, die degenen die hem dienden hoffelijk bejegende, in het tweede jaar op een gegeven ogenblik de man opgemerkt die zomaar was gekomen en nu zulk waardevol werk deed. Daarom ontbood hij Nevyn in de grote zaal voor een officiële audiëntie, om hem te bedanken voor het kweken van geneeskrachtige kruiden, die in een oorlog zo bitter hard nodig waren. De audiëntie was erg kort, en Nevyn was er samen met een aantal anderen geweest, maar hij moest iets hebben gezegd dat de belangstelling van de koning had gewekt, want niet lang daarna had Glyn in eigen persoon de kruidentuin achter de stallen bezocht en weer met Nevyn gepraat. Daarna werd het een soort gewoonte; telkens als de koning een ogenblik vrij had, kwam hij naar Nevyn toe en stelde allerlei vragen over kruiden, over de kringloop van de seizoenen en over het kweken van kruiden. Hij leek dan een ogenblik bevrijd te zijn van de druk op hem en de intriges om hem heen.

In het derde jaar had Nevyn een aardige eigen kamer gekregen in een van de zijbrochs, met als enige verklaring dat hij wel een rustig verblijf verdiende. Korte tijd later kreeg hij in de grote zaal een plaats aan een tafel met hoger geplaatste dienaren. De bezoeken van de koning werden langer, vooral in de winter, als hij meer vrije tijd had, en soms vroeg de leenheer zijn dienaar om openhartig advies over de gebeurtenissen aan het hof. Hoewel Nevyn zijn antwoorden altijd heel tactvol inkleedde, schenen ze toch in goede aarde te vallen bij de koning, die af en toe liet doorschemeren dat hij wist dat Nevyn meer was dan de groezelige oude man die hij leek te zijn.

En nu vond de koning blijkbaar dat de tijd was gekomen om zelf openhartig te zijn. Op de morgen toen de mannen van de Stag met een klein leger op pad gingen om de aanval op de Boar in te zetten, was Nevyn bezig een rij smeerwortelplantjes te wieden toen een page kwam zeggen dat de koning hem in de raadszaal wenste te spreken. Nevyn waste haastig zijn handen in een leren emmer met water en ging achter de page de broch binnen.

Glyn was alleen in de smalle raadszaal. Hij zat in een ontspannen houding op de rand van de tafel en staarde naar de perkamenten kaart die in het zonlicht hing dat door het venster binnenviel. De kaart, die uit een heel kalfsvel was gesneden, was oud en versleten, het schrift was op sommige plaatsen verbleekt. Hier en daar waren met rode inkt lijnen getrokken en weer uitgekrabd, de oude grenzen en fronten schenen er nog doorheen, het was echt een veelgebruikt perkament. De aanblik bezorgde Nevyn een wrang gevoel: het was zijn koninkrijk waar andere mannen nu om vochten. Van alle mensen in Deverry had hij de meeste rechten op de Wyvern-troon. Dat wil zeggen, als hij iemand ervan had kunnen overtuigen dat prins Galrion na al die jaren nog steeds in leven was.

'Ik heb je laten roepen om je iets te vragen,' viel Glyn met de deur in huis. 'Jij bent de enige van wie ik zeker weet dat hij erover zal zwijgen. Zelfs priesters kletsen onder elkaar als oude vrouwen.'

'Oude vrouwen kletsen minder, heer.'

'Maar mijn vraag kan alleen worden beantwoord met de kennis van een priester.' Glyn zweeg even. 'Ik hoopte dat de dweomer me van advies zou kunnen dienen.'

'En denkt mijn heer dat ik die kennis bezit?'

'Ja. Heeft hij ongelijk?'

'Nee.'

Glyn glimlachte vluchtig maar triomfantelijk.

'Geef me dan hier eens antwoord op,' vervolgde hij. 'Als een man of een vrouw in een tempel een eed heeft afgelegd, kan die dan op de een of andere manier ongedaan worden gemaakt zonder de goden te beledigen?'

'Tja, alleen in heel zeldzame gevallen. Stel dat iemand iets verkeerds heeft gezworen met het oogluikend goedvinden van een corrupte priester, dan zou de superieur van die priester de eed ongeldig kunnen verklaren. Het zou ook mogelijk zijn dat degene die de eed heeft afgelegd die herroept door de rest van zijn of haar leven in dienst van de godheid te stellen. Maar dat zou een zeer moeilijke zaak kunnen worden.'

'Dat is hier bepaald niet het geval.'

'Oho! Mijn heer heeft blijkbaar gemerkt dat zijn broer naar een verboden vrucht verlangt.'

'Inderdaad. Er is geen dweomer voor nodig om een hengst aan zijn teugel te zien rukken, brave tovenaar.'

'Dat is waar. Ik hoop alleen dat het behalve ons tweeën niemand is opgevallen, heer. Er zijn heel wat mannen die Dannyn benijden.'

Glyn beaamde het zuchtend met een hoofdknik.

'Als een oude man zijn heer van advies mag dienen,' vervolgde hij. 'De koning zou hier met zijn broer over moeten spreken. Het zou goddeloos en zondig zijn als Dannyn Gweniver ertoe zou verleiden haar gelofte te verbreken.'

Glyn zuchtte weer en keek naar de kaart.

'Ik zou moeten zorgen dat Dannyn weer trouwde,' zei hij. 'Ik heb eerst aan een verbintenis met vrouwe Macla en de bezittingen van de Wolf-clan gedacht, maar ik wilde hem niet de hele winter zo ver van mijn hof hebben. Het is misschien maar goed dat ik zo zelfzuchtig ben geweest; Gweniver zal haar zuster ongetwijfeld vaak bezoeken.'

'Ongetwijfeld, heer. Mag ik zo onbescheiden zijn om te vragen waarom u zo op heer Dannyn gesteld bent? Begrijp me goed, ik vind dat hij uw genegenheid ten volle verdient, maar de meeste mannen zijn niet zo ingenomen met de bastaarden van hun vaders. De meeste doen liever of ze niet bestaan.'

'Dat is waar. Kijk, omdat mijn vader de troon voor me heeft opgeëist toen ik nog maar een zuigeling was, ben ik opgevoed om koning te worden. Dat klonk een jongen prachtig in de oren: ik zou na een glorieuze strijd de Heilige Stad innemen, ik zou de heerser zijn over alles wat ik kon overzien, ik zou het koninkrijk vrijwaren voor oorlog. Maar op een dag, toen ik op het binnenplein liep, zag ik de staljongens die andere jongen pesten. Hij was destijds een jaar of zes en ik was acht. Ze scholden hem uit voor bastaard, en toen hij een van hen een klap probeerde te geven, sloten ze hem in en begonnen hem te slaan. Dus rende ik ernaartoe en beval hun daarmee op te houden. Ik voelde me bijzonder grootmoedig, ja, echt koninklijk, dat ik dat arme kereltje verdedigde.' Hij glimlachte in al te gewetensvolle zelfspot. 'Dus ik hielp het joch opstaan en veegde zijn bloedneus af, en bij elke god in de hemel, het leek alsof ik in een spiegel keek. Het spreekt natuurlijk vanzelf dat niemand de jonge koning ooit had verteld dat zijn vader de keukenmeisjes pakte. Nou, ik ontdekte het die morgen. Dus stormde ik mijn vaders kamer binnen als de koning die ik mezelf voelde en riep hem ter verantwoording. Het is jammer dat je zijn gezicht niet hebt kunnen zien.'

Nevyn veroorloofde zich een lachje.

'Maar hoe dan ook,' vervolgde Glyn, 'ik stond erop dat Dannyn bij mij kwam wonen, omdat hij mijn broer was, hoe vader daar ook over mocht denken. En toen vertelde Dannyn me bij stukjes en beetjes hoe het was geweest om als keukenjongen te leven, te worden bespot en gehoond, dankbaar te moeten zijn voor etensresten. En zo begon ik na te denken, beste tovenaar, op mijn kinderlijke manier na te denken over wat het betekent om heerser te zijn. Ik heb de Grote Bel toen plechtig gezworen dat ik mijn wil nooit boven al het andere zou stellen en aan al mijn grillen toegeven, zoals mijn vader deed. Alleen al daarom ben ik zo op Dannyn gesteld. Hij heeft me iets gegeven dat meer waard is dan honderd paarden. Maar bovendien is

hij de enige man aan dit hof die van me houdt om mezelf, niet vanwege de invloed en het land dat hij van me kan loskrijgen. Klinkt het
onnozel dat dergelijke dingen bij mij op de eerste plaats komen? Ik
denk het haast wel.'

'Mijn heer is niet onnozel. Hij is een van de verstandigste mannen die
ik ooit heb ontmoet, en opdat u dat niet als pluimstrijkerij opvat, wil
ik eraan toevoegen dat verstand een vloek is in tijden als deze.'

'Is het heus?' De koning wendde zijn blik af, zijn gezicht stond een
ogenblik moedeloos. 'Tja, het zal wel. Hoe dan ook, mijn dank voor
je raad, beste man. Als mijn werkzaamheden het toelaten, kom ik
een dezer dagen weer eens in de tuin kijken hoe alles erbij staat.'

In plaats van verder te wieden ging Nevyn na zijn gesprek met de koning naar zijn kamer. Hij piekerde over de vraag of Glyn voorbestemd was om als enige koning over Deverry te heersen en hoopte
dat dat zijn Wyrd zou zijn, maar hij wist dat de toekomst een gesloten boek voor hem was. Nadat hij de deur had vergrendeld om er
zeker van te zijn dat hij niet zou worden gestoord, ging hij in het
midden van de kleine kamer staan en verbeeldde zich dat hij een
zwaard van blauw vuur in zijn rechterhand had. Hij stuurde langzaam zijn wil naar het beeld, tot het los van zijn wil stond, ongeacht
waar hij zijn aandacht op richtte. Pas toen gebruikte hij het om een
kring van blauw vuur om zich heen te trekken en stelde zich de vlammen voor tot ook zij een eigen leven gingen leiden.

Hij legde het zwaard neer, ging in het midden van de flakkerende,
gloeiende cirkel zitten en riep in zijn geest het beeld op van een zespuntige ster, ook gloeiend van gouden vuur, een symbool van het mid-
delpunt en het evenwicht van alle dingen en de bron van het ware
koningschap. Terwijl hij de Koningen van het Element Ether opriep,
staarde hij in de zeshoek, die in het midden werd gevormd door de
ineengestrengelde driehoeken, en gebruikte die om beelden op te roepen, zoals minder ervaren dweomermensen een steen of een spiegel
gebruiken.

De beelden kwamen versluierd, namen nauwelijks vorm aan voor ze
weer oplosten, ze kwamen samen en werden weer uiteengetrokken
als wolken in een harde wind, en hij zag er niets in van Glyns Wyrd.
Zelfs in de Binnenwerelden waren de stromen troebel, de krachten
uit hun evenwicht, het licht schemerig. Voor elk koninkrijk of volk
is er een overeenkomstig deel in de Binnenwerelden – de mensen stellen zich die voor als een plaats, wat er als beeld mee door kan – die
de ware bron zijn van alles wat er in het koninkrijk op het buitenste
vlak gebeurt, zoals elk mens zijn geheim heeft en zijn onsterfelijke
ziel, die bepaalt wat die mens zijn wil of zijn geluk noemt. De men-

sen in Deverry zagen oorlogen woeden tussen eerzuchtige mannen; die mannen zagen zichzelf als de scheppers van hun daden; Nevyn zag de waarheid. De onbenullige schermutselingen van zogenaamde koningen waren slechts symptomen van de crisis, zoals koorts slechts een symptoom is van de ziekte die op zich onaangenaam is, maar niet de echte oorzaak van de dood. In de Binnenwerelden waren de duistere krachten van de Onbeteugelde Dood losgebroken, ze joegen alles naar een chaos terwijl slechts een handvol krijgers die het Licht dienden hun tegenstand boden. Hoewel Nevyn maar een nederige dienaar van die Groten was, moest hij zijn eigen deel van de strijd leveren in het koninkrijk. Een koorts kan tenslotte best een patiënt doden als men hem maar door laat woeden.

Men moet die krachten van de Onbeteugelde Dood echter vooral niet als mensen beschouwen, als een soort zondig leger geleid door wezens met een herkenbare ziel. Integendeel, het waren krachten die op hun manier even natuurlijk waren als regen, maar niet te beteugelen, zoals een rivier die bij hoog water buiten zijn oevers treedt en hoeven en steden meesleurt. Elk koninkrijk of volk heeft een element van chaos in zijn ziel, zwakheden, hebzucht, kleinzielige verwaandheid en hoogmoed, en men kan ze ofwel ontkennen of eraan toegeven. Als men eraan toegeeft leveren ze – overdrachtelijk gesproken – een stroom energie op die naar de bijbehorende duistere plaats in de Binnenwerelden vloeit. Zo ging het ook met Deverry in die onrustige tijd. De krachten waren gezwollen en overstroomden alles, net als die rivier.

Nevyn wist werkelijk niet in hoeverre hij op het fysieke vlak kon ingrijpen. Het werk van de dweomer is subtiel, het is een kwestie van invloeden, beelden en trage geestelijke ontwikkelingen. Rechtstreeks in de wereld optreden is voor een dweomermeester doorgaans zo vreemd, dat Nevyn bang was om in te grijpen voor het juiste ogenblik daar was. Een verkeerde handeling, ook met de beste bedoelingen, zou alleen een overwinning voor Chaos en Duisternis tot gevolg hebben. Toch vond hij het vreselijk om te moeten wachten, om de dood, de ziekte en de armoede te zien die de oorlogen over het koninkrijk brachten. Het ergste van al was de wetenschap dat er hier en daar laaghartige meesters van de duistere dweomer waren, die een kwaadaardig genoegen schepten in het lijden, en de macht die vrijkwam door het tij van de Chaos voor hun eigen duistere doelen opzogen. Hun tijd zal komen, hield hij zichzelf voor, want hun wacht het duister aan het einde van de wereld, de vervloeking aan het einde van de eeuwen der eeuwen.

Maar hij, de dienaar, kon hen niet voor hun tijd naar de duisternis sturen, zomin als hij kon zien of Glyn ooit in Dun Deverry over een vredig koninkrijk zou heersen. Met een zucht brak hij zijn meditatie af en vaagde de ster en de cirkel weg. Hij ging naar het raam, leunde naar buiten en zag hoe de krijgers zich daar beneden naar de grote zaal haasten voor het avondeten. Hen te zien lachen en grappen maken bezorgde hem een priemend schuldgevoel. Zijn vroegere fout had de oorlog veroorzaakt, tenminste zo zag hij het. Lang geleden, toen hij zelf een prins van het koninkrijk was geweest, had hij de keus gehad tussen trouwen met Brangwen van de Falcon-clan en daardoor langzamer vorderen in het leren van de dweomer (omdat hij dan immers voor een vrouw en kinderen zou moeten zorgen), of haar aan de kant zetten en zich helemaal aan het ambacht wijden. Bij zijn onhandige poging om die keuze te omzeilen, had hij drie mensen de dood ingejaagd: Brangwen zelf, haar broer Gerraent, die haar met een incestueuze en zondige liefde had bemind, en heer Blaen van de Boar, een eerbare huwelijkskandidaat, die het ongeluk had gehad in Gerraents waanzin verstrikt te raken.

Was hij maar met Brangwen getrouwd, verweet hij zichzelf, dan zouden ze nakomelingen hebben gehad, die op hun beurt nakomelingen zouden hebben gehad om zonder strijd de troon te erven en de burgeroorlog te voorkomen. Misschien. Hij vermaande zichzelf dat niemand kon weten of het zo zou zijn gegaan. De huidige problemen met de Boars echter stonden rechtstreeks in verband met zijn fout. Sinds zij het land van de Falcon hadden gekregen als vergoeding voor de dood van heer Blaen, waren de Boars opgeblazen geweest van trots en verwaandheid, tot ze gwerbret Cantrae zover hadden gekregen dat hij aanspraak maakte op een troon waar hij geen enkel recht op had. En nu waren alle acteurs in die oude tragedie hier in Cerrmor bijeen. Die avond keek Nevyn onder het eten de grote zaal rond en onderscheidde ze allemaal: Blaen, die met de overige Wolf-ruiters zat te eten als Ricyn, hun hoofdman; Gerraent, die als Glyns broer aan diens linkerhand zat; Brangwen, met de blauwe tatoeage van een aan de Maan gewijde krijger op haar wang. Ze waren allemaal nog met elkaar verweven, maar Gwenivers lot in dit leven bezorgde hem het meeste hartzeer.

Nevyn zat aan een tafel op de vloer van de zaal, met de schrijver en zijn vrouw, de eerste kamerheer en zijn twee onderkamerheren en de meester van de wapenkamer, een weduwnaar genaamd Ysgerryn. Die avond merkte Ysgerryn op dat Nevyn naar Gweniver keek die rustig zat te eten en zei dat Dannyn haar eerder op de dag bij hem had gebracht om een maliënkolder te passen.

'Gelukkig had ik er nog een bewaard die heer Dannyn paste toen hij een jaar of veertien was,' vervolgde Ysgerryn. 'We hadden hem natuurlijk uit elkaar kunnen halen en groter maken, maar het was zo'n mooi stuk werk dat ik hem heb bewaard tot hij geschikt zou zijn voor een van de jonge prinsen. En nu kwam het goed van pas.'

'Inderdaad. En wat vond heer Dannyn ervan dat de vrouwe zijn oude wapenrusting zou dragen?'

'Vreemd genoeg was hij er erg over in zijn schik geloof ik. Hij zei dat het een goed voorteken was.'

Dat zal best, dacht Nevyn. Die vervloekte kerel!

Zodra de maaltijd afgelopen was, wilde Nevyn de zaal verlaten, maar hij zag dat Dannyn bij Gweniver aan tafel ging zitten. Hij treuzelde wat onderaan de verhoging om hen af te luisteren, maar Dannyn stelde haar alleen een onschuldige vraag over de maliënkolder.

'O, goden,' zei ze lachend. 'Mijn schouders branden als vuur van dat zware ding. Het weegt vast wel meer dan twintig pond.'

'Dat weet ik wel zeker,' zei Dannyn. 'Maar blijf het dragen, houd het elke verwenste minuut dat je het kunt verdragen aan. Ik zou niet graag een man met jouw moed verliezen vanwege een gebrek aan oefening.'

Met een dronken grijns boog de jonge heer Oldac zich over de tafel. Hij was een pafferige, blonde knul met een veel te hoge dunk van zichzelf.

'Een man?' zei hij. 'Zeg Dannyn, wat mankeert er aan jouw ogen?'

'Die zien de blauwe tatoeage op haar gezicht. En voor ieder die onder mijn bevel staat is ze een man, of in elk geval mans genoeg.'

'Dat is natuurlijk waar.' Oldac veegde met de rug van zijn hand zijn van mede doordrenkte snor af. 'Maar zeg nou zelf, Gwen, het valt niet te ontkennen dat jij zo'n knap deerntje bent dat een man dat gauw vergeet.'

Als een korhoen dat uit zijn schuilplaats opstijgt, zo snel vloog Dannyn op, boog zich voorover en greep Oldac bij zijn hemd. Terwijl er bekers omrolden en leegliepen en mannen schreeuwden, sleurde hij de schoppende, schreeuwende edelman over de tafel. Toen smeet hij hem met een laatste dreun aan Gwenivers voeten.

'Bied je verontschuldigingen aan,' grauwde Dannyn. 'Niemand noemt een vrouwe die zelfs priesteres is een deerntje.'

Onder doodse stilte keek iedereen in de zaal toe. Oldac hapte naar adem en hees zich in een knielende houding.

'Vooruit.' Dannyn gaf hem een por met zijn voet.

'Ik bied u mijn nederige verontschuldigingen aan,' bracht Oldac uit. 'Ik zal u nooit meer zo noemen, heilige vrouwe. Ik smeek uw Godin me te willen vergeven.'

'Je bent een stommeling,' zei Gweniver. 'Maar ik aanvaard je ver-ontschuldigingen.'

Oldac stond op, trok zijn van mede doorweekt hemd glad en wendde zich tot Dannyn.

'Moge de Godin me mijn belediging vergeven,' zei hij. 'Maar wat jou betreft, bastaard...'

Toen Dannyn zijn hand op zijn zwaardgevest legde, stond iedereen van zijn plaats op.

'Daagt uedele me soms uit tot een tweegevecht?' Dannyns stem was zo vriendelijk als die van een kamenier.

In het nauw gedreven keek Oldac om zich heen, zijn mond bewoog alsof hij de keuze tussen beschadigde eer en een zekere dood overwoog. Dannyn wachtte glimlachend. Aan de eretafel stond de koning op.

'Genoeg!' riep Glyn. 'Lelijke vlerken om in mijn zaal te ruziën! Danno kom weer hier zitten. Oldac, ik wil je straks in mijn vertrekken spreken.'

Blozend van schaamte maakte Oldac rechtsomkeert en rende de zaal uit. Dannyn ging met gebogen hoofd als een geslagen hond weer naast zijn broer zitten. Terwijl Nevyn wegging, verbaasde hij zich over Gerraent, zoals hij in zwakke ogenblikken nog altijd aan hem dacht. Hij leek vastbesloten Gweniver met respect te behandelen en niet toe te geven aan de lang begraven hartstocht die kennelijk weer naar de oppervlakte kwam. Ik wens je kracht, jongen, dacht Nevyn, misschien dat je je er in dit leven van kunt bevrijden. En toch gleed er met die gedachte een huivering van dweomer-koude langs zijn rug. Er loerde hier gevaar, een gevaar dat hij niet had vermoed.

Aan het hoofd van een klein leger keerde Gweniver in de Tempel van de Maan terug, tegen de avond van een voorjaarsdag toen de ondergaande zon de hoge muren in een gouden licht hulde. Ze liet haar mannen aan de voet van de heuvel achter en liep met Gwetmar naar de poort; die ging op een kier open zodat Lypilla's gezicht te zien was.

'O, jij bent het, Gwen!' riep ze uit. 'Toen we dat leger zagen, dachten we dat die verwenste Boars terugkwamen of zo.'

'Nee, dat is niet zo. We komen Maccy halen. Ik heb haar een huwelijk beloofd en dat zal ze krijgen.'

'Geweldig! Het arme kind was aldoor zo verdrietig. Kom binnen, kom binnen, wat ben ik blij je te zien.'

Toen Gwen binnen was, kwam Macla aanrennen en wierp zich in de armen van haar zusje. Het tempelplein was vol vrouwen die meelevend glimlachten toen ze zagen dat Macla huilde van vreugde.

'Ik heb zo in angst gezeten, ik dacht dat je dood was,' huilde ze.

'Nee hoor, hier ben ik weer. En beheers je nu, Maccy. Ik heb een man voor je gevonden en alles komt in orde. Je krijgt een grootscheepse bruiloft aan het hof.'

Macla uitte een vreugdekreet en sloeg haar handen voor haar mond.

'Dus pak je bullen, terwijl ik met Ardda praat,' vervolgde Gweniver.

'Heer Gwetmar wacht op je.'

'Gwetmar? Maar die is zo lelijk!'

'Dan hoef je niet bang te zijn dat hij bastaarden verwekt bij je dienstmeisjes. Luister goed, kleine domoor, hij is de enige man aan het hof die je wil trouwen omdat hij van je houdt, niet om je bruidsschat, dus begin zijn goede eigenschappen maar te tellen. En als hij de kaars uitblaast zie je zijn gezicht immers niet meer.'

Macla kreunde dramatisch, maar ging toch op weg naar de slaapzaal. Pas toen zag Gweniver haar moeder, die zich enigszins afzijdig had gehouden. Dolyan stond met haar armen voor haar borst gekruist, alsof ze haar verdriet omhelsde, en haar ogen stonden halfvol tranen. Gweniver ging aarzelend naar haar toe.

'Je hebt een goed huwelijk voor je zusje geregeld,' zei Dolyan met bevende stem. 'Ik ben trots op je.'

'Dank je, moeder. Is alles goed met je?'

'Zo goed als mogelijk is nu ik je in deze uitrusting zie. Gwen, Gwen, ik smeek je, blijf hier in de tempel.'

'Dat kan ik niet, moeder. Ik ben de enige eer die de clan nog over heeft.'

'Eer? Heet dat tegenwoordig eer? Je bent al net zo erg als je vader, net zo erg als je broers, die over eer praatten tot ik dacht dat ik gek werd, echt waar. Het is niet de eer waar jullie zo dol op zijn, het is het moorden.' Plotseling gooide ze haar hoofd achterover en vervolgde in een razende stortvloed van woorden: 'Het kon ze niets schelen dat ik van ze hield, dat vonden ze niet half zo belangrijk als hun verwenste eer, het op veldtocht gaan, de clan laten doodbloeden, en dat alles om het koninkrijk in het ongeluk te storten. Gwen, hoe kun je me dit aandoen? Hoe kun je ten strijde trekken, net als zij deden?'

'Ik moet, moeder. Jij hebt Maccy en je zult binnenkort als adellijke weduwe op onze landerijen terug zijn.'

'Terug op wat?' Ze spuwde de woorden uit. 'Een afgebrand huis en verwoest land, en alles vanwege de eer! Gwen, ga alsjeblieft niet weg!' Ze begon te huilen en snikte hartbrekend.

Gweniver kon zich niet verroeren of spreken. De andere vrouwen schoten toe, ze ontfermden zich over Dolyan en brachten haar weg, maar af en toe keken ze met woedende blikken naar die hopeloos ondankbare dochter. Terwijl Gweniver de poort uitvluchtte, hoorde ze Dolyan een klaagzang inzetten, een lange, hoge jammerklacht. Ik ben al dood voor haar, dacht ze. Maar omdat het de wil van de Godin was, kon ze niet huilen, hoe graag ze dat ook zou willen.

'Wat is er?' vroeg Gwetmar.

'Niets. Maccy komt zo.' Ze wendde zich af en tuurde de helling af om Ricyn tussen haar mannen te ontdekken. 'Bij de zwarte harige kont van de heer der hel, wat zal ik blij zijn als ik weer in Cerrmor ben.'

Ze zag Ricyn nergens, maar wel Dannyn, die ontspannen te paard zat aan het hoofd van de ruiters van de koning. Binnenkort zou ze onder zijn bevel op veldtocht gaan, en ze vond dat de Godin haar een uitstekende leermeester in de kunst van het doden had gezonden.

Hoewel Nevyn diverse leerlingen in het vak van kruidenkenner had, was de meest begaafde een jonge vrouw, Gavra genaamd, een lang, slank meisje met ravezwart haar en lichtbruine ogen. Als dochter van een herbergier in Cerrmor was ze gewend aan hard werken en bovendien was ze vastbesloten hogerop te komen. In de twee jaar dat ze nu bij hem in de leer was, had ze geweldige vorderingen gemaakt in de studie van de talloze soorten kruiden en het aanwenden ervan. Daarom mocht ze hem elke middag helpen bij het verzorgen van de kleine kwalen en verwondingen van het lagere paleispersoneel, waar de officiële chirurgijns zichzelf te goed voor vonden. Ook op het gebied van hofintriges wist Gavra haar verstand goed te gebruiken. Dannyn en Gweniver waren nog maar twee dagen in de dun terug toen Nevyns leerlinge met een interessant nieuwtje kwam.

'Heer Oldac hield me vandaag staande voor een praatje,' vertelde ze.

'O ja? Heeft hij zich weer aan je opgedrongen?'

'O, hij was overdreven beleefd, maar volgens mij had hij iets oneerbaars in zijn hoofd. Meester, wilt u eens met hem praten? Het is verdraaid moeilijk om een van de edelen op zijn vingers te tikken, maar ik wil beslist niet worden opgezadeld met een van zijn bastaarden – trouwens ook niet met die van een ander.'

'Dan zal ik eens met hem praten. Je staat onder mijn bescherming alsof je mijn dochter was, en bliksems nog toe, als het moet zal ik naar de koning gaan.'

'Gelukkig, dank u wel. Maar het was niet alleen zijn dronken grijns die me verontrustte. Hij had de brutaliteit om vrouwe Gweniver te beledigen. Ik vind haar geweldig, en ik wil dat soort praat van niemand horen.'

'Wat zei hij precies?'

'O, hij maakte eerder toespelingen op het feit dat zij en heer Dannyn zoveel tijd op het oefenterrein doorbrachten.'

Nevyn vloekte binnensmonds.

'Zijn woorden waren meer tegen heer Dannyn gericht dan tegen de heilige vrouwe,' vervolgde Gavra. 'Hij vroeg me of ik het niet vreemd vond dat zijne edele er zo op gebrand was vrouwe Gweniver zijn sport te leren, maar ik werd er evengoed nijdig om. Ik zei tegen hem dat het een burgermeisje zoals ik niet paste om een mening te hebben over heer Dannyns doen en laten, en toen ben ik weggelopen.'

'Goed gedaan, meidje. Ik merk wel dat ik heer Oldac eens flink de wacht moet aanzeggen. Als het Gweniver ter ore komt dat hij haar heeft beledigd, kon hij wel eens onverwacht sterven.'

'Nou, als dat gebeurde zou ik er niet om treuren.'

De volgende dag al kwamen Gweniver en Dannyn naar hun middagspreekuur. Nevyn had juist zalf op de geschramde hand van de ondervalkenier gedaan, toen het tweetal met het gekletter en gerinkel van een volle wapenrusting binnenkwam. Dannyn hield een bebloede lap tegen zijn wang.

'Zou u de hoofdman willen behandelen, goede kruidenman?' zei Gweniver. 'Hij schaamt zich te veel om naar de chirurgijn te gaan.'

'Als ik een priesteres een kreng mocht noemen, zou ik het doen,' mompelde Dannyn achter de lap. 'Wis en drie.'

Gweniver lachte alleen maar. Toen de hoofdman de lap wegnam, kwam er een geschaafde wang te zien, die lelijk begon op te zwellen en uit twee kleine snijwonden bloedde.

'We gebruikten botte zwaarden,' vertelde Gweniver. 'Maar die kunnen ook nog behoorlijk wat aanrichten, en hij weigerde een helm te dragen bij de les.'

'Dat was stom,' zei Dannyn. 'Van mij, bedoel ik. Ik had nooit gedacht dat ze zo dicht bij me zou komen.'

'O nee?' vroeg Nevyn. 'De vrouwe heeft blijkbaar meer aanleg voor dit soort dingen dan een van ons had gedacht.'

Dannyn glimlachte zo schaamteloos dat Nevyn in de verleiding kwam de wond uit te wassen met het sterkste hamameliswater dat hij had. Maar als een soort acte van deemoedigheid gebruikte hij in plaats daarvan warm water en hield zichzelf streng voor dat Dannyn niet Gerraent was, dat de ziel in wezen wel dezelfde was, maar de persoonlijkheid niet, en dat Dannyn verschoningsgronden had voor zijn hoogmoed die Gerraent nooit had gehad. Toch werd Nevyn woedend telkens wanneer de kille ogen van de hoofdman in Gwenivers richting schoten. Toen hij wegging, zuchtte Nevyn over de dwaze trots van de mens, waardoor een man honderddertig jaar lang een wrok kon koesteren.

Gweniver zelf bleef nog een poosje bij hen; ze keek nieuwsgierig naar de kruiden en medicijnen en praatte wat met Gavra, die gelukkig niets over heer Oldacs belediging zei. Hoewel de vrouwe het niet scheen te merken, werd ze omstuwd door wezens van het Natuurvolk, die af en toe schuchter aan haar mouw trokken, alsof ze haar vroegen hen te zien. Om de een of andere reden die Nevyn niet goed begreep, kon het Natuurvolk iemand met dweomerkracht altijd herkennen, en de kleine wezens vonden zulke mensen altijd erg boeiend. Tenslotte verdwenen ze, teleurgesteld hun hoofd schuddend. Nevyn vroeg zich opeens af of Gweniver haar sluimerende dweomer-gaven misschien toevallig had ontdekt en ze gebruikte in dienst van haar Godin. Bij die gedachte werd hij koud van angst, en iets daarvan moest op zijn gezicht te zien zijn.

'Scheelt er iets aan, goede kruidenman?' vroeg Gweniver.

'O, nee, nee. Ik vroeg me alleen af wanneer u op veldtocht denkt te gaan.'

'Al snel na Maccy's trouwen. We gaan langs de grens van Eldidd patrouilleren. Misschien hoeven we helemaal niet te vechten, dat zegt heer Dannyn tenminste, dus maakt u zich geen zorgen, beste man.'

Toen ze glimlachte, voelde hij opnieuw die angst aan zijn hart klauwen, maar hij knikte alleen maar en zei niets meer.

De bruiloftsfeesten duurden de hele dag, met schijngevechten en paardenrennen, dansen en bardenliederen. Tegen de avond waren de paar mensen die nog nuchter waren, zo volgegeten, dat ze doezelig waren geworden. Maar voordat Gwetmar en Macla zich voor hun huwelijksnacht in hun kamer terugtrokken, restte er nog één formaliteit. Glyn ontbood het paar en enkele getuigen in zijn kamer om aanwezig te zijn bij het tekenen van het huwelijkscontract. Normaal zou de koning zich daar nooit persoonlijk mee hebben bemoeid, maar het doorgeven van een grote clan in de vrouwelijke lijn was een belangrijke zaak. Toen Gweniver binnenkwam, zag ze tot haar verwondering Nevyn tussen de getuigen, Dannyn, Yvyr en Saddar.

De schrijver van de koning las het decreet voor dat Gwetmar tot hoofd van de Wolf-clan benoemde en hem Macla's bruidsschat verleende op voorwaarde dat hij als de Wolf zou regeren en die clan zijn onverdeelde trouw schenken. Eerst zette Gwetmar zijn kruisje op het perkament; toen zette Gweniver haar naam als haar laatste daad als hoofd van de Wolf. Nadat Dannyn zijn kruisje had gezet, tekenden de andere getuigen.

'Dat is het dan,' zei Glyn. 'Gwetmar van de Wolf, u hebt onze toestemming om uw bruid mee te nemen naar uw vertrekken.'

In een roezemoes van buigingen en knixen verlieten bruidspaar en getuigen de kamer, maar Glyn beduidde Gweniver en Nevyn bij Dannyn en hem in de kamer te blijven. Een page bracht bier in zilveren kroezen en trok zich toen bescheiden terug.

'Zo, heilige vrouwe,' zei de koning, 'ik heb mijn belofte betreffende de naam van de Wolf gehouden. Ik hoop dat uw vader en broers daar in het hiernamaals van zullen horen.'

'Ik deel uw hoop, heer. Ik dank u nederig en ik voel me vereerd door uw grootmoedigheid voor iemand die zo ver onder u staat.'

'Ik vind het moeilijk om een priesteres te zien als iemand die ver beneden me staat.'

'Mijn heer is buitengewoon vroom en de Godin zal hem daarvoor belonen.' Gweniver maakte een knix voor hem. 'Maar priesteres of niet, ik trek op uw bevel ten strijde.'

'Of op het mijne, zodra we op veldtocht zijn,' viel Dannyn in. 'Ik hoop dat de vrouwe dat goed zal onthouden.'

Ze keken hem alle drie aan. Glyn met een koele, vermanende blik in zijn ogen. Dannyn was zichtbaar dronken: zijn gezicht was rood aangelopen van de mede, zijn mond was slap.

'Ik volg in alles de bevelen van mijn Godin.' Gweniver liet haar stem zo ijzig mogelijk klinken. 'Ik hoop dat heer Dannyn dàt goed zal onthouden.'

'O, kom nou.' Dannyn zweeg even voor een volkomen onnodige teug bier. 'Het enige wat ik wil, is uw Godin dienen door u in leven te houden. Als u dood bent, kunt u de gewijde riten niet meer uitvoeren, nietwaar? Bovendien bent u te vervloekt waardevol om te sneuvelen. Iedereen weet dat het een goed voorteken is dat u hier bent.'

Glyn wilde iets zeggen, maar Nevyn was hem voor.

'Wat heer Dannyn zegt is waar,' zei de oude man. 'Maar hij moet wel een beetje op zijn woordkeus letten als hij tegen een van de heilige vrouwen spreekt.'

'Ach, wat heb jij daarmee te maken, ouwe kerel?'

'Danno!' snauwde de koning.

'Neem me niet kwalijk!' Dannyn richtte zijn troebele blik op Gweniver. 'En dat vraag ik u ook, vrouwe, maar ik wilde u alleen maar waarschuwen. Ik weet dat u zichzelf een krijger vindt, maar...'

'Ik mezelf een krijger vind?' Gweniver stond op. 'De Godin heeft mij aangewezen voor de strijd, en u hoeft niet te denken dat u me daarvan kunt weerhouden.'

'O nee? Nou, dat zullen we dan nog wel eens zien. Ik zou desnoods met de heer der hel zelf twisten om de zaak van mijn broer te steunen, dus ik zal nodig ook met uw Godin twisten.'

'Dannyn, houd je mond,' onderbrak Nevyn hem. 'Je weet niet wat je zegt.'

Dannyn werd vuurrood van woede. De koning wilde zijn arm grijpen, maar hij was te laat: met een verwensing smeet Dannyn de kroes bier naar Nevyns hoofd. De oude man grauwde één enkel onverstaanbaar woord. De kroes bleef, als door een onzichtbare hand gegrepen, in de lucht hangen terwijl het bier op de grond stroomde. Gweniver voelde het bloed wegtrekken uit haar gezicht dat opeens zo koud werd als sneeuw. De onzichtbare hand zette de kroes keurig rechtop neer op de vloer. Dannyn staarde ernaar, probeerde iets te zeggen, maar begon van top tot teen te beven, zo geschrokken dat hij er bijna nuchter van werd. Maar Glyn moest lachen.

'Als hij over de schrik heen is, beste Nevyn,' zei hij, 'zal mijn broer zijn verontschuldigingen komen aanbieden.'

'Dat hoeft niet, heer. Een dronken man is niet helemaal verantwoordelijk voor zijn fouten. Ik bied u mijn verontschuldigingen aan voor die plas op het tapijt. Geesten kunnen niet erg goed denken, ziet u, dus het is geen moment bij hen opgekomen om het ding recht overeind op te vangen.'

Geesten? dacht Gweniver, alle goden, deze kamer moet ervan wemelen, als Nevyn dweomer heeft! Ofschoon ze een beetje onbehaaglijk rondkeek, zag ze niets. Dannyn stond op, mompelde dat hij een page zou roepen om het bier op te dweilen en vluchtte de kamer uit.

'Er zijn verschillende manieren om een man te leren hoffelijkheid in acht te nemen,' merkte de koning op. 'Vrouwe, mag ik u mijn verontschuldigingen aanbieden?'

'Het is niet uw schuld, heer. Zoals Nevyn zegt, een dronken man is niet helemaal zichzelf.'

Hoewel ze nog een paar minuten bij de koning bleven, dwong het pijnlijke incident hen spoedig te vertrekken. Gweniver vermoedde dat de koning zijn broer later nog wel streng de les zou lezen. Terwijl ze met Nevyn door de gang liep, vroeg ze zich af waarom een man die over zijn krachten beschikte tevreden was met zo'n nederige plaats aan het hof, maar ze durfde het hem niet op de man af te vragen.

'Wel, goede tovenaar,' zei ze tenslotte. 'Ik neem aan dat onze heer binnenkort koning van heel Deverry zal zijn, met een man als u om hem te helpen.'

'Daar zou ik maar geen geld onder verwedden.'

Ze bleef staan en draaide zich naar hem toe om hem aan te kijken.

Nevyn schonk haar een vermoeide glimlach.

'Wie weet wat de goden voor ons in petto hebben?' vervolgde hij. 'De Godin die u dient heeft zoals u weet een duister hart. Het is mogelijk dat Zij u heeft gezonden om een bloedige nederlaag over ons te brengen.'

'Dat is mogelijk.' Ze werd naar bij die gedachte, maar het was niet ondenkbaar. 'Ik bid dat het andersom zal zijn.'

'Ik ook. Glyn is een goed mens en een geweldige koning, maar het is mij niet gegeven in de toekomst te kijken. Vrouwe, ik smeek u mijn dweomer voor de rest van het hof geheim te houden.'

'Zoals u wilt. Ik betwijfel trouwens of iemand me zou geloven als ik het vertelde.'

'Misschien niet.' Hij zweeg even en keek haar peinzend aan. 'Ik hoop dat heer Dannyn u zal behandelen met het respect dat uw positie verdient.'

'Dat is hem geraden. Ik verzeker u dat ik niet van plan ben mijn gelofte te verbreken.'

Toen hij verschrikt opkeek, schoot ze in de lach.

'Een priesteres moet soms openhartig zijn,' zei ze. 'Mijn zusje kan u vertellen dat ik nooit een blad voor de mond heb genomen.'

'Gelukkig. Laat mij dan ook eens openhartig zijn. Ik vind het heel erg om u ten strijde te zien trekken. Ik bid dat uw Godin u zal beschermen.'

Terwijl ze haars weegs ging, voelde Gweniver zich gevleid dat een man met zijn vermogens bezorgd om haar was.

Toortslicht flakkerde op de muren terwijl het leger zich op het binnenplein verzamelde. Geeuwend na een korte nachtrust liep Ricyn tussen zijn mannen, en schreeuwde bevelen om hen tot spoed te manen. Volgeladen voorraadwagens ratelden langs; de slaperige voerlui lieten de lange zwepen knallen. Ricyn overzag het geheel glimlachend. Hij had altijd gedroomd van deze dag, waarop hij als hoofdman ten strijde zou trekken, niet als gewone ruiter. Zijn mannen leidden hun paarden in een lange rij naar de drinktrog. Ricyn zag Camlwn, die behalve zijn eigen paard ook dat van Dagwyn bij de teugel voerde.

'Waar is Dagwyn?' vroeg Ricyn.

Camlwn wees bij wijze van antwoord met zijn duim naar een naburige stal, waar Dagwyn en een keukenmeisje elkaar in de schaduw van een muur hartstochtelijk omhelsden.

'Een laatste teder afscheid,' zei Camlwn grinnikend. 'Ik weet niet hoe hij het doet. Ik weet zeker dat hij in elke dun waar we zijn geweest een meisje behekst heeft.'

'Als het er geen twee zijn. Vooruit, Daggo! Bewaar de rest maar voor als we terugkomen!'

'De zachte zilverige klanken van heer Dannyns hoorn zweefden door de dun. Toen Dagwyn zich met tegenzin van het meisje losmaakte, joelde en juichte de krijgsbende. Onder het schreeuwen van bevelen besteeg Ricyn zijn paard. Het bekende schuifelende gerinkel toen de krijgsbende zijn voorbeeld volgde, was mooier dan het mooiste bardenlied. Hij leidde de krijgsbende naar de voorkant van de broch, waar de rest van het leger, bij elkaar meer dan driehonderd man, bij de poort klaarstond met karren, pakpaarden en bedienden ernaast. Gweniver leidde haar paard uit de drukte en kwam aanrijden om haar plaats naast Ricyn in te nemen.

'Goedemorgen, vrouwe.' Hij maakte een halve buiging vanuit het zadel.

'Morgen. Geweldig, hè, Ricco. Ik ben nog nooit zo opgewonden geweest.'

Ricyn lachte breed. Hij vond haar net een jongen die voor het eerst ten strijde trekt. Het leek haast een wonder dat ze hier was, in maliënkolder, net als alle anderen, met de kap naar achteren geschoven, zodat de zachte, korte krullen van haar goudblonde haar en de blauwe tatoeëring op haar wang te zien waren. De hemel werd grauw van het ochtendgloren dat het licht van de toortsen deed verbleken. Bij de poort begonnen bedienden de kettingen aan de lier vast te maken. Heer Dannyn reed op zijn zware zwarte ruin langs de gelederen, bleef hier en daar even staan om met iemand te praten en kwam tenslotte naar Gweniver gedraafd.

'U rijdt met mij aan het hoofd van de formatie, heilige vrouwe.'

'O ja? En waaraan heb ik deze eer te danken?'

'Aan uw hoge geboorte.' Dannyn glimlachte zuinig. 'Uw afkomst is heel wat beter dan de mijne, nietwaar?'

Toen ze wegreden staarde Ricyn vol haat naar Dannyns rug.

Die hele morgen trok het leger langs de kustweg die over de kliffen liep. Ricyn zag de oceaan, turkooisblauw glinsterend, wit bespikkeld, ver beneden, met trage golven op het lichte zand lopen. Aan hun rechterkant lagen de verzorgde akkers uit het privé-bezit van de koning, goudgeel gestoppeld, met hier en daar een boer die diep voorovergebogen de laatste aren van de eerste oogst las. In gewone doen zou Ricyn onder het rijden hebben gefloten, zomaar omdat het een mooie dag was en omdat ze op weg waren naar roem en glorie. Maar vandaag reed hij in gedachten verzonken alleen aan het hoofd van de krijgsbende in plaats van naast zijn bekende reisgenote. Zo nu en dan, wanneer de weg een bocht maakte, kon hij Gweniver heel in de verte zien en dan wenste hij dat ze naast hem reed.

Maar die avond, toen het leger zijn kamp had opgeslagen in de uitgestrekte velden achter de kliffen, kwam Gweniver naar zijn kampvuur, haar armen vol uitrustingsstukken. Hij sprong op en nam haar de vracht uit handen.

'Had mij toch voor uw paard laten zorgen, vrouwe.'

'O, ik kan zelf wel een paard vastbinden als het moet. Ik kom bij jouw vuur zitten.'

'Daar ben ik blij om. Ik vroeg me al af hoe lang heer Dannyn u bij zich zou houden.'

'Wat bedoel je daarmee?'

'Precies wat ik zeg, vrouwe. Ik zal wat te eten voor u gaan halen bij de wagens.'

Terwijl hij zich weg haastte, keek Gweniver hem met de handen in haar zij na. Hij verwenste zichzelf om zijn grote mond. Toen hij terugkwam zat ze bij het vuur in haar zadeltassen te rommelen, maar ze legde ze weg om het brood en de reep gedroogd vlees van hem aan te nemen. Terwijl ze zwijgend zaten te eten was hij zich ervan bewust dat ze hem met half toegeknepen ogen gadesloeg, Eindelijk begon ze te praten.

'Waarom zei je dat daarnet eigenlijk over onze bastaard? Denk erom, ik wil de waarheid horen.'

'Nou, ik en heel het vervloekte leger respecteren uw gelofte. Doet hij dat ook?'

'Hij heeft geen keus. Wat geeft je de indruk dat dat niet zo zou zijn?'

'Niets, vrouwe. Neem het me niet kwalijk.'

Ze weifelde en nam hem nog steeds met die intens achterdochtige blik op, toen wendde ze zich af, haalde een stel dobbelstenen uit haar zadeltas en gooide ze, als een doorgewinterde krijger, met één hand omhoog.

'Potje dobbelen?' vroeg ze. 'We kunnen om splinters brandhout spelen.'

'Natuurlijk, vrouwe. Begint u maar.'

Ze gooide ze bij het vuurschijnsel op.

'Verhip, vijf!' verzuchtte ze 'Jouw beurt, maar ik hoop dat ik van nu af de laatste rotvijf heb gezien.'

Ze dobbelden de hele avond en ze noemde niet één keer meer heer Dannyns naam. Maar de volgende morgen ging ze naar de hoofdman van de koning en kwam terug met het bericht dat ze verder bij haar eigen mensen zou rijden.

Van zee dreef een dichte mist binnen die een bijna winterse kou meebracht en hun dikke wollen mantels vochtig maakte, terwijl het le-

ger in een vreemde stilte door de zware nevel reed. Hoewel Gweniver net zo hard op de mist mopperde als haar mannen, bleek die uiteindelijk een geluk bij een ongeluk. Tegen het middaguur bereikten
ze Morlyn, een havenstadje op ongeveer vijftig kilometer van de Eldiddse grens, waar ze de poorten gesloten vonden. Toen Dannyn hen
in Glyns naam aanriep, bogen de poortwachters zich over de borstwering op de stenen muren.

'Bij de goden, Cermorrse mannen!' riep er een. 'Open de poorten.
jongens! Zijn wij even blij u te zien, heer Dannyn.'

'Hoezo? Zijn er problemen geweest?'

'Problemen en nog eens problemen. Eldiddse schepen varen voor de
haven op en neer, en Eldiddse overvallers steken langs de weg naar
het noorden boerderijen in brand.'

Ricyn was opeens erg blij met de mist, die de oorlogsschepen door
windstilte op zee hield, zodat ze niet konden binnenvallen en brand
stichten in de haven. Toen ze de poort binnenreden, zagen ze dat de
stad veel weg had van een jaarmarkt. Van mijlenver uit de omtrek
waren boeren met hun gezinnen, vee en varkens binnen de muren gevlucht. Elke straat was een kamp waar vrouwen zich behielpen in
primitieve tenten en waar kinderen tussen de kookvuren renden, achterna gezeten door honden. Dannyn probeerde ergens een plaats te
vinden voor zijn mannen, en liet ze daarom door de smalle straatjes
vol vee trekken. Ricyn volgde Gweniver die zich naast Dannyn een
weg door de chaos baande.

'Tja, vrouwe,' zei Ricyn. 'Zo te zien draait het toch nog op vechten
uit.'

'Ik hoop het.' Ze schonk hem een openhartige, stralende glimlach.

Uit een nabijgelegen herberg kwam een man te voorschijn die al lopend een lang zwart ambtsgewaad over zijn hemd en brigga aantrok.
Hij greep Dannyns stijgbeugel ten teken van zijn loyaliteit en stelde
zich voor als Morlo, de burgemeester.

'Wanneer hebt u die schepen gezien?' vroeg Dannyn.

'Drie dagen geleden, heer. De vissers kwamen het bericht brengen,
een grote koopvaarder, zeiden ze, vergezeld van twee galjoenen.'

'Juist ja. Nou, dan is uw haven waarschijnlijk niet in gevaar. Ik denk
dat die schepen daar alleen zijn om de ruiters te bevoorraden. Waar
is uw plaatselijke heer? Dat is Tieryn Cavydd, nietwaar?'

'Inderdaad.' Morlo streek zorgelijk met zijn hand langs zijn ogen.
'Maar we hebben al twee dagen geen spoor van hem en zijn mannen
gezien, en dat is volgens mij een slecht teken. We hebben geen boodschapper durven sturen.'

Dannyn vloekte en wendde zich tot Gweniver.

'Laten we onze mensen hier weghalen. Als Cavydd niet dood is, wordt hij belegerd. We kunnen ook maar beter een boodschapper naar Cerrmor sturen om hier wat schepen te krijgen die dat Eldiddse tuig kunnen verjagen.' Hij keek rond en zag Ricyn naast haar. 'Uw hoofdman lijkt me heel geschikt voor dat karwei.'

'Dat is hij niet,' zei Gweniver beslist. 'Heer.'

Dannyn liep rood aan. Alleen Ricyns lange jaren van krijgstucht hielden zijn hand bij zijn zwaard weg.

'Zoals u wilt, vrouwe,' zei Dannyn tenslotte. 'Dan zal ik een van mijn eigen mensen sturen.'

Het leger zocht als een rommelige troep zijn weg door de stad om zich op de weg naar het noorden opnieuw te formeren. Gweniver ging tegen haar zin naast Dannyn rijden toen hij haar dat beval en Ricyn bleef met zijn sombere gedachten achter tot Dagwyn uit de gelederen naar voren kwam en zich bij hem voegde. Ze reden een kilometer of vijftien snel door en lieten de bevoorradingstrein maar in zijn eigen trage tempo achterna komen, tot ze in een groot weiland halt hielden. Ricyn zag dat Dannyn verkenners uitstuurde.

'Wat zou dat betekenen?' vroeg Dagwyn.

'Gevaar. Wat anders? Bij de konten van de goden, ik had liever niet gehad dat onze vrouwe zo gauw een gevecht zou meemaken.'

'Ach, flauwekul, Ricco. Zij loopt het minste gevaar van ons allen. De Godin heeft dag en nacht Haar handen om haar heen.'

Hij sprak met zoveel kalme overtuiging dat Ricyn gerustgesteld was. Een half uur later kwamen de verkenners terug. Even later ging het bericht van mond tot mond: tieryn Cavydds dun werd belegerd door een honderdtal Eldidders, en hij lag krap drie kilometer verderop. Zonder op bevelen te wachten begonnen de mannen hun wapenrusting in orde te maken. Ze trokken hun schild in positie op hun linkerarm, maakten hun zwaard los in de schede, trokken de kap van hun maliënkolder over hun hoofd en grepen hun speer. Ricyn zag Gweniver heftig met Dannyn twisten, tot ze hem een verwensing naar het hoofd slingerde, haar paard uit het gelid leidde en naar haar eigen krijgsbende draafde.

'Die verwaande ellendeling!' grauwde ze.

'Wat heeft hij gedaan, vrouwe?' vroeg Ricyn. 'U bevolen ons in de achterhoede te houden als reserve?'

'Precies. Hoe wist je dat?'

'Dat ligt nogal voor de hand vrouwe. Onze krijgsbende is nog nooit met elkaar ten strijde getrokken. Dat maakt enig verschil.'

'O, dat is allemaal goed en wel, maar hij hoonde me, de rotvent! Zou de vrouwe misschien zo goed willen zijn, zei hij, om mij niet voor de voeten te lopen? Als mijn driehonderd mannen niet drie keer zoveel van die Eldiddse honden kunnen afmaken, zei hij, dan zullen we de hulp van uw Godin hard nodig hebben.'

'Allemachtig!'

'Zeg dat wel. Het is eerder een belediging voor de Godin dan voor mij. Als de koning niet zo verrekte erg op hem gesteld was, zou ik hem ter plekke ombrengen.'

Toen het leger optrok, reed Gwenivers krijgsbende in de achterhoede. Ze draafden langs akkers die kort geleden in brand waren gestoken en waarop de zwarte stoppels de stomme getuigen waren van de vijandelijke inval. Vervolgens staken ze een rivier over en beklommen een lage heuvel. Ricyn zag vanaf de top de donkere broch binnen zijn aarden wallen, en het kamp van de belegeraars in het veld ervoor. Onder het uiten van een strijdkreet trok Dannyn zijn zwaard en stormde aan het hoofd van zijn leger in woeste galop omlaag, terwijl het vijandelijke kamp met veel geschreeuw tot leven kwam. De achterhoede kwam in een kalm drafje achterop.

Beneden veranderde het kamp in een baaierd van stof en rumoer, schreeuwende mannen die naar hun paarden renden, wanhopig te voet vechtend toen Dannyns aanval hen overrompelde. Zelfs als Gweniver het bevel zou negeren, dacht Ricyn, zouden ze zich niet in de ongelijke strijd kunnen mengen, omdat Dannyns mannen het veld leken te bestrijken als een brekende golf. Op dat moment ging de poort van de dun open en Cavydds mannen vielen de belegeraars in de rug aan. Het geschreeuw bereikte een hoogtepunt toen de vechtende menigte zich naar alle kanten verspreidde, met steigerende paarden en flitsende zwaarden. Gweniver keek glimlachend toe. Ricyn was opeens bang van haar.

Met strijdkreten die eerder angstkreten waren, maakte een kluitje Eldidders zich uit het strijdgewoel los en vluchtte in hun paniek recht op de reserve af. Ricyn had nog net tijd om zijn zwaard te trekken voor Gweniver een uitdaging brulde en haar paard op hen af joeg. Met een luide kreet ging hij haar achterna. Hoewel hij hoorde dat de mannen hem volgden, hield hij geen oog van haar af toen ze zich midden in de wanhopig vechtende troep stortte.

'Ach, verrek!' Hij gaf zijn paard hard de sporen.

Hij zag haar zwaard bloedig opflitsen en een man uit het zadel vallen, maar ze werd nog door drie anderen omringd.

Een strijdkreet bulderend viel hij de drom in de rug aan. Hij vocht als een wilde, maaide een paard neer, sloeg een man hard op zijn rug, zwaaide met zijn zwaard heen en weer alsof hij met een zweep een meute honden van een hert wegsloeg. Aan zijn rechterkant doodde

Dagwyn een man. Een Eldidder wendde onhandig zijn paard. Ricyn stak op hem in en raakte hem zo hard dat hij hem door de maliën-kolder heen op slag doodde. Toen hij zijn zwaard uit de dode man trok, rolde die van zijn paard en viel onder de hoeven van Ricyns ros dat steigerde. Terwijl het neerkwam, hoorde hij Gweniver lachen, brullen, gieren als een demon en hij zag dat ze nog iemand had ge-dood. Toen waren er aan alle kanten Wolf-ruiters om hen heen en was het gevecht afgelopen.

Gweniver kwam naar hem toe gedraafd, zo vrolijk of ze zojuist een leuke grap had gehoord.

'Ik heb er twee afgemaakt,' kondigde ze triomfantelijk aan. 'Wat is er, Ricco? Je kijkt zo angstig, vind ik.'

'Bij de hel, als je weer eens tegen zo'n overmacht gaat vechten, neem mij dan tenminste mee! Kleine stommeling! Ik had niet gedacht je nog ooit levend terug te zien. Ik bedoel... nou ja, eh... vrouwe.'

'Ik wist wel dat je zo verstandig zou zijn om me achterna te komen, en dat heb je immers ook gedaan, ja toch?'

De krijgsbende dromde om haar heen en staarde haar vol ontzag aan.

'Kijk nou toch eens,' zei Dagwyn. 'Haar paard heeft zelfs geen schrammetje.'

De mannen fluisterden onder elkaar, een bijgelovig gemompel dat zo-wel angst als ontzag bevatte.

'Dat komt door de Godin,' zei ze. 'Zij was met me.'

In een geroezemoes van gefluisterde krachttermen lieten de mannen hun paarden achteruit stappen, maar slechts een klein eindje, omdat haar goddelijke kracht als een vuur was dat warmte verspreidde. Ri-cyn had nooit iemand zien glimlachen zoals zij, zo star en zo onbe-wogen, alsof het een glimlach was die op het gezicht van een beeld van een godheid was gebeiteld. Maar toen ze een bekende stem achter hen hoorde schreeuwen, verdween haar glimlach. De mannen weken uit-een om heer Dannyn door te laten, die naast de vrouwe ging staan.

'Dus uw mannen hebben ook even gevochten, hè?' zei hij. 'Heb jij die aanval geleid, Ricco? Ik hoop bij alle bliksems dat ze zo verstandig is geweest om zich afzijdig te houden.'

De hele krijgsbende wendde met van woede fonkelende ogen hun paarden en sloot hem in. Toen Dannyns hand naar zijn zwaard ging, trok Ricyn het zijne.

'Achteruit!' schreeuwde Gweniver. 'Laat hem!'

Binnensmonds vloekend dwongen ze hun paarden achteruit te gaan, behalve Ricyn, die naar Dannyn toe reed en vanuit zijn zadel een hal-ve buiging voor hem maakte, al bleef hij zijn zwaard in zijn hand houden.

'U vergeet, heer, dat u tegen een priesteres spreekt. Mijn mannen en ik verzoeken u nederig dat voortaan in gedachten te houden. Mijn vrouwe heeft die aanval geleid, heer. We hebben allemaal gezien dat ze vier mannen weerstand bood voor wij haar bereikten, en ze heeft twee van hen gedood.'

Dannyn trok wit weg en wendde zich met een ruk naar Gweniver.

'Ik stond niet echt onder uw bevel,' zei ze. 'Als u daarover wilt gaan ruziën, moet u dat maar met de Maan doen. En wat jou betreft, Ricco, jij hebt zelf ook gevochten als een duivel uit de hel. Ik heb gezien dat je tekeer ging als een bezetene.'

Toen Ricyn besefte dat ze de waarheid sprak, werd hij overmand door gevoelens die hij niet kon verklaren. Hij was nooit zo'n soort vechter geweest, hij had er altijd de voorkeur aan gegeven een tegenstander uit te kiezen en zich strikt aan een bepaalde strategie te houden. Nu kreeg hij het gevoel dat de Godin Haar handen ook op hem had gelegd, en hij huiverde alsof hij het koud had.

Tieryn Cavydd, een slanke blonde man van hooguit twintig, lachte en praatte tegelijk, half hysterisch over zijn onverwachte redding. Tijdens een haastige maaltijd in zijn grote zaal vertelde hij Dannyn en Gweniver aan de eretafel zijn geschiedenis, terwijl het Cerrmorse leger op de vloer zat bij gebrek aan voldoende banken. Zijn zwangere jonge vrouw zat naast hem te luisteren, haar eten onaangeroerd voor haar.

'Ik heb nog nooit meegemaakt dat ze zo vervloekt brutaal waren,' zei Cavydd. 'Ze doen altijd invallen, nou ja, dat weet u, maar nooit zo veel. Bij de heer der hel, er stonden er minstens driehonderd voor mijn poorten, misschien wel vierhonderd, en zomaar ineens. Toen lieten ze een gedeelte van het leger hier om mij opgesloten te houden, en de rest vertrok. Ik wist welhaast zeker dat ze naar Morlyn gingen, maar als ik met maar vijftig man een uitval had gedaan, hadden we de stad nooit levend bereikt. Ik heb gebeden dat een paar van mijn bondgenoten er lucht van zouden krijgen en me zouden komen ontzetten.'

'Ze hebben ongetwijfeld hun handen vol,' zei Dannyn. 'Hoe dan ook, wij trekken morgen achter hen aan naar het noorden.'

'Ik zal een paar mannen als fortbewaking moeten achterlaten, maar zelf ga ik natuurlijk met jullie mee.'

'Niet nodig en hoogst onverstandig. Ze zouden wel eens terug kunnen komen om de mannen die ze als belegeraars hebben achtergelaten op te halen. Ik zal vijftig man als versterking achterlaten.'

'Maar niet mij en mijn krijgsbende,' onderbrak Gweniver hem. 'Dat idee kan heer Dannyn wel uit zijn hoofd zetten.'

Toen hij haar met een ijzige blik aankeek, glimlachte Gweniver en dacht terug aan de manier waarop haar mannen hem op het veld hadden ingesloten. Dannyn scheen er ook aan te denken.

'Zoals u wilt, vrouwe,' zei hij. 'Tja, dit beduidt niet veel goeds, uwe genade. Zo te zien is Eldidd van plan van nu af druk te gaan uitoefenen op de westelijke grens.'

De jonge echtgenote stond op en vluchtte de zaal uit, haar handen zo stijf ineengeklemd dat haar knokkels wit werden.

'Hoe ver zijn uw dichtstbijzijnde vazallen van u verwijderd?' vroeg Dannyn.

'De ene zit vijftien mijl naar het noorden en een andere zestien mijl naar het westen – misschien moet ik zeggen zàt. Wie weet of zijn dun nog overeind staat?'

Toen Dannyn hardop vloekte, vertrok Cavydds mond tot iets wat een glimlach zou kunnen zijn.

'Als u weer aan het hof bent,' zei hij bedaard, 'wilt u dan uit mijn naam iets tegen onze leenheer zeggen? Ik weet niet hoe lang we nog kunnen standhouden. Als u naar het noorden rijdt, heer, moet u eens om u heen kijken. Vroeger waren er van hier tot aan de Eldiddse grens grote landgoederen, langs de hele Aver Vic. En kijkt u nu eens hoeveel Deverriaanse edelen er nog over zijn.'

'Onze leenheer zal ongetwijfeld iets aan die situatie doen.'

'Dat is te hopen. Ik heb gezworen dat ik voor onze koning zou sterven, en als het moet zal ik dat ook doen, maar er zijn er die maar al te graag vrede met Eldidd zouden willen sluiten als dat een eind aan die invallen zou maken.'

Dannyn sloeg met zijn beide handen op de tafel en boog zich naar voren.

'Laat ik u dan iets zeggen,' grauwde hij. 'Als iemand onze zaak verraadt, val ik met mijn mannen zijn land binnen. Vraag uw morrende vrienden wat erger zou zijn.'

Hij stond op van de bank, maakte rechtsomkeert en beende zonder verder iets te zeggen weg. Cavydd zuchtte en nam zijn kroes bier op.

'Kent u Dannyn goed, vrouwe Gweniver?' vroeg hij.

'Nee, uwe genade. Ik heb hem pas dit voorjaar leren kennen.'

'Dan hebt u nog een interessante tijd in het vooruitzicht.'

De volgende morgen reed het leger langs verlaten boerenhoeven, waar alles wat eetbaar was uit was geroofd. Evenals de sporen in de weg gaven die aan in welke richting de Eldiddse invallers waren getrokken. Tegen zonsondergang kwamen ze bij een dorp dat tot op de grond toe was afgebrand. Verwarde hopen verkoolde balken lagen nog rokend tussen zwartgeblakerde bomen en een berg gebroken stenen van de dorpsput.

'De bewoners zijn zo te zien tijdig ontkomen, vrouwe,' zei Ricyn.

'Blijkbaar. Kijk daar eens!'

Naast de puinhopen was een weide, de dorpsbrink, omzoomd met een dichte rij populieren. Tussen de bomen zaten vrouwen met kinderen tegen zich aangedrukt, mannen met koevoeten, mestvorken en stokken, wat ze maar aan geïmproviseerde wapens hadden kunnen grijpen toen de invallers binnenstormden. Gweniver steeg af en ging naast Dannyn staan toen twee oude mannen naar hen toe kwamen. Ze keken naar Gwenivers tatoeage en knielden neer.

'Jullie zijn Cerrmorders,' constateerde de ene.

'Klopt,' zei Dannyn. 'Wanneer zijn jullie overvallen? Met hoeveel man waren ze?'

'Dat is nu twee dagen geleden, heer.' De oude man zoog lucht tussen zijn tanden door en dacht na. 'En hoeveel het er waren is moeilijk te zeggen omdat ze uit het niets opdoken. De kleine Molyc was buiten de koeien aan het hoeden, ziet u, en als hij er niet was geweest, zouden we allemaal dood zijn, maar hij zag ze komen, dus hij kwam naar huis gerend.'

'En hoe wist Molyc dat het vijanden waren?'

'Omdat ze van die blauwe schilden hadden, met een zilveren draak erop; zoiets had Molyc nog nooit van zijn leven gezien, dus hij dacht wel dat het niet veel goeds betekende.'

'Daar had hij gelijk in.' Hij keek Gweniver aan. 'Weet u wat die schilden betekenen? Die invallers maken deel uit van de koninklijke garde, en die gaat niet op veldtocht tenzij er een prins van den bloede bij is.'

'Een prins?' De oude man spuwde op de grond. 'Dat moet dan wel een straatarme prins zijn als hij onze koeien zo hard nodig had, heer. Ze hebben alles meegenomen wat we bezaten. Onze koeien, onze kippen, elke kruimel eten.'

'Dat zal best. Nou, jullie zullen de eerste tijd goed eten. Jullie krijgen al het eten dat wij kunnen missen, en nog een paar pakpaarden, die jullie misschien kunnen ruilen tegen zaaigraan.'

De oude man kuste zijn hand en begon toen met schokkende snikken te huilen. Gweniver zag het met verbazing aan omdat ze had verwacht dat Dannyn zich nog minder om arme boeren zou bekommeren dan de meeste edelen, en dat was bitter weinig. De hoofdman keek haar met een scheef lachje aan.

'Ik weet wat het is om niets te hebben,' zei hij. 'Ik denk er nog elke dag aan. Dat is iets wat u niet zou begrijpen, nietwaar? Hooggeboren vrouwe.'

Gweniver liep beschaamd weg, maar het eerste bevel dat ze gaf was dat de voerlui eten voor de dorpelingen moesten uitladen.

Zodra het leger geïnstalleerd was, ging Gweniver bij Dannyn aan het vuur zitten om krijgsraad te houden. Bij het flakkerende licht van de vlammen was zijn gezicht getekend met sombere schaduwen terwijl hij een plattegrond van het rivierdal in het stof tekende.

'Vroeg of laat zullen ze toch naar het zuiden moeten afslaan om hun schepen te bereiken,' zei hij. 'Dan krijgen we ze te pakken, als het al niet eerder is.'

'Vast en zeker. Weet je, als we die prins levend in handen krijgen, hebben we een mooie buit om mee naar huis te nemen.'

'Wat? Ik zou liever zijn hoofd op een staak hebben.'

'Klets niet zo stom. Als we een prins van den bloede als gijzelaar hebben, kunnen we een eind aan die invallen maken zonder een zwaard op te heffen.'

Dannyn liet een zacht gefluit horen.

'Welnu, vrouwe, wat ik ook van uw kwaliteiten als zwaardvechter heb gedacht, het lijdt geen twijfel dat u weet wat oorlog voeren is. Dat is dan afgesproken. We zullen ons best doen die prins te strikken als een konijn.'

De volgende morgen reden verkenners op de beste paarden voor het leger uit, zwenkend en draaiend als zeemeeuwen om een schip dat de haven binnenloopt. Even na het middaguur vonden ze de plaats waar de invallers de afgelopen nacht hadden gekampeerd. Tussen het platgetrapte gras en het afval van een grote krijgsbende vonden ze twee vuurkuilen en de achteloos weggeworpen overblijfselen van runderbotten. Twee van de dorpskoeien zouden nooit meer naar huis terugkeren, maar aan de sporen was te zien dat de overvallers nog vijftig stuks vee bij zich hadden.

'En dat is hun doodvonnis,' verklaarde Dannyn opgewekt. 'Wij kunnen sneller vooruitkomen, zelfs met die verrekte karren, dan zij als ze vee moeten voortdrijven. Zodra we hen genaderd zijn doen we als volgt: we laten de karren achter en gaan vroeg op pad om hen onderweg te overrompelen. De prins zal wel aan het hoofd van de formatie rijden, dus sturen we een wig van mijn beste mannen regelrecht de gelederen achter hem in en snijden hem van de rest af, terwijl de overige jongens zorgen dat de formatie in de bagagetrein vastloopt. U, ik en een handjevol zorgvuldig uitgekozen mannen gaan rechtstreeks op de prins af en omsingelen hem. Probeer hem niet van zijn paard te stoten. Als hij doodgetrapt wordt, zijn we onze gijzelaar kwijt.'

'Dat klinkt uitstekend. Het doet me goed dat je mij en mijn mannen hierbij betrekt.'

'We hebben elke man nodig. Zelfs als een van hen een vrouw is.'
Gedurende de rest van de dag hield Dannyn er flink de vaart in door in de achterhoede te rijden en de voerlui op te jagen. Gweniver, die in eenzame grootsheid aan het hoofd van de formatie reed, ontving de verslagen van de verkenners en leidde de mannen volgzaam in de aangegeven richting. Tegen de tijd dat ze hun kamp hadden opgeslagen, ongeveer een uur voor zonsondergang, waren de verkenners er zeker van dat de Eldiddse overvallers hen nog maar krap acht kilometer voor waren. En het mooiste van alles was dat ze helemaal geen vijandelijke verkenners hadden gezien, een hartverwarmend staaltje van arrogantie van de prins.
Terwijl Gweniver en Ricyn bij hun kampvuur om houtsplinters zaten te dobbelen, vertelde ze hem het nieuws.
'Wel, vrouwe, dan zullen we morgen weer eens een flink gevecht beleven.'
'Dat denk ik ook. Jij gaat met me mee als we op de prins af gaan.'
Hij wierp glimlachend de dobbelstenen en kreeg een vijf, waardoor hij het spel verloor. Toen hij haar twee splinters gaf, herinnerde ze zich hoe hij haar de eerste viooltjes van de lente was komen brengen, zonder ook maar iets te zeggen, terwijl hij er uren naar op zoek moest zijn geweest. Ze begreep niet dat ze zo blind had kunnen zijn om nooit te vermoeden dat een gewone ruiter al die jaren van haar zou blijven houden.
'Werpt u nou nog eens?' vroeg hij. 'Ik lig zo ver achter dat u nu niet met het spel mag stoppen.'
Terwijl ze de dobbelstenen wierp, bedacht ze dat ze het helemaal niet erg vond als hij vergat haar 'vrouwe' te noemen of als hij haar uitschold wanneer ze iets doms deed. Het was wel vreemd, als je bedacht dat haar broers hem voor een dergelijke brutaliteit met zweepslagen zouden hebben bestraft. Ze vroeg zich af of zij, op haar manier, misschien ook van hem hield, maar het was nu te laat voor dat soort vragen. Ze behoorde nu uitsluitend en voorgoed aan de Godin toe.
De volgende morgen stond het leger bij het ochtendkrieken op. Dannyn maakte een keuze uit de mannen, zocht tijdelijke aanvoerders uit en verzamelde de vijfentwintig ruiters die samen met hem en Gweniver de aanval op de prins zouden uitvoeren. De heldere zomerzon scheen op de groene weiden toen ze op weg gingen. Gweniver voelde zich volkomen kalm, alsof ze door de lucht zweefde in plaats van een wapenrusting van bijna dertig pond te dragen. Terwijl ze een lang en woordeloos gebed tot de Godin zei, begon ze te glimlachen. Aangezien ze vele uren had geoefend in het spiegelscryen, kon ze nu in haar geest moeiteloos het beeld oproepen van de nachtzwarte ogen

en de angstaanjagende schoonheid van de Godin, die beefde van begeerte naar het komende bloedvergieten. Gweniver hoorde gezang, een snikkende jammerklacht in kwartnoten, zo oud, zo vreemd, dat ze er zeker van was dat ze zich die herinnerde van heel lang geleden, toen de verering van het Maanduister hoogtij vierde. Het gezang werd zo echt en zo luid, dat ze opschrok toen Dannyn het bevel tot stilstaan riep.

Ze keek verwezen om zich heen en zag dat de krijgsbende in de buurt was gekomen van een stuk bos. Dat moest ooit tot het jachtgebied van een edelman hebben behoord, want het was een open woud met veel lariksen en esdoorns, met weinig onderbegroeiing om de ruiters in hun vaart te belemmeren. Dannyn schreeuwde orders om de gelederen te verbreken en liet zijn mannen verspreid in dekking gaan. Aan de andere kant lag de weg en ver beneden zag ze uit het noorden een stofwolk naderen. Het leger bracht de schilden in positie en greep de speren, terwijl de Eldiddse overvallers op de hinderlaag afreden.

Ze waren nog maar een paar honderd meter van hen vandaan toen een oplettende knaap in hun krijgsbende iets vreemds aan het bos opmerkte. Een kreet verspreidde zich als een lopend vuur onder de rovers terwijl ze geschrokken tot stilstand kwamen. Gweniver zag het vee, dat treurig loeiend de achterhoede van de formatie vormde. 'Nu!' schreeuwde Dannyn, zijn hoorn vergetend. 'Grijp ze!'

De mannen schoten als pijlen uit hun dekking en vielen de vijandelijke formatie aan. Speerpunten blikkerden in de zon toen ze neerkwamen op de Eldiddse gelederen – behalve op de voorhoede, waar een treffer hen van de prins zou kunnen beroven. Terwijl de rovers ronddraaiden om hen tegemoet te rijden, deed de eerste troep, met het zwaard in de hand, een uitval naar de voorhoede. Het gevecht verspreidde zich in een warrelende chaos van mannen en paarden aan beide zijden van de weg.

'Naar de prins!' riep Dannyn.

Een strijdkreet brullend deed Dannyn een aanval op de spits van de formatie, gevolgd door zijn keur van mannen. Gweniver probeerde te roepen, maar wat ze uitbracht was een luide schaterlach. Die was deze keer zo koud, zo hol, dat ze begreep dat het de Godin was die haar stem en haar lichaam gebruikte en door middel van Haar priesteres sprak en vocht. Voor hen kwamen, in een stofwolk, tien Eldidders in galop op hen af. Toen Gweniver een drakenschild met een zilveren rand en ingelegd met juwelen zag, wist ze dat de moed van de prins hen in de kaart speelde.

'Ricco!' riep ze. 'Daar is hij!'

De lach maakte zich meester van haar stem toen de twee benden op elkaar stuitten, zich verspreidden en hun paarden wendden. Ze hieuw naar een Eldidds paard, raakte het en zag helderrood bloed op de punt van haar zwaard. Plotseling laaide de hele wereld op in een wazig rood. Lachend en brullend hakte ze erop in, dreef haar paard naar voren, hieuw weer en pareerde een onhandig verweer. Door het rode waas zag ze het in doodsangst vertrokken gezicht van haar vijand terwijl hij beurtelings aanviel en afweerde, en haar lach klonk als het gezang dat ze in haar gedachten had gehoord. Juist zijn angst wekte een intense haat in haar. Ze lokte hem met een schijnbeweging te ver naar voren, riskeerde een gevaarlijke uitval en hieuw hem over zijn gezicht. Het opwellende bloed maakte zijn angst onzichtbaar. Ze liet hem vallen en stormde naar Ricyns zijde.

Omdat ze in de minderheid waren, hadden de Eldidders zich rond hun prins geschaard en probeerden wanhopig de Cerrmorse eenheid bij hem weg te houden. Gweniver zag Dannyn uit de achterhoede opdringen en een man neermaaien die zichzelf ertussen drong om zijn pad naar de prins te blokkeren. Met twee snelle slagen doodde hij eerst het paard en toen de berijder en drong verder door, maar hij uitte al vechtend geen enkel geluid en zijn mond was slap, alsof de hele slachtpartij hem verveelde. Terwijl de groep rond de prins zich trachtte te hergroeperen, kreeg Gweniver haar kans. Ze viel een Eldidder van opzij aan en doodde hem door de naad van zijn maliënkolder in zijn oksel. Haar lach zwol aan tot de schrille kreet van een onheilsgeest toen ze zich naar de ruiter naast hem keerde.

Het zilveren schild werd naar haar opgeheven toen het zuiver witte paard zijn prins naar de hopeloze aanval voerde. Gweniver zag zijn diepblauwe ogen, koud en vastberaden, terwijl hij naar haar uithaalde. De klap was zo hard en zo goed geplaatst, dat hij haar schild doormidden spleet, maar ze haalde van onderaf uit en raakte zijn gehandschoende pols met de platte kant van haar zwaard. Met een kreet van pijn liet hij het zwaard vallen. Zijn doodsbleek gezicht zei haar dat zijn pols was gebroken. Dannyn haalde van opzij uit met zijn schild en gaf hem een dreun tegen zijn slaap. Versuft, naar adem snakkend wankelde de prins in het zadel. Gweniver stak haar zwaard in de schede en greep de zilveren rand van zijn schild, zodat ze hem dwong haar kant op te draaien. Op dat moment greep Ricyn de teugels van het melkwitte paard en de prins zat in de val.

'Goed gedaan!' riep Dannyn. 'Voer hem weg!'

Met ogen beneveld door schrik en pijn, greep de prins onverhoeds met zijn linkerhand naar de dolk in zijn gordel, maar Gweniver had hem eerder te pakken.

'Aan zelfmoord doen we hier niet,' zei ze. 'Ooit zin gehad om Cerrmor te zien, jongeman?'

Dannyn en de rest van zijn mannen lieten hun paarden keren en reden naar de veldslag die achter hen woedde en wervelde. Terwijl Dagwyn zich bij hen aansloot, namen Gweniver en Ricyn de prins in tegenovergestelde richting mee de weg af en hielden in de schaduw van een boom halt.

'Doe hem die handschoen uit, Ricco,' zei Gweniver. 'Als zijn pols opzwelt terwijl hij die aan heeft, moet er een smid komen om het vervloekte ding uit te krijgen.'

De prins trok met zijn linkerhand zijn helm af en gooide hem met kracht op de grond. Toen hij haar met betraande ogen aankeek, zag ze dat hij niet ouder was dan zeventien. En toen Ricyn hem de handschoen uittrok, gromde hij en beet zo hard op zijn onderlip, dat die begon te bloeden. Opeens voelde Gweniver een koude huivering over haar rug gaan: gevaar. Ze draaide zich met een kreet in het zadel om en zag een tiental Eldidders recht op hen af komen, weliswaar achternagezeten door Cerrmorse krijgers, maar de Eldidders hadden een paar lengten voorsprong.

'O, verrek!' zei Dagwyn. 'Ze hebben natuurlijk dat verwenste paard van de prins gezien.'

Gweniver keerde haar paard en trok haar zwaard, terwijl ze op de naderende ruiters losstormde. Bulderend van het lachen zag ze het bloedrode waas weer neerdalen. De twee voorste mannen ontweken haar en gingen op weg naar de prins. Ze wilde zich omdraaien, maar een volgend drakenchild kwam recht op haar af. Haar lachen zwol aan tot gehuil toen ze alle lessen en waarschuwingen vergat en een uitval deed, gevaarlijk overhangend in het zadel, toestekend zonder aan afweermanoeuvres te denken. Haar gespleten schild viel weg onder zijn klap, maar de Godin leidde haar zwaard. Ze stak zo hard toe, dat zijn maliënkolder spleet. Terwijl hij dood uit het zadel gleed, wendde ze haar paard. Haar enige gedachte gold Ricyn, die zich achter haar tegen een overmacht moest verweren.

Maar inmiddels waren de Cerrmorders er ook en stormden brullend op de prins af. Gweniver zag het witte paard onder zijn hulpeloze berijder steigeren en bokken. Zwaarden flitsten en ze hoorde Ricyns strijdkreet toen ze op het gewoel inreed.

'Ricco! Dagwyn!' riep ze. 'Hier ben ik!'

Het was misschien belachelijk, maar Dagwyn riep een strijdkreet terug en vocht als een duivel. Ricyn en hij waren, vlak achter elkaar, meer aan het afweren dan aan het vechten, omdat ze met de moed der wanhoop in de drom Eldiddse zwaarden in het zadel probeerden te blijven. Gweniver hieuw een vijand over zijn rug, draaide zich in het zadel om en pareerde een slag van opzij. Achter zich en rondom hoorde ze Cerrmorse stemmen, maar ze ging maar door, lachend, steeds lachend, woest haar zwaard zwaaiend, terwijl ze slagen langs haar maliënkolder voelde afglijden, terug vechtend, tot ze zich een pad naar Ricyn had gemaaid. Zijn paard zakte stervend onder hem ineen en het bloed stroomde over zijn gezicht.

'Klim achter me op mijn paard,' riep ze.

Ricyn sprong uit het zadel terwijl zijn paard neerviel. Ze hieuw en verweerde zich blindelings en hij klauterde achter haar op het paard dat onder hen snoof en stampte. Een Eldidder kwam op hen afstormen maar gaf een gil en draaide zich om zijn as toen een Cerrmorse krijger hem van achteren aanviel. Luidkeels vloekend drong Dannyn door de kluwen heen en greep de teugels van het prinselijke paard. De kleine draaikolk van dood en verderf stierf langzaam weg toen de Cerrmorders de laatste rovers de weg afjoegen. Opeens voelde Gweniver dat de Godin haar verliet. Ze huilde als een kind dat op zijn moeders schoot in slaap is gevallen en alleen in een vreemd bed wakker wordt.

'Bliksems!' snauwde Dannyn. 'Ben je gewond?'

'Nee. Maar het ene ogenblik had de Godin haar hand nog op me en het volgende ogenblik was Ze weg.'

'Ik heb Haar gezien,' zei Ricyn met zwakke stem. 'Als jij begint te vechten, Gwen, ben jij de Godin.'

Ze draaide zich om en keek hem aan. Hij hield zijn ene hand tegen de bloedende snee op zijn gezicht gedrukt en zijn ogen waren samengeknepen van pijn. De kalme overtuiging in zijn stem was bepaald griezelig.

'Ik meen het,' zei Ricyn. 'Voor mij bèn jij de Godin.'


# II


Een week of vier nadat ze als onervaren jonge vrouw was uitgereden, keerde Gweniver als krijger naar Dun Cerrmor terug. Omdat hij het merendeel van het leger nog een tijdje aan de Eldiddse grens wilde houden, had Dannyn haar met haar krijgsbende teruggestuurd als geleide voor hun vorstelijke oorlogsbuit, die prins Mael van Aberwyn bleek te zijn, de jongste zoon van de drakentroon. Toen ze het binnenplein opreed en naar het hoog oprijzende brochcomplex keek, besefte ze dat ze daar thuishoorde. Het was niet langer overweldigend, omdat het in al zijn pracht niets meer betekende dan een plaats om tussen twee veldtochten te wonen. Ze begroette de zwerm pages en bedienden met een knikje en anders niets, toen steeg ze af en hielp Ricyn de enkels van de gevangen prins los te snijden van zijn zadel. Mael steeg net af toen Saddar, de raadsman, kwam toesnellen en boog. De prins stond stijf op zijn benen en bezag zowel raadsheer als dun met een verachtelijk lachje.

'Onze leenheer is in zijn ontvangzaal, heilige vrouwe,' zei Saddar. 'We hebben uw boodschappen ontvangen en zijne hoogheid wil de prins onmiddellijk zien.'

'Goed. Ik zal blij zijn dat ik van hem af ben, dat kan ik u wel vertellen. Hij was belabberd reisgezelschap.'

Vier mannen van Glyns lijfwacht leidden hen naar de grote holle ontvangzaal in de hoofdbroch. Aan het ene eind was een klein podium, bedekt met tapijten en met twee reusachtige wandtapijten als achtergrond, waarvan het ene koning Bran uitbeeldde die de Heilige Stad stichtte, en het andere dezelfde koning die een veldslag aanvoerde. In een stoel met een hoge rugleuning zat koning Glyn te wachten, gehuld in staatsiekleding: een rijk geborduurde, sneeuwwitte tuniek, een gouden zwaard opzij en de mantel met zijn vorstelijke ruit, op de schouder vastgemaakt met een enorme ringbroche die hem aanduidde als de koning. Zijn pas gebleekte blonde haar was zo achterovergekamd, dat het leek of hij tegen de wind in liep. Hij begroette Mael en Gweniver, beiden vuil en verfomfaaid van de reis, bij hun binnenkomst met een kleine wuifbeweging van een beringde hand. Toen Gweniver neerknielde bleef Mael staan en keek Glyn, die immers zijn gelijke was in rang, recht aan.

'Gegroet,' zei de koning. 'Hoewel ik de aanspraak van uw clan op mijn troon afwijs en betwist, ben ik mij bewust van uw rechten op de uwe. Ik verzeker u dat u gedurende uw verblijf hier met de uiterste hoffelijkheid zult worden bejegend.'

'O ja?' snauwde Mael. 'Met de hoffelijkheid die uw primitieve hof te bieden heeft, zeker.'

'Ik merk dat de prins zich strijdbaar opstelt.' Glyn veroorloofde zich een glimlachje. 'Ik zal zo gauw mogelijk boodschappers het hof van uw vader zenden met de officiële melding van uw gevangenneming. Wilt u misschien ook een boodschap meegeven?'

'Ja, een brief aan mijn echtgenote.'

Gweniver keek verwonderd op. Ofschoon het in vorstelijke families gebruikelijk was hun erfgenamen jong uit te huwelijken, leek hij nog zo'n jongen zoals hij daar stond in zijn vuile kleren, dat ze maar moeilijk kon geloven dat hij een getrouwd man was. Mael maakte een buiging voor haar.

'Toen ik uitreed was de dag van haar bevalling bijna aangebroken, heilige vrouwe. Dergelijke dingen interesseren u misschien niet, maar haar welzijn gaat mij zeer ter harte.'

'Ik zal u straks mijn eigen schrijver sturen,' zei Glyn. 'Zend uw vrouwe elk gewenst bericht.'

'Gewoon pen en inkt zijn voldoende. De mannen van míjn familie kunnen lezen en schrijven.'

'Uitstekend.' De koning glimlachte weer. Beledigingen kon men langs zijn koude kleren laten afglijden als men de overmeesteraar was, niet de krijgsgevangene. 'Ik zal u af en toe van het verloop van de onderhandelingen op de hoogte stellen. Wachten.'

Zoals een hand zich om een juweel sluit, zo omringden de wachten de prins en voerden hem af.

De kamer van de prins, op de bovenste verdieping van de hoofd-broch, was een grote ronde kamer met een eigen haard, glas in de vensters, een Bardeks tapijt op de vloer en behoorlijke meubelen. Telkens wanneer Nevyn hem bezocht, liep de prins onafgebroken in het rond, als een ezel die aan een molenrad is gebonden. De bewakers vertelden Nevyn dat hij ook de halve nacht zo in het rond liep. Hoewel de dweomerman hem in het begin bezocht om zijn gebroken pols te verzorgen, bleef hij ook later komen, gewoon uit medelijden. Omdat de prins kon lezen en schrijven, bracht Nevyn hem boeken uit de bibliotheek van de schrijvers en bleef dan nog een uur of twee om er met hem over te praten. De jongen was ongewoon verstandig, met het soort begrip dat zich tot wijsheid zou kunnen ontwikkelen als hij tijd van leven kreeg. Dat vooruitzicht was echter twijfelachtig, omdat onder Glyns hoffelijkheid wel degelijk de dreiging school dat, als Eldidd geen losprijs voor zijn zoon betaalde, Mael zou worden opgehangen. Aangezien hijzelf ooit een derde, en dus overtollige, prins was geweest, betwijfelde Nevyn of Eldidd echt diep in het stof zou willen buigen als dat nodig zou zijn om Maels leven te redden. Mael had zo zijn eigen twijfels.

'Ik wilde wel dat ik mezelf had kunnen doden voor ze me gevangen namen,' zei hij op een middag.

'Dat zou een beschamende daad zijn geweest. Iemand die zijn Wyrd ontvlucht moet daar in het hiernamaals zwaar voor boeten.'

'Zou dat erger zijn geweest dan als een paardendief te worden opgehangen?'

'Ach, kom nou, jongeman, uw vader zal misschien nog wel een losprijs voor u betalen. Glyn zal heus geen overdreven eisen stellen en uw vader zou zich schamen als hij u domweg liet sterven.'

Mael liet zich in een stoel vallen en zakte ineen, zijn lange benen als van een veulen voor zich uitgestrekt, zijn ravezwarte haar een verwarde bos.

'Ik kan u nog wel een ander boek brengen,' vervolgde Nevyn. 'De schrijvers hebben een exemplaar van Dwvorycs *Annalen van de Begintijd*. Daarin staan prachtige beschrijvingen van veldslagen, of lijkt het u pijnlijk om over oorlog te lezen?'

De prins schudde ontkennend zijn hoofd en staarde uit het raam naar de blauwe hemel.

'Weet u wat het ergste was?' vroeg hij na een ogenblik. 'Dat ik door een vrouw gevangen werd genomen. Ik dacht dat ik van schaamte zou sterven toen ik haar aankeek en zag dat ze een vrouw was.'

'O, maar niet zomaar een vrouw, hoogheid. Het is geen schande om door een aan de Maan gewijde krijger gevangen te worden genomen.'

'Dat hoop ik dan maar. Maar echt, ik heb nog nooit iemand zien vechten zoals zij. Ze lachte.' Mael zweeg, zijn mond half open bij de herinnering. 'Het was werkelijk of je een godin over het veld zag komen, de manier waarop ze lachte en haar zwaard hanteerde. Een van de mannen noemde haar de godin, en heus, ik geloofde hem bijna.'

Nevyn voelde zich onpasselijk worden bij de gedachte dat ze zo volkomen werd beheerst door vechtlust.

'Goede heer, u lijkt me een wijs man,' vervolgde de prins. 'Ik dacht dat het voor een vrouw zondig was om de wapens op te nemen.'

'Nou, dat hangt ervan af welke priester je hebt uitgekozen om naar te luisteren. Maar voor de Godin van vrouwe Gweniver is het een bewijs van vroomheid. Elke man die ze doodt is een offer aan het Maanduister.'

'Heus? Dan moet haar godin na dat gevecht oververzadigd zijn geweest en haar heilige veelvraten ook.'

'Ongetwijfeld. Hoe dan ook, in de Begintijd waren er veel strijdmaagden, die allemaal aan het Maanduister waren gewijd. De vervloekte Rhwmanes vonden dat zondig, maar ja, hun domme vrouwen zaten alleen maar te spinnen.'

'U bedoelt, vroeger, in het Oude Vaderland, voor de grote uittocht.'

'Precies. Lang voor koning Bran zijn volk naar de Westelijke Eilanden leidde. Maar toen ze daar eenmaal waren, afgesneden van het Oude Vaderland, tja, toen was een vrouw die kinderen kon baren gewoon te waardevol om aan gevechten bloot te stellen, denk ik. Ik weet niet precies hoe het is gegaan, maar de cultus van het Maanduister is toen uitgestorven. Er staat iets over in het boek dat ik daarnet noemde.'

'Dan wil ik het graag lezen. Ik vind het minder erg nu ik weet dat ik niet door de enige gevangen ben genomen.'

Diezelfde dag kwamen er boodschappers uit Eldidd. Het hof gonsde van de geruchten; men was benieuwd hoeveel de buitenlandse koning voor zijn zoon bood, en of Glyn het zou aannemen. De gespitste oren vingen één nieuwtje onmiddellijk op, dat Maels vrouw een flinke, gezonde zoon ter wereld had gebracht. Nevyn vroeg zich af hoeveel de koning nu om Mael zou geven, nu hij er immers nog een erfgenaam bij had. Heel wat, zo bleek het. Nevyn hoorde het verhaal van koning Glyn, toen deze hem die avond in zijn privé-vertrekken ontbood, iets waarvan hij een gewoonte had gemaakt om de visie op lange termijn te horen die de dweomer hem kon bieden.

'Eldidd heeft me een vervloekte hoop goud geboden,' zei Glyn. 'Maar ik heb niet zozeer geld nodig als wel een rustig grensgebied. Ik ben van plan de onderhandelingen zo lang mogelijk te rekken en ik heb hem gewaarschuwd dat zijn zoon wordt opgehangen als hij invallen doet zolang ik hem in handen heb.'

'Dat zal hij zeker ter harte nemen, heer, althans een tijdlang.'

'Dat hoop ik. Ik zou het vreselijk vinden een weerloze gevangene te laten ophangen. Eldidd kan zijn aanspraken op de troon ook wel hard maken door Cantrae aan te vallen. Ze hebben in het noorden een lange gemeenschappelijke grens.' De koning glimlachte zachtmoedig. 'Laat Slwmar maar eens ondervinden hoe het voelt om een stukje vlees tussen twee kaken te zijn.'

Een van de kaken was natuurlijk Dannyn en de koninklijke garde, die in het noorden invallen deden. Telkens wanneer er een boodschapper terugkwam, vroeg Nevyn hem naar nieuws over Gweniver, en de man zei telkens vol ontzag dat ze het niet alleen goed maakte, maar dat ze het hele leger bezielde. De Goddelijke, noemden ze haar. Nevyn vermoedde dat de meeste mensen haar als zodanig zouden zien, als een van de weinige gelukkigen die door de goden zelf worden begiftigd met macht en geluk. Hij zag het vanzelfsprekend anders, omdat hij wist wat de goden waren: enorme kernen van kracht in de Binnenwerelden, die overeenkomen met delen van hetzij de natuur, hetzij de menselijke geest. Gedurende duizenden jaren hebben gelovigen de beelden van de goden opgebouwd en ze bekleed met macht, tot ze zelfstandige personen lijken te zijn. Iedereen die weet hoe hij de passende geestelijke beelden moet opbouwen en de juiste gebeden zeggen – ze hoeven niet eens helemaal juist te zijn – kan de kernen van kracht aanroepen en er voor eigen toepassing kracht aan onttrekken. De priesters roepen die kernen in blind vertrouwen aan; de dweomermens doet het koelbloedig, in de wetenschap dat hij eerder de god schept dan dat de god hem schept. Gweniver was bij toeval op een donkere hoek in de vrouwelijke geest gestuit, die vrouwen de afgelopen zevenhonderd jaar op gezag hadden moeten dichtgooien. Zonder een tempel van de duistere rite om haar te onderwijzen, was ze als een kind dat een vuurtje wil oprapen omdat het er zo leuk uitziet, en Nevyn maakte zich onafgebroken zorgen over haar.

Maar hoewel hij wist dat haar ware Wyrd bij de dweomer lag, verbood zijn eed hem krachtig in haar leven in te grijpen. Het enige wat hij kon doen was haar vertrouwen winnen, terloopse toespelingen maken en hopen dat ze hem op een goede dag de juiste vragen zou stellen. Als ze tijd van leven had, natuurlijk. Hij kon alleen maar hopen dat de winter dat jaar vroeg zou invallen. Als ze eenmaal allemaal bij elkaar in de dun waren en de veldtochten voor dat seizoen achter de rug waren, zou hij een kans krijgen vriendschap met haar te sluiten.

De Cerrmorse invallers konden nog een maand lang schaamteloos toeslaan langs de zuidgrens van Cantrae, omdat Slwmar zich gedwongen zag een deel van de troepen naar het westen te verplaatsen om iets aan de nieuwe dreiging vanuit Eldidd te doen. Zo nu en dan ontmoetten ze een leger van enige omvang, maar Dannyn ontliep de strijd gewoonlijk, omdat hij liever de voorraadbronnen van Cantrae liet opdrogen dan zijn eigen mannen verliezen. Maar uiteindelijk was Slwmar dermate wanhopig dat hij een veldslag uitlokte door Dannyns mannen met een slimme manoeuvre terug te dringen tot aan de Belaver. Hoewel Cerrmor in naam de overwinning behaalde en Slwmars mensen overhaast noordwaarts naar de Heilige Stad terug deed vluchten, hadden ze zware verliezen geleden.

Toen hij die avond over het slagveld liep, waar zijn mannen nog bezig waren gewonden te zoeken en weg te brengen, wist Dannyn dat nog zo'n veldslag het einde voor hen zou betekenen. Gweniver liep naast hem, even vuil en bezweet als iedereen, met bloedspatten op haar gezicht en schouders. Terwijl ze daar liepen, bezag ze het aangerichte bloedbad met een onverschilligheid die hem angst aanjoeg. Want ook al hield hij van krijgsroem en oorlog voeren, hij vond het vreselijk om zijn mensen te zien sneuvelen. Wat hij een mooie veldslag zou vinden was iets uit een oude heldensage, waarin de edelen elkaar uitdaagden tot een tweegevecht terwijl de manschappen hen aanmoedigden.

'We zullen moeten terugtrekken,' zei hij opeens.

'Wat u het beste lijkt, als we ook maar weer terugkomen.'

'Misschien wel, misschien niet. Nu we dit bestand met Eldidd hebben, zou ik misschien de fortgarde van Dun Cerrmor mee kunnen nemen, maar dat wil ik liever niet. Al ligt de uiteindelijke beslissing natuurlijk bij de koning.'

Ze draaide zich naar hem toe en keek hem geërgerd aan.

'Hare heiligheid moet wel bedenken dat we mannen moeten hebben om in het najaar tegen de Boar in te zetten. Dan komt er nog een slachtpartij, misschien groot genoeg om haar bloeddorst te verzadigen.'

Met een ongeduldige hoofdbeweging vanwege de belediging, liet ze hem staan en liep naar haar krijgsbende. Hij keek haar na en wenste maar dat hij haar onaantrekkelijk kon vinden, dat hij kon ophouden haar als een vrouw te zien, zoals haar heilige gelofte hem immers gebood. Ofschoon hij allesbehalve vroom was, geloofde Dannyn in de goden, en hij wist dat hij hun toorn riskeerde door een gewijde priesteres in zijn bed te begeren. Maar soms, als ze tegen hem glimlachte, of gewoon maar langsliep, werd zijn begeerte zo sterk dat die hem even de adem benam. Hij nam zich voor dat, als hij ooit twee legers op de been zou moeten brengen, hij zou zorgen dat hij in het ene zou zijn en zij in het andere.

Hij zou zijn verlangen makkelijker hebben kunnen vergeten als Ricyn er niet was geweest. Af en toe, tijdens hun trage tocht naar Cerrmor, trof hem de manier waarop zij en haar hoofdman samen praatten, zo vertrouwelijk, zo vol aandacht voor elkaar, dat hij zich afvroeg of ze haar gelofte misschien had gebroken, en nog wel met een gewone ruiter. De jaloezie vrat aan hem en groeide uit tot haat jegens Ricyn, een man die hij tot dan toe altijd graag had gemogen. Hij had Ricyn zelfs bewonderd om zijn gelijkmatigheid, zijn kalme moed, zijn ongedwongen omgang met zijn ondergeschikten. Nu dagdroomde hij soms dat hij Gwenivers hoofdman op een hopeloze opdracht stuurde, een zekere dood tegemoet.

Eenmaal terug in Dun Cerrmor, zonder de strijd om hem af te leiden, kon Dannyn zijn gevoelens voor haar nog moeilijker negeren. Hij deed zijn best haar te ontlopen, maar de lessen in zwaardvechten waren er ook nog. Hoewel hij zelf de draak stak met zijn gevoelens voor haar en zichzelf voorhield dat hij niet meer was dan een bronstige hengst, hield hij toch zoveel van haar dat de gedachte dat ze zou kunnen sterven hem doodsbang maakte. Hij was vastbesloten haar elke truc te leren die hij kende, om haar gebrek aan gewicht en bereik goed te maken.

Elke morgen hielden ze een paar uur oefengevechten. Ofschoon ze maar botte zwaarden gebruikten en lichte oefenschilden, veranderde de les soms in een echt gevecht. Als iets haar niet zinde deelde ze geen lichte tikken meer uit, maar werd ze razend en begon ze raak te slaan met harde klappen van het zwaard die hem al even kwaad maakten als haar. Dat ging dan een paar minuten zo door, tot ze er met een soort halfbewuste wederzijdse instemming mee ophielden en de echte les hervatten. Hoewel hij die gevechten altijd won, had Dannyn nooit het gevoel dat hij haar de baas was. Hij kon haar de hele morgen blauwe plekken bezorgen, maar de volgende dag begon ze weer en tergde hem tot het uiterste met een harde klap. Hij begon te denken dat ze vastbesloten was hem de baas te worden.

Nu ze weer in de dun waren, kon hij Ricyn ook moeilijk ontlopen. Hij zag hen vaak samen, lachend om de een of andere grap, Ricyn helemaal naar haar overgebogen als ze over het binnenplein liepen, zelfs dobbelend om kleingeld als een stel gewone ruiters. Soms kwam Ricyn naar de oefengevechten kijken. Dan stond hij als een chaperonne aan de rand van het oefenterrein, zei niets en nam haar na de les mee. Omdat hij geen gerechtvaardigde reden had om de hoofdman van een andere edele weg te sturen, had Dannyn dat maar te dulden.

Op zekere middag was Dannyn zo woedend dat hij naar hen toeging toen ze bij de stallen waren. De manier waarop Ricyn tegen haar glimlachte beviel hem niet, en hij kwam juist op tijd om een flauw grapje over konijnen te horen.

'Goedemorgen,' zei Dannyn. 'Wat was dat over konijnen, vrouwe?'

'O, Ricco kan erg goed konijnen strikken met dat draad dat hij altijd bij zich heeft, dus ik zei net dat hij misschien ook een paar Boars voor me kan strikken.'

Dat ze Ricyns koosnaampje gebruikt, beviel Dannyn nog minder.

'Zeker iets dat je op de boerderij hebt geleerd,' schamperde hij.

'Inderdaad, heer,' zei Ricyn. 'Als boerenzoon leer je een heleboel. Zoals bijvoorbeeld een volbloed onderscheiden van een doodgewone knol.'

'Wat bedoel je daarmee?' Dannyn legde zijn hand op zijn zwaardgevest.

'Precies wat ik zei.' Ricyn deed hetzelfde. 'Heer.'

Met een vloek trok Dannyn zijn zwaard. Hij zag metaal flitsen; toen voelde hij een brandende pijn in zijn pols en vloog zijn zwaard uit zijn hand. Hij vloekte nog eens en deed een stap terug, net toen Gweniver met de platte kant van haar zwaard Ricyns arm omlaagsloeg. Ze was sneller geweest dan een van hen.

'Hou op, allebei!' riep ze woedend. 'Wat denken jullie dat ik ben, een loopse teef?'

Ricyn stak zijn zwaard in de schede en deed een stap achteruit.

'Bij alle goden,' vervolgde ze. 'Ik vermoord de eerste van jullie tweeën die nog eens zoiets begint, al word ik ervoor opgehangen. Hebben jullie dat goed begrepen?'

Ricyn draaide zich om en rende weg, naar de kazerne. Dannyn wreef over zijn zere pols en keek hem nijdig na tot Gweniver met de punt van haar zwaard op zijn borst tikte.

'Als je hem op veldtocht een onmogelijke opdracht geeft en hij sneuvelt erbij, dan vermoord ik jou.'

Het leed geen twijfel dat ze het meende. Zonder antwoord te geven raapte hij zijn zwaard op. Pas toen zag hij de drom toeschouwers, die er grinnikend bij stonden te kijken en vast en zeker vonden dat de bastaard zijn verdiende loon kreeg. Dannyn beende in blinde drift terug naar de dun en rende de trap op naar zijn kamer. Hij wierp zich op zijn bed en lag te beven van woede. Maar langzaam zakte zijn woede en maakte plaats voor kille wanhoop. Nou best, als dat kreng de voorkeur gaf aan die boerenhufter, dan mocht ze hem hebben! Als ze samen naar bed gingen, zou de Godin hen beiden gauw genoeg straffen. Hij ging met een zucht zitten, beseffend dat ze dat waarschijnlijk niet deden. Hij zou zijn jaloezie voortaan goed in de hand moeten houden, hield hij zichzelf voor, om niet toe te geven aan een woede die sterker was dan zijn begeerte.

De rest van die dag ging Ricyn Gweniver uit de weg, maar bij het avondmaal in de grote zaal merkte hij dat hij haar toch weer gadesloeg terwijl ze met de andere edelen op de verhoging zat. De gedachte dat hij zich ten overstaan van haar te schande had gemaakt, was een regelrechte kwelling. Hij was de Godin vergeten. Zo simpel lag dat – hij had haar één ogenblik alleen als vrouw gezien, niet als de gewijde priesteres die ze in werkelijkheid was. Dat Dannyn dezelfde fout had gemaakt was geen verontschuldiging. De Godin had haar aangenomen en getekend, en dat was dat. Toen hij klaar was met eten haalde Ricyn een tweede kroes bier en dronk die langzaam uit terwijl hij overwoog wat hij zou kunnen doen om het goed te maken, niet bij Gweniver maar bij de Godin. Hij had geen zin om in de volgende veldslag te sterven omdat Zij zijn dood wilde.

'Ga je mee terug naar de kazerne?' vroeg Dagwyn. 'Dan kunnen we nog een potje dobbelen.'

'Nee, ik kom straks wel. Ik wil die oude kruidenman nog even spreken.'

'Waarover?'

'Dat gaat je niets aan.'

Dagwyn stond schouderophalend op en ging weg. Ricyn wist eigenlijk niet waarom hij dacht dat Nevyn iets over de Duistere Godin zou weten, maar de oude man leek zo wijs, dat hij het licht kon proberen. Nevyn zat ergens in het midden van de zaal te eten en was in druk gesprek gewikkeld met de wapenmeester. Ricyn besloot te wachten tot hij klaar was en hem dan naar buiten te volgen. De andere Wolf-ruiters verlieten in groepjes de tafel, tot hij alleen in een klein eiland van stilte in de rumoerige zaal zat. Hij haalde een derde kroes bier, ging op zijn gemak zitten en verwenste de wapenmeester omdat die zo lang praatte.

'Hoofdman?' zei iemand achter hem.

Het was heer Oldac, met zijn duimen tussen zijn zwaardgordel gestoken. Ofschoon Ricyn hem nooit had vergeven dat hij Gweniver een deern had genoemd, stond hij op en boog, omdat Oldacs rang dat vereiste.

'Ik wil je even spreken. Laten we naar buiten gaan.'

Ricyn volgde hem de achterdeur uit naar het koele binnenplein. Ze stonden in een lichtbundel die uit een venster stroomde, terwijl Oldac wachtte tot een paar langslopende dienstmeisjes buiten gehoorsafstand zou zijn.

'Wat was dat voor een ruzietje tussen jou en heer Dannyn vandaag?' vroeg Oldac.

'Neem me niet kwalijk heer, maar ik geloof niet dat u dat iets aangaat.'

'Nee, vast niet. Ik ben alleen verrekte nieuwsgierig. Een van de pages zei dat heer Dannyn de heilige vrouwe had beledigd en dat jij haar verdedigde.'

Het was verleidelijk om te liegen en dit minder beschamende verhaal de ronde te laten doen.

'Nee, heer, dat is niet waar. Ik zei iets dat heer Dannyn verkeerd opvatte, en de vrouwe kwam tussenbeide.'

'Tja, onze bastaard is nogal lichtgeraakt van aard, nietwaar?' Oldac keek vreemd genoeg teleurgesteld. 'Nou ja, ik was gewoon nieuwsgierig.'

Toen Ricyn weer in de zaal kwam, was Nevyn weg. Oldac in gedachten verwensend vond hij een page die hem vertelde dat de oude man naar zijn kamer was gegaan. Ricyn aarzelde, bang de man te storen die volgens iedereen dweomer had, maar als hij de Godin niet gunstig stemde, stond zijn leven op het spel. Hij ging naar Nevyns kamer, waar de oude man bij het licht van een lantaarn kruiden aan het sorteren was.

'Dag, goede heer,' zei Ricyn. 'Kan ik u even spreken?'

'Natuurlijk, jongen. Kom binnen en doe de deur dicht.'

Omdat Nevyn maar één stoel had, bleef Ricyn schutterig bij de tafel staan en keek naar de zoetgeurende kruiden.

'Voel je je niet goed of zo?' vroeg Nevyn.

'O, ik kom niet voor uw kruiden. Maar u lijkt me een waarlijk wijze man. Weet u of de Duistere Godin ook gebeden van een man wil aanhoren?'

'Ik zou niet weten waarom niet. Bel luistert immers ook naar gebeden van vrouwen?'

'Gelukkig. Ik kan het namelijk niet aan mijn vrouwe vragen. Ik ben bang dat ik de Godin heb beledigd, maar ik weet verdraaid goed dat ik háár heb beledigd. Dus ik dacht dat ik het misschien zelf bij de Godin kon goedmaken, omdat ik niet op mijn volgende veldtocht wil sneuvelen. Het is vervloekt moeilijk, omdat Ze niet eens een behoorlijke tempel heeft waar ik naartoe kan gaan.'

Nevyn nam hem op met een raadselachtig blik die het midden hield tussen ergernis en bewondering.

'O, de Godin zal je ongetwijfeld begrijpen,' zei Nevyn. 'Eigenlijk heeft Zij geen tempel nodig omdat de hele nacht Haar huis is en de duisternis Haar altaar.'

'Heer, bent u vroeger priester geweest?'

'Nee, maar ik heb menig boek over de heilige leer gelezen.'

'O, gelukkig. Alleen, moet ik haar niet iets offeren? Dat schijnen de goden altijd prettig te vinden.'

'Dat is waar.' Nevyn dacht een ogenblik na met een indrukwekkend plechtige uitdrukking op zijn gezicht. 'Ik zal je een stukje alruinwortel geven, omdat het gespleten is, net als een mens, en omdat het dweomer heeft. Ga in het holst van de nacht naar de rivier, gooi het erin en bid dat Ze het je in dank afneemt en je vergeeft.'

'Dank u, goede heer, mijn oprechte, nederige dank. Ik zal u trouwens betalen voor het stukje wortel.'

'Dat hoeft niet, jongen. Ik zou niet graag willen dat je een fout zou maken en sneuvelen omdat je denkt dat de Godin zich tegen je heeft gekeerd.'

Ricyn wikkelde het kostbare stukje alruin in een lapje en stopte het weg onder zijn hemd, toen ging hij naar de kazerne. Daar ging hij op zijn brits liggen en dacht na over wat hij tegen de Godin zou zeggen, omdat hij precies de juiste woorden wilde kiezen. De wetenschap dat hij Haar ook mocht aanbidden vervulde hem met een plechtige rust. De duisternis is Haar altaar – hij vond dat de oude Nevyn dat mooi had gezegd. Op zekere dag, als zijn Wyrd tot hem zou komen, zou hij in Haar armen zinken en daar stil en uitgeput liggen, rustend in het duister, en al het gewoel en de pijn van deze eindeloze oorlog achter zich laten.

'Dagwyn?' zei Gweniver. 'Waar is Ricyn?'
Dagwyn draaide zich om en keek haastig de stal rond.
'Ik mag een boon zijn als ik het weet, vrouwe,' zei hij. 'Hij was hier daarnet nog.'
Gweniver ging haastig naar buiten en liep in de heldere ochtendzon om de stallen heen. Hij probeerde haar weer te ontlopen, vermoedde ze, een vermoeden dat juist bleek toen ze hem eindelijk vond. Hij keek geschrokken op en sloeg zijn ogen toen weer neer.
'Loop een eindje met me op, Ricco.'
'Tot uw orders, vrouwe.'
'O, verhip! Sluip toch niet de hele tijd rond als een geslagen hond! Hoor eens, ik was helemaal niet zo erg kwaad op jou, maar als ik Dannyn op zijn plaats wilde zetten, moest ik eerlijk blijven, nietwaar?'
Ricyn keek op en glimlachte met een plotse opflakkering van zijn gewone opgewektheid. Ze zag hem graag zo glimlachen.
'Nou, dat is je dan goed gelukt,' zei hij. 'Maar het heeft mij toch pijn gedaan.'
'Wat mij betreft is het verleden tijd.'
Ze slenterden samen langs de voorraadschuren en lege karren achter de stallen, tot ze een rustig, zonnig plekje bij de dunmuur vonden. Daar gingen ze zitten, met hun rug tegen een schuur en keken naar het hoge gevaarte van zwarte steen, dat hen evenzeer insloot als het vijanden buitensloot.
'Weet je,' zei Gweniver, 'je zou hier in de dun een meisje moeten zoeken. We zullen hier de rest van ons leven blijven.'
Ricyns gezicht vertrok alsof ze hem een klap had gegeven.
'Wat is er?' vroeg ze.
'Niets.'
'Onzin. Voor de dag ermee.'
Ricyn zuchtte en wreef over zijn nek, alsof hij dan beter kon denken.
'Nou, stel dat ik een meisje kreeg. Hoe zou jij dat dan vinden? Ik hoopte dat jij het – ach, vervloekt!'
'Hoopte je dat ik jaloers op haar zou zijn? Dat zou ik zeker, maar dat is mijn probleem, niet het jouwe. Ik ben degene die voor de Godin heeft gekozen.'
Hij glimlachte naar de grond voor hem.
'Zou je echt jaloers op haar zijn?'
'Ja.'

Hij knikte en staarde naar de keien, alsof hij ze telde. 'Ik heb daar ook wel aan gedacht,' zei hij tenslotte. 'Er zijn hier wel een paar meisjes die ik aardig vind, en een van hen vindt mij ook best aardig. Gisteren is ze nog een eindje met me opgelopen, en ik merkte dat ik haar makkelijk mee naar bed zou kunnen krijgen, als ik er niets op tegen zou hebben haar met een paar andere kerels te delen, en dat heb ik vroeger nooit erg gevonden. Maar opeens kon het me geen bliksem meer schelen of ik haar kreeg of niet, dus ben ik weggelopen.' Hij zweeg een paar minuten. 'Het wordt nooit iets met een ander meisje. Ik houd te veel van jou. Al jaren.'

'Ach, kom nou, je bent gewoon de ware nog niet tegengekomen.'

'Spot niet met me, Gwen. Daar zal ik niet lang genoeg voor leven. Jij bent bereid te sterven, nietwaar? Ik zie het in je ogen, telkens wanneer we de strijd ingaan. Nou, ik zal geen minuut langer leven dan jij. Ik heb tot de Godin gebeden en ik heb Haar dat beloofd.' Eindelijk keek hij haar aan. 'Dus ik dacht dat ik net zo goed dezelfde gelofte kon afleggen als jij.'

'Nee! Dat hoeft niet, en als je hem zou breken...'

'Denk je dat ik minder dapper ben dan jij?'

'Dat bedoelde ik niet. Er is gewoon geen reden toe.'

'Die is er wel. Wat geven de meeste mannen aan het meisje van wie ze houden? Een huis, genoeg te eten en af en toe een nieuwe jurk. Ik zal jou nooit een van die dingen kunnen geven, dus geef ik je wat ik je wel kan geven.' Hij glimlachte naar haar, even ongedwongen en stralend als altijd. 'Of het je iets kan schelen of niet, Gwen, je zult me nooit met een andere vrouw zien of er iets over horen.'

Ze voelde zich als een vrouw die in haar keuken al jaren een oude pan heeft gebruikt die, als ze hem op een dag oppoetst, van massief zilver blijkt te zijn.

'Ricco, ik zal mijn gelofte nooit breken. Is je dat duidelijk?'

'Als me dat niet duidelijk was, zou ik er dan zelf een willen afleggen?'

Toen ze zijn arm greep voelde ze dat de Godin haar de woorden ingaf.

'Maar als ik hem ooit zou breken, zou het met jou zijn, niet met Dannyn. Jij bent twee keer zoveel waard als hij, ondanks zijn rang.'

Hij huilde, twee smalle sporen van tranen, snel onderdrukt.

'O, goden,' fluisterde hij, 'ik zal je tot in de dood volgen.'

'Dat moet je, àls je me wilt volgen.'

'De Godin krijgt ons uiteindelijk allemaal. Wat kan het tijdstip me dan schelen?'

'Dan is het goed. Ik houd van je.'

Hij nam haar hand en vlocht zijn vingers door de hare. Zo zaten ze lange tijd, zonder iets te zeggen; toen zuchtte hij diep.

'Het spijt me dat ik mijn soldij niet kan opsparen om een verlovingsbroche voor je te kopen,' zei hij. 'Gewoon om je iets te geven, als aandenken.'

'Dat vind ik ook. Wacht, ik weet het. Laten we een bloedgelofte afleggen, zoals ze in de Begintijd deden.'

Hij glimlachte breed en knikte instemmend. Ze gaf hem haar dolk, en hij maakte eerst een kleine snee in haar pols en vervolgens in de zijne en legde de bloedende wondjes op elkaar zodat het bloed zich kon vermengen. Toen ze in zijn ogen blikte, had ze kunnen huilen omdat hij zo ernstig keek en omdat dit de enige huwelijksplechtigheid was die ze ooit zouden hebben. Op dat moment voelde ze de Godin als een koude aanwezigheid om zich heen. Ze wist dat de Duistere Vrouwe tevreden was, dat hun liefde zo rein en zo hard was als een nieuw zwaard om op Haar altaar te leggen. Hij boog zijn hoofd en kuste haar, één keer maar, toen liet hij haar los.

Later diezelfde morgen voerde een doelloze wandeling hen naar Nevyns kruidentuin, en naar Nevyn zelf die op zijn knieën met zijn plantjes bezig was. Toen ze hem aanriepen, stond hij op en veegde zijn modderige handen af aan zijn brigga.

'Goeiemorgen,' zei hij. 'Ik heb gehoord dat jullie binnenkort naar het Wolf-gebied teruggaan.'

'Dat is waar,' zei Gweniver. 'En we zullen het ook van ongedierte ontdoen.'

Nevyn deed zijn hoofd scheef en keek hen beurtelings aan, met plotseling een koude blik in zijn ogen.

'Wat heb je aan je pols, Ricco?' vroeg hij. 'En je vrouwe heeft zo te zien net zo'n snee.'

Gweniver stak lachend haar hand op om de opgedroogde veeg bloed te laten zien.

'Ricco en ik hebben samen een gelofte afgelegd. We zullen nooit een bed delen, maar wel een graf.'

'O, jonge stommelingen,' fluisterde Nevyn.

'Wacht eens,' zei Ricyn. 'Denkt u dat we die gelofte niet kunnen houden?'

'O, dat wel. Jullie zullen je vast en zeker onberispelijk aan die gelofte houden en ook nog precies krijgen wat jullie willen, een vroege dood op het slagveld. De barden zullen ongetwijfeld nog jarenlang over jullie zingen.'

'Waarom kijkt u dan zo zorgelijk?' viel Gwen in. 'We vragen immers niet beter?'

'Ik weet het.' De oude man wendde zich af. 'En dat vind ik juist zo erg. Maar ja, het is jullie Wyrd, niet het mijne.'

En zonder nog iets te zeggen knielde hij weer neer en ging verder met wieden.

Die avond had Nevyn geen zin om in de grote zaal te gaan zitten, waar hij Gweniver zou zien. Dus ging hij naar zijn kamer, stak een paar kaarsen aan en begon op en neer te lopen, terwijl hij zich afvroeg wat zijn volk bezielde om genoegen te scheppen in lijden, dat het de dood liefhad zoals andere volken een aangenaam leven en rijkdom liefhadden. Neem nu Gwen en haar Ricyn, die dachten dat ze van elkaar hielden, terwijl ze in werkelijkheid van de duistere plek in de Deverriaanse ziel hielden.

'Ach, goden,' zei Nevyn. 'Het is nu mijn zaak niet meer.'

De kaars sputterde alsof hij ontkennend zijn goudkleurig hoofd schudde. Het was wèl zijn zaak, of hij hen nu in dit leven zou kunnen helpen of tot hun volgende leven zou moeten wachten, en nu niet meer alleen Gweniver, maar Ricyn eveneens. Of ze hun gelofte braken of hielden, ze hadden zich aan elkaar geketend met een ketting van Wyrd, die slechts door de wijsheid van een koning Bran ontward en door de kracht van een Vercingetorix verbroken zou kunnen worden. De gedachte aan die twee helden uit de Begintijd maakte Nevyns stemming nog somberder. Zo'n vervloekte bloedgelofte, iets uit een oude heldensage! Hij zou het hun willen uitleggen, hen dwingen in te zien dat vallen altijd gemakkelijker is dan klimmen, dat alles loslaten voor de val een verrukkelijk gevoel van verlichting en macht met zich brengt. Ze zou niet luisteren. Het was waarschijnlijk te laat.

Nevyn liet zich in een stoel vallen en staarde naar de lege haard. Hij had het hele koninkrijk voelen terugglijden toen de burgeroorlogen uitbraken en alles teniet deden: al die lange jaren van cultuur, studie, hoofse eer, zorg voor de armen – al die uitingen van beschaving die zovelen eeuwenlang in de Deverriaanse ziel hadden geprobeerd in te planten. Hoe lang zal het nog duren voor ze weer gaan koppensnellen? vroeg Nevyn zich verbitterd af. Voor het eerst in zijn onnatuurlijk lange leven twijfelde hij of zijn dienst aan het Licht de moeite waard was, of er werkelijk een Licht was om te dienen, omdat alles zo makkelijk in de duisternis kon terugglijden. Nooit eerder was hij zich er dermate van bewust geweest hoe breekbaar beschaving is, dat die als een laagje olie op de zwarte oceaan van de menselijke geest drijft.

Wat Gweniver betreft had Nevyn nog een laatste vertwijfelde hoop.

Als hij haar maar tot het besef kon brengen dat de dweomer een grotere macht bood dan wat ook op aarde, want ze was dol op macht. Misschien dat hij haar van het hof weg kon krijgen – en Ricyn ook, want ze zou hem nooit achterlaten – en hen meenemen naar het woeste land in het noorden, of zelfs naar Bardek. Daar zou hij haar kunnen helpen de last af te werpen die ze vrijwillig op zich had genomen en haar weer helder leren zien. Diezelfde avond ging hij naar haar kamer om met haar te praten.

Gweniver schonk hem mede in en bood hem haar gemakkelijkste stoel. Haar ogen glansden in het licht van de lantaarn, haar glimlach was opgewekt en star, alsof hij met een mes in haar gezicht was gesneden.

'Ik kan wel raden wat u komt doen,' verklaarde ze. 'Waarom maakt u zich zoveel zorgen over de gelofte die Ricyn en ik hebben afgelegd?'

'Voornamelijk omdat die me zo kortzichtig lijkt. Men zou goed moeten nadenken voor men belooft één enkel pad te volgen. Sommige wegen gaan door veel verschillende landen en bieden veel verschillende gezichtspunten.'

'En andere zijn recht en kort. Dat weet ik, maar mijn Godin heeft mijn weg voor me gekozen en ik kan nu niet meer terug.'

'Nee, natuurlijk niet, maar er zijn meer manieren om Haar te dienen dan met een zwaard.'

'Niet voor mij. Het kan me werkelijk niet schelen, beste Nevyn, dat mijn weg maar kort zal zijn. Het is... o, het is als het hebben van een bepaalde hoeveelheid brandhout. Sommige mensen nemen zuinig telkens maar één houtje en zitten de hele avond bij een armetierig vuurtje. Anderen gebruiken liever alles ineens en genieten korte tijd van een heerlijk hoog oplaaiend vuur.'

'En daarna vriezen ze dood?'

Ze keek fronsend in haar beker.

'Tja,' zei ze tenslotte. 'Ik heb niet zo'n goede vergelijking gekozen, geloof ik. Nou ja, goed genoeg. Ze vriezen niet dood – ze werpen zichzelf in het vuur.'

Toen ze om haar eigen grapje lachte, zag Nevyn plotseling wat hij heel lang niet had willen zien: ze was krankzinnig. Ze had al lang geleden haar verstand verloren, en nu gloeide de waanzin in haar ogen en grijnsde die in haar starre glimlach. Maar er is waanzin en waanzin: nu ze in deze wereld krankzinnig was geworden, zou ze allerwegen worden bewonderd, overladen met eer en glorie door mannen die maar weinig minder krankzinnig waren dan zij. Daar blijven zitten en gewoon verder praten was een van de moeilijkste dingen die Nevyn ooit had gedaan. Hoewel ze verstandig over haar plannen voor Blaeddbyr en de Wolf-clan praatte, was ze een wandelende zelf-moordenares.

Uiteindelijk kon hij met goed fatsoen wegkomen en naar zijn kamer teruggaan. Hij kon haar nu niet meer tot de dweomer brengen, om-dat de studie van de magie een in alle opzichten gezonde geest ver-eist. Wie ook maar enigszins onevenwichtig is als hij de dweomer-studie begint, wordt al spoedig verscheurd door de machten en krachten die hij oproept. Hij wist dat ze in dit leven nooit haar wa-re Wyrd zou krijgen. Terwijl hij in zijn kamer op en neer liep, begon Nevyn opeens te beven. Hij liet zich in zijn stoel zakken en vroeg zich af of hij ziek was, tot hij merkte dat hij huilde.

De zomerregens hadden de dun van de Wolf-clan in een modderpoel veranderd. De uitgebrande, dakloze broch verhief zich te midden van zwarte modder, as en verkoolde balken die op de keien waren ge-stort, de put verstopten en de weeïg zoete stank van brand en ver-rotting verspreidden. In de schaduw van de muren groeiden hier en daar dotten schimmel en meeldauw als een ongezond soort sneeuw. Gweniver en Gwetmar zaten te paard in de opening die vroeger de poort was geweest en overzagen dat alles.

'Tja,' zei Gweniver. 'Jij bent nu een grote heer, dat is een feit.'

'Mag ik de heilige vrouwe de gastvrijheid van mijn prachtige zaal bieden?' Hij maakte een spottende buiging voor haar. 'Laten we maar naar het dorp rijden en daar een kijkje nemen.'

'Ja. Je hebt toch geen tijd om Dun Blaedd voor de winter weer op te bouwen.'

Ze reden de heuvel weer af naar het wachtende leger. Behalve haar eigen krijgsbende van zo'n zeventig man hadden ze ook tweehonderd mannen van de koning bij zich, aangevoerd door Dannyn. Glyns edel-moedigheid ging zelfs zover dat hij hun vele karren met proviand en benodigdheden had meegegeven, en bovendien een groep geschool-de handwerkslieden om de gebouwen waar nog iets van overeind stond te herstellen. Terwijl ze door het gebied van de Wolf reden, be-gon Gweniver zich af te vragen of er nog iets van te redden viel, want de lijfeigenen die de velden bewerkten waren allemaal gevlucht. Ze kwamen twee keer langs een plek waar een van hun dorpen had ge-staan en vonden de primitieve hutten verbrand, alsof de lijfeigenen bij hun vlucht nog hun verachting hadden willen tonen voor hun voormalige meesters. Het dorp van de vrijgeborenen daarentegen stond nog overeind, ook al waren de inwoners verdwenen, in dit ge-val verdreven door angst voor de Boar, niet voor de Wolf. Het on-kruid tierde welig en groen rond de dorpsput en over de paden. Het niet verzamelde fruit lag als dikke druppels bloed te verrotten onder de appelbomen. De huizen leken tegen elkaar aan te kruipen, de met luiken gesloten ramen leken droevige ogen, als een verwijt aan degenen die hen hadden verlaten.

'Een mooie heer ben ik, zonder volk om over te heersen,' zei Gwetmar met een vals grappige klank in zijn stem.

'De dorpelingen zullen te zijner tijd wel terugkomen. Stuur boodschappers naar het zuiden en het oosten, waar ze familie hebben. En wat je eigen landerijen betreft, beste vriend, zul je dunkt me tevreden moeten zijn met de pacht van vrije boeren – als je er een paar kunt vinden die zich hier willen vestigen.'

Gwetmar verbrak zonder plichtplegingen het hangslot op de deur van het huis van de smid en besloot zich er te vestigen, gewoon omdat het het grootste huis was. Aangezien er geen tijd was om een behoorlijke stenen muur te bouwen, besloten de meester-metselaar en de meester-timmerman een aarden wal en een greppel rond een heining van boomstammen te leggen. Terwijl het werk traag vorderde, patrouilleerde het leger voortdurend langs de grens tussen het gebied van de Boar en dat van de Wolf. Toch duurde het nog veertien dagen voor de problemen begonnen. Gweniver leidde een patrouille door de verlaten velden toen ze in de verte een stofwolk zag die aankondigde dat er over de weg ruiters naderden. Ze stuurde een boodschapper naar Dannyn en de hoofdmacht van het leger en stelde vervolgens haar krijgsbende in slagorde op de weg op.

De stofwolk ontpopte zich langzaam tot tien ruiters die in kalme draf naderden. Bij het zien van de krijgsbende hielden ze stil en formeerden zich in een slordig gelid. Zij bevonden zich aan hun kant van de grens; de Wolven aan de hunne. De sfeer was geladen toen de aanvoerder met zijn paard uit de troep naar voren kwam om Gweniver halverwege te ontmoeten.

'Jullie zijn Wolven, nietwaar?' vroeg hij.

'Ja. En wat zou dat?'

De aanvoerder wierp een snelle blik op haar vierentwintig man en zag dat hij hopeloos in de minderheid was. Hij wendde schouderophalend zijn paard en liet zijn troep terugtrekken. Terwijl ze rechtsomkeert maakten, zag Gweniver dat een van de ruiters een schild droeg met het blazoen van de groene gevleugelde draak van de Heilige Stad.

'Aha,' zei ze tegen Ricyn, 'nu begrijp ik waarom Glyn ons zijn mannen meegegeven heeft.'

'Precies, vrouwe. Slwmar van Cantrae laat zich dit land niet zonder slag of stoot ontgaan.'

'We moesten maar teruggaan en het de anderen vertellen.'

Toen ze in Blaeddbyr terugkwamen, was de greppel klaar en de aarden wal opgeworpen, ofschoon nog niet aangestampt en versterkt. Erbinnen lagen de palen voor de heining in een ruwe cirkel als haaietanden op de grond. Gwetmar en Dannyn stonden met de meestertimmerman te praten en Gweniver nam hen apart om hun haar nieuws te vertellen.

'Dus ik wil wedden dat Burcan nog voor zonsondergang weet dat we terug zijn,' besloot ze haar relaas.

'Vast en zeker,' zei Dannyn. 'Ze weten dat we niet in de verwoeste dun kunnen zijn, dus ze zullen wel rechtstreeks hierheen rijden. We kunnen ze maar het beste tegemoet rijden. Als we sterk in de minderheid zijn, trekken we naar het dorp terug en verschansen ons achter de aarden wal.'

'Als we moeten terugtrekken,' viel Gwetmar in, 'kunnen we dat het beste doen zodra we beseffen dat het moet. We mogen niet afgesneden raken.'

'Natuurlijk,' zei Dannyn. 'Maar u blijft hier om het dorp te verdedigen.'

'Wacht eens even! Ik ben van plan zelf mee te gaan om mijn gebied te verdedigen.'

'Een nobel voornemen, heer, maar een slecht plan. De enige reden waarom ik en mijn mensen hier zijn is u in leven te houden.'

Toen Gwetmar rood aanliep van woede, kwam Gweniver tussenbeide.

'Doe niet zo onnozel,' zei ze bits. 'Hoe weten we of het kind dat Maccy verwacht een jongen of een meisje is? Als jij sneuvelt, en als het kind sterft of zo, is er geen Wolf-clan voor Maccy hertrouwt en moeten we alles nog eens overdoen.'

'Precies.' Dannyn zond Gwetmar een verzoenend bedoelde glimlach. 'U zorgt dat er erfgenamen komen, heer, en wij zorgen dat ze land hebben.'

De volgende morgen wekte Dannyn de mannen al vroeg en ging in de grauw schemerende dageraad met hen op weg omdat Burcan, als hij snel oprukte, tegen het eind van de middag het dorp zou bereiken. Halverwege de morgen staken ze de grens tussen de twee gebieden over en trokken door het verlaten land, ontvolkt door de voortdurende veten tussen de twee clans. Rond het middaguur kwamen ze bij een groot weiland met een dicht bos aan de ene kant. Dannyn stuurde verkenners op pad en liet de hoofdmacht van het leger hun paarden een korte rust gunnen voor hij een gevechtslinie formeerde. Twee derde van de mannen stelde zich dwars over de weg op;

de andere verborgen zich tussen de bomen, waar ze zouden wachten tot het gevecht in volle gang was, en dan zouden ze Burcan in de flank aanvallen.

Ze stonden in de warme zon te wachten toen de verkenners terugkwamen met het nieuws dat ze op verkenners van de Boar waren gestuit. Gweniver wendde zich glimlachend tot Ricyn.

'Mooi zo. Ze zijn dus op weg. Denk eraan dat je Burcan aan mij overlaat.'

'Dat zal ik doen, vrouwe. En als ik je vanavond niet levend terugzie, dan zie ik je in het hiernamaals.'

Toen ze een speer trok, volgden de mannen haar voorbeeld. De punten flitsten als een vurige lijn over de weg. Weer wachtten ze, de paarden rusteloos stampend, de mannen doodstil. Plotseling voelde Gweniver een huivering langs haar rug glijden. Toen ze om zich heen keek zag ze haar vader, haar broers en haar ooms als schimmen op even schimmige paarden zitten. Ze sloegen haar ernstig gade, even stil als de levenden terwijl ze wachtten om ofwel de overwinning of de dood van hun clan mee te maken.

'Is er iets?' vroeg Ricyn.

'Kun jij ze niet zien? Kijk. Daar.'

Hij keek niet begrijpend in de richting die ze aanduidde, terwijl de geesten glimlachten, alsof ze vonden dat de brave Ricyn weinig was veranderd sinds de laatste keer dat ze hem hadden gezien. Toen slaakte iemand een kreet. Een eind verderop verscheen een stofwolk: de Boars, die de aanval inzetten. Op een dertig meter afstand bleven ze staan en vormden een ruwe wig. Ze waren met ongeveer tweehonderd man en ze dachten dat ze tegenover een krijgsbende van slechts honderdvijftig man stonden. Dannyn dreef zijn paard zacht naar voren en Burcan deed hetzelfde.

'Jullie zijn Cerrmorders, hè?' riep Burcan. 'Maar ik zie ook Wolf-blazoenen bij jullie.'

'Klopt, want de Wolven hebben de ware koning gevraagd hen te helpen hun voorvaderlijk bezit te verdedigen.'

'Ha! De ware koning in Dun Deverry heeft mij dit bezit geschonken bij recht van bloedvete.'

'Dan komt het dus neer op koning tegen koning, nietwaar?' Dannyn lachte goedgehumeurd. 'Jij armzalig soort adellijke schoft.'

Brullend van woede wierp Burcan zijn speer recht op Dannyn af, maar die liet hem kalm van zijn schild afstuiten in de modder. De Boarsmannen vielen nu schreeuwend en tierend aan, waarbij speren in de lucht vlogen en door het zonlicht suisden. Terwijl ze haar paard de sporen gaf, trok Gweniver haar zwaard. Ze wilde die vervloekte

Burcan zelf hebben, en ze verwenste Dannyn die midden in het gevecht nog beledigingen met de edelman uitwisselde. De linies vlogen op elkaar, de mannen maakten zich eruit los en zwenkten om elkaar heen in een houwende drom tweegevechten. Gwenivers lach brak los toen ze zich slaand en maaiend een weg baande. Op het moment dat ze Dannyn bereikte, stormde de verborgen krijgsbende tussen de bomen uit en stortte zich in de achterhoede van de Boar. Er ging een luid gebrul op, maar de Boarsmannen konden onmogelijk uit de val ontsnappen.

'Gwen!' riep Dannyn. 'Hier heb je hem!'

Zich dekkend met een snelle beweging van zijn schild wendde hij zijn paard en liet haar slaags raken met Burcan. Ze hoorde haar haat in een langgerekte lach uit haar mond opwellen toen ze zijn houw met haar schild opving en toestak, wat hij met zijn zwaard wist te pareren. Een kort ogenblik haakten hun zwaarden in elkaar, terwijl ze hem recht aankeek en lachte. Toen zag ze hem verbleken van angst, en de aanblik van lafheid maakte haar, zoals altijd, razend van woede. Ze rukte zich los, stak opnieuw en merkte dat alles heel langzaam ging. Haar zwaard ging heel langzaam rond om van onderaf te snijden; Burcans zwaard zweefde naar het hare en drong het terug. Het was net of ze een dans uitvoerden, een hoofs, weloverwogen ronddraaien dat elke beweging, elk ogenblik, bovennatuurlijk duidelijk deed uitkomen.

Een geluid als van een windvlaag voer over hen, een duistere nachtwind die loeiend het krijgsrumoer verdreef. Terwijl hij een onhandige uitval deed die zij met haar schild tegenhield, besefte ze dat hij uit de maat van de dans was. Zijn paard wierp heel langzaam het hoofd achterover en belette zijn meester toe te steken. Haar paard met haar knieën aansporend, boog ze zich naar voren en glipte naar de flankpositie. Voor hij zich behoorlijk kon omdraaien, sloeg ze met een luchtige beweging toe. Haar zwaard zweefde naar de arm waarmee hij zijn schild vasthield, heel langzaam en zo licht dat het haast ongelooflijk leek dat hij vloekte, wankelde en het schild liet vallen. De wind gierde en huilde toen ze toestak en haar zwaard als een speer in zijn zij dreef. Met een verstikte kreet van pijn gaf hij een ruk aan de teugel, alsof hij wilde vluchten, maar weer beoordeelde hij de dansbeweging verkeerd.

Ze was hem voor en versperde hem de weg. Terwijl hij voorovergebogen in het zadel de zadelknop met beide handen omklemde en het bloed langzaam uit zijn zij sijpelde, keek hij haar aan.

'Genade,' fluisterde hij. 'Ik erken uw aanspraak.'

Gweniver aarzelde, maar ze zag haar vader naast haar rijden en haar met treurige ogen aankijken. Met een gerichte slag raakte ze de Boar dwars over de ogen, hoorde hem schreeuwen, sloeg nog eens langs de andere kant en zag hem vallen, van zijn paard glijden en hard op de grond neerkomen, terwijl om hem heen paarden steigerden en bokten om hem niet te vertrappen. Haar vader bracht haar een saluut met een schimmig zwaard en verdween toen. Op dat ogenblik kwam de wereld terug en het geluid van de wind veranderde in het krijsende, brullende strijdrumoer.

'Gweniver!' klonk Ricyns stem. 'Naar Gweniver!'

Plotseling was ze omringd door haar mannen die zwaar vechtend, tierend de Boarsmannen die haar bijna hadden ingesloten, terugdreven. De zilveren hoorns schalden toen de vijandelijke linie uiteenviel en haastig de aftocht blies, achternagezeten door een groot deel van Dannyns mannen.

'Goed gedaan, vrouwe!' schetterde Ricyn. 'Heel goed gedaan!'

Dus het was achter de rug. Haar haat van heel die lange zomer lag met Burcan vertrapt op het bloedige veld. Zo verwezen alsof ze een klap op haar hoofd had gekregen, liet ze haar zwaard zakken en vroeg zich af waarom ze niet huilde van vreugde. Opeens wist ze dat ze nooit meer zou huilen en dat de Godin haar volledig in bezit had genomen.

Nadat het leger van de strijd was uitgerust, liet Dannyn vijftig man bij Gwetmar achter als versterking en nam de rest mee terug naar Cerrmor. Toen ze de door de grauwe straten van de stad reden die glibberig waren van de regen, voelde hij een droefgeestige stemming als zijn natte mantel om zijn schouders glijden. Als het nieuwe hoofd van de Boars niet een of andere ongelooflijke stommiteit uithaalde, waren de zomerveldtochten afgelopen. In de dun teruggekeerd bracht hij eerst verslag uit aan de koning, ging vervolgens naar zijn kamer en nam een bad. Hij was zich juist weer aan het aankleden toen raadsheer Saddar aan de deur kwam met het verzoek hem even te mogen spreken.

'Laat hem maar binnen,' zei Dannyn tegen zijn page. 'Dan zullen we eens zien wat die vervelende ouwe kerel te vertellen heeft.'

De jongen deed grijnzend wat hem gezegd werd, maar Saddar beval hem in de gang te blijven terwijl hij met de hoofdman praatte.

'Wat krijgen we nou?' snauwde Dannyn. 'Waarom hebt u mijn page bevolen weg te blijven?'

'Omdat datgene wat ik te zeggen heb een te ernstige kwestie is om door jonge oren te worden gehoord.' De raadsheer ging ongevraagd in een stoel zitten en streek zijn zwarte toga glad. 'Ik weet natuurlijk dat ik in dezen op uw discretie kan vertrouwen. Ik ben hier gekomen in de hoop dat u mijn verdenkingen zult wegnemen en me zult vertellen dat ik die ten onrechte heb gekoesterd.'

Als dat waar is, dacht Dannyn, is dit de eerste keer in zijn nutteloos leven dat hij wilde horen dat hij zich vergist had.

'Welke verdenkingen?' vroeg hij hardop.

'Ach heden, het is zoiets verachtelijks dat ik het haast niet hardop durf te zeggen.' Saddar keek inderdaad buitengewoon bezorgd. 'Een kwestie van heiligschennis, of beter gezegd mogelijke heiligschennis. Al is het allerminst mijn bedoeling om een vrouwe te beledigen die misschien geheel vrij van schuld is.'

Hij keek Dannyn aan alsof hij verwachtte dat die precies begreep wat hij bedoelde.

'Welke vrouwe?' vroeg Dannyn.

'Vrouwe Gweniver, natuurlijk. Ik zie dat ik maar beter kan zeggen waar het op staat, hoeveel verdriet me dat ook doet. U bent nu maandenlang in haar gezelschap geweest, heer. Hebt u gezien hoe... eh, hoe vertrouwelijk ze met haar hoofdman omgaat? Het zou een ernstige en afschuwelijke zaak zijn als ze haar heilige gelofte brak. Ik weet zeker dat het groot onheil over ons allen zou brengen als de Duistere Godin vertoornd werd. Ik smeek u mij te vertellen dat hun vriendschap niet meer is dan het soort hechte band dat krijgers vaak met een strijdmakker hebben.'

'Voor zover ik weet is dat het geval. Bij de hel, oude man, ik wil wedden dat haar mensen haar zouden vermoorden als ze dachten dat ze heiligschennis pleegde. Ze weten dat hun leven van haar afhangt.'

'O, dat is een hele opluchting voor me.' Hij zuchtte dramatisch. 'Het was alleen die kwestie van de bloedgelofte, ziet u, die...'

'Wat? Wat bedoelt u?'

'Wel, vrouwe Gweniver heeft een bloedgelofte met die jonge Ricyn afgelegd. Dat wist u toch zeker wel.'

Dannyn voelde zijn woede oplaaien als een van olie doordrenkt vuur.

'Nee, dat wist ik niet,' grauwde hij.

'O. Ja, dat vermoedde ik al, omdat u vaak volledig in beslag wordt genomen door krijgszaken. Maar u begrijpt nu dat ik me zorgen maak.'

Dannyn wendde zich met een onverstaanbaar gegrom naar het raam, klemde zijn beide handen om de vensterbank en staarde zonder iets te zien naar buiten, bevend van woede. Wat hij ook tegen de raadsheer had gezegd, hij was er nu zeker van dat ze haar gelofte van kuisheid had gebroken, dat Ricyn en zij heiligschennis hadden gepleegd, en waarschijnlijk vele malen. Hij zag de raadsheer niet eens weggaan, wat jammer was, omdat Saddar allesbehalve zorgelijk bij zichzelf glimlachte.

Pas later, toen hij wat gekalmeerd was, zette Dannyn de enigszins verdwaasde volgende stap in zijn gedachtengang. Als Gweniver haar gelofte toch al had gebroken, waarom zou hij haar dan, bij alle goden, niet ook bezitten?

Een paar dagen later kwam Nevyn toevallig over het binnenplein toen Gweniver bij de poort haar krijgsbende opstelde. Hij bleef even kijken hoe Ricyn en zij hun paarden bestegen. Het was in zekere zin een knap paar, allebei zo blond en zo jong. En ten dode opgeschreven, dacht hij. O goden, hoe lang houd ik het uit om hier te blijven en hun Wyrd aan te zien? Terwijl hij verder liep was hij zo in zijn gepieker verdiept, dat hij bijna tegen Dannyn opbotste.

'Neem me niet kwalijk,' zei Nevyn. 'Ik liep ergens aan te denken.'

Dannyns ogen werden groot van ontzag.

'O, niet aan krachtige toverformules of zo, heer,' zei Nevyn.

'Gelukkig maar.' Dannyn bracht een glimlach te voorschijn die vriendelijk bedoeld was; het deed Nevyn denken aan een wolf die om etensrestjes bedelt. 'Weet u waar vrouwe Gweniver naartoe gaat?'

'Nee. Ik vermoed dat zij en haar mannen gewoon hun paarden gaan afrijden.'

'Waarschijnlijk wel, ja.'

De krijgsbende klepperde de poort uit. Dannyn keek Gweniver zo gespannen na, dat Nevyn zich zorgen maakte.

'Hoor eens, jongen,' zei hij. 'Ze is niet voor jou bestemd, en ook niet voor een andere man. Je zou zo verstandig moeten zijn om dat te beseffen.'

Dannyn draaide zich zo abrupt naar hem om, dat Nevyn even terugdeinsde en het Natuurvolk opriep voor het geval de hoofdman gewelddadig zou worden, maar Dannyn keek vreemd genoeg eerder bezeerd dan woedend. Eén ogenblik aarzelde hij, alsof hij iets wilde vragen, toen draaide hij zich om en liep met snelle passen weg. Stommeling, dacht Nevyn, hem nakijkend. Maar hij zette de kwestie uit zijn hoofd en ging naar boven om prins Mael te bezoeken.

In de stille torenkamer hing de jongeman uit het raam en keek de kleine figuurtjes van Gwenivers krijgsbende na, die achter elkaar de heuvel afgingen en de stad inreden.

'Toen ik een jongen was,' zei Mael, 'had ik speelgoed dat helemaal uit Bardek kwam, kleine zilveren paardjes en krijgers. Die krijgsbende lijkt van hieruit gezien even klein. Ik stelde ze altijd op en verlangde naar de dag dat ik mannen in de strijd zou aanvoeren. O, bliksem, die dag is gekomen en vlug verstreken.'

'Maar hoogheid, u wordt misschien nog vrijgekocht.'

Mael glimlachte bitter en liet zich neervallen in een stoel bij de haard, waarin een vuurtje knapte om de kilte te verdrijven. Nevyn ging tegenover hem zitten en stak zijn handen uit naar de warmte.

'Er zullen pas in het voorjaar weer boodschappers komen,' zei de prins met een zucht. 'O goden – een hele winter hier! Weet u, mijn vrouw wilde hierheen komen en mijn gevangenschap delen, maar vader vond het niet goed. Hij heeft gelijk, denk ik. Het zou Glyn ook nog een wapen in handen geven tegenover haar clan.'

'U schijnt erg op haar gesteld te zijn.'

'Dat ben ik zeker. Vader heeft ons huwelijk geregeld toen ik tien was en zij acht, en tijdens onze verloving woonde ze bij ons aan het hof. Om te worden voorbereid op haar taak als vrouw van een prins, ziet u. En toen zijn we drie jaar geleden getrouwd. Je raakt aan iemand gewend, en die mis je dan. Ach, beste man, neem me niet kwalijk. Ik zit vandaag echt te zeuren.'

'Dat is toch niet erg, jongen.'

De prins staarde een tijdlang in het vuur, maar eindelijk vermande hij zichzelf.

'Ik heb dat boek met kronieken uit,' zei hij. 'Het is toch verdraaid raar. Ik word de meest ontwikkelde prins die Eldidd ooit heeft gehad, en mijn koninkrijk zal er helemaal niets aan hebben.'

'Kom, kom, het is veel te vroeg om de hoop al op te geven.'

Mael draaide zich om en keek hem aan.

'Beste Nevyn, alle bewakers beweren dat u dweomer bent. Zeg eens eerlijk. Zal ik hier ooit voor iets anders uit komen dan om te worden opgehangen?'

'Het is mij niet gegeven dat te weten.'

Mael knikte traag, en staarde weer in vuur. Nevyn moest een paar keer iets tegen hem zeggen voor hij antwoordde, en toen was het alleen om over zijn lectuur te praten.

De regen joeg als een dansende zilveren muur over Dun Cerrmor. In de raadszaal was het vochtig door een koude uitwaseming van de stenen muren. Gweniver trok haar mantel strak om zich heen terwijl de raadslieden eindeloos doorpraatten. Aan de overkant van de tafel zat Dannyn met zijn dolk te spelen. De koning zat voorovergebogen in zijn stoel en zijn gezicht drukte zo'n diepe aandacht uit, dat men zich afvroeg waar hij werkelijk aan dacht.

'Zelfbeheersing en een bedaard tempo zijn altijd in alles het beste,' zei Saddar. 'En zeker in het geval van de prins van Aberwyn. We moe-

ten Eldidd zo lang mogelijk in het ongewisse laten.'
'Precies,' zei Glyn. 'En heel juist samengevat.'
Saddar ging met een glimlachje weer zitten.
'En nu iets anders, waarde heren,' vervolgde de koning. 'Ik ben van plan heer Gwetmar van de Wolf volgende zomer verlof te geven van de oorlog zodat hij zijn dun weer kan opbouwen en boeren zoeken om zijn land te bewerken. Vindt u dat een verstandig plan?'
Yvyr stond buigend op en nam het woord.
'Zeer verstandig, heer. Ik denk dat niet één van uw vazallen zal morren. Iedereen weet dat het gebied van de Wolf een belangrijke voorpost is.'
'Mooi zo.' Glyn wendde zich tot Gweniver. 'Welnu, u hoort het, heilige vrouwe. De kwestie is geregeld zoals u wilde.'
'Dank u zeer, heer. U bent buitengewoon edelmoedig en uw raadslieden zijn buitengewoon verstandig.'
Glyn stond op, knikte in het algemeen en beëindigde het beraad. Toen Gweniver wegging, merkte ze dat Dannyn haar volgde, maar op een afstand. Ze haastte zich de gang uit en de trap af naar de grote zaal, maar hij haalde haar in voor ze het podium had bereikt. De nauwelijks onderdrukte woede in zijn ogen was angstaanjagend.
'Ik wil u spreken,' zei hij. 'Buiten.'
'Wat je me te zeggen hebt kun je ook hier zeggen.'
'O ja? Nou, volgens mij niet, vrouwe.'
Opeens voelde ze de koude waarschuwing die haar zei dat ze maar beter kon instemmen met een gesprek, voor hij midden in de zaal een scène zou maken. Ze volgde hem schoorvoetend naar buiten naar de krakkemikkige beschutting van een overhangend dak van een voorraadschuur.
'Ik heb drie dagen lopen denken hoe ik het tegen u moet zeggen,' grauwde hij. 'Nu kan ik niet langer wachten. Ik heb gehoord dat u een bloedgelofte hebt afgelegd met Ricyn.'
'Dat heb ik inderdaad. Wat gaat jou dat aan? We hebben gezworen dat we een graf zullen delen in plaats van een bed.'
'Ik weet niet of ik dat wel geloof.'
'Doe dat toch maar, want het is waar.'
Hij aarzelde een ogenblik tussen geloof en ongeloof; toen glimlachte hij scheef. Gweniver besefte voor het eerst dat hij op zijn eigen norse wijze oprecht van haar hield, en haar niet alleen begeerde.
'Hoor nu eens, Danno,' zei ze met een zachtere klank in haar stem. 'Als ik ooit een gelofte die ik de Godin heb gedaan zou breken, zou ik de dag erna sterven, daar ben ik zeker van. Ze zou wel een manier vinden om me te treffen.'

'O ja? Wat bent u dan nu, een geest uit het hiernamaals?'

'Ik hèb mijn gelofte niet gebroken. En als jij ervan overtuigd bent dat ik dat wel heb gedaan, waarom verkondig je mijn heiligschennis dan niet in het openbaar?'

'Dat ligt nogal voor de hand, dunkt me.'

De zachte manier waarop hij glimlachte deed haar terugdeinzen, maar hij kwam niet dichter naar haar toe.'

'Het snijdt me door de ziel om dit te zeggen,' vervolgde hij. 'Maar ik houd van u.'

'Dan heb ik met je te doen, want dat is een last die je alleen zult moeten dragen.'

'En laat mij dan eens iets zeggen. Ik heb nog nooit een uitdaging afgewezen.'

'Het is geen uitdaging, maar de eenvoudige waarheid.'

'O Ja? Nou, dat zullen we dan nog wel eens zien.'

De volgende paar dagen had Gweniver het gevoel dat ze een gevaarlijke dans uitvoerde om bij Dannyn uit de buurt te blijven. Telkens als ze in de grote zaal kwam, ging hij bij haar zitten alsof dat zijn goed recht was. Als ze naar de stallen ging, volgde hij haar. Als ze naar haar kamer ging, ontmoette ze hem in de gang. Hij deed zijn uiterste best om aardig te zijn, en het was pijnlijk om te zien hoe die trotse man probeerde hoffelijk en verleidelijk over te komen. Overdag bracht Gweniver zoveel mogelijk tijd met Ricyn door. 's Avonds bezocht ze Nevyn in diens kamer of ze sloot zich op in de hare met haar dienstbode als gezelschap.

Op een avond toen de wind door de stenen gangen huilde, ging Gweniver naar Nevyns kamer en zag dat hij een paar extra stoelen had laten halen. Hij had een kleed op de tafel gelegd en een schenkkan met mede en drie bekers klaargezet.

'Goedenavond, vrouwe,' zei hij. 'Ik zou u graag vragen te blijven, maar ik krijg bezoek. Ik vond dat het tijd werd om me hoffelijk op te stellen en vriendschap te sluiten met Saddar en Yvyr.'

'Dat lijkt me heel verstandig. Anders zouden ze u ongetwijfeld uw invloed bij de koning misgunnen.'

'Zo dacht ik er ook over.'

Gweniver was nog geen vijf stappen de gang in, of ze zag Dannyn die tegen de muur geleund op haar stond te wachten. Met een zucht ging ze naar hem toe.

'Laat me alsjeblieft met rust,' zei ze. 'Het is stomvervelend dat je me overal achternaloopt.'

'Ach Gwen, toe. Ik ben ziek van liefde voor jou.'

'Vraag Nevyn om een geneesmiddel.'

Toen ze doorliep, greep hij haar bij haar schouder.

'Blijf van me af! Laat me met rust!'

Haar stem was te hard, hij schalde door de lege gang. Dannyn liep rood aan van woede; hij wilde iets zeggen, maar er kwam iemand aan. Gweniver sloeg zijn hand weg, ging ervandoor en schoot met een korte verontschuldiging vlak langs Saddar. Ze rende de trap af en stormde de grote zaal binnen, waar ze bij haar krijgsbende kon zitten en veilig was. Die avond speelde ze met de gedachte een klacht tegen hem in te dienen, maar hij was zo belangrijk voor het welzijn van het koninkrijk, dat men haar niet licht zou geloven.

De volgende dag leek Dannyn zijn uiterste best te doen om haar te ontlopen. Ze was even verwonderd als opgelucht, tot Nevyn vertelde dat hij de hoofdman had aangesproken en hem had gemaand haar met rust te laten. Maar na een paar dagen leek die waarschuwing vergeten. Toen ze op een regenachtige morgen uit de stallen kwam, wachtte hij haar op achter de broch, waar niemand hen kon zien.

'Wat wil je?' vroeg ze bits.

'Een eerlijk gesprek met jou.'

'Hier is die eerlijkheid: jij zult nooit het bed met me delen.'

'Maar met je burgerlijke boerenjongen is het wat anders, nietwaar?'

'Ik heb je wat dat betreft de waarheid verteld. Het past iemand zoals jij trouwens niet een priesteres daar vragen over te stellen.'

Toen hij haar pols wilde grijpen, wist ze hem te ontwijken en rende zo hard ze kon naar de broch terug.

Gwenivers kamenier was een bleek, lelijk meisje, Ocladda genaamd, dat het heerlijk vond om aan het hof te werken, voornamelijk omdat het werk daar heel wat makkelijker was dan het zwoegen op de boerderij van haar vader. Ze was er wonderlijk trots op dat haar meesteres zo'n bijzondere vrouw was en hield Gwenivers karig gemeubelde kamers onberispelijk schoon. Omdat Gweniver geen lang haar had dat ze kon kammen en opmaken of mooie kleren die ze in orde kon houden, maakte Ocladda er veel werk van Gwenivers wapens eindeloos te poetsen en haar zadel en paardentuig met zeep te boenen. Onder het werk kwebbelde ze onafgebroken en herhaalde zowel de roddels uit de bediendenverblijven als die uit de vertrekken van de koningin, niet gehinderd door het feit dat haar meesteres nauwelijks luisterde. Daarom was het op een koude middag een slecht teken dat Ocladda zwijgend doorwerkte en zonder een woord te zeggen een vuur aanlegde.

'Vertel eens,' zei Gweniver tenslotte. 'Wat scheelt eraan?'

'O vrouwe.' Ze wendde zich van de haard af. 'Ik hoop vurig dat u me gelooft. Als een bediende het ene zegt en een heer het andere, noemt niemand de heer een leugenaar. Ik weet zeker dat hij alles glashard zou ontkennen.'

Gwenivers eerste gedachte was dat iemand het meisje zwanger had gemaakt.

'Stil maar,' zei ze sussend. 'Vertel me maar wie het is.'

'Heer Dannyn, vrouwe. Hij heeft me vanmorgen in de gang opgewacht en me steekpenningen aangeboden. Hij zei dat hij me een zilverstuk zou geven als ik u vanavond alleen liet. En toen ik zei dat ik dat nooit zou doen, heeft mij me geslagen.'

'Wel alle bliksems. Hoor eens, ik geloof je wel degelijk.' Gweniver begon ziedend van woede heen en weer te lopen. 'Ga maar weer aan je werk terwijl ik hierover nadenk.'

Aan het avondmaal was ze zich er voortdurend van bewust dat Dannyn haar met een zelfvoldane glimlach gadesloeg. Ze at snel en verliet haar tafel voor hij zijn eten op had en naar haar toe kon komen, maar ze durfde niet naar haar kamer terug te gaan. Als hij haar achterna kwam en zich in het bijzijn van Ocladda ging misdragen zou elke bediende in de dun dat binnen de kortste keren horen. Hij vond het meisje blijkbaar zo minderwaardig dat die onplezierige mogelijkheid niet bij hem opkwam. Uiteindelijk ging ze naar de grote zaal en zocht Nevyn op, die bij een kroes bier met Ysgerryn zat te praten.

'Ik wilde u vragen naar mijn kamer te komen, goede Nevyn,' zei ze. 'Het wordt tijd dat ik uw gastvrijheid beantwoord. Misschien dat Ysgerryn zin heeft om ook een beker mede met ons te komen drinken.'

Nevyns borstelige wenkbrauwen gingen omhoog, alsof hij verdraaid goed wist dat er iets aan de hand was. Ysgerryn straalde bij de gedachte dat hij werd uitgenodigd iets met de adel te drinken.

'Ik voel me zeer vereerd, heilige vrouwe,' zei de meester van de wapenzaal. 'Ik moet alleen even de kamerheer spreken, en dan kom ik naar u toe.'

'Ik ook,' zei Nevyn. 'Heel graag.'

Wetend dat het tweetal haar even later zou volgen, haastte Gweniver zich naar haar kamer en stuurde Ocladda naar de keuken om mede te halen en iets om die uit te drinken. Ze stak twee kaarslantaarns aan met een splinter brandend hout uit de haard en zette ze juist neer toen er op de deur werd geklopt.

'Kom binnen, beste heren,' riep ze.

Dannyn kwam binnen en sloot de deur achter zich.

'Wat kom jij doen?'

'Jou bezoeken. Gwen, toe, je hart is vast niet zo ijskoud als je het wilt laten lijken.'

'Mijn hart heeft niets te maken met wat jij in de zin hebt. En verdwijn nu! Ik krijg dadelijk twee...'

'Ik laat me door jou niet bevelen.'

'Het is geen bevel maar een waarschuwing. Ik krijg gasten...'

Voor ze haar zin kon afmaken, greep hij haar bij de schouders en kuste haar. Ze wrong zich los en gaf hem een klap in zijn gezicht. Bij die klap liet hij al zijn voorgewende hoffelijkheid varen.

'Gwen, vervloekt nog toe! Ik heb genoeg van je kuren.'

Het ging allemaal zo snel dat ze niet weg kon duiken. Hij greep haar bij de schouders en drukte haar tegen de muur. Hoewel ze worstelde en schopte en stompte, was hij zo zwaar dat ze hem niet kon wegduwen toen hij zich met brute kracht tegen haar aandrukte. Hij hield haar vloekend in bedwang, zijn handen kneusden haar schouders en hij probeerde haar nogmaals te kussen.

'Laat me los, smeerlap! Laat me los.'

Hij drukte haar zo hard tegen de muur dat ze nauwelijks meer kon ademen. Opeens snerpte er een gil door de kamer. Dannyn liet haar los en draaide zich om net toen Nevyn en Ysgerryn binnenrenden. Ocladda stond in de deuropening en slaakte de ene schelle gil na de andere.

'Heiligschennis!' fluisterde Ysgerryn vol afschuw. 'O lieve Godin, vergeef ons!'

'Danno, stommeling!' zei Nevyn. 'Jij stompzinnig uilskuiken.'

Gweniver was buiten adem en van streek; ze had een brandende pijn in haar rug en haar schouders, maar dat was niets bij het weeë gevoel van kou in haar binnenste. Ze was bijna onteerd geworden door brute kracht. Ysgerryn wendde zich tot Ocladda. 'Hou op met dat gegil, kind! Ga gauw een page zoeken. Laat de wachten komen. Vlug!'

Toen het nog steeds snikkende meisje wegrende, schoot Dannyn op de deur af. Maar Nevyn versperde hem kalm de weg.

'Wil je twee oude mannen neermaaien om uit deze kamer te komen? Me dunkt dat je daar te veel eergevoel voor hebt.'

In de stilte begon Dannyn te beven, te trillen als een populier in de wind. Gweniver had kunnen gillen. Ze sloeg haar handen voor haar mond en keek hoe hij beefde. Al haar roem, haar overmacht op het slagveld en de trots die ze aan haar zwaard ontleende waren van haar afgerukt. Dannyns brute kracht had haar veranderd in een doodgewone angstige vrouw, en daarom haatte ze hem nog het meest van al. Ysgerryn legde een vaderlijke hand op haar arm.

'Vrouwe, hoe is het met u? Heeft hij u bezeerd?'

'Niet erg,' zei ze met verstikte stem.

In de gang hoorden ze mannen schreeuwen. Vier leden van de koninklijke garde stormden met getrokken zwaard de kamer binnen en bleven stokstijf staan, terwijl ze hun aanvoerder aanstaarden alsof ze dachten een nachtmerrie te beleven. Dannyn probeerde iets te zeggen, maar hij beefde te erg. Na een paar pijnlijke minuten die een eeuwigheid leken te duren, kwam Glyn zelf haastig binnen, met Saddar in zijn kielzog. Bij het zien van zijn broer klapte Dannyn in elkaar; hij viel op zijn knieën en huilde als een kind. Saddar deinsde met een dramatische kreet terug.

'Heiligschennis!' riep de raadsheer uit. 'Daar ben ik al zo lang bang voor geweest. Vrouwe Gweniver, o, wat verschrikkelijk!'

'Ja, wacht eens even,' zei Glyn. 'Danno, wat is dit allemaal?'

Terwijl de tranen over zijn gezicht stroomden, trok Dannyn zijn zwaard en gaf het met het gevest naar voren aan de koning, maar hij kon nog steeds niets zeggen.

'Heer, Nevyn en ik hebben het gezien,' zei Ysgerryn. 'Hij probeerde de vrouwe aan te randen.'

'O goden,' zei Saddar. 'Welke vreselijke rampen zal de Godin nu op ons doen neerkomen?'

De wachten deinsden huiverend terug van de man die een priesteres had willen ontheiligen. De blik van afkeer in hun ogen zei duidelijk dat hun vroomheid oprecht was, wat Gweniver ook van die van de raadsheer mocht denken.

'Danno,' zei de koning. 'Dit kan niet waar zijn.'

'Het is wel waar,' kon hij eindelijk uitbrengen. 'Dood me nu maar, wil je?'

Dannyn boog zijn hoofd achterover en bood hem zijn hals. Glyn gooide met een vloek het zwaard door de kamer.

'Ik zal hier morgenochtend over oordelen. Wachten, breng hem naar zijn kamer en houd hem daar. Neem hem die dolk ook af.' Hij keek de wit weggetrokken getuigen aan. 'Ik wil met de heilige vrouwe overleggen. Onder vier ogen.'

Terwijl de wacht Dannyn afvoerde, staarde Glyn strak naar de muur. De anderen haastten zich achter elkaar de kamer uit, Saddar als laatste. De koning sloeg de deur achter hem dicht, liet zich in een stoel vallen en staarde naar het vlammende vuur in de haard.

'In deze zaak, heilige vrouwe,' zei hij, 'bent u de vorst en ik de onderdaan. Ik zal heer Dannyn aan elke straf onderwerpen die de Godin eist, maar als mens smeek ik u om het leven van mijn broer.' Hij zweeg en slikte moeizaam. 'De wet eist dat ik een man die een priesteres te na komt, laat afranselen. Hij moet in het openbaar worden afgeranseld en daarna opgehangen.'

Gweniver ging zitten en drukte haar bevende handen tegen elkaar. Ze zou genieten van elke zweepslag die de beul hem gaf, ze zou ook met genoegen toekijken als hij werd opgehangen. Toen voelde ze de Godin achter zich opkomen, een koude duistere aanwezigheid als een winterwind door een raam. Ze besefte dat ze, als ze de heilige wetten voor persoonlijke wraak gebruikte, evenzeer zou zondigen als wanneer ze er omwille van de koning aan zou voorbijgaan. Ze hief haar handen op en bad in stilte tot de Godin terwijl Glyn in het vuur staarde en wachtte.

Iedereen in de grote zaal wist dat er iets ergs was gebeurd toen een angstige page het podium opstormde en de koning bij de arm greep. Nadat Glyn de zaal had verlaten, kwam er onder zowel edelen als ruiters een stroom gefluisterde gissingen op gang. Wat kon er zo erg zijn dat die jongen zo volkomen zijn manieren was vergeten? Ricyn vond dat de kwestie hem niet aanging en ging door met drinken. Hij vermoedde dat iedereen er gauw genoeg alles over zou weten. De rust begon juist weer te keren toen heer Oldac tussen de tafels doorkwam en hem op de schouder tikte.

'Kom even mee, hoofdman. Raadsheer Saddar wil je spreken.'

Saddar stond onderaan de trap en wreef telkens in zijn handen.

'Er is iets vreselijks gebeurd, hoofdman,' zei de raadsheer. 'Heer Dannyn heeft geprobeerd vrouwe Gweniver te verkrachten.'

Ricyn kreeg het gevoel of de wereld om hem heen bevroor en hem verlamde, als een dood blad dat in het ijs vastzit.

'Ik vond dat u het moest weten,' vervolgde de oude man. 'Ik ben eerlijk gezegd doodsbang dat onze leenheer hem, tegen alle gerechtigheid in, gratie zal verlenen. Als hij dat zou doen, wilt u uw vrouwe dan smeken de stad voor de wraak van de Godin te behoeden.'

'Alle bliksems,' grauwde Ricyn. 'Als onze leenheer zich hieraan probeert te onttrekken, zal ik de smeerlap eigenhandig ombrengen.'

Oldac en Saddar wisselden een nauwelijks zichtbaar glimlachje. Ricyn vloog de trap op, stormde de gang door en kwam voor Gwenivers deur oog in oog te staan met twee wachten.

'Je mag er niet in. De koning is daarbinnen.'

Ricyn greep de man bij de schouder en drukte hem tegen de muur. 'Voor mijn part zit de heer der hel daarbinnen. Ik moet mijn vrouwe spreken.'

Net toen de tweede wacht hem wilde beetpakken ging de deur open: daar stond Gweniver, bleek, van streek, maar ongedeerd.

'Ik hoorde je stem,' zei ze. 'Kom binnen.'

Toen Ricyn binnenstapte, zag hij de koning uit een stoel opstaan. Nog nooit was hij zo dicht bij de man geweest die hij na haar het meest vereerde. Overmand door ontzag zonk hij op zijn knieën.

'Wat is dit?' vroeg Glyn. 'Hoe ben je het te weten gekomen?'

'Raadsheer Saddar heeft het me verteld, heer. U kunt me laten afranselen als u wilt omdat ik hier binnenval, maar ik moest met eigen ogen zien dat mijn vrouwe ongedeerd is.'

'Dat spreekt vanzelf.' Hij keek Gweniver aan. 'Raadsheer Saddar, hè?'

'En heer Oldac,' voegde Ricyn eraan toe.

Gweniver dacht even na. Ricyn zag aan haar kaarsrechte houding en het koude machtsbesef in haar ogen dat de Godin weer bezit van haar had genomen.

'Vertel me eens, hoofdman,' zei de koning. 'Hoe zullen mijn mannen dit opnemen?'

'Tja, heer, ik kan niet voor heer Dannyns mensen spreken, maar mijn mannen en ik zouden nog tegen de heer der hel vechten om de eer van mijn vrouwe te verdedigen. Wij kunnen dit niet over onze kant laten gaan.'

'Zeker niet omdat de raadsheer iedereen ophitst, heer,' zei Gweniver. 'Weet u, er wordt me iets duidelijk over raadsheer Saddar – ook al zullen we nooit iets kunnen bewijzen.'

'Werkelijk?' Glyn keek Ricyn aan. 'Laat ons alleen.'

Ricyn stond op, boog en verliet achterwaarts de kamer. De hele lange nacht lag hij zich op zijn brits gespannen af te vragen tot welk vonnis zijn vrouwe en zijn koning zouden besluiten.

De volgende morgen kwam Gweniver hem uit de kazerne halen. Ricyn mocht op haar speciaal verzoek de uitspraak in de audiëntiezaal bijwonen. Glyn zat in zijn ambtsgewaad en met een gouden zwaard in de hand op het podium. Achter hem stonden vier raadslieden, onder wie Saddar, en aan zijn rechterhand stonden twee priesters van Bel. Onderaan het podium stonden de getuigen, onder wie Gweniver. Bij de klanken van een zilveren hoorn leidden vier bewakers Dannyn binnen. Uit de donkere kringen onder zijn ogen maakte Ricyn op dat hij de hele nacht niet had geslapen. Mooi zo, dacht hij. Laat die smeerlap de beker maar tot de laatste bittere druppel leegdrinken.

'Er ligt hier een zaak van heiligschennis voor,' verkondigde Glyn. 'Heer Dannyn wordt beschuldigd van een poging tot ontheiliging van Gweniver, edelvrouw en priesteres. Laat ons de getuigenverklaringen horen.'

'Heer,' riep Dannyn, 'laat mij u dat besparen. Ik beken. Breng me naar buiten en dood me. Als ik u ooit een dienst heb bewezen, doe het dan nu en maak het kort.'

Glyn bezag hem met een blik zo koud alsof er een vreemde voor hem stond. Saddar glimlachte besmuikt.

'Vrouwe Gweniver,' zei de koning, 'kom naar voren.'

Gweniver liep naar de voet van de troon.

'We bieden u twee straffen aan waaruit u op advies en naar wens van de Godin kunt kiezen. Dood of verbanning. De verbanning zal zijn van ons hof en ons grondgebied. We zullen heer Dannyn zijn rechten, zijn rang en zijn privileges afnemen, maar zijn kind mag aan het hof blijven en zal als onze eigen zoon worden opgevoed, uit medelijden met iemand die te jong is om zijn vaders schande te delen. Dit vonnis spaart zijn leven uitsluitend omdat de misdaad onvoltooid is gebleven. Mocht de Godin de andere straf wensen, dan zal hij op het marktplein van de stad Cerrmor in het openbaar worden afgeranseld en daarna opgehangen tot de dood erop volgt. Spreek in naam van uw Godin het vonnis over deze man uit.'

Ricyn, die wist wat ze ging zeggen, bewonderde Gweniver om de wijze waarop ze keek en deed of ze ernstig en diep over de vraag nadacht. Saddar keek of hij een mondvol azijn had toen hij begon te begrijpen wat er ging komen. Tenslotte maakte Gweniver een buiging voor de koning.

'Verbanning, heer. Hoewel het hier een ernstige zaak betreft die in feite neerkomt op heiligschennis, kan de Godin genadig zijn wanneer de misdaad uit vrije wil wordt bekend en wanneer de misdadiger tot onbezonnen daden is gedreven door dingen die hij niet in de hand had.'

Ze zweeg en keek Saddar recht aan. De oude man werd doodsbleek.

'Zo zij het!' Glyn hief het gouden zwaard hoog op. 'Hierbij spreken we het vonnis van verbanning uit tegen Dannyn, niet langer edelman. Wachten! Breng hem weg om zich voor te bereiden op zijn vertrek uit mijn stad. Hij mag niet meer meenemen dan de kleren die hij aanheeft, twee dekens, een dolk en de twee zilverstukken waar een banneling recht op heeft.'

Terwijl de wachten de gevangene wegsleepten, begonnen de aanwezigen in de stampvolle zaal te fluisteren met een geluid als van ruisend water. Ricyn, die een boodschap moest overbrengen, glipte door een zijdeur naar buiten en haastte zich naar Dannyns kamers. Dannyn zat midden op de grond op zijn knieën zijn dekens op te rollen. Hij wierp Ricyn een vluchtige blik toe en ging door met zijn werk.

'Kom je me vermoorden?' vroeg hij.

'Nee. Ik kom je iets brengen van vrouwe Gweniver.'

'Jammer dat ze me niet gewoon heeft laten ophangen. Een pak ransel zou beter zijn geweest dan dit.'

'Klets niet zo stom.' Ricyn haalde een berichtenkoker uit zijn hemd. 'Rij naar Blaeddbyr en geeft dit aan heer Gwetmar. Hij kan wel een goede hoofdman gebruiken met al die vervloekte Boars langs de grens.'

Dannyn keek even naar de koker die Ricyn hem voorhield, toen nam hij hem aan en stopte hem onder zijn hemd.

'Ze is buitengewoon edelmoedig voor degenen die ze verslaat, maar een gunst van haar aannemen is nog het ergste van alles. Vertel me nu eens eerlijk, Ricco, omwille van de veldslagen die we samen hebben geleverd. Ga je met haar naar bed of niet?'

Ricyns hand leek uit zichzelf naar zijn zwaardgevest te gaan.

'Dat doe ik niet en dat zou ik nooit doen.'

'Huh. Dus je bent haar schoothondje, hè? Ik had gedacht dat je daar te veel man voor was.'

'Je vergeet de Godin.'

'Huh.' Het was meer een verachtelijk gesnuif dan een woord.

Ricyn merkte dat hij zijn zwaard in zijn hand hield zonder zich bewust te zijn dat hij het had getrokken. Dannyn hurkte neer en keek hem meesmuilend aan. Met een uiterste wilsinspanning stak Ricyn het zwaard weer in de schede.

'Heel slim, hoor. Maar ik zal je niet vermoorden en je je schande besparen.'

Dannyn zakte als een zoutzak ineen. Ricyn draaide zich om, ging de kamer uit en sloeg met een klap de deur achter zich dicht.

Op het binnenplein stonden de mensen dicht opeengepakt; alle edelen, ruiters en bedienden stonden fluisterend te wachten. Ricyn vond Gweniver en Nevyn bij de poort, waar twee leden van de koninklijke garde Dannyns zwarte ruin gezadeld en wel bij de teugel hielden. Toen Dannyn de broch uitkwam, week de menigte uiteen om hem door te laten. Hij liep met opgeheven hoofd en liet zijn dekenrol achteloos in zijn ene hand bungelen, zo opgewekt of hij op veldtocht ging. Het gefluister om hem heen werd luider, maar hij glimlachte naar de wacht, klopte zijn paard op de hals en bond zijn dekenrol achter het zadel, zonder zich te bekommeren om het smiespelend gelach en het wijzen van de keukenmeiden. Toen hij opsteeg, klonk hier en daar een honend 'bastaard' boven het gefluister uit. Dannyn draaide zich in het zadel om en boog naar de jouwers, terwijl hij onafgebroken bleef glimlachen.

Gedreven door een opwelling die Ricyn niet begreep, ging Gweniver Dannyn achterna toen hij de poort uitreed. Ricyn ving Nevyns blik en beduidde de oude man ook mee te gaan, terwijl hij zich achter haar aan haastte. Gedurende heel Dannyns langzame rit door de volgepakte straten bleven de mensen staan om hem aan te gapen, te fluisteren, hem bastaard te noemen, maar hij zat kaarsrecht en fier in het zadel. Bij de stadspoort boog hij voor de wachters, gaf zijn paard de sporen en galoppeerde de weg af. Ricyn slaakte een zucht van opluchting. Hij voelde zonder het te willen een steek van medelijden.

'Vrouwe?' vroeg hij Gweniver. 'Waarom bent u hem gevolgd?'

'Ik wilde zien of hij in elkaar zou klappen. Jammer dat dat niet gebeurd is.'

'Alle goden, Gwen!' zei Nevyn heftig. 'Ik had gehoopt dat je hem zou kunnen vergeven.'

'Dat is de eerste keer dat ik u ooit iets doms heb horen zeggen, goede heer. Waarom zou ik dat verdraaid nog toe doen? Ik heb de koning toegestaan hem te verbannen omwille van hemzelf, niet van Dannyn, en onze leenheer mag vervloekt blij zijn dat hij dat van me gedaan heeft gekregen.'

'Het is een feit,' zei de oude man met een zekere scherpte, 'dat haat twee mensen nog sterker aan elkaar bindt dan liefde. Daar mag u eens over nadenken.'

Het drietal wandelde langs de naar het noorden voerende weg die tussen de groene velden van het koninklijke bezit liep. Aan de koude heldere hemel verschenen dikke witte wolken die door de opstekende wind werden voortgedreven. Ricyn dacht juist dat hij wel naar de warmte van de grote zaal terug zou willen, toen hij het paard in hun richting de weg af zag komen. Het was Dannyns zwarte paard, ruiterloos, met de teugels aan de zadelknop gebonden. Ricyn uitte een krachtterm, rende ernaartoe en greep de teugels. De hele uitrusting van zijn meester was nog aan het zadel gebonden.

'O goden,' zei Nevyn. 'Gwen, breng dat paard naar de dun terug en zeg tegen de wachten hoe je het hebt gevonden. Breng ze mee terug. Ricco, kom mee. Hij kan niet ver weg zijn.'

Ricyn vond dat Nevyn verrassend hard kon lopen voor een man van zijn leeftijd. Ze draafden bijna een kilometer langs de weg naar een heuveltje met één enkele eikeboom op de top. Onder die boom zat iemand. Nevyn rende vloekend de heuvel op, gevolgd door de hijgende Ricyn. Dannyn zat er voorover, zijn bebloede dolk nog in de hand. Hij had zijn eigen keel doorgesneden op nog geen twee kilometer afstand van de koning die hij liefhad. Toen Ricyn zich afwendde, zag hij Dun Cerrmor boven de stad uitrijzen, de rode en zilverkleurige banieren wapperden in de wind.

'O vreselijk,' zei Ricyn. 'Die arme bliksem.'

'Vind je dit wraak genoeg?'

'Te veel. Ik schenk hem vergiffenis, als hij daar iets aan heeft in het hiernamaals.'

Nevyn knikte en wendde zich af.

'Ja, ja,' zei hij. 'Dan is hiermee dus één schakel in deze ketting gebroken.'

'Wat?'

'O, niets, niets. Kijk daar komen de stadswachten al aan.'

# III

Nevyn bleef nog een jaar in Cerrmor, maar er kwam een tijd dat hij het niet langer kon verdragen Gweniver op veldtocht te zien gaan of te wachten met de angst dat ze niet meer terug zou komen. Op een regenachtige lentedag verliet hij de dun en reed doelloos in noordelijke richting om voor het gewone volk van het koninkrijk te doen wat hij kon. Hoewel hij in het begin veel aan Gweniver dacht, had hij zoveel andere zorgen dat de herinnering aan haar al spoedig vervaagde. Jaar na jaar woedden de oorlogen en voerden de pest in hun kielzog mee

Overal waar hij kwam, probeerde Nevyn de edelen aan te raden vrede te sluiten en het gewone volk manieren te leren om het er levend af te brengen., maar hij bereikte zo weinig, ook al waren de mensen die hij hielp hem dankbaar, dat hij er wanhopig van werd. In zijn hart bereikte hij de Duistere Paden, waar zelfs de dweomer tot stof en as wordt en troost noch vreugde meer schenkt. Uit eerbied voor het Licht zette hij zijn werk voort, maar het was een wrange schijnvertoning, omdat hij het alleen uit plichtsbesef deed in plaats van uit liefde, zoals vroeger.

In de vijfde lente, toen de appelbloesem ontlook in de verlaten boomgaarden, herinnerde een toevallige gedachte hem opeens weer aan Gweniver, en toen hij eenmaal weer aan haar had gedacht, werd zijn nieuwsgierigheid hem de baas. Die avond knielde hij bij zijn kampvuur en richtte zijn geest op de vlammen. Even later zag hij Gweniver en Ricyn duidelijk over het binnenplein van Dun Cerrmor lopen. Ze leken zo weinig veranderd dat hij dacht dat hij een buitengewoon levendige herinnering had, maar toen draaide ze haar hoofd om en zag hij een litteken over de blauwe tatoeëring lopen. Hij liet het visioen eindigen, maar nu hij haar weer had gezien, kon hij haar niet meer vergeten. De volgende morgen ging hij, zuchtend over de menselijke dwaasheid, op weg naar Cerrmor.

Op een dag toen een zacht briesje en de geur van jong gras de spot dreven met het lijden van het koninkrijk, reed Nevyn de stadspoort binnen. Terwijl hij afsteeg om zijn paard en zwaar bepakt muildier door de drukke straten te leiden, hoorde hij dat iemand hem riep en toen hij zich omdraaide zag hij Ricyn en Gweniver met hun paarden aan de teugel op hem af komen.

'Nevyn!' riep ze uit, 'Wat ben ik blij je te zien.'

'En ik ben blij jou weer te zien, en Ricco ook. Ik voel me gevleid dat je me nog kent.'

'Wat? O, kom nou, hoe zouden we je ooit kunnen vergeten? Ricco en ik wilden juist een eindje gaan rijden, maar nu willen we jou liever op een kroes bier onthalen.'

Op aandringen van Gweniver gingen ze naar de beste herberg van de stad, een stijlvolle gelegenheid met gladgeboende houten vloeren en witgekalkte muren. Ze stond er tevens op het beste bier te bestellen, met de vlotte gulheid van krijgers die geld verachten omdat ze misschien toch niet meer de tijd krijgen om het op te maken. Toen ze gezeten waren, nam Nevyn haar aandachtig op terwijl ze hem het laatste nieuws over de oorlog vertelde. Hoewel ze harder was geworden, alsof haar hele lichaam een wapen was, waren haar bewegingen doelbewust en toch sierlijk op een manier die buiten de categorieën mannelijk of vrouwelijk viel. Wat Ricyn betrof, die was nog even zonnig en vriendelijk als altijd, terwijl hij beschroomd van zijn bier dronk en naar haar keek.

Zo nu en dan, wanneer hun ogen elkaar ontmoetten, glimlachten ze naar elkaar met een blik waarin zowel spanning als liefde lag, alsof hun harten tot de rand toe gevulde bekers waren waarin de vloeistof wel trilde maar nooit overliep. De band tussen hen was zo sterk dat Nevyn hem met zijn dweomerzicht kon waarnemen als een web van bleek licht; al hun normale seksuele energie was omgezet in een magische band tussen hun aura's. Hij twijfelde er niet aan dat er ook een krachtstroom tussen hen vloeide, dat ze op de een of andere manier altijd zouden weten waar de ander was, ook in het heetst van een gevecht, dat ze hun gedachten zo instinctief uitwisselden dat ze zich er niet van bewust waren. Het deed Nevyn verdriet te zien dat ze haar dweomergave zo verwaarloosde.

'Luister eens, goede Nevyn,' zei ze. 'Je moet met ons meegaan naar de dun. Heeft de dweomer je bij ons teruggebracht?'

'Niet echt, nee. Hoezo? Is er iets niet in orde?'

'Zo zou je het kunnen zeggen.' Ricyn keek om zich heen en dempte zijn stem. 'Het gaat over onze leenheer, zie je. Hij heeft van die sombere buien en daar kan niemand hem uit halen.'

'Hij piekert te veel,' viel Gwen in, eveneens fluisterend. 'En hij zegt dingen zoals dat hij eigenlijk toch niet de echte koning kan zijn en dat soort onzin. De koningin is bang dat hij bezig is om gek te worden.'

Ze keken hem aan met het verwachtingsvolle vertrouwen dat hij alles wel zou oplossen. Hij voelde zich zo machteloos dat hun vertrouwen hem bijna in huilen deed uitbarsten.

'Wat scheelt eraan?' vroeg Gweniver.

'Ach, ik ben zo vervloekt moe tegenwoordig door de ellende die ik overal in het land zie, en doordat ik niets kan doen om daar een eind aan te maken.'

'Tja, bij de goden, het is niet aan jou om daar een eind aan te maken. Je moet jezelf toch niet zo kwellen. Weet je nog wat je tegen de koning hebt gezegd toen hij zo'n verdriet had over de dood van Dannyn? Je zei dat het alleen ijdelheid was die iemand deed denken dat hij het Wyrd van een ander kon ombuigen.'

'IJdelheid? Ja, dat is het ook.'

Ze had op haar gedachteloze manier precies het woord gezegd dat hij wilde horen. Mijn soort ijdelheid lijkt op die van Glyn, dacht hij. In mijn hart ben ik nog altijd een prins die denkt dat het koninkrijk om mij draait en om alles wat ik doe. Toen hij zichzelf voorhield dat hij slechts een dienaar was die op een opdracht wachtte, was hij er opeens zeker van dat die opdracht zou komen. Op een goede dag zou hij het Licht weer zien.

Toen ze in de dun aankwamen, snelden er van alle kanten bedienden toe en verdrongen zich om hem alsof hij inderdaad nog een prins was. Orivaen stond erop hem een mooie kamer in de hoofdbroch te geven en bracht hem er persoonlijk naartoe. Terwijl Nevyn zijn spullen uitpakte, vertelde de kamerheer hem allerlei nieuwtjes. Heer Gwetmar en vrouwe Macla hadden twee zoontjes; prins Mael zat nog altijd in de toren gevangen; Gavra, zijn vroegere leerlinge, was nu kruidenvrouw in de stad.

'En onze leenheer?' vroeg Nevyn.

Orivaens ogen kregen een sombere uitdrukking.

'Ik zal vanavond een privé-audiëntie regelen. Als je hem hebt gezien kunnen we verder praten.'

'Goed. En Saddar? Is die nog aan het hof of heeft hij zich zijn vernedering aangetrokken en is hij weggegaan?'

'Saddar is dood. Dat is heel vreemd gegaan. Kort nadat jij ons die zomer had verlaten. Hij kreeg een eigenaardige verstopping van de maag.'

Toen Nevyn binnensmonds vloekte, kwam er een minzame uitdruk-

king op Orivaens gezicht. Nevyn vroeg zich af of de koning zelf opdracht had gegeven de oude man te vergiftigen of dat een loyale hoveling dat karweitje op zich had genomen, zodra de enige kruidenman die de raadsheer had kunnen redden, ver weg was.

's Middags ging Nevyn naar Cerrmor en vond Gavra, die bij het gezin van haar broer boven zijn herberg inwoonde. Ze viel hem lachend
in de armen, schepte een kroes bier voor hem en nam hem mee naar
haar kamer voor een babbeltje. Ze was een indrukwekkende jonge
vrouw geworden, nog altijd knap en slank, maar uit haar donkere
ogen sprak een diepte van gevoel en scherpzinnigheid. Haar kamer
was volgepakt met kruiden, potten zalf en al haar andere materiaal,
alles keurig gerangschikt rond het meubilair, een eenpersoonsbed, een
kist en bij de haard een wieg. Daarin lag een knap klein meisje van
een maand of tien te slapen.

'Je broer zijn jongste kind?' vroeg Nevyn.

'Nee, ze is van mij. Kijkt u nu op me neer?'

'Wat? Hoe kom je daarbij?'

'Nou, mijn broer was niet bepaald in zijn schik met een onecht kind
in de familie. Het is maar goed dat ik genoeg verdien om in ons onderhoud te voorzien.'

Alsof ze wist dat er over haar werd gepraat, geeuwde het kindje,
opende haar helderblauwe ogen en viel weer in slaap.

'Waarom is de vader niet met je getrouwd?'

'Hij is al met iemand anders getrouwd. Ik ben heus geen domoor,
maar ik houd evengoed van hem.'

Nevyn ging op de kist zitten. Hij had nooit gedacht dat zijn ver-
standige Gavra zich in dit soort problemen zou werken. Ze leunde
tegen de vensterbank en keek naar het armzalige uitzicht, de zijkant
van een ander huis, een klein stoffig binnenplaatsje met een kippen-
ren.

'Prins Mael,' zei ze plompverloren. 'Mijn arme gevangen geliefde.'

'Alle goden!'

'Ik smeek u het aan niemand te vertellen. Ze zouden mijn kind doden als ze wisten dat Eldidd hier in de stad een koninklijke bastaard
had. Ik heb tegen iedereen gezegd dat haar vader een van de ruiters
van de koning was. Een zekere Dagwyn, die vorig jaar gesneuveld is.
Vrouwe Gweniver heeft me geholpen, ziet u. Ik geloof dat Dagwyn
nogal geliefd was bij de meisjes, en iedereen geloofde het onmiddellijk van hem.'

'Is Gweniver de enige die het weet?'

'Ja. Zelfs Ricyn weet het niet.' Ze zweeg even en keek met een wrang
glimlachje in de wieg. 'Ik moest het aan iemand vertellen, en Gwe-

niver is een priesteres, wat ze verder ook mag zijn. Toch is het wel triest. Ricyn komt hier af en toe en geeft me dan wat geld voor de dochter van zijn vriend. Mijn kleine Ebrua schijnt veel voor hem te betekenen.'

'Dan is het maar het beste dat hij nooit de waarheid te weten komt. Maar vertel eens, hoe is het gebeurd? Kun je als een vogel door de lucht vliegen?'

'Nee, ik ben gewoon de trap in de toren opgegaan,' zei ze met een lachje. 'Maar niet lang nadat u was vertrokken, kreeg de prins koorts en alle chirurgijns waren met het leger mee. Dus heeft Orivaen mij laten halen om hun stukje oorlogsbuit in leven te houden. Ach goden, ik had zo met Mael te doen, en van Orivaen mocht ik hem blijven bezoeken, net als u vroeger deed. Mael bood aan me te leren lezen en schrijven, ziet u, gewoon om de tijd te doden. Ik kreeg dus les en we werden vrienden, en nou ja...' Ze haalde welsprekend haar schouders op.

'Ik begrijp het. Weet hij het van het kind?'

'O, hoe zou hij dat niet kunnen weten, mijn arme gevangen geliefde.'

Weer in de dun gekomen ging Nevyn onmiddellijk naar de toren om de prins te bezoeken. Hoewel zijn gezellige kamer niet was veranderd, was Mael nu een man. Groot en fors liep hij bedaard de kamer rond, in plaats van telkens ongeduldig in een stoel neer te ploffen. Hij was ook doodsbleek, zodat zijn albasten huid zijn zwarte haar nog donkerder deed lijken. Nevyn besefte met een schok dat de prins in zeven jaar niet in de buitenlucht was geweest.

'U weet niet hoe blij ik ben u te zien,' zei Mael. 'Ik heb mijn leraar na zijn vertrek vreselijk gemist.'

'Dat spijt me, maar de dweomer dwingt iemand soms wonderlijke wegen te bewandelen. Gelukkig schijn ik wel een troost voor u te hebben achtergelaten. Ik heb Gavra gesproken.'

De prins werd vuurrood en wendde zijn blik af.

'Ach ja,' zei hij na een ogenblik. 'Het kan raar gaan. Er is een tijd geweest dat ik een niet-adellijke vrouw niet het aankijken waard zou hebben gevonden. Nu vraag ik me af wat Gavra in vredesnaam ziet in een stumper als ik.'

'Uwe hoogheid heeft inderdaad een hard Wyrd.'

'O, niet zo hard als vele anderen. Ik heb er genoeg van gekregen mezelf te beklagen, ziet u. Sommige mannen zijn als haviken, ze sterven jong in de strijd. Ik ben een vinkje dat in een vorstelijke kooi zit en van bomen droomt. Maar het is een mooie kooi, en er zit zaad in overvloed in mijn voerbakje.'

'Dat is waar.'

'De boeken die u me hebt gegeven, vormen een steeds grotere troost voor me. En Gavra heeft ook iets interessants voor me gevonden bij de boekverkoper in de tempel van Wmm. Het is een beknopt werk van een filosoof genaamd Ristolyn, een schrijver uit de Begintijd. Was hij een Rhwman?'

'Nee, hij behoorde tot een stam die de Greggycion heette, een wijs volk te oordelen naar de paar boeken die we van hen hebben. Ik geloof dat de vervloekte Rhwmanes hun koninkrijk hebben veroverd, net zoals ze met het rijk van onze voorouders in het Oude Vaderland hebben gedaan. Ik vond Ristolyn altijd een schrijver die veel stof tot nadenken gaf. Ik heb een gedeelte van zijn *Ethiek van Nichomachea* gelezen.'

Ze brachten een prettig uur door met het spreken over dingen waar Nevyn jarenlang geen woord meer over had gehoord. De prins sprak met de gedrevenheid van een geboren geleerde, maar toen Nevyn opstond om te vertrekken, daalde de melancholie als een zeemist op Mael neer. Toen was hij geen geleerde meer, maar een wanhopig mens die zich vastklampte aan alles wat hem geestelijk in evenwicht kon houden.

Na Maels stille kamer was het binnengaan in de grote zaal zoiets als het betreden van een andere wereld. Omdat het leger zich verzamelde, was de zaal stampvol edelen en krijgsbenden: mannen die schreeuwden, lachten, om bier riepen en elkaar grappen toewierpen of het dolken waren. Nevyn zat met de raadslieden van de koning aan Orivaens tafel, vlak voor het podium. Net toen de maaltijd werd opgediend, kwam Glyn met Gweniver door de deur naar zijn eigen vertrekken binnen. Maar toen hij naar de eretafel ging, kwam zij van het podium af en ging bij de koninklijke wacht en haar Ricyn zitten eten.

'Vrouwe Gweniver schijnt geen waarde te hechten aan haar adellijke afkomst,' zei Nevyn tegen Orivaen.

'Ja. Ik heb haar er al vaak over aangesproken, maar met godgewijden is gewoon niet te praten.'

Onder het eten keek Nevyn naar Glyn, die niets veranderd leek, nog altijd even kaarsrecht en vriendelijk terwijl hij om een grap glimlachte of naar de gesprekken van zijn edelen luisterde. Maar later werd de verandering duidelijk, toen een page Nevyn naar de privé-vertrekken van de koning bracht. Glyn stond bij de haard. Kaarslicht flonkerde op zilver, bescheen de warme kleuren van de gordijnen en tapijten en accentueerde de diepe kringen onder zijn ogen. Hoewel hij erop stond dat Nevyn ging zitten, liep hij zelf onder het praten rusteloos voor de haard heen en weer. In het begin wisselden ze weinig meer dan nieuwtjes en beleefdheden uit, tot langzaam, heel geleidelijk, de vorstelijke houding verdween en Glyn vermoeid tegen de schouw leunde, en er alleen een neerslachtige man overbleef.

'U schijnt veel respect voor vrouwe Gweniver te hebben, heer.'

'Dat is ze ook waard. Ik heb haar aan het hoofd van mijn garde geplaatst. Niemand zal een godgewijde krijger durven benijden.'

Daar was hij, de herinnering die ze onder ogen moesten zien.

'Mist mijn heer zijn broer nog steeds?'

'Dat zal ik ongetwijfeld elke dag van mijn leven blijven doen. Ach goden, had hij zichzelf toch maar niet gedood! We zouden elkaar af en toe in het geheim hebben kunnen ontmoeten, of misschien had ik hem op een goede dag kunnen terugroepen.'

'Tja, zijn trots gunde hem geen tijd.'

Glyn zuchtte en ging eindelijk zitten.

'Zovelen die me hebben gediend zijn gesneuveld,' zei hij. En het einde is nog niet in zicht. Ah, bij de heer der hel, ik denk wel eens dat ik Cantrae die vervloekte troon maar moest laten, dan was het tenminste afgelopen, maar dan zou iedereen die voor me is gestorven, voor niets gestorven zijn. En mijn loyale vrienden – Cantrae zou hen misschien afmaken.' Hij zweeg voor een vermoeid, wrang lachje. 'Hoeveel mensen hier aan het hof hebben je verteld dat ik gek begin te worden?'

'Verscheidene. En is dat waar? Of zien ze gezond verstand voor waanzin aan?'

'Ik denk het liefst het laatste, natuurlijk. Sinds Danno dood is, voel ik me zo beklemd. Met hem kon ik praten, en als hij vond dat ik onzin kletste, dan zei hij dat. En wat heb ik nu? Vleiers, eerzuchtige mannen, jakhalzen, op een enkele na, en als ik hun niet genoeg brokjes toewerp, dan bijten ze. Als ik een sombere gedachte uit mijn hoofd wil verdrijven, deinzen ze terug.'

'Tja, heer, hun leven hangt tenslotte van u af.'

'Ik weet het. Ach goden, ik weet het maar al te goed! Ik wilde wel dat ik als een gewone ruiter geboren was. Iedere man aan het hof benijdt de koning, maar weet je wie de koning zelf benijdt? Gwenivers Ricyn. Ik heb nooit een gelukkiger mens gezien dan Ricco, boerenzoon of niet. Wat hij ook doet, wat er ook met hem gebeurt, hij noemt het de wil van zijn Godin, en hij ligt er niet van wakker.' Glyn zweeg even. 'Denkt u nu dat ik gek ben? Of ben ik alleen maar een stommeling?'

'De koning is nooit een stommeling geweest, en hij zou gelukkiger zijn als hij gek was.'

Glyn lachte op een manier die Nevyn plotseling aan prins Mael deed denken.

'Nevyn, ik zou je zeer dankbaar zijn als je weer aan mijn hof wilde komen. Jij ziet de dingen van een afstand. De koning erkent nederig dat hij je hard nodig heeft.'

Omdat hij niets dan verdriet in het verschiet zag, zou Nevyn graag hebben gelogen en beweerd dat de dweomer hem verbood te blijven. Hij mocht al deze mensen te graag om zich niet betrokken te voelen bij hun onvermijdelijk lijden. Maar hij begreep opeens dat hij een rol te vervullen had, dat hij Glyn, Mael en Gavra in de steek had gelaten toen hij uit eigen zelfzuchtige motieven was gevlucht.

'Ik voel me zeer vereerd, heer. Ik zal blijven en u dienen zolang u me nodig hebt.'

En zo kreeg Nevyn tegen zijn wil waar velen een moord voor zouden hebben gedaan: een positie als koninklijk raadsheer en de gunst van de koning. Het kostte hem twee moeilijke jaren om het web van afgunst dat zijn plotselinge bevordering schiep te ontwarren, maar na die tijd verwonderde niemand zich meer over zijn rang. Iedereen in het koninkrijk wist dat de kern van de vorstelijke macht berustte bij deze sjofele oude man met zijn buitenissige belangstelling voor kruiden, maar natuurlijk wisten slechts weinigen waarom. En gedurende die twee jaar en een deel van het derde sleepte de oorlog zich voort in een onregelmatige reeks invallen en afweermanoeuvres.

De regen overviel hen op een kleine zestig kilometer van het hoofdkamp. Dikke, schuinvallende stralen en een koude wind die dwars door hun mantels blies, veranderde de wegen in modderpoelen. Ook al was de toestand wanhopig, toch konden de paarden niet vlugger gaan dan stapvoets. Het enige goede van de regen, peinsde Ricyn, was dat de vijand ook niet snel vooruitkwam. Hij ging het meteen vertellen aan de vierendertig man die nog over waren van de honderdvijftig die oorspronkelijk waren uitgereden. Niemand deed met meer dan grommen ten antwoord. Ricyn reed twee keer langs de rij, noemde iedereen bij naam, schold op de treuzelaars en prees de enkelen die nog een beetje pit hadden. Al betwijfelde hij of het ook maar iets uithaalde. Toen hij dat tegen Gwen zei, was ze het met hem eens.

'De paarden zijn er nog slechter aan toe dan de mannen,' zei ze. 'We zullen spoedig halt moeten houden.'

'En als ze ons inhalen?'

Gweniver haalde zwijgend haar schouders op. Geen van hen beiden had ook maar het flauwste idee hoe ver de krijgsbende uit Cantrae nog van hen af was. Het enige waar ze zeker van konden zijn was dat ze achternagezeten werden. De zwaar bevochten overwinning die hun krijgsbende tot dit vermoeide troepje had teruggebracht, was juist het soort slag dat Cantrae met alle geweld zou willen wreken. Tegen zonsondergang ontmoetten ze twee boeren die worstelden met een kar die bij gebrek aan een paard door een loeiende koe werd getrokken. In de snel vallende schemering kon Ricyn nog net zien dat de kar volgestouwd was met meubelen, gereedschap en vaten. Toen de krijgsbende hen omsingelde, keken de boeren in wezenloze vermoeidheid op, alsof het hun niets meer kon schelen, al werden ze langs de weg afgeslacht.

'Waar vluchten jullie vandaan?'

'Van Rhoscarn, vrouwe. De dun is gisteren gevallen, en we proberen naar het zuiden te komen.'

'Wie heeft hem platgebrand?'

'Die mannen met van die groene beesten op hun schilden.'

Ricyn vloekte binnensmonds: de draak van Cantrae.

'Ze hebben de dun niet platgebrand, sufferd!' zei de tweede boer. 'We hebben toch geen rook gezien, of wel soms?'

'Nee, dat is waar,' zei de eerste. 'Het maakt mij ook geen bliksem uit. We hebben allemachtig veel van die kerels bij de weg gezien, vrouwe.'

Gweniver liet haar krijgsbende van de weg gaan om de vermoeide boeren voorbij te laten sjokken.

'Wat zeg je hiervan, Ricco? We zouden naar Rhoscarn kunnen rijden, dan hebben we een dak boven ons hoofd. Als ze daar al geweest zijn, zullen ze niet terugkomen.'

En dus reden ze recht in de val. Ricyn bedacht later hoe handig die was opgezet, hoe goed de mannen uit Cantrae de rol van boeren hadden gespeeld, hoe gewiekst Cantrae hun gedachtengang had beoordeeld. Op dat ogenblik was hij alleen blij geweest onderdak voor de paarden te vinden. Toen ze de dun bereikten, zagen ze dat er op drie plaatsen een bres in de muur was geslagen. Het lijk van tieryn Gwardon lag onthoofd tussen het puin. Hoewel er heel wat andere lijken lagen, was het toen al te donker om ze te tellen. Omdat deze dun al diverse malen eerder was ingenomen en in brand gestoken, was er geen stenen broch, alleen een groot houten rondhuis in het midden van een modderig binnenplein.

Het was misschien wel primitief, maar in het rondhuis was het droog. De mannen stalden de paarden aan de ene kant, legden hun uitrusting aan de andere kant neer, hakten vervolgens de meubelen aan stukken en legden vuren aan in de haarden. Terwijl de paarden van hun laatste voederzakken haver aten, pakten de mannen wat er nog van hun rantsoenen over was. Ricyn wilde juist tegen Gweniver zeggen dat ze de volgende dag voedsel zouden moeten zoeken, toen hij het gevaar voelde, als een huivering langs zijn rug. Aan de manier waarop zij huiverde, wist hij dat ze het ook had gevoeld. In woordeloze eensgezindheid stormden ze het huis uit, het binnenplein op. Ricyn bleef beneden staan terwijl Gweniver op de muur klom. In de duisternis zag hij haar gestalte de bovenkant bereiken; toen draaide ze zich om en begon te roepen.

'De mannen! Bewaak de bressen! We worden aangevallen!'

Toen hij terugrende hoorde hij in de verte het geluid van paarden die in draf de dun naderden. Hij stormde bevelen schreeuwend naar binnen en kreeg zijn mannen in beweging. Terwijl ze vloekend hun zwaarden grepen, verspreidde de krijgsbende zich langs de muur en vulde elke bres. Tegen die tijd omringde het geluid van een leger hen al als oceaangolven die op de kust beuken. Door een van de bressen zag hij mannen afstijgen en de muren omsingelen.

'In de val,' zei Gweniver achteloos. 'Denk je dat we deze belegering een hele dag kunnen tegenhouden?'

'Nog geen halve. Het verwondert me dat de Godin ons niet heeft gewaarschuwd toen we met die boeren praatten.'

'Mij niet. Ik heb altijd geweten dat de dag zou komen waarop Zij onze dood wilde.'

Ze rekte zich en kuste hem op zijn mond, één keer maar, voor ze wegliep om bevelen te geven.

Omdat het niet waarschijnlijk was dat de vijand in de regenachtige duisternis zou aanvallen, zetten ze wachten bij de bressen en sliepen in wisselende ploegen. Ongeveer een uur voor zonsopgang hield het op met regenen en een koude wind begon de hemel schoon te vegen. Ricyn wekte de mannen die zich in doodse stilte bewapenden. Ieder keek zijn vrienden aan op een manier die een woordeloos afscheid inhield. Terwijl Gweniver de wacht hield bij de bres die eens de poort was geweest, posteerde Ricyn de krijgsbende bij de andere twee. 'Het is tot de laatste man,' zei hij telkens weer. 'Het enige dat we kunnen doen is ons leven zo duur mogelijk verkopen.'

Telkens weer knikten de mannen zwijgend. Bij de achtermuur vond Ricyn Alban, een jongen van net veertien, die pas bij de Cerrmorse ruiters was. Ofschoon de jongen even rechtop en moedig afwachtte als de andere mannen, nam Ricyn zich voor zijn leven indien enigszins mogelijk te sparen.

'Luister goed, jongen,' zei hij. 'Ik heb een belangrijke opdracht voor je. Ik heb jou uitgekozen omdat je de kleinste van de troep bent en het minst opvalt. De koning moet hiervan bericht hebben. Jij moet het hem brengen.'

In de lichter wordende ochtend knikte Alban met grote ogen.

'Je moet als volgt te werk gaan,' vervolgde Ricyn. 'Hurk achter deze puinhoop en verberg je tot je een man van Cantrae ziet vallen op een plaats waar jij zijn schild kunt grijpen. Zodra het gevecht langs je heen is, glip je naar buiten, doe je net of je gewond bent en meng je je onder de vijand. Als je dan nog leeft, steel je een paard en rijd je of de helleschacht zich onder je opent.'

'Dat zal ik doen, en als ze me te pakken krijgen, zal ik vanavond met jullie in het hiernamaals aan tafel zitten.'

Terwijl hij wegliep, bad Ricyn de Godin dat zijn armzalige list zou slagen.

Toen hij zich bij de poort weer bij Gweniver voegde, stond de eenheid die achter hen zou vechten al opgesteld.

'Er zijn er meer dan honderd. Ze maken zich juist klaar voor de aanval. Ze vallen te voet aan, dat is tenminste nog iets.'

'Waarom paarden verspillen om ratten in een hol te doden?'

Toen hij zijn plaats naast haar innam, wisselden ze een glimlach. Buiten de bres zag hij mannen langzaam de heuvel beklimmen en uitwaaieren naar de bressen. Binnen was het doodstil, afgezien van hier en daar het metalige geluid van een zwaard of een schild. Terwijl de oostelijke hemel lichter werd, voelde Ricyn zijn hart bonzen, niet zozeer van angst als wel van nieuwsgierigheid hoe het hiernamaals zou zijn. Dan zie ik Dagwyn terug, hield hij zichzelf voor, en dan zal ik hem van zijn dochtertje vertellen. De opkomende zon bescheen metaal, zwaard en maliënkolder, helm en schildknop. In de achterhoede van de vijandelijke linie schalde een zilveren hoorn. Onder het slaken van kreten stormden de drakenschilden naar voren. Het was begonnen.

Cerrmor hield de bressen veel langer dan iemand had durven verwachten. Gweniver en Ricyn zelf, die zij aan zij vochten, hadden in een bres van die afmetingen alleen wel een grote macht kunnen afslaan – als er geen openingen achter hen waren geweest Nu vochten ze verbeten, nauwelijks merkend hoe hoog de zon steeg. Krijsend warrelde de menigte voor hen dooreen, maar Ricyn bleef in een volmaakt ritme en met de volmaakte partner zwaaien, steken en terugvallen. De doden begonnen zich op te stapelen en de vijandelijke aanvallen te hinderen. Ricyn voelde het zweet langs zijn rug stromen en verlangde naar een slok water, terwijl hij onafgebroken doorvocht. Naast hem viel een Cerrmorder; een andere nam zijn plaats in en doodde de Cantraese krijger die hem had neergemaaid.

Opeens hoorde Ricyn kreten achter zich – waarschuwingen, wanhoop.

'Terug!' riep Gweniver. 'Ze zijn aan de achterkant doorgebroken.'

Stap voor behoedzame stap trok de linie zich terug, maaiend, afwerend, in een poging zich te verspreiden toen de mannen van Cantrae de poort binnenstroomden. Het binnenplein was een gekkenhuis van rennende mannen toen de andere Cerrmorse eenheden hun linies opnieuw probeerden te formeren. Ricyn begon te vloeken, onafgebroken, binnensmonds, maar hij hoorde Gweniver lachen en brullen in haar aanval van razernij. Opeens werd de zon vaal. Terwijl Ricyn een snelle uitval naar een vijand deed, rook hij een brandlucht en zag een dikke rookwolk opstijgen. Steeds verder terug naar het rondhuis, struikelend over de lijken van vriend en vijand, bijna stikkend van de rook en maaiend, hakkend, stekend – toch had Ricyn nog tijd om haar kant op te kijken en haar lach te horen terwijl de menigte hen steeds dichter omsingelde. Ze bereikten het huis en hielden de deur vrij terwijl wat er nog van de Cerrmorse krijgsbende restte, naar binnen stommelde, kroop, rende, alle acht.

'Naar binnen, Ricco,' riep Gweniver.

Hij ging naar binnen, sprong opzij om haar door te laten en hielp toen Camlwn de deur sluiten en grendelen. In het rondhuis was het verstikkend warm door de brandende bovenverdieping. De paarden steigerden en krijsten in doodsangst toen de mannen hun teugels grepen en ze wegtrokken. Buiten brulden de Cantraese mannen om bijlen en begonnen op de houten luiken te rammen. Eindelijk waren de paarden in een hysterische troep bij de deur verzameld. Ricyn en Camlwn zwaaiden hem open, terwijl de mannen achter hen tegen de dieren schreeuwden en ze met de platte kant van hun zwaarden sloegen. Stampend en schoppend vlogen de paarden naar buiten en stortten zich als levende knuppels op de mannen uit Cantrae.

Ricyn draaide zich om en schreeuwde een bevel. Toen zag hij Gweniver en de woorden bleven hem in de keel steken.

Ze was uit de weg gestrompeld om in de bocht van de muur te sterven. In het vuur van de strijd had hij niet gezien dat ze getroffen was. Hij rende naar haar toe, zonk op zijn knieën en zag dat ze door de naad van haar maliënkolder in de rug was gestoken. Toen hij haar omdraaide, was haar gezicht eigenaardig kalm, haar mooie blauwe ogen waren wijdopen terwijl haar bloed zich over de vloer verspreidde. Pas toen besefte Ricyn echt dat hij het middaguur niet meer zou beleven. Hij gooide zijn zwaard neer, greep het hare als een talisman en vloog naar de deur. Dikke rookwolken daalden neer en wervelden rond de Cantraese mannen die zich op het binnenplein hergroepeerden.

'Aanvallen, jongens,' zei Ricyn. 'Waarom zouden we sterven als ratten?'

Met een laatste uitroep van Glyns naam, sloten zijn mannen zich bij hem aan. Camlwn grijnsde voor het laatst nog eens tegen hem; toen hief Ricyn het zwaard dat ooit door de Godin was gezegend en stormde recht op de vijand af. Voor het eerst begon hij te lachen, net zo koud als zij had gedaan, alsof de Godin hem dit ene korte ogenblik de plaats van Haar priesteres liet innemen.

Ricyn struikelde over een dood paard en wierp zich op de eerste Cantraeër die hij tegenkwam. Hij doodde hem met één steek en draaide zich toen om naar de drakenschilden die hem omsingelden. Hij wist een vijand te raken met een zwakke indirecte slag, draaide zich met een ruk om en viel een volgende aan. Toen voelde hij metaal in zijn gezicht vlijmen, zo scherp, dat hij even dacht dat het een stukje brandend riet was, maar het bloed welde al warm en zilt in zijn mond op. Toen hij wankelde, stak een zwaard hem in zijn zij. Hij gooide zijn nutteloze schild weg, draaide zich om, stak hard toe en doodde de man die hem had verwond. Het vuur loeide en de rook was zo dicht als zeemist. Hij wankelde, zwaaide nog eens, verslikte zich in zijn eigen bloed en viel toen hij probeerde het op te hoesten. De vijanden lieten hem voor dood liggen en renden weg.

Ricyn krabbelde overeind en deed een paar stappen, maar begreep pas toen hij over de lateibalk van het huis struikelde, dat hij omgedraaid was. Het vuur kroop al langs de binnenmuren. Hij kwam weer overeind en ging strompelend op weg naar Gweniver. Hoewel elke stap helse pijn deed, bereikte hij haar uiteindelijk toch. Hij viel naast haar op zijn knieën, maar aarzelde toen, niet wetend of de Godin hem om dit gebaar zou verdoemen. Hij betwijfelde of het Haar nog iets kon schelen. Hij liet zich vallen en trok Gweniver in zijn armen tot hij zijn hoofd op haar borst kon leggen. Zijn laatste gedachte was een gebed tot de Godin, waarin hij om vergeving vroeg als hij nu iets slechts deed. De Godin was barmhartig. Hij bloedde dood voor de vlammen hem bereikten.

Nevyn zat in de tent van de koning in het kampement toen hij geroep en hoefslagen hoorde die betekenden dat het leger teruggekeerd was. Hij greep een mantel en rende door de motregen naar het veld, waar een drukte en beroering heerste van afstijgende mannen. Hij baande zich een weg door het gedrang en vond de koning die de teugels aan zijn oppasser gaf. Glyns gezicht was vuil en stoppelig, met een veeg van het bloed van een ander op zijn wang en een streep zwarte as op zijn lichte, stijve haar.

'Niet één overlevende,' zei hij. 'We hebben iedereen die we konden vinden begraven, maar er was geen spoor van Gweniver en Ricyn. Die smeerlappen uit Cantrae hadden de dun in brand gestoken, dus ze waren waarschijnlijk in het rondhuis. In elk geval hebben ze een brandstapel gehad, net als in de Begintijd.'

'Dat zouden ze fijn hebben gevonden. Nu ja, het zij zo.'

'Maar we hebben de krijgsbende van Cantrae onderweg getroffen – wat ervan over was althans. We hebben ze afgemaakt.'

Nevyn knikte, omdat hij zijn stem niet vertrouwde. Dat zou Gwen nog het allermooist hebben gevonden, dacht hij, wraak. De koning wendde zich af en riep dat iemand Alban bij hem moest brengen. De jongen kwam, zo bleek en uitgeput dat hij wankelde, naar de koning toe.

'Kun jij iets voor hem doen, Nevyn?' vroeg Glyn. 'Ik wil niet dat hij koorts krijgt of zo, na de geweldige manier waarop hij dat bericht hierheen heeft gebracht.'

De lof van de koning zelf brak Albans laatste restje weerstand. Hij gooide zijn hoofd één keer achterover en begon te snikken als de jonge knul die hij was. Terwijl Nevyn hem naar de chirurgijn bracht, had hij zelf moeite zijn tranen in te houden. Het zal steeds opnieuw gebeuren, hield hij zichzelf voor, dat iemand van wie je houdt lang voor jou sterft. Hij wilde zijn bitter Wyrd verwensen, maar het bitterste van alles was de wetenschap dat hij dat alleen aan zichzelf te wijten had.

# INTERMEZZO

## VOORJAAR 1063

Een jager die strikken zet moet goed uitkijken waar hij zijn voeten
neerzet.

*Oud Deverriaans spreekwoord*

In heel het uitgestrekte koninkrijk Deverry waren maar twee steden waar de Elcyion Lacar ooit kwamen, Cernmetyn en Dun Gwerbyn, en dan nog maar zelden. De inwoners van die steden reageerden eigenaardig als de Volkers er kwamen. Ze weigerden domweg, in een soort onbewuste samenzwering, te erkennen hoe anders de elfen waren. Een kind dat iets over elfenoren vroeg, kreeg te horen dat die onbeschaafde stam de oren van pasgeboren kinderen coupeerde. Een kind dat naar de ogen met de vreemde kattenpupillen wees kreeg te horen dat het zijn mond moest houden, omdat zijn oren anders ook wel eens gecoupeerd konden worden. De volwassenen zelf echter vonden het moeilijk een elf in de ogen te kijken, en daarom vonden de Volkers mensen stiekem en onbetrouwbaar.

Devaberiel was dan ook niet verbaasd toen de wachters aan de poort van Dun Gwerbyn hem eerst aanstaarden en toen haastig hun blik afwendden naar het troepje achter hem: Jennantar, Calonderiel, twee pakpaarden die een slee trokken en tot slot een rij van twaalf ruiterloze paarden.

'Komen jullie hier om die paarden te verkopen?' vroeg de poortwachter. 'Dan moet je er belasting op betalen.'

'Nee. Ze zijn een geschenk voor de tieryn.'

De wachter knikte ernstig, want het was algemeen bekend dat het Westvolk, zoals de Eldidders de elfen noemden, af en toe een paar van zijn mooie paarden weggaf om de gunst te verwerven van de tieryns van zowel Dun Gwerbyn als Cernmetyn.

Hoewel Jennantar en Calonderiel eerder in Eldidd waren geweest, waren ze nooit in de stad geweest en Devaberiel zag dat ze afkeurend naar de morsige huizen keken en naar de vuile straatjes waar ze hun paarden door leidden. Devaberiel zelf vond de manier waarop alles op elkaar gedrongen was nogal onprettig aandoen. In een mensenstad had je nooit een onbelemmerd uitzicht, waar je ook keek.

'We blijven hier toch niet lang, hoop ik?' mompelde Calonderiel.

'Niet erg lang. Jij kunt zelfs meteen weggaan als je wilt, zodra we de paarden naar de dun hebben gebracht.'

'O nee, ik wil Rhodry wel weer eens zien, en Cullyn ook.'

Cullyn zagen ze onmiddellijk omdat hij toevallig in de open poort van de dun stond toen ze hijgend de heuvel opkwamen. Hij kwam hen een groet roepend tegemoet. Hoewel Devaberiel een heleboel had gehoord over de man die als de beste zwaardvechter van heel Deverry werd beschouwd, had hij zich geen voorstelling van diens uiterlijk gemaakt. Cullyn was bijna twee meter lang, breedgeschouderd en zwaar gespierd. Zijn linkerwang vertoonde een lang litteken en zijn blauwe ogen deden niets om die barse indruk te verdrijven. Ze waren zo hard en zo koud als een winterstorm, zelfs toen hij glimlachend Calonderiels hand schudde.

'Nee maar, is dat even een godsgeschenk,' zei Cullyn. 'Het doet me goed jullie weer eens te zien.'

'Mij ook,' zei de legerleider. 'We hebben een geschenk voor vrouwe Lovyan en Rhodry meegebracht.'

'Nou, daar zal de vrouwe blij mee zijn.' Zijn ogen werden nog harder. 'Maar gwerbret Rhys van Aberwyn heeft Rhodry vorige herfst verbannen.'

'Wat?' riepen de drie elfen in koor.

'Ja heus. Maar kom binnen. Dan doe ik jullie het relaas bij een kroes bier van onze gastvrije tieryn.'

Terwijl ze de paarden naar de dun leidden, had Devaberiel een gevoel alsof iemand hem in zijn maag had geschopt.

'Cullyn?' vroeg hij. 'Waar is Rhodry nu?'

'Die trekt als zilverdolk door het land. Weet je wat dat betekent, beste man?'

'Jazeker. Ach goden, hij kan overal in dat vervloekte koninkrijk zitten!'

Toen ze op het binnenplein kwamen, snelden bedienden en stalknechten toe onder het slaken van uitroepen over de paarden. Het ras dat de elfen fokten en dat in Deverry bekend stond onder de naam westvolker jachtpaarden, mat zestien tot achttien handbreedten schofthoogte, was breed van borst en had een fraai gevormd hoofd. Ofschoon deze paarden meestal grijs, geelbruin of voskleurig waren, bestonden er ook warm goudkleurige en die waren het meest geliefd. Devaberiel, die zo'n goudkleurige als fokmerrie had meegebracht voor zijn zoon, kwam nu in de verleiding om die maar weer mee terug te nemen. Kom nou, zei hij tegen zichzelf, ik ben Lovva wel iets verschuldigd omdat ze me een zoon heeft geschonken.

Het geklepper en geroep had kennelijk Lovyans nieuwsgierigheid gewekt, want ze kwam uit de broch en liep naar hen toe. Ze droeg een jurk van rode Bardekse zijde met daarover een tuniek in de rood-wit-bruine ruit van haar clan, en haar stap was nog zo veerkrachtig als die van een jong meisje, maar toen ze dichterbij kwam, kromp Devaberiels hart voor de tweede keer die dag ineen. Ze werd oud, haar gezicht was doorgroefd met rimpels en haar haar vertoonde brede grijze strepen. Ze wierp een vluchtige blik op hem, verstarde even en keek hem toen zo kalm aan alsof ze elkaar nooit eerder hadden ontmoet. Hij had met haar te doen en hij verwenste zijn stommiteit om haar te bezoeken. Zij was oud geworden, terwijl hij er nog steeds uitzag als een jongen van twintig. Dit was een van die schaarse ogenblikken in zijn leven waarop hij niets wist te zeggen.

'Vrouwe Lovyan,' zei Calonderiel met een buiging. 'Uwe genade, tieryn van Dun Gwerbyn. We komen met een eerbetoon aan uw heerschappij en uw land.'

'Dank u, goede heer. Ik ben erg blij met zo'n prachtig geschenk. Kom binnen en aanvaard de gastvrijheid van mijn zaal.'

Omdat er geen ontkomen aan was, ging Devaberiel mee naar binnen. Lovyan was zo vriendelijk Cullyn toe te staan bij haar en haar gasten aan de eretafel te komen zitten. Toen ze allemaal van mede waren voorzien, deed de hoofdman omstandig verslag van Rhodry's verbanning. Ofschoon Calonderiel en Jennantar hem voortdurend onderbraken om vragen te stellen, had Devaberiel moeite om zijn gedachten erbij te houden. Hij bleef zichzelf verwensen omdat hij gekomen was en de vrouw die hij eens had bemind zoveel verdriet deed. Toen het verhaal uit was, zaten ze even in stilte te drinken. Devaberiel waagde nog een blik op Lovyan en merkte dat ze naar hem keek. Toen hun ogen elkaar ontmoetten begaf haar zelfbeheersing het een ogenblik. Haar ogen kregen een gekwelde uitdrukking en haar mond trok zo strak dat hij vreesde dat ze zou gaan huilen. Toen wendde ze haar blik af en het ogenblik was voorbij.

'Wel, goede lieden van het Westvolk,' zei ze, 'mag ik jullie een poosje onderdak in mijn dun verlenen?'

'Wij zijn zeer vereerd met uw aanbod, uwe genade,' zei Devaberiel. 'Maar mijn volk is gewend door bossen en velden te zwerven. Wij voelen ons tussen muren niet op ons gemak. Beledigen wij uwe genade niet als we vannacht buiten de stad kamperen en morgen verder trekken?'

'Hoe zou ik mannen die mij net zo'n prachtig geschenk hebben gebracht iets kunnen weigeren? Twee mijlen verder noordwaarts heb ik een jachtgebied. Ik zal jullie een bewijs voor mijn boswachter meegeven, en jullie mogen daar kamperen zo lang jullie willen.'

En haar ogen bedankten hem omdat hij wegging.

Toch kregen ze nog gelegenheid voor een vertrouwelijk gesprekje toen de bedienden de rij- en pakpaarden van de elfen voorleidden. Cullyn en de andere twee stonden op het bordes van de dun te praten met de ernst van oude strijdmakkers, maar Lovyan beduidde de bard een paar passen met haar opzij te gaan.

'Ben je hier alleen gekomen om me die paarden te brengen?' vroeg ze.

'Nee. Ik wilde onze zoon graag zien.'

'O. Dat weet je dus.'

'Ja. Lovva, vergeef me alsjeblieft. Ik had nooit moeten komen, en ik zweer je dat je me nooit meer hoeft te zien.'

'Dat zou inderdaad het beste zijn. Rhodry mag de waarheid nooit te weten komen. Besef je dat?'

'Natuurlijk. Ik wilde de jongen alleen een keer zien.'

Ze glimlachte vluchtig.

'Hij lijkt erg op jou, maar hij heeft het Eldiddse ravezwarte haar. Onze Rhodry is een knappe vent.'

Hij nam haar hand, drukte die even en liet hem los voor iemand het kon zien.

'Ik benieuwd of ik hem ooit zal zien,' zei hij. 'Ik durf niet verder naar het oosten te rijden. Ze hebben in de rest van het koninkrijk nog niet geleerd om niet op onze ogen en oren te letten.'

'Je hebt gelijk. Weet je, ik heb altijd gehoord dat jullie volk heel oud werd, maar ik heb me nooit gerealiseerd hoe jong jullie bleven.' Haar stem stokte. 'Of is het oude verhaal waar en hebben jullie het eeuwige leven?'

'Dat niet, maar we leven wel verdraaid lang. En we verouderen wel, maar pas als we eraan toe zijn om te sterven. Zo weten we dat het tijd is om ons op onze laatste tocht voor te bereiden.'

'Werkelijk?' Ze wendde haar blik af en haar hand ging onwillekeurig naar de rimpels op haar wang. 'Misschien hebben wij het dan beter, want omdat wij al vroeg verouderen, worden we niet belast met de wetenschap wanneer we zullen sterven.'

Hij zuchtte bij de herinnering aan zijn verdriet toen het haar van zijn vader wit werd en zijn krachten afnamen.

'Dat is waar,' zei hij. 'Misschien zijn jullie beter af.'

Hij liep vlug weg omdat hij een brok in zijn keel kreeg.

Onderweg zei Devaberiel geen woord tegen de anderen en die lieten hem met rust tot ze het jachtgebied bereikten. Lovyans houtvester bracht hen naar een kleine vallei waar een riviertje door stroomde en waar goed gras was voor de paarden, hij merkte op dat er een overvloed aan herten was dit jaar en maakte toen gauw dat hij wegkwam om niet langer dan nodig was bij Westvolkers te moeten zijn. Ze zetten de rode tent op, bonden de paarden vast en sprokkelden een paar takken om die bij hun voorraad gedroogde mest te voegen voor een vuur, en nog steeds zei Devaberiel niets. Tenslotte kon Calonderiel het niet langer uithouden.

'Het was verdraaid stom om hier naartoe te gaan,' merkte hij op.

'De legerleider staat wijd en zijd bekend om zijn tact,' zei Devaberiel boos. 'Bij de duistere zon zelf, waarom moet jij een scheur bittere gal doen in de beker van iemand die dorst heeft?'

'Neem me niet kwalijk, maar...'

'Je vergeet de rozenring,' viel Jennantar in. 'De dweomer heeft gezegd dat Rhodry die moet krijgen.'

'Ja, dat is waar,' zei Calonderiel. 'Dus eigenlijk had Dev een excuus.' Devaberiel haalde binnensmonds mopperend een leren zak mede van de slee. Jennantar ging hem achterna en hurkte naast hem.

'Trek je alles wat Cal zegt niet zo aan. Zo is hij altijd.'

'Dan ben ik verdomd blij dat ik niet in een van zijn eskadrons zit.'

'Ach, je raakt eraan gewend. Maar ik vroeg me af hoe je die ring bij je zoon moet krijgen. Heb je enig idee?'

'Daar heb ik onderweg hierheen over gedacht. Ik heb nog een zoon, weet je, die ook een Deverriaanse moeder had. Hij heeft uiterlijk meer van haar volk dan van het onze.'

'Natuurlijk, Ebañy.' Jennantar keek bezorgd. 'Maar wil je hem werkelijk die ring toevertrouwen?'

'Ik weet wat je denkt, en ja, ik heb ook mijn twijfels. Ach goden, het is zo'n onbesuisde jongen! Misschien had ik hem nooit bij zijn moeder moeten weghalen, maar het arme meisje kon niet alleen een kind grootbrengen en haar vader was ziedend omdat ze er een had. Ik begrijp die Deverriaanse mannen soms niet. Zij hoeven het kind toch niet te dragen, dus wat gaat het hun aan of hun dochter er een heeft.

169

Maar hoe dan ook, als ik Ebañy als vader opdraag om de ring naar zijn broer te brengen, zal hij dat ongetwijfeld doen. Dat is nu juist het soort avontuur dat hij prachtig zal vinden.'

'Weet je waar hij is?'

'Nee, en dat maakt het weer moeilijk. Dat weet je nooit met die jongen. Ik zal domweg bekend moeten maken dat ik hem wil spreken en hopen dat het bericht hem bereikt.'

In die tijd was Cerrmor uitgegroeid tot een stad met ongeveer honderdtwintigduizend inwoners. Zij strekte zich niet alleen ver langs de rivier uit, maar verscheidene rijke kooplieden hadden op de rotsen erboven prachtige huizen gebouwd, ver van het lawaai en het vuil van de stad. De dun waar Glyn ooit had geheerst als koning was honderd jaar tevoren platgebrand en er was een nieuwe en nog grotere dun gebouwd voor de gwerbrets van Cerrmor. Maar langs de rivieroever was een stadswijk waar niets prachtigs aan was. Bordelen, goedkope herbergen en taveernen stonden dicht opeengepakt in een doolhof van bochtige straten en stegen waar fatsoenlijke burgers nooit kwamen, afgezien van de stadswachten van de gwerbret, die er veel vaker kwamen dan de bewoners lief was. Die wijk heette de Buik.

Als hij naar de Buik ging, liep Sarcyn altijd snel, hij gaf zijn ogen goed de kost en trok zijn aura strak om zich heen, een dweomer waardoor hij bijna niet opviel. Hij was niet echt onzichtbaar – ieder die recht op hem afkwam kon zien dat hij er was – maar het was meer zo dat hij niemands aandacht trok, zeker niet wanneer hij dicht langs muren of in de schaduwen liep. Op die bepaalde middag was het zwaar bewolkt, en verscheidene mensen botsten bijna tegen hem op, omdat ze niet zagen dat daar nog iemand liep. Toch hield hij zijn hand maar op zijn zwaardgevest.

Omdat het laat op de dag was, begon het drukker te worden op straat. Zeelui die pas geld hadden gebeurd slenterden er rond, evenals straatventers die goedkoop eten en nog goedkopere snuisterijen te koop aanboden. Er tippelden ook al een paar hoeren, van het soort dat bekendstond als 'straatkeien', omdat ze hun klanten alleen naar de donkere stegen konden meenemen. Hier en daar zag hij een groepje Bardekse matrozen, hun bruine gezichten keurig beschilderd, hun donkere haar met olie gladgemaakt voor hun avond uit. Eén keer liepen er zes stadswachten langs, strak in het gelid, hun gevechtsstokken in de aanslag. Sarcyn dook in een portiek en bleef daar tot ze een eind voorbij waren. Toen vervolgde hij haastig zijn weg door het warrige doolhof. Hoewel hij al een tijd niet in Cerrmor was geweest, wist hij goed de weg in de Buik. Hij was er geboren.

Eindelijk bereikte hij zijn bestemming, een stenen rondhuis van drie verdiepingen, met een pas vernieuwd rieten dak en keurig gewitte muren. Gwenca kon zich veroorloven haar bordeel goed te onderhouden, omdat ze een betere klasse klanten had dan gewone zeelui. Bij de deur bleef hij staan, liet zijn aura los en ging toen pas de taverne op de begane grond binnen. Rond een wenteltrap stonden houten tafeltjes op schoon stro. In de haard smeulde een turfvuur om de kilte te verjagen, want de jonge vrouwen die op de met kussens belegde banken zaten, waren ofwel naakt of droegen alleen maar een ragdunne Bardekse hemdjurk. Een meisje met niets aan dan een om haar ronde heupen geknoopte zwartzijden sjaal kwam op hem toegesneld. Haar blauwe ogen waren omrand met Bardekse kohl en haar lange blonde haar geurde naar rozen.

'Wat hebben we je in lang niet gezien, Sarco,' zei ze. 'Heb je iets bij je?'

'Ja, maar je bazin is degene die het uitdeelt. Waar is Gwenca?'

'In de kelder, maar wil je me niet vast een klein beetje geven? Dan mag je in mijn emmertje komen vissen.'

'Ik geef je niets tot je bazin het zegt.'

De kastelein verzette twee biervaten uit de ronding van de muur en trok een luik open om hem een trap te laten afdalen naar iets dat op een gewone kelder leek. Er stond een overvloed aan bier- en medevaten; aan het plafond hingen hammen en netten met uien. Maar achterin was een deur en toen hij klopte vroeg een schorre, snauwerige vrouwenstem wie hij was.

'Sarcyn, terug uit Bardek.'

Bij die woorden ging de deur open, en Gwenca stond glimlachend voor hem. Ze was een gezette vrouw van een jaar of vijftig, met rood geverfd haar en bruine ogen die uit een web van wallen en rimpels keken. Ze droeg aan elke vinger een ring met een edelsteen en om haar hals een ketting met een blauw-met-zilveren amulet tegen het kwaad. Sarcyn glimlachte bij zichzelf; zij kende hem alleen als leverancier van roesmiddelen en had er geen idee van dat hij nu juist een man was die het boze oog op haar kon richten.

'Kom binnen, lieve jongen. Ik neem aan dat je iets voor me hebt.'

'Inderdaad, en van goede kwaliteit.'

Gwenca's privé-kamers waren akelig bedompt. Ofschoon er luchtkokers in het plafond zaten stonk het er naar parfum en verschaalde opiumrook, alsof de wandtapijten en de kussens de stank uitwasemden. Ze ging zitten aan een tafeltje waarop met stukjes glas een spiraal in bonte kleuren rood en blauw was ingelegd en keek toe hoe hij zijn zwaardgordel losgespte, hem vlakbij op een stoel legde en toen zijn hemd over zijn hoofd trok. Om zijn hals hingen, als zadeltassen, twee platte leren buidels. Hij deed ze af en gooide ze voor haar neer.

'Vijfentwintig zilverstukken per staaf. Als je ze open doet zie je waarom.'

Ze trok de buidels met gretige vingers open en haalde de eerste staaf eruit; die was ongeveer acht centimeter lang en vijf breed. Ze wikkelde het geolied perkament eraf en rook aan de gladde zwarte opium.

'Hij ziet er goed uit,' verklaarde ze. 'Maar ik zeg niets voor ik er wat van heb gerookt.'

Op de tafel stond een brandende kaarslantaarn naast een witte stenen pijp en een bosje splinters. Met haar tafeldolk sneed ze een plakje af, legde het in de pijp en stak een splinter aan. Eerst verwarmde ze de pijpekop, toen liet ze de kleverige opium aangloeien. De eerste trek deed haar hoesten, maar ze bleef trekken.

'Het is hele goeie,' zei ze, rook uitblazend en kuchend. 'Wat is de prijs als ik tien staven neem?'

'Een Deverriaanse reaal. Dan bespaar je vijftig zilverstukken.'

Ze legde de pijp met tegenzin neer en liet hem uitgaan.

'Akkoord,' zei ze. 'Een reaal.'

Terwijl Sarcyn de staven uittelde verdween zij in de andere kamer en kwam na een tijdje terug met de zware gouden munten.

'Wil je een van de meisjes nu je hier bent?' Ze overhandigde hem het geld. 'Voor niets, natuurlijk.'

'Nee, dank je. Ik moet nog meer zaken doen.'

'Kom vanavond terug als je wilt. Of houd jij meer van jongetjes?'

'Wat gaat jou dat aan?'

'Niets, ik vind het alleen maar zonde omdat je zo'n knappe knul bent. Kom jongen, waarom doe je niet net als sommige Bardekse kooplieden en eet je van twee walletjes? Die vinden het wat leuk om zowel de worst als het spek te eten.'

Sarcyn keek haar doordringend aan.

'Je gaat te ver, oude vrouw.'

Gwenca deinsde terug. Terwijl Sarcyn zich weer aankleedde, zat ze ineengedoken in een stoel en betastte haar amulet.

Toen hij uit de Buik kwam, liep Sarcyn stroomopwaarts langs de rivier, waarbij hij de hoofdstraten zoveel mogelijk meed. Ofschoon hij om geen aandacht te trekken in een herberg in een andere arme wijk van de stad logeerde, wilde hij ook om een andere reden beslist niet overnachten in de buurt van de Buik. Die riep namelijk te veel pijnlijke herinneringen bij hem op. Zijn moeder was een dure hoer geweest in een soortgelijk bordeel als dat van Gwenca. Uit een gril had ze uit haar vele zwangerschappen twee kinderen ter wereld gebracht, Sarcyn en zijn jongere broer Evy. Ze had hen beurtelings verwend en verwaarloosd tot ze door een dronken zeeman was gewurgd, toen Sarcyn zeven was en Evy drie. De bordeelhoudster zette hen op straat, waar ze maandenlang als bedelaars leefden; ze sliepen onder karren en in kapotte biervaten, schooiden wat kopergeld bij elkaar en vochten met de grotere jongens om te beletten dat die hun eten stalen.

Tot er op zekere dag een goed geklede koopman bleef staan die hun een muntje gaf en vroeg waarom ze bedelden. Toen Sarcyn het hem vertelde, gaf hij hun een heel zilverstuk, en die dag was hun maag voor het eerst sinds maanden weer gevuld. Het sprak vanzelf dat Sarcyn naar die gulle man begon uit te kijken. Telkens wanneer hij Alastyr zag, gaf de koopman hem weer geld, en hij bleef ook altijd even met de jongens praten. En al was Sarcyn een vroeg wijs straatschoffie, toch wist Alastyr langzaam zijn vertrouwen te winnen. Toen de koopman dan ook aanbood de jongens bij zich in huis te nemen, huilden ze van dankbaarheid.

Een tijdlang behandelde Alastyr hen vriendelijk maar afstandelijk. Ze hadden mooie kleren, warme bedden en zoveel eten als ze wilden, maar hun weldoener zagen ze zelden. Wanneer hij er nu aan terugdacht hoe gelukkig hij toen was, voelde Sarcyn alleen maar afschuw voor het onschuldige sufferdje dat hij was geweest. Op zekere avond kwam Alastyr zijn slaapkamer binnen, paaide hem met beloften en liefkozingen om hem vervolgens ijskoud te verkrachten. Hij wist nog hoe hij daarna ineengerold op het bed had gelegen en had gehuild van pijn en schaamte. Hij had wel willen weglopen, maar hij kon nergens heen dan naar de koude vuile straten. Nachten achtereen moest hij zich de wellust van de koopman laten welgevallen, met als enige troost dat Alastyr geen belangstelling had voor zijn jongere broertje. Op de een of andere manier wilde hij Evy die schande besparen.

Maar toen ze naar Bardek verhuisden, richtte Alastyr zijn aandacht ook op het jongere kind, vooral toen Sarcyn in de puberteit kwam en minder interessant werd, in bed althans. In het jaar dat Sarcyns stem brak, begon Alastyr hem te gebruiken voor duistere dweomerkunsten, zoals hem onder toezicht van de meester te dwingen tot scryen of hem zo diep te hypnotiseren dat hij geen idee had wat hij in trance had gedaan. Later deed de meester hetzelfde met Evy, maar nu kregen ze een vergoeding voor zijn misbruik: lessen in de duistere dweomer. Beiden klampten zich gretig aan de dweomer vast. Het was het enige wat ze hadden om de pijn van hun machteloosheid te verzachten.

Zo bracht Sarcyn het voor zichzelf natuurlijk niet onder woorden. Hij vond dat hij de eerste fasen van een zware leertijd had doorstaan om zichzelf de duistere macht waardig te tonen. En zo waren ze beiden nog steeds aan Alastyr gebonden, ook al haatte Sarcyn hem zo hartgrondig dat hij soms droomde dat hij hem vermoordde, in lange, gedetailleerde dromen. Hoe Evy zich voelde wist hij niet – ze spraken nooit meer over zaken als gevoelens – maar Sarcyn vermoedde dat hij ook vond dat het de moeite waard was de meester te dulden om die kennis te verwerven. In elk geval was hij voor een paar dagen van Alastyr verlost nu hij zijn waren moest verkopen. De meester bleef nooit lang in Cerrmor; daar waren te veel mensen die hem konden herkennen.

De terugweg naar de herberg voerde hem over een van de vele pleinen van de stad. Hoewel er die dag geen markt was, had zich een grote menigte verzameld rond een podium dat uit planken en vaten in elkaar was geflanst. Op dat podium stond een lange slanke man met het blondste haar dat Sarcyn ooit had gezien, en grauwgrijze ogen. Hij was bovendien erg knap; zijn regelmatige trekken hadden haast iets meisjesachtigs. Sarcyn bleef staan kijken. De man trok met een zwierig gebaar een zijden sjaal uit zijn hemdsmouw, gooide hem omhoog en liet hem schijnbaar in de lucht verdwijnen. De toeschouwers lachten goedkeurend.

'Gegroet, brave burgers. Ik ben een potsenmaker, een reizende minstreel, een kletsmeier die uitsluitend leugens, grappen en mooie praatjes verkoopt. Ik ben, om kort te gaan, een gerthddyn die u voor een paar plezierige uren meeneemt naar het land van nooit-geweest en nooit-zal-zijn.' Hij liet de sjaal weer verschijnen en opnieuw verdwijnen. 'Ik kom uit Eldidd, en jullie mogen me Salamander noemen, omdat mijn echte naam zo lang is dat jullie hem toch niet kunnen onthouden.'

De omstanders wierpen hem lachend een paar penninkjes toe. Sarcyn dacht erover om gewoon naar zijn herberg terug te gaan omdat dit soort onzin een man als hij, die de ware duisternis van de wereld kende, niets te bieden had. Aan de andere kant was de gerthddyn buitengewoon knap, en hij zou misschien bereid zou zijn om na de voorstelling een kroes bier met hem te gaan drinken. Hij was ook een uitstekend verteller. Toen hij een verhaal over koning Bran en een machtige tovenaar uit de Begintijd vertelde, stonden de omstanders geboeid te luisteren. Hij speelde alle rollen; zijn stem was zangerig voor de schone maagd, snauwend voor de boze tovenaar, brommend voor de machtige koning. Af en toe zong hij een lied als onderdeel van de geschiedenis, waarbij zijn heldere tenor over het plein schalde. Toen hij halverwege ophield en beweerde dat hij doodmoe was, werd hij bedolven onder een regen van munten om zijn tanende krachten weer op peil te brengen.

Ook al vond hij het kinderachtig van zichzelf, toch genoot Sarcyn intens van het verhaal. Hij amuseerde zich om meer dan de voor de hand liggende redenen. Telkens als de toehoorders heerlijk huiverden van angst om de afgrijselijke daden van de boze tovenaar, moest Sarcyn in stilte lachen. Al die lichtzinnige moordpartijen en belachelijke samenzweringen om mensen nodeloos kwaad te berokkenen, hoorden helemaal niet thuis in de duistere dweomer. Het verhaal had nergens iets te maken met de ware kern van de kunst: meesterschap. Eerst leerde een man zichzelf meester te worden tot hij zo koud en zo hard was als een ijzeren staaf en dan gebruikte hij die ijzeren ziel om dat wat hij wilde hebben uit de klauwen van een vijandige wereld te wringen. Zeker, daarbij stierven soms mensen of ze werden kapot gemaakt, maar dat waren de zwakkelingen en die verdienden niet beter. Hun pijn was een bijverschijnsel, niet de hoofdzaak.

Eindelijk kwam de gerthddyn aan het eind van zijn verhaal, en aan zijn schorre stem was te horen dat hij er niet nog een wilde vertellen, hoezeer de omstanders er ook om smeekten. Terwijl de menigte uiteenging, baande Sarcyn zich een weg naar voren en drukte Salamander een zilverstuk in de hand.

'Ik heb nog nooit een verhaal zo mooi horen vertellen. Mag ik je een kroes bier aanbieden? Je hebt iets nodig om je keel te smeren.'

'Dat is waar.' Salamander nam hem even op en glimlachte flauw. 'Maar ik kan uw edelmoedig aanbod helaas niet aannemen. Ik heb hier in de stad een meisje, ziet u, dat nu op me zit te wachten.'

Er lag juist genoeg nadruk op het woord 'meisje' om op beleefde wijze een duidelijke boodschap te laten overkomen.

'Ook goed,' zei Sarcyn. 'Dan ga ik mijns weegs.'

Terwijl hij doorliep, was Sarcyn eerder bezorgd dan teleurgesteld. De gerthddyn had ofwel ongewoon scherpe ogen of hijzelf had meer belangstelling getoond dan hij wilde. Tenslotte kwam hij tot de conclusie dat een man die een zwervend bestaan leidde om zijn kost te verdienen, genoeg had gezien om te weten wanneer hem een voorstel werd gedaan. Toch bleef hij op de hoek van het plein nog even staan om een laatste blik te werpen op de knappe gerthddyn en zag dat deze toen hij wegliep werd gevolgd door een menigte wezens van het Natuurvolk. Sarcyn bleef stokstijf staan. Hoewel Salamander zich niet bewust scheen te zijn van zijn vreemde metgezellen, kon hun belangstelling voor hem heel goed betekenen dat hij de dweomer van het licht had. Je hebt verdraaid veel geluk gehad dat hij voor die kroes bier heeft bedankt, zei hij tegen zichzelf. Toen haastte hij zich naar zijn herberg. Hij zou ervoor zorgen dat de gerthddyn hem niet meer te zien kreeg zolang hij in Cerrmor was.

De volgende morgen brak de bewolking en scheen een krachtige voorjaarszon op de haven. Terwijl hij op het achterdek van zijn Bardekse koopvaarder stond, vroeg Elaeno, de kapitein van het schip, zich af hoe de barbaren bij dit weer wollen broeken konden dragen. Zelf droeg hij een eenvoudige linnen tunica en sandalen, maar toch vond hij de warmte nog drukkend en vochtig. Op het eiland waar hij vandaan kwam, Orystinna, was de zomer droger en beter te verdragen. Onder hem, op het hoofddek, werkte een ploeg Cerrmorse havenarbeiders met ontbloot bovenlijf. Masupo, de koopman die het schip voor deze reis had gehuurd, stond erbij en hield elk vat en elke baal nauwgezet in het oog. Sommige ervan bevatten kostbaar glaswerk, dat speciaal was vervaardigd om aan barbaarse edelen te verkopen.

'Heer?' riep de eerste stuurman naar boven. 'De douanebeambten willen u spreken.'

'Ik kom eraan.'

Op de steiger stonden drie blonde, blauwogige Deverrianen te wachten; ze waren net zo moeilijk van elkaar te onderscheiden als de meeste Cerrmorse barbaren. Toen Elaeno naderde keken ze een ogenblik geschrokken maar trokken hun gezicht gauw in een beleefde plooi. Hij was hieraan gewend, want hij zag die verschrikte gezichten zelfs op de meeste eilanden die de Deverrianen onder de naam Bardek op één hoop gooiden. Hij was, zoals het merendeel van de mannen op het eiland waar hij vandaan kwam, ruim twee meter lang, en zijn huid was diep blauwig-zwart, niet een van die gewone tinten bruin. Orystinnianen waren trots op het feit dat ze heel anders waren dan andere Bardekianen, die hen tot voor een kort geleden gevoerde zeeoorlog als slaven hadden weggevoerd.

'Goedemorgen, kapitein,' zei een van de barbaren. 'Ik ben heer Merryn, hoofd van de douane voor zijne genade gwerbret Ladoic van Cerrmor.'

'Eveneens goedemorgen, heer. Wat wilt u van me?'

'Toestemming om uw schip te doorzoeken nadat het gelost is. Ik begrijp dat het een soort belediging is, maar we hebben een ernstig probleem met een bepaald soort smokkelwaar. Als u wenst, zullen we uw schip daarvan vrijstellen, maar dan mogen noch u noch uw bemanning aan wal gaan.'

'Ik heb er geen bezwaar tegen. Ik neem aan dat u opium en vergiften bedoelt en ik heb niets met die smerige handel te maken.'

'Welnu, dan is het in orde, en ik dank u. Het is tevens mijn plicht u te waarschuwen dat als u slaven aan boord hebt, wij die niet voor u zullen opsporen als ze ontvluchten.'

'Het volk van mijn eiland houdt geen slaven.' Elaeno hoorde hoe bars zijn stem klonk. 'Neem me niet kwalijk, heer. Dat onderwerp lig zeer gevoelig bij ons, maar dat kunt u natuurlijk niet weten.'

'Nee, dat wist ik niet. Mijn verontschuldigingen, kapitein.'

De andere twee beambten keken gegeneerd. Elaeno voelde zich ook niet op zijn gemak. Hij was niets beter dan zij, wist hij; als hij niet oppaste schoor hij ook altijd alle buitenlanders over één kam.

'Ik moet u een compliment maken omdat u onze taal zo goed beheerst,' zei Merryn na een ogenblik.

'Dank u. Ik heb die als kind geleerd, weet u. Mijn familie had een kostganger uit Deverry, een kruidenman die bij onze heelmeesters kwam studeren. En omdat wij een handelshuis zijn, wilde mijn vader dat al zijn kinderen goed Deverriaans spraken; daarom gaf die oude man ons les in ruil voor kost en inwoning.'

'Ah, ik begrijp het. Het lijkt me een goede ruil.'

'Dat was het zeker.' Elaeno dacht eraan dat de ruil nog beter was geweest dan deze mannen ooit konden begrijpen.

Toen de goederen gelost waren, keek één ploeg douanebeambten die na en redetwistten met Masupo over de invoerrechten, terwijl een tweede ploeg beambten het schip tot in de kleinste hoeken doorzocht. Elaeno stond op de kampanje met zijn armen op de reling geleund en keek naar het geflonker van de zon op de zachte deining van de zee. Omdat water zijn meest verwante element was, kon hij Nevyns geest vlot bereiken en hoorde hij de gedachte van de oude man dat die een ogenblik nodig had om zich in te stellen. Even later verscheen het beeld van Nevyns gezicht op de zee.

'Kijk eens aan,' dacht hij tegen Elaeno. 'Je bent dus in Deverry, hè?'

'Ja. In Cerrmor. We zullen hier waarschijnlijk twee weken blijven liggen.'

'Mooi zo. Ik ben nu op weg naar Cerrmor. Ik zal er over een paar dagen wel zijn. Heb je mijn brief nog ontvangen voor je vertrok?'

'Ja. Dat was een naar bericht. Ik heb in verscheidene havens navraag gedaan en ik kan je het een en ander vertellen.'

'Geweldig, maar vertel het me nu nog maar niet. We zouden wel eens afgeluisterd kunnen worden.'

'O ja? Dan zie ik u wel als u hier aankomt. Ik blijf aan boord zolang we in de haven liggen.'

'Heel goed. O zeg, Salamander is in Cerrmor. Hij verblijft in een herberg die de Blauwe Papegaai heet, een toepasselijke naam.'

'De snaterende ekster zou nog beter zijn. Alle goden, het is haast niet te geloven dat die jongen de ware dweomer heeft.'

'Ach, wat had je ook anders verwacht van de zoon van een elfenbard? Maar onze Ebañy heeft ook zijn goede kanten, al is hij ook nog zo'n onbesuisde jongen.'

Nevyns beeld flakkerde weg. Elaeno liep met zijn handen op zijn rug het dek op en neer. Als Nevyn bang was voor spionnen, dan moest de toestand inderdaad ernstig zijn. Hij werd kwaad, zoals altijd bij de gedachte aan de duistere dweomer. Het leek hem heel bevredigend om zijn enorme handen op een goede dag om de hals van zo'n boosaardige meester te kunnen klemmen, maar het was natuurlijk beter om ze met meer verfijnde wapens te bestrijden.

Drie dagen later hing Sarcyn rond voor een taveerne aan de rand van de Buik. Met zijn aura dicht om zich heen getrokken leunde hij tegen het gebouw en wachtte op de koerier. Hij vertelde de verschillende mannen die roesmiddelen en vergiften naar Deverry smokkelden nooit waar hij in Cerrmor verbleef; ze wisten dat ze hem hier konden vinden en hij nam ze mee naar een veilige plaats voor de overdracht. Na een paar minuten zag hij Dryns gezette gestalte de smalle straat inkomen. Sarcyn wilde juist zijn aura loslaten en zich laten zien, toen er zes stadswachten uit een steeg kwamen en de handelaar omsingelden.

'Halt!' blafte er een. 'In naam van de gwerbret!'

'Wat heeft dit te betekenen, brave wacht?' Dryn probeerde een glimlach te voorschijn te brengen.

'Dat hoor je op de wachtpost wel.'

Sarcyn bleef niet langer luisteren. Hij glipte achterlangs om de taveerne weg en liep toen vlug – maar niet zo vlug dat hij ongewenste aandacht zou trekken – door het doolhof van de Buik. Door stegen, langs huizen, de voordeur van Gwenca's bordeel in en de achterdeur weer uit, zocht hij in bochten en kronkels zijn weg tot hij de Buik eindelijk aan de noordkant uitkwam en naar zijn herberg terugkeerde. Hij twijfelde er geen moment aan dat Dryn alles zou vertellen wat hij wist, in een poging zijn eigen huid te redden.

Maar lang voordat de stadswachten Sarcyns naam en persoonsbeschrijving uit de handelaar hadden geslagen, reed Sarcyn de stadspoort uit en was in noordelijke richting op weg naar een veilig onderkomen.

Gwerbret Ladoic hield in zijn rechtszaal een volledige malover. Hij zat aan een glanzende ebbehouten tafel onder de scheepsvlag van zijn rhan, en het ceremoniële gouden zwaard lag voor hem. Aan weerszijden van hem zat een priester van Bel. De getuigen stonden rechts van hem, heer Merryn, drie stadswachten, Nevyn en Elaeno. Voor hem knielden de beklaagden, de specerijenhandelaar Dryn en Edycl, kapitein van de koopvaarder *Ster van Licht*. De gwerbret leunde achterover in zijn stoel en wreef langs zijn kin, terwijl hij nadacht over de getuigenverklaringen die hem waren voorgelegd. Ladoic, dertig jaar oud, was een indrukwekkende man, lang en gespierd, met staalgrijze ogen en de hoge jukbeenderen van een zuiderling.

'Het bewijs is alleszins duidelijk,' zei hij. 'Dryn, jij hebt de kruidenman benaderd en hem verboden waar te koop aangeboden. Gelukkig is Nevyn een fatsoenlijk man; hij heeft Elaeno geraadpleegd, die onmiddellijk het hoofd van de douane heeft verwittigd.'

'Ik heb die verwenste ouwe vent niet benaderd, uwe genade,' grauwde Dryn. 'Hij heeft laten doorschemeren dat hij iets wilde kopen.'

'Een aannemelijk verhaaltje, en dat moeten wij zeker geloven. Je kunt toch onmogelijk ontkennen dat de stadswachten vier verschillende soorten vergif op je hebben gevonden toen je gearresteerd werd?'

Dryn zakte in elkaar en staarde mismoedig naar de vloer.

'En wat jou betreft, Edycl.' De gwerbret richtte een koele blik op hem. 'Je kunt wel beweren dat Dryn die giftige kruiden zonder je medeweten op je schip heeft vervoerd, maar hoe verklaar je dan dat de douane een kist opium heeft gevonden in een bergplaats tussen de wanden van je eigen hut?'

Edycl beefde van top tot teen en het zweet brak hem uit.

'Ik beken schuld, uwe genade. U hoeft me niet te laten folteren, uwe genade. Ik deed het voor het geld. Hij bood me zo vervloekt veel geld, en het schip moet worden hersteld, en ik...'

'Zo is het wel genoeg.' Ladoic wendde zich tot de priester. 'Uwe heiligheid?'

De bejaarde priester stond, schraapte zijn keel en staarde in de ruimte terwijl hij wetsteksten aanhaalde.

'Vergiften zijn de goden een gruwel. Waarom? Omdat ze alleen gebruikt kunnen worden voor moord, nooit als zelfverdediging, en daarom zal geen man ze nodig hebben, tenzij hij moord in de zin heeft. Laat derhalve niet een van deze kwalijke stoffen in onze landen worden gevonden. Uit de *Edicten van Koning Cynan*, 1048.' Hij schraapte opnieuw zijn keel. 'Wat is de passende straf voor hem die vergif smokkelt? Geen passender straf dan hem wat van zijn eigen kwalijke koopwaar te laten innemen. De uitspraak van Mabyn, hogepriester in Dun Deverry.'

Toen de priester weer ging zitten, begon Dryn te huilen; de tranen dropen geluidloos over zijn wangen. Nevyn had met hem te doen; hij was geen slecht mens, alleen inhalig en omgekocht door echte schurken. Hij had nu echter niets meer in de kwestie te zeggen. Ladoic nam het gouden zwaard op en hield het met de punt omhoog.

'De wetten hebben gesproken, Dryn; als daad van barmhartigheid wordt je toegestaan het minst pijnlijke vergif uit je voorraad te kiezen. Wat jou betreft, Edycl, men deelt mij mee dat je vier kleine kinderen hebt en dat het dan ook de armoede is geweest die je tot deze handel heeft gebracht. Jij zult in het openbaar twintig zweepslagen toegediend krijgen.'

Dryn hief zijn hoofd op en klapte toen in elkaar, hard snikkend en heen en weer rollend, alsof hij het vergif al voelde knagen. Een van de wachten kwam naar voren, gaf hem een klap waardoor hij opeens stil werd en sleurde hem overeind. Ladoic stond op en klopte met het zwaardgevest op tafel.

'De gwerbret heeft gesproken. De malover is geëindigd.'

Hoewel de wachten Dryn wegsleepten, lieten ze Edycl aan de voeten van de gwerbret liggen. De zaal liep snel leeg, tot alleen Nevyn en Elaeno achterbleven met de edelman en de gevangene. Ladoic keek op Edycl neer alsof hij een stuk straatvuil bezag.

'Twaalf zweepslagen kunnen iemand doden,' merkte hij kalm op. 'Maar als je deze heren vertelt wat ze willen horen, zal ik je straf tot tien verminderen.'

'Dank u, uwe genade, o goden, dank u wel. Ik zal ze alles vertellen wat ik weet.'

'Je hebt vorig jaar op Orystinna overwinterd,' zei Elaeno. 'Na een late overtocht te hebben gemaakt. Waarom?'

'O ja, dat was een vervloekt raar geval.' Edycl dacht met gefronst voorhoofd na. 'Ik was inderdaad laat, en ik dacht erover de *Ster van Licht* in het dok te doen, toen er een man uit Bardek bij me kwam die zei dat een vriend van hem, een steenrijke man, nog voor de winter in Myleton moest zijn. Hij bood me een verdraaide hoop geld om hen over te zetten, genoeg om een flinke winst te maken, zelfs met de kosten van het overwinteren in Bardek, dus ik nam ze mee. Ik heb in Orystinna overwinterd omdat het daar goedkoper is dan in Myleton.'

'Juist ja. Hoe zagen die mannen eruit?'

'Nou, degene die me had ingehuurd was een echte Myletoner, nogal bleek en aan zijn gezichtsbeschildering was te zien dat hij een lid was van het Huis Onodana. De andere was een Deverriaan. Hij noemde zich Procyr, maar ik denk niet dat dat zijn ware naam was. Hij had iets over zich waar ik de rillingen van kreeg, maar ik mag een boon zijn als ik weet waarom, want hij praatte keurig en bezorgde niemand last. Hij kwam haast niet uit zijn hut, want we hadden zwaar weer en ik wil wedden dat hij de hele overtocht zo ziek was als een hond.'

'Hoe zag die Procyr eruit?' onderbrak Nevyn hem.

'Tja, goede heer, dat weet ik eigenlijk niet. Het is om die tijd van het jaar koud op zee, en de enkele keren dat hij aan dek kwam, had hij zich warm ingepakt in een mantel met een kap. Maar hij was een jaar of vijftig, zou ik zeggen, klein en stevig, met grijs haar, een smalle mond en blauwe ogen. En zijn stem herinner ik me vervloekt goed. Die was zalvend en te zwak voor een mannenstem. Ik kreeg er kippevel van.'

'Dat zal best,' mompelde Nevyn. 'Welaan, uwe genade, Elaeno en ik zijn er vrijwel zeker van dat de man die Edycl zojuist heeft beschreven een groot aandeel heeft in de handel in roesmiddelen.'

'Dan zal ik naar hem laten uitkijken,' zei Ladoic. 'Of misschien, vanwege zijn stem, naar hem laten luisteren.'

De zogenaamde Procyr was vanzelfsprekend waarschijnlijk meer dan zomaar een reiziger in roesmiddelen. Nevyn was er vrijwel zeker van dat het de duistere dweomerman was geweest die de vorige zomer Loddlaens oorlog was begonnen en die vastbesloten leek Rhodry te doden. Terwijl hij erover nadacht vroeg hij zich misschien wel voor de duizendste keer af waarom.

Salamander, ofwel Ebañy Salomonderiel tranDevaberiel, om hem bij zijn volledige elfennaam te noemen, verbleef in een van de duurste herbergen in Cerrmor. Hij had er een ruime ontvangkamer, met Bardekse tapijten op de glanzend geboende vloeren, halfronde stoelen met kussens erin en glas in de ramen. Toen zijn bezoekers kwamen, schonk hij mede uit een zilveren kan in glazen roemers. Zowel Elaeno als Nevyn keek wrevelig om zich heen.

'Ik vermoed dat je voordrachten je tegenwoordig aardig wat opleveren,' zei Nevyn.

'Inderdaad. Ik weet dat je mijn nederig persoontje altijd berispt vanwege de, dat geef ik toe, platte, grove, buitenissige en lichtzinnige dingen die ik leuk vind, maar ik zie daar geen kwaad in.'

'Dat steekt er ook niet in. Er steekt alleen ook niets goeds in. Maar goed, dat zijn mijn zaken niet. Ik ben je meester niet.'

'Precies, hoewel ik eerlijk gezegd meer vereerd zou zijn dan ik verdiende als ik je leerling had mogen zijn.'

'Dat is waar,' onderbrak Elaeno hem. 'Dat het meer eer zou zijn geweest dan je verdiende.'

Salamander grinnikte alleen maar. Hij vond het leuk om met deze reusachtige Bardekiaan te steggelen, al betwijfelde hij of Elaeno het net zo leuk vond als hij.

'Ik weet dat mijn talenten bescheiden zijn' zei Salamander. 'Kijk, als ik de vermogens had van de Meester van de Ether, zou ik net zo toegewijd zijn als hij. Helaas hebben de goden mij maar een klein teugje van de dweomer laten proeven voor ze de honingzoete beker van mijn lippen wegrukten.'

'Dat is niet helemaal waar,' zei Nevyn. 'Valandario heeft me verteld dat je best weer vorderingen zou kunnen maken – als je je er maar voor inzette.'

Salamander trok een gezicht. Hij wist niet dat zijn meesteres in de kunst de oude man zoveel had verteld.

'Maar daar gaat het nu niet om,' vervolgde Nevyn. 'Wat ik wil weten is waarom je in Deverry bent.'

'De echte vraag is: waarom zou ik niet in Deverry zijn? Ik ben graag bij het volk van mijn moeder. Er is altijd wat te zien langs jullie wegen, en ik ben ook een eind uit de buurt van mijn vereerde vader, die me altijd en in klare taal kapittelt voor de een of andere misstap, zowel echt als denkbeeldig.'

'Voornamelijk het eerste, dunkt me,' mompelde Elaeno.

'O, ongetwijfeld. Maar als ik jou of de Meester van de Ether ergens mee van dienst kan zijn, hoeven jullie het maar te vragen.'

'Mooi zo,' zei Nevyn. 'Want dat kun je. Je zwervende levenswijze zou voor één keer wel eens goed van pas kunnen komen. Ik heb alle reden te geloven dat er diverse duistere dweomerlieden over het koninkrijk verspreid zijn. Denk erom, probeer je niet in hun zaken te mengen. Daarvoor zijn ze veel te machtig. Maar ze voorzien daarnaast in hun onderhoud door het smokkelen van bedwelmende middelen en vergiften. Ik wil weten waar die spullen verkocht worden. Als we die smerige handel een halt kunnen toeroepen, zal dat onze vijanden behoorlijk schaden. Ze moeten per slot van rekening eten, net als ieder ander mens – nou ja, in elk geval min of meer als andere mensen. Ik wil dat je voortdurend nauwlettend uitkijkt naar tekenen van die onzalige handel. Een gerthddyn is overal welkom. Je zou best eens iets belangwekkend kunnen horen.'

'Best mogelijk. Ik zal mijn lange elfenneus hier met genoegen voor je insteken.'

'Maar niet zo ver dat hij afgesneden wordt,' zei Elaeno. 'Vergeet niet dat deze mannen gevaarlijk zijn.'

'Dat is dan afgesproken. Ik zal een en al voorzichtigheid, sluwheid, valstrik en bedrog zijn.'

Ongeveer tien mijl ten oosten van Dun Deverry woonde een vrouw genaamd Anghariad, die na jaren trouwe dienst aan het hof van de koning als pensioen een stukje grond had gekregen. Geen van haar buren wist wat ze precies aan het hof had gedaan, omdat ze nogal zwijgzaam was, maar men vermoedde over het algemeen dat ze er vroedvrouw of kruidenvrouw was geweest, want ze wist veel van kruiden. De dorpelingen gaven haar liever kippen en produkten van hun land in ruil voor een behandeling dan dat ze de lange tocht naar een artsenijmenger in de stad maakten. Maar wanneer ze bij haar kwamen, kruisten ze toch altijd hun vingers in het teken tegen hekserij, omdat die oude vrouw met haar glinsterende donkere ogen en ingezonken wangen iets vreemds had.

De edelen waren de vrouw die hen eens had gediend blijkbaar ook niet vergeten. Men zag vaak een stel mooie paarden met fraaie staatsietuigen bij het huisje vastgebonden staan, of zelfs een edelvrouw die in eigen persoon in de kruidentuin in druk gesprek was met Anghariad. De dorpelingen vroegen zich af wat de edelen dat oude mens in vredesnaam te zeggen konden hebben. Als ze het hadden geweten, zouden ze ontzet zijn geweest. De boeren, voor wie elk kind een kostbaar paar handen betekende om het veld te bewerken, vonden het idee van vruchtafdrijving weerzinwekkend.

Anghariad had trouwens behalve haar vruchtafdrijvende middelen nog andere vreemde zaken te koop voor de juiste klanten. Die middag was ze buitengewoon ontevreden over de kleine hoeveelheid koopwaar die Sarcyn haar te bieden had.

'Ik kan het niet helpen,' zei hij. 'Een van onze koeriers is met al zijn waren in Cerrmor opgepakt. Je mag van geluk spreken dat ik nog opium voor je hèb.'

De oude vrouw nam de zwarte klomp op, schraapte er met haar nagel langs en bekeek nauwlettend de manier waarop het spul verkruimelde.

'Ik heb het liever beter gezuiverd,' snauwde ze. 'De adel is kieskeuriger dan de een of andere halfbezopen Bardekse bootwerker.'

'Ik heb al gezegd, je mag van geluk spreken dàt je iets krijgt. Maar goed, als jij me een gunst bewijst, krijg je het voor niets.'

Opeens was ze een en al glimlach en gespannen aandacht.

'Ik weet wie sommige van je vaste klanten zijn.' Sarcyn boog zich dichter naar haar toe. 'Een van hen interesseert me in het bijzonder. Ik wil hem ontmoeten. Stuur heer Camdel bericht van de levering en laat hem weten dat hij alleen moet komen.'

'O goden,' mopperde Rhodry. 'Nou vinden we eindelijk een herberg met fatsoenlijke mede en nu vertel jij me dat we die niet kunnen betalen.'

'Tja,' zei Jill, 'als jij verdraaid nog toe niet te trots was om een handelskaravaan te begeleiden...'

'Het is niet alleen trots! Het gaat om de eer.'

Jill sloeg haar ogen ten hemel om de goden als getuigen van zoveel koppigheid aan te roepen, toen liet ze de kwestie rusten. In feite hadden ze een behoorlijk bedrag over van hun wintergeld, maar ze was niet van plan om hem dat te vertellen. Hij was net als haar vader, alles opdrinken of aan bedelaars geven zonder eraan te denken wat hun langs de lange weg nog zou kunnen overkomen. En net zoals ze vroeger bij Cullyn had gedaan, liet ze Rhodry nu in de waan dat ze zelf bijna bedelaars waren.

'Als je nu geld uitgeeft aan mede,' zei ze, 'hoe zul je je dan voelen als we hongerig langs de weg trekken, zonder zelfs maar een penninkje om een stukje brood te kopen? Ik denk dat de herinnering aan die mede dan behoorlijk bitter zal smaken.'

'Nou, mij best. Dan neem ik wel bier.'

Ze gaf hem vier koperen munten en hij ging het bier halen. Ze zaten in de gelagkamer van de goedkoopste herberg van Dun Aedyn, een welvarende handelsstad midden in het rijkste boerenland van het hele koninkrijk. Toen ze Cerrmor hadden verlaten, waren ze hierheen gekomen vanwege de geruchten dat er een vete zou broeien tussen de stadhouder en een van zijn buren, maar die was helaas al voor hun komst door de plaatselijke gwerbret beslecht. Dun Aedyn was zo belangrijk voor het rhan dat de opperheer niet van plan was werkeloos toe te zien terwijl hij door een oorlog werd verwoest. Rhodry kwam met twee kroezen bier terug en zette ze op tafel, toen ging hij weer naast haar op de bank zitten.

'Weet je,' zei hij, 'we zouden naar het oosten kunnen rijden, naar Yr Auddglyn. Daar wordt van de zomer vast en zeker gevochten.'

'Dat is waar en het is heel wat dichterbij dan Cerrgonney. Zullen we recht door de heuvels in het grensgebied rijden?'

Aangezien de weg door de heuvels korter was dan die in het zuiden langs de kust, wilde Jill al toestemmen, toen ze plotseling het gevoel had alsof een onzichtbare hand zich op haar mond legde om haar tot zwijgen te dwingen. Zo wist ze blindelings en zonder aanwijsbare reden dat ze eerst naar Dun Manannan en dan pas naar Auddglyn moesten gaan. Weer die vervloekte dweomer! dacht ze. Even stribbelde ze tegen, vond dat ze gewoon door de heuvels moesten trekken als ze dat wilden, maar ze wist met een niet te verdrijven zekerheid dat hun in Dun Manannan iets belangrijks wachtte.

'Heb je gehoord wat ik zei?' vroeg Rhodry ongeduldig.

'Ja. Neem me niet kwalijk. Luister eens, mijn schat, ik wil de kustweg nemen. Ik weet dat die langer is, maar... nou ja... er is iets dat ik Otho de smid wil vragen.'

'Goed dan. Maar hebben we genoeg geld om die langere weg te nemen?'

'Dat zouden we hebben als jij die karavaan wilde begeleiden. Die gaat langs de kust.' Ze legde haar handen op zijn schouders en keek hem glimlachend in de ogen. 'Toe, mijn schat?'

'Ach, verhip, ik wil niet...'

Ze smoorde zijn gemopper in een kus.

'Nou, mij best,' zei hij met een zucht. 'Dan ga ik maar meteen even naar die koopman.'

Toen hij weg was, dronk ze haar bier, verwonderd over de vreemde gedachte die zomaar uit zichzelf bij haar opgekomen was. Ze vroeg zich af waarom ze eraan had toegegeven, maar het antwoord was eenvoudig: doodgewone nieuwsgierigheid. Als ze niet naar Dun Manannan zouden zijn gegaan, zou ze zich altijd blijven afvragen wat daar zou zijn geweest.

Omdat de Eerste Koning woedend geweest zou zijn als hij had geweten dat zijn adellijke vazallen zich inlieten met Bardekse opium, gebruikten de weinigen die zich deze gevaarlijke gewoonte hadden aangewend, dat nooit in zijn dun. Beneden in de stad Dun Deverry was een weelderige herberg, waar de bovenste verdieping gereserveerd was voor de adellijke klanten die om privé-redenen een kamer nodig hadden. Menig knap meisje uit de stad had in die herberg haar maagdelijkheid verloren, en menige pijp opium had er de lucht bezoedeld. Voor zijn tweede ontmoeting met heer Camdel, Meester van het Koninklijke Badvertrek, had Sarcyn daar een kamer gehuurd.

Nu leunde de jonge edelman half zittend, half liggend in een stapel kussens op een divan van Bardeks model en draaide een lege stenen pijp tussen zijn lange vingers. Camdel, die een jaar of twintig was, had een tenger postuur, een dikke bos bruin haar, diepliggende bruine ogen en een innemende glimlach. Hoewel Sarcyn hem erg aantrekkelijk vond, had hij uit Anghariads verhalen begrepen dat de edelman de voorkeur gaf aan meisjes. Maar als alles goed ging, zou Camdel binnenkort niet meer in staat zijn Sarcyn wat dan ook te weigeren.

'U edele lijkt me precies het soort eerzuchtige jongeman waar we naar op zoek zijn,' zei Sarcyn. 'Als u zich bij ons aansluit, zou dat zeer voordelig voor u kunnen zijn.'

Camdel keek met een knikje op, met zijn verwijde pupillen half bedekt door zware oogleden. Hij had een hoge dunk van zichzelf, deze uiterst elegante hoveling, en was dus een vis die makkelijk in het aas van de vleierij hapte.

'Ik zou best van Anghariad af willen zijn,' zei Camdel. 'Dat spul is verduiveld duur.'

'Precies, en als u het zelf ging verhandelen, zou u een veel betere prijs van ons krijgen. Ik weet zeker dat ik op uw discretie kan vertrouwen, heer.'

'Natuurlijk. Mijn eigen nek zit immers in die strop, nietwaar?'

Sarcyn glimlachte. Die beeldspraak was wel zeer toepasselijk.

'Maar voor ik met iets akkoord ga,' vervolgde Camdel, 'wil ik met iemand spreken die meer is dan een gewone koerier.'

'Natuurlijk, heer. Ik ben alleen gestuurd om te peilen of u edele interesse had. Ik verzeker u dat de man die ons opdrachten geeft, persoonlijk met u zal spreken. Hij kan volgende week in Dun Deverry aankomen.'

'Mooi. Je mag tegen hem zeggen dat hij hier een ontmoeting mag regelen.'

Sarcyn boog zijn hoofd in een gebaar van nederigheid. Hij had zich afgevraagd hoe hij de edelman in contact kon brengen met Alastyr, maar Camdels verwaandheid had het hem erg makkelijk gemaakt.

Het kostte de langzaam vorderende karavaan vier dagen om Dun Manannan te bereiken, maar eindelijk was de lange stoet mannen en muildieren toch verzameld op de open plek midden in de stad die dienst deed als markt. Nadat Rhodry zijn soldij had ontvangen leidden hij en Jill hun paarden naar het goedkope herbergje aan de rivier waar ze afgelopen herfst ook hadden verbleven, maar dat bleek te zijn uitgebrand. Een paar zwart geblakerde wilgetenen staken triest omhoog waar eens het rieten dak was geweest en de helft van de houten muur was ook verdwenen. Een passerende poorteres vertelde dat een paar kerels uit de buurt er aan het vechten waren geraakt, waarbij een kaarslantaarn in het stro op de vloer was gevallen.

'Wat vervelend,' zei Jill. 'Nu moeten we langs de weg kamperen.'

'Wat?' brieste Rhodry. 'Aan de andere kant van de stad is een heel goede herberg.'

'Die is te duur.'

'Kan me niet schelen, mijn vrekkige geliefde. Na het kamperen tussen die stinkende muildieren wil ik een bad en dat zal ik hebben ook.' Na even te hebben gekibbeld, gaf ze toe en volgde ze hem naar de andere herberg. De waard bleek niet bepaald in zijn schik een zilverdolk onderdak te moeten verlenen, maar Jill kon hem zowel ompraten als geld besparen door voor te stellen dat ze tegen een verlaagde prijs buiten in de hooiberg zouden slapen. En zelfs zij moest toegeven dat het, duur of niet, fijn was om een echt bad te nemen in plaats van alleen maar in een koude beek te zwemmen. De gelagkamer was ook gezellig en rook, in tegenstelling tot de gelagkamers die zij gewend was, niet naar beschimmeld stro en ongewassen honden. Ze hadden een tafel voor zichzelf omdat binnenkomende klanten na één blik op Rhodry en een tweede op het gevest van zijn zilveren dolk, ergens anders gingen zitten; een dubbele belediging wanneer je bedacht dat het zelf smokkelaars waren.

Na een paar minuten echter kwam er iemand binnen die kennelijk een reiziger was, te oordelen naar de achterdochtige blikken waarmee de plaatselijke bewoners hem bekeken. Hij was gekleed in een mooie groene mantel, een grijze brigga van de zachtste wol en een hemd dat stijf stond van het borduurwerk, en hij gaf het knechtje van de herbergier een zilverstuk om zijn spullen naar binnen te brengen, in plaats van het koperstukje dat voldoende zou zijn geweest. Bovendien stond hij erop dat de herbergier hem zijn beste kamer liet zien. Terwijl hij achter de waard de wenteltrap opging, nam Jill hem nieuwsgierig op. Hij was lang en slank en had het lichtblonde haar en het fijnbesneden gezicht van iemand die meer dan een druppeltje elfenbloed in zijn aderen had. Bovendien kwam hij haar eigenaardig bekend voor, ofschoon ze niet wist waar ze hem eerder had gezien. Het herbergiersknechtje had haar belangstelling gezien en kwam op haar af.

'Die man heet Salamander,' zei hij. 'En hij is een gerthddyn.'

'O ja? Nou, dan kunnen we straks fijn naar zijn verhalen luisteren.' Jill veronderstelde dat ze hem ergens op hun tochten had zien optreden. Maar toen hij later beneden kwam, bleef hij staan en keek met een peinzend gefronst voorhoofd naar Rhodry, alsof hij dacht dat hij die zilverdolk ergens van kende. En bij het zien van het tweetal in profiel drong het opeens tot Jill door: de gerthddyn leek genoeg op haar man om zijn broer te kunnen zijn. Op dat ogenblik herinnerde ze zich de vreemde opwelling die haar naar Dun Manannan had gedreven, en ze huiverde.

'Hier, beste man,' riep ze uit. 'Kom bij ons zitten als je wilt. Een ghertddyn heeft altijd wel een kroes bier verdiend.'

'Dank u, schone vrouwe.' Salamander maakte een buiging voor haar. 'Maar laat mij jullie een rondje aanbieden.'

Toen het bier was gehaald en betaald, zette Salamander zich genoeglijk aan hun tafel. Rhodry en hij keken elkaar even aan, allebei bevreemd. Ze keken tenslotte maar één keer per dag in een spiegel, bij het scheren, en bronzen spiegels toonden een man nooit een goed beeld van zichzelf.

'Zeg eens,' zei Rhodry. 'Hebben wij elkaar soms eerder ontmoet?'

'Dat vroeg ik mezelf ook juist af, zilverdolk.'

'Ben je ooit in Aberwyn geweest?'

'O, vaak. Kom jij daar vandaan?'

'Ja, dus misschien heb ik je er op het marktplein zien optreden. Mijn naam is Rhodry en dit is Gilyan.'

Salamander lachte en bracht hem een saluut met zijn kroes.

'Nou, aangenaam dan. Ik ben een goede vriend van Nevyn, de oude kruidenman.'

'Is het heus?' riep Jill uit. 'Heb je hem de laatste tijd nog gezien?'

'Zes dagen geleden nog, in Cerrmor. Hij zag er even gezond uit als altijd. Volgens mij is hij de beste aanbeveling voor zijn kruiden die maar denkbaar is. Als ik hem weer zie, en dat zal binnenkort wel, zal ik tegen hem zeggen dat jullie het allebei goed maken.'

'Bedankt,' zei Rhodry. 'Heb je ook iets gehoord over oorlogen in dit deel van het koninkrijk? Een gerthddyn hoort altijd wat er te doen is.'

Terwijl Rhodry en Salamander het plaatselijke nieuws bespraken, luisterde Jill maar half. Salamander wist blijkbaar niet dat Nevyn dweomer was, wat het onwaarschijnlijk maakte dat Salamander de gave zelf had, maar toch dromden er allerlei wezens van het Natuurvolk om hem heen. Ze zaten op de tafel, klommen op zijn schoot, stonden op zijn schouders en streelden teder over zijn haar. Af en toe bewogen zijn ogen alsof hij ze kon zien. Natuurlijk konden alle elfen het Natuurvolk zien, en hij was minstens een halve elf, daar was ze zeker van. Rhodry kon hen echter niet zien. Ze vond het raadselachtig, want terwijl ze het tweetal aandachtig opnam, vielen haar allerlei kleine gelijkenissen op: de welving van hun mond, de manier waarop hun oogleden bij de hoeken enigszins neerhingen, en bovenal de vorm van hun oren, die wat puntiger waren dan voor mensen gewoon was. Ze herinnerde zich haar op waarheid berustende droom over Devaberiel, en inderdaad, ze leken op allebei op hem. Haar nieuwsgierigheid kriebelde niet meer maar begon te knagen.

Een tijdje later, toen Rhodry meer bier was gaan halen, knaagde haar nieuwsgierigheid hard genoeg om eraan toe te geven.

'Weet je,' zei ze, 'ik heb eens een hele tijd aan de westgrens van Eldidd doorgebracht.'

'Dat heeft Nevyn me verteld.'

'Is je vaders naam soms Devaberiel?'

'Klopt. Dat je dat weet!'

'O, ik raadde het maar.' Ze verzon een passend leugentje. 'Een man die Jennantar heet heeft eens terloops gezegd dat iemand die hij kende een zoon had die gerthddyn was, en het leek me niet waarschijnlijk dat er twee zouden zijn die halve elfen waren.'

'Alle goden, wat heb jij scherpe ogen! Tja, ik moet toegeven, nu je mijn afkomst zo precies hebt uitgevist, dat ik inderdaad de zoon van die verheven bard ben, ook al schijn ik hem af en toe behoorlijk de keel uit te hangen. Jennantar ken ik trouwens ook goed. Ik hoop dat het hem goed gaat. Ik ben... eens zien, in twee jaar niet meer in elfenland geweest.'

'De laatste keer dat ik hem heb gezien maakte hij het uitstekend.'

Dus, dacht ze, weet hij vast niet dat Rhodry zijn broer is. De wetenschap dat ze hem dat nooit mocht vertellen deed haar verdriet, maar ze hield haar mond. Het was heus het beste dat Rhodry zichzelf voor een Maelwaedd hield, zowel voor hemzelf als voor Eldidd. Later die avond, toen ze in de hooiberg gingen slapen, liep Salamander even mee naar buiten, voor een gesprekje onder vier ogen, zoals hij het noemde. Toen ze hoorde wat hij wilde weten, was Jill blij dat hij zo verstandig was geweest om daar in de gelagkamer niet over te beginnen.

'Opiumsmokkelaars?' vroeg ze. 'Bliksems, vertel me niet dat jij zo stom bent om dat spul te gebruiken.'

'Van mijn levensdagen niet,' zei Salamander. 'Nevyn heeft mijn hulp ingeroepen om hen op te sporen, en Dun Manannan leek me een goeie plaats om mee te beginnen.'

'O nee, die kerels hier zouden dat soort lading nooit meenemen. De smokkelbazen hebben een soort erecode, zie je.'

'Dan kan ik het dus wel vergeten. Ik bof dat ik jullie heb ontmoet, want eerlijk waar, al ben ik goed van de tongriem gesneden, het viel niet mee om de juiste vragen te bedenken.'

'Bij de verkeerde vragen zouden ze je de keel hebben doorgesneden.'

'Die gedachte was bij mij ook al opgekomen. Zeg, Jill, ik heb van Nevyn begrepen dat jij door het hele koninkrijk hebt rondgetrokken en op de vreemdste plaatsen bent geweest. Heb jij enig idee wie het smerige aftreksel van zonderlinge papavers kopen?'

'Voornamelijk bordeelhouders. Die gebruiken het om hun meisjes gedwee te houden.'

Salamander floot binnensmonds. Rhodry luisterde alsof hij zijn oren niet kon geloven.

'Dat heb ik nooit geweten,' zei Rhodry. 'Hoe weet jij dat?'

'Van va, natuurlijk. Die heeft me altijd gewaarschuwd voor de listen die mannen gebruiken om meisjes in een bordeel te lokken, zodat ik daar niet zou intrappen. Het komt het meest voor in Cerrmor, zei hij, maar het gebeurt overal.'

'O, bij de zwarte kont van de heer der hel!' zei Salamander. 'Dan hebben we er de hele tijd met onze neus bovenop gezeten! Als ik Nevyn weer zie, moet ik hem vertellen dat zilverdolken heel wat lerenswaardige dingen weten.'

Nevyns gezicht, dat boven het vuur zweefde, keek zo verschrikt of iemand zojuist een emmer koud water over hem had uitgegoten.

'Dat zou ik nog in geen duizend jaar hebben vermoed,' kwam de gedachte van de oude man op een golf van verbijstering. 'Wat een smerig en goddeloos gedoe! Wel, ik ben bijna in Eldidd. Ik denk dat ik dan eens een lang gesprek met onze Cullyn zal hebben.'

'Dat lijkt me heel verstandig,' dacht Salamander terug. 'En ik zal naar Cerrmor terugkeren als je wilt.'

'Uitstekend, maar zeg of doe niets voor ik het sein daartoe geef. Er zijn zowel boeven als duistere dweomer bij deze handel betrokken, en we zullen heel voorzichtig te werk moeten gaan en uitgekiende valstrikken moeten zetten.'

'Zeker. Sommige bordelen zijn namelijk in het geheim eigendom van zeer invloedrijke mannen.'

Nevyns gedachte kwam als het gegrom van een wolf.

'Daar twijfel ik niet aan! Goed, we zullen zien wat we kunnen doen. Bedankt, jongen. Dit was heel interessant nieuws.'

Nadat ze het contact hadden verbroken, doofde Salamander met een handbeweging het vuur in het houtskoolkomfoor. Door het raam van zijn kamer in de herberg druilde het eerste grauwe morgenlicht. Toen hij naar buiten keek zag hij Jill en Rhodry hun paarden zadelen. Hij trok vlug zijn laarzen aan en ging naar beneden om afscheid te nemen. Hoewel hij niet wist waarom, had hij nooit iemand gekend die hij al bij de eerste ontmoeting zo graag had gemogen als Rhodry.

'Ik neem aan dat jullie bij het krieken van de dag vertrekken,' zei Salamander.

'Ja,' zei Rhodry. 'Het is van hieruit een lange rit naar Yr Auddglyn.'

'Zeg dat wel. Het spijt me dat onze wegen zich alweer zo gauw scheiden. Nou ja, misschien dat we elkaar onderweg nog eens tegenkomen.'

'Ik hoop het.' Rhodry stak zijn hand uit. 'Vaarwel, gerthddyn. Misschien dat de goden ons nog eens bij een kroes bier bijeenbrengen.'

Terwijl ze elkaar de hand schudden, voelde Salamander een dweomer-rilling langs zijn rug glijden. Ze zouden elkaar weer ontmoeten, dat wist hij, maar niet op de manier die ze hoopten. De dweomer-kou was zo doordringend dat hij schokkend huiverde.

'Nee maar,' zei Jill. 'Heb je kou gevat?'

'Een beetje. O goden, wat heb ik een hekel aan vroeg opstaan.'

Ze lachten alle drie en namen opgewekt afscheid, maar Salamander moest die hele dag op zijn tocht naar Cerrmor aan de dweomer-kou denken.


In een prachtig ingerichte kamer van de herberg in Dun Deverry zaten Alastyr en Camdel aan een tafeltje te onderhandelen over de prijs van twintig staven opium. Sarcyn leunde tegen de vensterbank en sloeg de zinloze schertsvertoning gade. Hoewel het geld weinig voor Alastyr betekende, moest hij doen alsof dat wel zo was om Camdel in de waan te laten dat hij niets meer was dan een smokkelaar van verboden waar. Eindelijk was de koop gesloten, de geldstukken overhandigd. Het ogenblik voor het ware doel van deze bijeenkomst was aangebroken. Sarcyn opende zijn tweede gezicht om toe te kijken.

'Edele heer,' zei Alastyr, 'u moet begrijpen dat het voor mij gevaarlijk is om naar Dun Deverry te komen. Nu we kennis hebben gemaakt, zou ik liever hebben dat u in het vervolg met Sarcyn onderhandelde.'

Camdel keek met een verachtelijke grijns op, maar Alastyr zond een lichtstraal uit zijn aura, wierp die rond de aura van de edelman en liet het ei van licht als een tol ronddraaien. Camdel wankelde als een dronken man.

'Sarcyn is erg belangrijk,' fluisterde Alastyr. 'U kunt hem evenzo vertrouwen als u mij vertrouwt. U zult hem vertrouwen. U zult hem vertrouwen.'

'Dat zal ik doen,' zei Camdel. 'Ik zal hem vertrouwen.'

'Mooi zo. U vergeet dat u betoverd bent. U vergeet dat u betoverd bent.'

Alastyr trok de lichtstraal terug en liet Camdels aura tot rust komen.

'Jazeker, ik begrijp het,' zei Camdel gedecideerd. 'Ik zal met genoegen met uw plaatsvervanger onderhandelen.'

Sarcyn sloot het tweede gezicht af, begeleidde de edelman buigend naar de deur en deed de zware eiken deur achter hem op de grendel. Alastyr grinnikte binnensmonds, stond op en rekte zich uit.

'Dat is in orde,' zei hij. 'Denk erom je moet hem langzaam bewerken. Als het kan, betover hem dan alleen als hij dronken is van mede of van opium, zodat hij nooit beseft dat er iets vreemds gaande is.'

'Dat is niet moeilijk, meester. Hij zuipt als een zwijn en rookt als een schoorsteen.'

Alastyr grinnikte weer. Sarcyn kon zich niet herinneren de meester ooit zo tevreden te hebben gezien, maar ja, zijn jarenlang intrigeren begon nu ook eindelijk resultaat te krijgen. Als een vaste bezoeker van de koninklijke vertrekken was Camdel in een uitstekende positie om iets voor hen te stelen waar ze zelf nooit bij zouden kunnen.

'Ik begrijp wel waarom die knul je zo hitsig maakt,' vervolgde Alastyr. 'Maar ja, jij was altijd al een kleine duivel in bed.' Hij klopte zijn leerling achteloos op zijn achterste.

Sarcyn verstijfde van ontzetting. Hij had nooit beseft dat Alastyr had gedacht dat hij diens attenties fijn had gevonden, al die jaren geleden.

'Neem me niet kwalijk,' zei Alastyr, Sarcyns houding verkeerd begrijpend. 'Ik zou je op jouw leeftijd niet moeten plagen. Maar goed, jongen. Blijf hem bewerken tot we hem als een gedresseerd paard aan een heel lange teugel hebben. Evy en ik zullen buiten de stad wachten. Zodra hij echt goed betoverd is, moet je je bij ons voegen. Maar onthoud goed, er is geen haast bij. Al duurt het weken, dat geeft niet.'

Toen Alastyr weg was, bleef Sarcyn nog lange tijd door de kamer ijsberen. Zijn haat brandde als koorts in zijn lichaam.

Ook al deed Nevyn zich voor als een sjofele oude kruidenman, hij was geen onbekende in de grote broch van Dun Gwerbyn. Toen hij daar op een morgen aan de poort kwam, bogen de twee wachters voor hem en riepen bedienden die zijn paard en zijn muildier naar de stal moesten brengen. Op het binnenplein stond een aantal grote karren, en personeel was in de warme zon traag bezig ze te laden met pakken en vaten.

'Vertrekt de tieryn binnenkort naar haar zomerresidentie?' vroeg Nevyn.

'Ja,' zei een page. 'Over twee dagen gaan we op weg naar Cannobaen. Hare genade is nu in de grote zaal.'

Lovyan zat met haar schrijver aan de eretafel. Hoewel ze belangrijke zaken leken te bespreken, stuurde ze hem weg zodra ze Nevyn zag en liet de oude man aan haar rechterhand zitten. Hij vertelde haar meteen al het nieuws dat hij over Jill en Rhodry had, omdat hij wist dat ze dat zielsgraag wilde horen.

'En tenslotte heb ik ze vannacht nog gescryed,' besloot hij. 'Ze zijn in de Auddglyn, op zoek naar iemand die Rhodry wil aannemen. Ik moet zeggen dat Jill elk stuivertje zo vaak omdraait dat het gaat glimmen. Ze schijnen nog heel wat geld over te hebben van de winter.'

'Gelukkig, maar ach goden, de zomer is nog maar net begonnen, en mijn arme jochie moet bij de weg van zijn zwaard leven.'

'O kom nu, Lovva. Je zult toch moeten toegeven dat dat "arme jochie" een van de beste zwaardvechters van het koninkrijk is.'

'O ja, dat weet ik. En ik hoef denk ik niet over hem in te zitten, maar mijn ongerustheid is toch niet zo onbegrijpelijk?'

'Helemaal niet, en ik maak me ook zorgen, ondanks al mijn mooie woorden.'

'Dat weet ik, en daarbij vergeet ik dat er iets is dat je nog niet weet! Ik maak me op het ogenblik om meer dan één reden zorgen over Rhodry. Er is namelijk iets ontzettends gebeurd, Nevyn. Herinner je je Donilla, de vrouw die door Rhys is verstoten omdat ze onvruchtbaar zou zijn?'

'Ja, heel goed.'

'Welnu, haar nieuwe echtgenoot was dolverliefd op haar, en hij heeft haar het hof gemaakt of ze een jong meisje was. En dat heeft kennelijk goed gewerkt, want ze is zwanger.'

'Bij alle goden. Heeft Rhys het nieuws al gehoord?'

'Ja. Ik ben zelf naar Aberwyn gereden om het hem te vertellen, want het leek me het beste als hij het van mij hoorde. Hij nam het niet erg goed op.'

'Dat geloof ik meteen. Eigenlijk heb ik met Rhys te doen. Dit verhaal verspreidt zich natuurlijk als een lopend vuurtje.'

'Alle edelen in Eldidd steken de gek met hem. Ik heb gewoonweg medelijden met dat arme vrouwtje van hem, dat als een soort renpaard wordt behandeld. De mensen hier hebben zelfs al weddenschappen afgesloten of ze al dan niet zwanger zal worden, en ik vrees dat die kans erg klein is. Ach goden, wat kunnen mensen toch wreed zijn!'

'Zeg dat wel. Maar nu begrijp ik je bezorgdheid voor Rhodry. Hij is de laatste Maelwaedd die Aberwyn kan erven. We moeten zorgen dat hij terugkomt.'

'Nu Rhys in deze stemming is? Je hebt hem niet gezien. Hij loopt de hele dag te zieden van woede, en niemand durft in zijn nabijheid het woord "kind" uit te spreken. Hij zal Rhodry nu zeker niet terugroepen. Bovendien zijn er te veel eerzuchtige lieden die de haat tegen zijn broer voeden, in de hoop dat als Rhys kinderloos overlijdt, hun clan een kans op het gwerbretrhyn maakt.'

'Het is afschuwelijk, maar dat zou best eens waar kunnen zijn.'

'Ja. Ik wil wedden dat het geïntrigeer en het gekonkel in de Raad van Kiezers al begonnen zijn.' Ze glimlachte flauw, met enige zelfspot. 'Zelf ben ik ook al met intrigeren begonnen. Wanneer we naar Cannobaen gaan, haal ik Rhodry's onechte dochter bij haar pleeggezin weg en houd haar bij me. De kleine Rhodda zal een pion in deze strijd worden, en ik wil zelf op haar opvoeding toezien. De man die Rhodry's erfgename trouwt, ook al is ze een bastaard, kan de Raad ook een eis voorleggen.'

'Bij de Godin zelf, ik bewonder je. De meeste vrouwen zouden zich nog de haren uit het hoofd trekken over de verbanning van hun zoon, maar jij bent al veertien jaar vooruit aan het intrigeren.'

'De meeste vrouwen hebben nooit de macht gehad die ik bezit, zelfs vrouwen van mijn rang niet.'

Een paar minuten zaten ze in zorgelijk zwijgen bij elkaar. Lovyan zag er zo moe en zo moedeloos uit, dat Nevyn vermoedde dat ze over de bittere waarheid piekerde: Rhodry was geen echte Maelwaedd. Maar het was van het grootste belang dat iedereen dacht dat hij dat wel was. En ook al kon Nevyn niet echt in de toekomst kijken, hij wist zeker dat Rhodry was voorbestemd om in westelijk Eldidd te regeren, zo niet als gwerbret Aberwyn, dan toch tenminste als tieryn in Dun Gwerbyn. Het kon hem noch de Heren van Wyrd ook maar een zier schelen wie Rhodry's vader was, maar de edelen wel.

'Weet je waar ik vooral zo bang voor ben?' vroeg Lovyan abrupt. 'Dat het tot een openlijke oorlog komt als Rhys sterft. Dat is al vaker gebeurd, zie je, als een ontevreden kandidaat zich door de Raad te kort gedaan voelt. Maar goed, tegen die tijd ben ikzelf allang dood, en hoef ik me er niet meer druk over te maken.'

Aangezien Rhys een gezonde man was en pas negenentwintig jaar, was haar opmerking alleszins logisch, maar Nevyn voelde plotseling een dweomer-waarschuwing steken. Het leek waarschijnlijk dat ze binnenkort weer een zoon zou moeten begraven.

'Scheelt er iets aan?' vroeg ze, bij het zien van zijn gezicht.

'O, ik dacht alleen dat we moeten zorgen dat Rhodry wordt teruggeroepen.'

'Als woorden goudstukken waren, zouden we allemaal zo rijk zijn als de koning.' Ze zuchtte diep. 'Het is altijd droevig om een grote clan te zien uitsterven, maar het zou heel erg zijn om de Maelwaedds te zien uitsterven.'

'Zeg dat wel.'

Erger zelfs dan zij kon weten, in feite. De Maelwaedd clan was altijd heel belangrijk geweest voor de dweomer, al vanaf zijn wonderlijk bescheiden begin, driehonderd jaar eerder.

# CERRMOR EN
# ELDIDD 790-797

Zijn alle dingen die in het leven gebeuren, voorbeschikt door de goden? Dat zijn ze niet, want er gebeurt veel door blind toeval. Maar bedenk goed: iedereen heeft een Wyrd en iedereen heeft Geluk. Het geheim van de wijsheid is het een van het ander te kunnen onderscheiden.

*Het Geheime Boek van Cadwallon de Druïde*

# I

Ongeveer een week rijden van Aberwyn, aan wat men de west-grens van Eldidd zou kunnen noemen omdat daar voorbij niemand woonde, stond een dun op een brede grazige klif die uitkeek over de oceaan. Een stenen muur, die nodig hersteld moest worden, omringde een binnenplein waar het gras tussen de stenen groeide. Binnen die muur bevonden zich een plompe stenen broch, een aantal houten schuren, en een hoge smalle toren die daar stond als een ooievaar tussen de kuikens. Elke middag beklom Avascaen de honderdvijftig treden van de wenteltrap naar de platte bovenkant van de toren. Met een zware lier en een katrol hees hij de ladingen brand-hout omhoog die zijn zoons beneden in de hijsstrop hadden gelegd, en stapelde die op onder het afdakje boven de vuurkuil. Precies bij zonsondergang stak hij een toorts aan en joeg de vlam in de eerste lading. Dicht onder de kust lagen rotsen onder het wateroppervlak; daar was een kleine plek waar het water wit bruiste vanaf zijn stand-plaats gezien, maar die vrijwel onzichtbaar was voor een schip dat aan kwam varen. Elke kapitein die het licht van Cannobaen zag, wist dat hij ver moest uitwijken naar de veiligheid van de open zee.

Niet dat er de laatste vier jaar veel schepen waren geweest. Dank zij de oorlog om de troon van Deverry, was de handel steeds verder af-genomen. En soms, vooral wanneer de winterstormen onder het af-dak gierden, vroeg Avascaen zich af waarom hij dat vuur eigenlijk nog aanstak. Maar al zou er ook maar één schip vergaan, hield hij zich altijd voor, denk je eens in hoe je je dan zou voelen. Bovendien was hij door prins Mael zelf aangesteld om het vuur te verzorgen, jaren geleden, voor de prins ten strijde trok en nooit terugkwam.

Avascaen leidde zijn twee zoons, Maryl en Egamyn, op om na zijn dood de taak van vuurtorenwachter over te nemen. Maryl, een onverstoorbare jongen, had echt aardigheid in het werk en in hun nogal bevoorrechte positie in het dorp Cannobaen. Egamyn daarentegen, die pas veertien was, mopperde en schold, en dreigde voortdurend weg te lopen en ruiter in het leger van de koning te worden. Dan gaf Avascaen hem doorgaans een draai om zijn oren en zei dat hij zijn mond moest houden.

'De prins heeft mij en mijn familie gevraagd voor het vuur te zorgen,' placht Avascaen te zeggen. 'En dat zullen we doen ook.'

'Ach va,' antwoordde Egamyn altijd, 'ik wil wedden dat je die verwenste prins nooit terugziet.'

'Misschien niet, maar als ik hem terugzie, zal hij horen dat ik heb gedaan wat ik had beloofd. Ik ben net een das. Ik ga door.'

Avascaen, zijn vrouw Scwna en de jongens woonden met elkaar in de grote zaal van de broch, waar ze kookten, sliepen en zich zo goed mogelijk behielpen. De bovenverdiepingen waren afgesloten om in de winter zo min mogelijk warmte te verliezen. Twee keer per jaar luchtte Scwna alle kamers, klopte de stofhoezen van de meubelen uit en veegde de vloeren, voor het geval dat de prins op een goede dag naar zijn buitenverblijf zou terugkeren. Op het binnenplein hadden ze een moestuin, een paar kippen en een stel jonge zwijnen. De boeren van het nabijgelegen dorp voorzagen hen van de overige levensbehoeften als onderdeel van hun belasting voor de vuurtoren van Cannobaen. Ze voorzagen hen ook van het brandhout, dat uit de grote ongerepte eikenbossen kwam die zich naar het noorden en westen uitstrekten.

'We hebben het goed,' zei Avascaen altijd tegen Egamyn. 'Je zou de goden moeten danken dat we zo'n rustig leven hebben.'

Dan schudde Egamyn alleen koppig zijn donkere hoofd en mompelde dat het een saai leven was. Behalve de boeren kwam er maar zelden iemand op Dun Cannobaen.

Daarom was het een hele gebeurtenis toen er op zekere middag iemand aan de poort verscheen. Omdat Avascaen de hele morgen sliep, begon hij zijn dag juist met een wandelingetje over het binnenplein toen hij een ruiter op een kastanjebruin paard de weg op zag komen met twee grijze muildieren, zwaar beladen met linnen pakken. Toen de ruiter afstapte, zag Avascaen tot zijn verwondering dat het een vrouw was, gezet en van middelbare leeftijd. Ze had wel een jurk aan, maar daaronder droeg ze een vuile brigga zodat ze, net als een man, schrijlings kon rijden. Haar grijze haar werd van achteren bijeengehouden met de speld van een ongetrouwde vrouw, en haar donkere ogen twinkelden vrolijk. Het vreemdste van al waren haar handen, die een rare kleur hadden – vuil bruinachtig blauw, tot haar ellebogen toe.

'Goedemorgen, brave man,' zei ze. 'U zult het wel vreemd vinden dat ik hier zomaar kom aanrijden.'

'Dat vind ik zeker, maar u bent evengoed van harte welkom,' zei Avascaen. 'Mag ik vragen hoe u heet?'

'Primilla van Abernaudd, brave man. Ik ben hier op zoek naar zeldzame planten en dergelijke voor het verversgilde van Abernaudd.'

'Nee maar! Nee maar, wilt u dan misschien gebruik maken van onze gastvrijheid? Ik kan u een maaltijd aanbieden, als u het niet erg vindt om een ontbijt te krijgen in plaats van een middagmaal.'

Dat vond Primilla helemaal niet erg. En terwijl Maryl haar paard en muildieren verzorgde, viel ze met smaak aan op een plank met gesneden spek en een kom gerstepap. Ze bracht allerlei belangwekkend nieuws mee uit Abernaudd, de koninklijke residentie van Eldidd, en Scwna en Egamyn luisterden aandachtig toen ze vertelde wat er zoal in de stad voorviel.

'En er is zeker geen nieuws van mijn prins Mael,' vroeg Avascaen tenslotte.

'Nou, eigenlijk wel, al is het droevig nieuws. Zijn vrouw is kortgeleden gestorven, de stakker, aan de koorts.' Primilla schudde haar hoofd. 'Het is wel triest dat ze haar man nooit terug heeft mogen zien.'

De tranen sprongen Scwna in de ogen. Avascaen was ook een beetje aangedaan. Het leek net iets uit een bardenverhaal.

'En is er sprake van dat ze mijn prins gaan afzetten en dat ze zijn zoon in zijn plaats zetten?'

'Daar is inderdaad sprake van, en hoe zou u dat vinden?'

'Mael is de prins die ik heb gezworen te dienen, en hem zal ik dienen. Ik ben net een das, goede vrouw. Ik ga altijd door.'

Primilla glimlachte alsof zijn trouw haar goeddeed – en dat was een verademing na alle mensen die hem erom uitlachten. Maar toen hij naar haar ogen keek, die een doordringende blik hadden ondanks de goedlachse uitdrukking op haar rond gezicht en haar blozende wangen, wist Avascaen toch niet goed wat hij van haar moest denken.

Die avond, toen de maan hoog aan de hemel stond, beklom Primilla hijgend de stenen trap om zich bij Avascaen bovenop de toren te voegen. Ze hielp hem de tweede laag hout op het vuur te leggen, en liep toen naar de rand van de toren om van het uitzicht te genieten. Ver onder hen legde de volle maan een zilveren baan over de donker rimpelende zee, die zich tot aan de horizon uitstrekte. In de heldere voorjaarslucht leken de sterren maar een armlengte hoog te staan.

'Mooi hè?' zei Avascaen. 'Maar haast niemand neemt de moeite om boven te komen om eens te kijken, behalve ik en mijn jongens.'

'U zult wel sterke benen hebben gekregen, beste man, van al dat klimmen.'

'Och, je raakt er mettertijd aan gewend.'

Het vlammende bakenvuur wierp een goudkleurig licht om hen heen toen het nieuwe hout vlam vatte. Primilla leunde op haar gemak tegen de stenen balustrade en keek omlaag, waar de golven van de branding als zilveren schimmen kwamen aanrollen.

'Neem me niet kwalijk,' zei Avascaen, 'maar een vrouw reist toch maar zelden alleen. Bent u niet bang dat u onderweg in gevaar zult komen?'

'O, ik kan best voor mezelf zorgen als het moet,' zei Primilla met een vergenoegd lachje. 'En bovendien kom je hier niet veel mensen tegen die je last bezorgen. Het is beslist de moeite waard om hier in de bossen planten te zoeken. Ik zit namelijk al mijn hele leven in de ververij, ziet u, en ik ben nu zover dat ik betere kleuren voor mijn gilde wil zoeken. Alles wat ik meebreng wordt goed bekeken, en we verven er lapjes stof mee om te zien hoe het zich in de was houdt. Je weet nooit of je niet iets vindt dat een klein fortuin waard is.' Ze stak haar verkleurde handen omhoog. 'Hier ziet u mijn hele leven, brave man; het heeft mijn huid gekleurd.'

Omdat Avascaen altijd vond dat men alles zo goed mogelijk moest doen, begreep hij wat ze bedoelde. Maar lang nadat Primilla weer weg was, dacht hij af en toe nog aan de vrouw met de blauwe handen en vroeg zich af waar ze op uit was geweest.


De hoofdstad Abernaudd lag ongeveer drie kilometer vanaf de zee en de haven aan de oever van de Aver Dilbrae. Achter de gekanteelde muren liepen met keien geplaveide straten over de terrasgewijs oplopende heuvels. Op de top van de hoogste heuvel stond de koninklijke dun, waarop de blauw en zilverkleurige vlag van de drakentroon wapperde, terwijl beneden in de dalen de stinkende, dicht opeengepakte, lage hutjes van de armen stonden. In Abernaudd toonde de hoogte waarop men woonde letterlijk aan hoe hoog iemand op de maatschappelijke ladder stond. Als hoofd van het Verversgilde woonde Primilla op de top van een lage heuvel in een ruim complex dat bij haar positie hoorde. Bij haar in het drie verdiepingen tellende rondhuis woonden haar vijf leerlingen, die in ruil voor hun opleiding haar huishouding deden. Op het geplaveide erf erachter stonden de lange schuren waarin zich de werkplaatsen van het gilde bevonden. Het laken dat daar onder haar persoonlijk toezicht werd vervaardigd, ging naar de koninklijke huishouding.

Hoewel Primilla op haar reis naar Cannobaen inderdaad zeldzame verfplanten had gezocht, vond ze het vervelend dat ze die tijd van haar gildezaken moest afnemen. Maar haar plicht jegens de dweomer ging altijd boven haar plicht jegens de ververs. Het zou ongepast zijn geweest de leider van de Raad van Tweeëndertig haar hulp te weigeren als hij die vroeg. Ofschoon ze niet wist waarom Nevyn zo geïnteresseerd was in de zaken van Mael, prins van Aberwyn en Cannobaen, was ze graag bereid geweest om wat rond te snuffelen en zoveel mogelijk op te steken. Nu ze had ontdekt dat Cannobaen hem nog steeds trouw was, kon ze zich concentreren op de kwestie die belangrijker was, namelijk de status van de prins aan het hof.

Gelukkig zou ze die zomer ruimschoots toegang tot hofkringen hebben, omdat de koning de stadsgilden om een enorme lening vroeg om zijn aanspraak op de troon van Deverry te kunnen voortzetten. Want ook al keek de adel normaal op handel en nijverheid neer, telkens wanneer de koning geld nodig had, kwam alles wat adel was bij de ambachts- en kooplieden pluimstrijken. De avond na haar terugkeer bezocht Primilla al de eerste van vele vergaderingen die door de gilden en kooplieden werden bijeengeroepen om vertegenwoordigers te kiezen die voor het eigenlijke loven en bieden naar het hof zouden gaan. Omdat zij dat baantje wel wilde hebben, kreeg ze vlot een plaats in de raad. Want hoewel de kooplieden met elkaar om de plaatsen wedijverden, was er van de ambachtslieden slechts een enkeling bereid de tijd van zijn werk af te nemen.

Eindelijk, na een week van vergaderen en druk uitoefenen, kwam de gildecommissie van vijf, met Grotyr de geldschieter aan het hoofd, met vier raadslieden van de koning bijeen in een smalle kamer op de tweede verdieping van de koninklijke broch. Ze zaten er met elkaar rond een lange eikehouten tafel, en een schrijver van beide partijen maakte aantekeningen. Primilla had een vergadering verwacht met veel voorbehoud en ontwijkende antwoorden, maar de eerste raadsheer van de koning, een zwaarlijvige man met donkere ogen die Cadlew heette, verklaarde zonder omwegen dat de koning vijfduizend goudstukken nodig had.

'Alle goden!' sputterde Grotyr. 'Beseft u wel, edele heer, dat de gilden bankroet zouden gaan als zo'n lening niet dadelijk werd terugbetaald?'

Cadlew glimlachte alleen maar, omdat alle aanwezigen wisten dat Grotyr loog. Terwijl het onderhandelen in alle ernst op gang kwam, dacht Primilla na over de omvang van de lening. Als de koning zoveel geld nodig had, was hij vermoedelijk bezig een grote aanval voor te bereiden, en dat voorspelde weinig goeds voor de gevangen prins in Cerrmor. De vergadering eindigde, zoals iedereen had verwacht, zonder dat er een besluit was genomen. Toen de gildebestuurders weggingen, bleef Primilla achter en vroeg Cadwell of hij een ogenblik tijd had om haar de koninklijke tuinen te laten zien.

'Natuurlijk, mevrouw. Ze zullen u zeker interesseren, omdat uw werk zoveel met planten te maken heeft.'

'Inderdaad, en het is een genot voor mij om bloemen in hun geheel te zien, omdat ze voor mijn werk veelal worden versnipperd en gekookt.'

Hij lachte en nam haar mee naar de achterkant van de broch. Een lage stenen muur, voornamelijk bedoeld om de paarden buiten te houden, vormde de afscheiding van een complex met kleine gazons omringd door bloembedden, die deden denken aan groene edelstenen in een kleurige zetting. Ze brachten een plezierig kwartiertje door met praten over de verschillende bloemen en Primilla vond dat ze een balletje kon opgooien.

'Weet u,' begon ze, 'toen ik een tijdje terug langs de westgrens op zoek was naar bijzondere planten, kwam ik toevallig terecht bij Cannobaen, het buitenverblijf van prins Mael.'

'Ah. Weten ze daar nog wel wie de prins is?'

'O, heel goed zelfs. Maar prins Mael heeft toch een droevig Wyrd. En die lening betekent volgens mij dat de koning zijn handen van hem aftrekt.'

'Onder ons gezegd, mevrouw, u hebt het bij het rechte eind. Onze leenheer had prins Mael jaren geleden al moeten laten ophangen en de oorlog voortzetten, maar prinses Maddyan heeft altijd voor haar man gepleit en zijn zaak levend gehouden. En omdat ze hier aan het hof was opgevoed, heeft de koning haar altijd als een dochter beschouwd.'

'Maar de prinses is nu dood.'

'Precies.'

'En Maels zoon?'

'Tja, Ogretoryc blijft voor zijn fatsoen voor zijn vader pleiten, maar ach goden, de jongen was nog niet eens geboren toen zijn vader de oorlog inging. Hoe lang kan een man gevoelens blijven koesteren voor iemand die hij zelfs nooit heeft gezien?'

Vooral als hij klaarstaat om de plaats van die iemand in te nemen, dacht Primilla bij zichzelf. De tijd was gekomen, vond ze, om iets te ondernemen en niet langer te hopen op toespelingen van onverstandige raadslieden. Later die week zocht ze verscheidene strengen van haar mooiste blauwe borduurgaren en zond die als geschenk aan Ogretorycs vrouw Camlada. Haar met wede geverfd blauw was altijd erg in trek, omdat alleen een meester-verver de hele streng in precies dezelfde kleur kon krijgen, wat heel belangrijk was voor verfijnd borduurwerk. Het geschenk leverde haar de eerstvolgende keer dat ze weer aan het hof was, een audiëntie bij de prinses op.

Een page bracht haar naar een verbazingwekkend klein kamertje op de derde verdieping van een van de zijbrochs. Hoewel de kamer weelderig was ingericht met tapijten en zacht gestoffeerde stoelen, bood het enige raam maar een armzalig uitzicht. Camlada, een knap blond meisje van zestien, ontving Primilla alleen, in plaats van in gezelschap van de dienares die haar hoge rang vereiste. Haar enige gezelschap was een kleine terriër die op haar schoot zat en tijdens het gesprek af en toe gromde.

'Dank u voor het mooie garen, mevrouw. Ik kan het goed gebruiken om de hemden van mijn man mee te borduren.'

'Dan voel ik mij zeer vereerd, vrouwe.'

Camlada wees glimlachend op een gestoffeerd krukje naast haar zetel. Primilla ging zitten en liet zich door de prinses bekijken.

'Ik heb mijn hele leven aan het hof gewoond,' merkte Camlada op. 'Ik kan me niet voorstellen dat dit geschenk alleen een vriendelijk gebaar van u is. Wat voor gunst wilt u van mijn man?'

'Een zeer kleine. Ik wil alleen dat hij zich van mijn bestaan bewust is. Langs de westgrens groeien een paar zeer zeldzame planten, ziet u. Ik zou graag willen dat ons gilde te zijner tijd het recht krijgt die te zoeken, ook al heeft het gilde van Aberwyn er de eerste aanspraak op. De prins heeft het per slot van rekening zowel in Aberwyn als in Cannobaen voor het zeggen.'

'Prins? Hij is nog maar amper een prins.'

'Ach, meer prins dan zijn vader is, gezien de omstandigheden.'

Camlada stond opeens op en liep naar het raam, op de voet gevolgd door haar hond.

'Heb ik u van streek gemaakt, vrouwe?' zei Primilla. 'Neemt u mij alstublieft niet kwalijk.'

'Nee, u hebt me alleen de waarheid voor ogen gehouden. Niemand weet wat mijn man is of wat ons te wachten staat. Ik geloof niet dat u prinses Maddyan ooit hebt ontmoet.'

'Die eer heb ik nooit gehad, maar ik heb gehoord dat ze een lieve, zorgzame vrouw was.'

'Dat was ze zeker. Iedereen was dol op haar, maar wat heeft ze daaraan gehad? Ik had erg met haar te doen, en nu is ze dood.'

'En u zou nu eigenlijk haar rang moeten hebben.'

'Ik heb helemaal geen rang, mevrouw, voor mijn schoonvader dood is. O, wat klinkt dat afschuwelijk, maar ik ben ook zo bang. Mij zou immers hetzelfde kunnen overkomen als Maddyan, hier maar aan het hof zitten, zonder invloed of iets, en de koning is lang niet zo op mij gesteld als hij op haar was.'

'Ik kan begrijpen waar u bang voor bent, vrouwe.'

Primilla begreep nog iets anders: hoewel Ogretoryc zijn vader nooit had ontmoet, ging hij elke avond naar zijn vrouw. Ze besloot dat ze onmiddellijk via het vuur contact met Nevyn moest opnemen en hem vertellen van dit giftige greintje nieuws dat ze had ontdekt.

Als koning Glyns meest vertrouwde raadsheer had Nevyn rechten die veel verder gingen dan die van een gewone hoveling. Zodra hij met Primilla had gesproken ging hij naar koninklijke vertrekken zonder zelfs maar een page vooruit te sturen. Hij had zich in het verleden vaak afgevraagd of het wel goed was de koning militaire gegevens door te spelen die hij door dweomer had verkregen. Nu hij die echter te bieden had, vond hij dat hij het wel kon doen, gewoon omdat Eldidds aanspraak op de troon zo aanvechtbaar was, dat hij in feite een overweldiger was. Toen hij binnenkwam was er al een bezoeker, prins Cobryn, nu het hoofd van de koninklijke garde. Cobryn, eenentwintig jaar oud, was lang, slank en knap en leek zo sprekend op Dannyn dat de koning en Nevyn het soms pijnlijk vonden hem aan te kijken.

'Komt u voor dringende zaken, heer?' vroeg Cobryn. 'Dan zal ik mij nu terugtrekken.'

'Het is wel dringend, maar het gaat u ook aan.' Nevyn boog voor Glyn, die bij de haard stond. 'Eldidd vraagt een enorme lening aan de gildebestuurders van Abernaudd. Ik kan maar één plaats bedenken waar hij zoveel geld wil uitgeven: onze grenzen.'

'Ja,' zei de koning, 'ik vroeg me al af hoe lang we van deze gevangen prins konden profiteren, terwijl ze er nog een hebben. Dat betekent dus, Cobryn, dat we onze plannen voor de zomercampagne tot in bijzonderheden moeten veranderen. Huh – ik wil wedden dat Eldidds krijgsbende al aan onze grenzen zou staan voor we het officiële bericht van afzetting zouden hebben. En ik heb geen dweomer nodig om me dat te vertellen.'

'Precies.' Cobryns lach klonk als het gedempt gegrom van een wolf. 'Maar we zullen die smeerlappen een verrassing bereiden.'

'Heer,' kwam Nevyn tussenbeide, 'gaat u uw dreigement volvoeren en prins Mael ophangen?'

Glyn wreef nadenkend met de rug van zijn hand langs zijn kin. Zijn gezicht dat altijd al breed was geweest, was nu vierkant en zwaar van ouderdom, en zijn wangen hadden een hoogrode kleur.

'Ik zou het verschrikkelijk vinden een hulpeloze man op te hangen, maar Eldidd laat me misschien geen keus. Ik zal niets doen voor ik het officiële bericht van afzetting in handen heb. Eldidd kan misschien nog van gedachten veranderen, maar een opgehangen prins kan men niet weer uit de dood opwekken.'

Diezelfde week reed prins Cobryn aan het hoofd van vijfhonderd man over de kustweg naar de grens van Eldidd, met ondersteuning van graanschepen en oorlogsgaleien. Na een spannende drie weken kwamen de boodschappers terug: ze hadden een geweldige overwinning op het leger van Eldidd behaald. Twee dagen later arriveerde er een boodschapper met een brief van de koning van Eldidd, waarin deze prins Mael officieel afzette en diens zoon, prins Ogretoryc, zijn plaats gaf. Nevyn ging onmiddellijk naar boven om het Mael te vertellen.

Hij vond de prins die geen prins meer was aan zijn schrijftafel, die volgestapeld was met de lievelingsboeken van de gevangene en bezaaid met stukken perkament, het begin van Maels commentaar op de *Ethiek* van de wijze van Greggyn, Ristolyn. Nevyn was ervan overtuigd dat het commentaar uitstekend zou zijn, als Mael tijd van leven kreeg om het af te maken. Mael werd op zijn vierendertigste al grijs, wat in brede strepen in zijn diepzwarte haar te zien was.

'Ik heb verduiveld slecht nieuws voor je,' begon Nevyn.

'Ben ik afgezet?' Hij zei het kalm, onbewogen zelfs. 'Ik dacht al dat dat in de lucht hing toen ik de wachten over de oorlog aan de grens hoorde spreken.'

'Het is helaas waar.'

'Tja, dan zullen Ristolyns opvattingen over deugd me goed van pas komen. Het lijkt erop dat het hele doel van mijn leven is geweest als een man op het marktplein te sterven. Ik zou zeggen dat zelfbeheersing daar de meest passende deugd voor is, denk je ook niet?'

'Hoor eens. Als ik er ook maar iets over te zeggen heb, word jij niet opgehangen.'

'Dat geeft me hoop. Ik denk althans dat het hoop is. Misschien is het beter om te worden opgehangen en vrij te zijn in het hiernamaals, dan hier te zitten beschimmelen. Ik ben hier al langer dan ik prins in

Eldidd ben geweest. Hoe vind je zoiets? Meer dan de helft van mijn leven als Glyns gast.'

'Ik denk dat de vrijheid van het hiernamaals niet zo aanlokkelijk meer is als de beul een strop om je nek legt. Zodra ik met de koning heb gesproken kom ik terug.'

Vanwege staatszaken kon Nevyn pas laat in de middag onder vier ogen met zijn leenheer spreken. Ze liepen naar de ommuurde tuin achter de broch. Aan het kunstmatige beekje liet een wilg zijn lange takken in het water hangen; de rozenstruiken waren overdekt met bloedrode bloemen, het enige kleuraccent in het kleine landschap, dat zorgvuldig werd onderhouden om wild te lijken.

'Ik kom voor Maels leven pleiten, heer,' zei Nevyn.

'Dat dacht ik al. Ik zou hem best vrij willen laten en naar huis sturen, maar daar zie ik geen mogelijkheid toe, geen enkele. Hij zou daar een verbitterde vijand zijn, en het ergste van al, hoe zou Eldidd mijn barmhartigheid uitleggen? Ongetwijfeld als zwakheid, en dat kan ik me niet veroorloven. Dat is mijn eer te na.'

'U hebt gelijk dat u hem niet kunt vrijlaten, maar hij zou in de toekomst nog wel weer van nut kunnen zijn.'

'Best mogelijk, maar nogmaals, zou Eldidd het als zwakheid opvatten?'

'De goden zullen het zien als een bewijs van kracht. Aan wiens mening hecht u de meeste waarde?'

Glyn plukte een roos, omsloot hem met zijn brede, eeltige hand en bekeek hem licht fronsend.

'Heer,' zei Nevyn. 'Ik smeek u openlijk om zijn leven.'

Met een zucht gaf Glyn hem de roos.

'Goed dan. Dat mag ik je niet weigeren na alles wat je voor me hebt gedaan. Eldidd heeft zoveel erfgenamen als een kloek kuikens heeft, maar wie weet? Misschien komt er een dag waarop het hem spijt dat hij Mael heeft afgezet.'

Omdat ze de gunst en de bescherming van 's konings belangrijkste raadgever genoot, was Gavra's kruidenwinkeltje in de stad tot grote bloei gekomen. Ze bezat nu een eigen huis en winkel in de handelswijk en verdiende meer dan genoeg om goed te kunnen rondkomen met haar twee kinderen, Ebrua en Dumoryc, de bastaarden van de prins. Gavra had jarenlang het geroddel verdragen dat haar brandmerkte als een slet die kinderen kreeg bij elke man die ze aardig vond, omdat dat beter was dan haar kinderen te laten vermoorden als erfgenamen van een vijandig geslacht. Nu Mael officieel was afgezet overwoog ze de kinderen de waarheid te vertellen, maar dat had weinig zin. Ook al woonde hij maar drie kilometer van hen af, ze hadden hun vader nooit gezien.

Ze vermoedde dat de mannen die Mael bewaakten, drommels goed wisten dat ze zijn minnares was, maar ze hielden hun mond. Deels uit mannelijk mededogen met Maels saaie bestaan, maar voornamelijk omdat ze doodsbang waren voor wat Nevyn zou doen als ze het geheim verklapten. Toen Gavra op die bepaalde dag naar de torenkamer ging, wensten ze haar zelfs geluk met Maels gratie.

Zodra ze binnen was, wierp ze zich in Maels armen. Ze hielden elkaar een ogenblik vast omklemd en ze kon hem voelen beven.

'Dank alle goden dat je blijft leven,' zei ze tenslotte.

'Ja, dat heb ik al gedaan,' zei hij, en kuste haar. 'Ach, mijn arme schat, je verdient een echte echtgenoot en een gelukkig leven, niet een man als ik.'

'Mijn leven is heel gelukkig geweest, gewoon omdat jij van me houdt.'

Toen hij haar weer kuste, klemde ze zich aan hem vast met het gevoel dat ze twee angstige kinderen waren die zich in een duisternis vol nachtmerries aan elkaar vastklampten. Nevyn zal nooit toestaan dat hij opgehangen wordt, dacht ze, maar o lieve Godin, hoe lang kan die goede oude man nog leven?

# II

Na drie jaar van zware gevechten was er een patstelling ontstaan in de Eldiddse grensoorlog. Toen gebeurde er die zomer iets waar geen van de drie partijen op voorbereid was: de provincie Pyrdon kwam in opstand tegen de troon van Eldidd. Glyns spionnen kwamen in galop met het bericht dat het niet zomaar een opstand was, maar dat hij succes leek te hebben. Aan Cwnol, de voormalige gwerbret van Dun Trebyc, de enige grote stad van Pyrdon, had het opstandelingenleger een dermate briljante aanvoerder, dat zijn mannen fluisterden dat hij dweomer moest zijn.

'Bovendien bestaat de helft van Pyrdon nog uit bos,' merkte Glyn op. 'Hij kan zijn mannen tussen de bomen laten verdwijnen als ze in het nauw zitten en ze weer te voorschijn laten komen om vanuit een hinderlaag aan te vallen. Hij schijnt een grote troepenmacht te hebben. Hm. Zou hij soms geld van Cantrae krijgen?'

'Dat zou me niet in het minst verbazen, heer,' zei Nevyn. 'Wij zouden hem eigenlijk ook wat moeten sturen.'

'Gedurende de rest van die zomer bleef het rustig aan de Eldiddse grens, en tegen de herfst zag het ernaar uit dat Cwnol, hoewel hij nog lang zou moeten vechten, een goede kans van slagen had. Als Glyn de opstandeling boodschappen stuurde, adresseerde hij die aan Cwnol, koning van Pyrdon. En als toppunt van solidariteit verloofde Glyn prins Cobryns zesjarig dochtertje met Cwnols zevenjarig zoontje, een gebaar van vorstelijk eerbetoon dat Cwnol beloonde door het aantal invallen in Eldidd te vergroten. Maar hoewel deze zaak dus heel goed voor Cerrmor afliep, was Nevyn toch terneergeslagen. Terwijl de eindeloze oorlog zich voortsleepte, zag hij het koninkrijk om hem heen ineenstorten.

Op een regenachtige herfstdag ging Nevyn naar de toren voor een bezoek aan Mael die, zoals gewoonlijk, aan zijn commentaren zat te werken. Zoals het met dergelijke projecten meestal gaat, was ook dit allang niet meer de eenvoudige inleiding tot Ristolyns gedachtengoed die Mael oorspronkelijk had willen schrijven.

'Dit terzijde begint ook alweer uit te groeien tot een hoofdstuk!' Mael stak zijn pen zo krachtig in de inktpot dat het riet bijna brak.

'Zo gaat het met veel van je terzijdes, maar het worden al met al goede hoofdstukken.'

'Het gaat over de vraag wat het grootste goed is, zie je. Want hoe briljant Ristolyns verklaring ook is, hij bevredigt me niet helemaal. Zijn categorieën zijn nogal beperkt.'

'Jullie filosofen zijn altijd verduiveld goed in het vermenigvuldigen van categorieën.'

'Filosoof? Ach goden, zo zou ik mezelf niet willen noemen?'

'Bliksems, wat ben je dan wel?'

Maels mond viel open van verbazing. Toen Nevyn lachte, lachte hij schaapachtig mee.

'Niets anders, dat is waar,' zei Mael. 'Ik heb mezelf twintig jaar lang als een krijger beschouwd, vechtend tegen het bit als een strijdros en hunkerend naar de vrijheid om weer te kunnen vechten. Ik heb mezelf minstens tien ervan iets voorgespiegeld. Ik vraag me zelfs af of ik nu nog ten strijde zou kunnen trekken. Ik zie mezelf al te paard zitten piekeren wat Ristolyn kan hebben bedoeld met "andere wereld", terwijl iemand mij daar op dat ogenblik naartoe helpt.'

'Je kijkt er niet ontevreden bij.'

Mael liep naar het venster, waar de regen neerviel in dezelfde zilvergrijze kleur als zijn haar.

'Ik heb hier een uitzicht dat heel anders is dan wat ik vroeger had. In het stof van het slagveld kun je de dingen niet helder zien.' Mael leunde met zijn wang tegen het koele glas en keek naar beneden. 'Weet je wat het allervreemdste is? Als ik me niet zoveel zorgen maakte over Gavra en de kinderen, zou ik hier gelukkig zijn.'

Nevyn werd getroffen door plotseling dweomer-inzicht. Het was tijd dat Mael werd vrijgelaten. Omdat hij zijn situatie had aanvaard, kon hij nu worden vrijgelaten.

'Vertel eens. Als je vrij was, zou je dan met Gavra trouwen?'

'Natuurlijk. Waarom niet? Ik heb geen plaats meer aan een hof. Ik zou onze kinderen kunnen wettigen – als ik vrij was. Ja, ik ben inderdaad een filosoof. Ik ben zelfs bereid over het hopeloze en het onmogelijke te spreken.'

Toen hij Maels kamer verliet, dacht Nevyn na over het weer. Omdat het langs de kust maar zelden sneeuwde, was reizen de hele winter mogelijk, ook al was het niet aangenaam. Hij ging meteen naar zijn kamer en nam via het vuur contact op met Primilla.

Gavra's winkel besloeg de voorste helft van een huis tegenover de taveerne van haar broer. Elke morgen als ze er binnenkwam om aan het werk te gaan keek ze naar de planken volgestapeld met de kruiden, de vaten, de potten, naar de gedroogde krokodil die onder de balken hing. Mijn huis, dacht ze dan, en mijn winkel. Dit is allemaal van mij, alleen van mij. In Cerrmor was er bijna geen vrouw die iets bezat op haar eigen naam, in plaats van op die van haar man of haar broer. Met de winter in aantocht had ze weer veel klanten met koortsen, met verstopte longen, met winterhanden en -voeten en pijnlijke botten, en ze bracht lange dagen in de winkel door. Ze moest ook een dringende kwestie regelen: Ebrua's verloving. Ofschoon zij zichzelf door liefde had laten leiden, was ze vastbesloten voor haar dochter een degelijk, ouderwets huwelijk te arrangeren.

Gelukkig was de jongen op wie Ebrua haar zinnen had gezet, een fatsoenlijke jongeman van zestien, Arddyn, de jongste zoon van een gegoede familie die in gelooide huiden handelde. Nadat ze met de vader van de jongen de officiële verloving had besproken, ging ze naar de dun om met Mael te overleggen. Dat was eigenlijk onzin; hij had Arddyns familie nooit ontmoet en zijn dochter alleen van grote afstand gezien, maar Mael luisterde aandachtig, dacht met zijn helder verstand zo diep over het probleem na, dat ze wist dat hij, net als zij, wilde doen of ze een soort normaal leven hadden samen.

'Het lijkt me een goede partij voor mensen zoals wij,' zei hij tenslotte.

'O, hoor hem, mijn koninklijke geliefde. Mensen zoals wij, die is goed!'

'Mevrouw vergeet dat ik niets ben dan een eenvoudige filosoof. Als ik mijn boek af heb, laten de priesters in de tempel door een aantal schrijvers vijftig afschriften maken, en ik krijg een zilverstuk per exemplaar. Dat, mijn liefste, is mijn hele aardse fortuin, dus laat ons hopen dat Arddyns clan niet op een grote bruidsschat uit is.

'Ik denk dat ze genoegen zullen nemen met haar aandeel in mijn winkel en misschien nog wat zilvergeld.'

'Gelukkig maar. Een meisje dat een filosoof als vader heeft is niet te benijden.'

Bij het verlaten van de dun trof Gavra Nevyn, die kameraadschappelijk zijn arm door de hare stak en haar naar de winkel begeleidde. Omdat de kinderen in de keuken bezig waren het avondeten klaar te maken, konden ze rustig praten. Nevyn legde een paar dikke blokken in de haard en stak ze aan door met zijn vingers te knippen.

'Kil vandaag,' merkte hij op. 'Ik heb je iets belangrijks te vertellen. Ik denk dat ik een goede kans maak om Mael vrij te krijgen.'

Gavra hield hoorbaar haar adem in.

'Vertel het hem nog niet,' vervolgde de oude man. 'Ik wil hem geen valse hoop geven, maar jij moet het wel weten. Je zult veel te regelen hebben voor jullie vertrekken.'

'Vertrekken? Lieve help, wil Mael dat ik met hem meega?'

'Als jij daar ooit één minuut aan hebt getwijfeld, dan is dat de eerste domheid die ik je ooit heb zien begaan.'

Gavra moest opeens gaan zitten. Ze zakte op een stoel bij de haard neer en legde haar bevende handen ineen.

'Ik vrees dat er geen andere mogelijkheid is dan hem naar Eldidd terug te sturen,' zei Nevyn. 'Wil je mee daarheen?'

Ze keek de kamer rond, naar de planken, naar alles waar ze zo lang voor had gewerkt. Ze zou haar getrouwde dochter ook achterlaten, en wat zou Dumoryc zeggen als ze hem een vreemde als zijn vader voorstelde?

'Weet je,' zei Nevyn, 'jullie zullen waarschijnlijk aan de westelijke grens van Eldidd gaan wonen, en er is daar mijlen in de omtrek geen behoorlijke kruidenvrouw.'

'Ach zo. Tja, dan zou ik een nieuwe winkel voor Dumoryc kunnen opzetten en deze aan Ebrua geven. Dat zou een prachtige bruidsschat zijn. Als ik dat deed zouden we het huwelijkscontract helemaal naar onze wensen kunnen opstellen.'

'Precies. En de kans is groot dat je je briljante man uiteindelijk ook nog zult moeten onderhouden.'

'Het begint erop te lijken dat Eldidd de moeite waard kan zijn.' Ze keek glimlachend op. 'En natuurlijk houd ik ook veel van mijn man.'

Om verscheidene redenen besloot Nevyn Maels vrijlating in het voorjaar te laten plaatsvinden. Onder andere omdat de koning van het Natuurvolk hem had gewaarschuwd dat er die winter zware stormen zouden optreden. De belangrijkste reden was echter Mael zelf, die weigerde zijn gevangenschap op te geven tot zijn boek behoorlijk gekopieerd was, een taak die maanden in beslag zou nemen. Terwijl de schrijvers in de tempel van Wmm aan het boek werkten, bewerkte Nevyn de koning, wiens eer zijn sterkste bondgenoot was. Edelmoedig als hij was, zat Glyn erg met Mael in zijn maag. Hij was te aandoenlijk om te vermoorden, vooral nu hij had gehoord dat de geleerden hem prezen als een briljant filosoof en een sieraad voor het koninkrijk. En toen Nevyn de tijd rijp achtte vroeg hij Glyn ronduit om Mael zijn vrijheid te hergeven en hem in stilte naar Eldidd te laten terugkeren.

'Dat zou inderdaad het beste zijn, raadsheer. Probeer een reden te bedenken voor een eervolle vrijlating. Laat Eldidd maar de gek steken met mijn zwakheid, ik kan de gedachte aan die prins die daar in de toren zit te verkommeren, niet langer verdragen.'

Uiteindelijk verschafte de opstand in Pyron de gewenste reden. Omdat Eldidd een rustige zomer nodig had als hij de rebellen klein wilde krijgen, bood hij Glyn goud om zijn invallen te staken. Glyn liet zich niet alleen omkopen, maar gaf de gelegenheid een plechtig tintje door aan te bieden zijn gevangene vrij te laten in ruil voor een symbolische tien paarden. Na een drukke uitwisseling van boodschappen en een vreemd getreuzel van de zijde van Eldidd, werd de overeenkomst gesloten en getekend. Pas toen, toen de winter al overging in het voorjaar, vertelde Nevyn Mael van het geluk dat hem ten deel was gevallen.

Toen Nevyn de torenkamer binnenkwam, zag hij dat Mael met tedere trots een exemplaar van zijn boek in handen hield, in leer gebonden en geschreven in het puntige tempelhandschrift. De prins wilde het hem zo graag laten zien, dat het bijna een halfuur duurde voor Nevyn terzake kon komen.

'Het grootste wonder is dat de koning nog twintig exemplaren gaat laten maken,' besloot Mael. 'Weet jij waarom?'

'Ja. Dat is zijn manier om je vrijlating te bezegelen. Hij laat je volgende week vrij.'

Mael glimlachte, wilde iets zeggen; toen verstarde zijn gezicht van ongeloof. Zijn nagels drongen in de zachte band van het handschrift in zijn handen.

'Ik ga tot de grens van Eldidd met jullie mee,' vervolgde Nevyn. 'Gavra en je zoon zullen ons buiten Cerrmor ontmoeten. Ebrua blijft hier, maar ja, dat kun je haar niet kwalijk nemen. Ze houdt van haar man en ze heeft jou nog nooit gezien.'

Mael knikte; hij was doodsbleek geworden.

'O, bij de heer der hel,' fluisterde hij. 'Ik ben benieuwd of deze ge-kooide vogel nog weet hoe hij moet vliegen.'

Ofschoon prins Ogretoryc en zijn vrouw nu een reeks prachtige ver-trekken aan het hof bewoonden, waren ze de tijd niet vergeten toen Primilla de enige was die hun eer had bewezen, en ze waren ge-woonlijk graag bereid haar te ontvangen op de tijden die ze hadden gereserveerd voor ambachts- en kooplieden. De prins was een lange jongeman met gitzwart haar en helblauwe ogen, knap op een ruige manier en geneigd tot hartelijkheid zolang hij niet gedwarsboomd werd. Op die bepaalde morgen bracht Primilla een geschenk voor hem mee, een kostbaar steenvalkje voor zijn geliefde sport, de val-kenjacht. De prins nam de vogel onmiddellijk op zijn pols en sjirpte tegen hem.
'Dank u wel, brave vrouw. Het is een prachtig valkje.'
'Ik voel me vereerd dat hij uwe hoogheid bevalt. Toen ik hoorde dat uw vader werd vrijgelaten, leek me dat wel een feestelijk geschenk waard.'
Ogretorycs gezicht betrok en hij begon al zijn aandacht op het valk-je te richten, dat zijn met een kapje bedekte kop naar hem toewend-de alsof het een verwante ziel herkende. In haar stoel bij het raam schoof Camlada onrustig heen en weer.
'Natuurlijk,' zei ze met een zorgvuldig gedoseerde glimlach. 'We zijn erg blij met Maels vrijlating. Maar het is een vreemde gedachte dat mijn schoonvader schrijver is geworden.'
Ogretoryc wierp haar een zijdelingse blik toe die een heleboel woe-dende uitlatingen kon betekenen.
'Mijn dank voor uw geschenk, beste Primilla,' zei hij. 'Ik zal het re-gelrecht naar mijn valkenier brengen.'
Aangezien het duidelijk was dat de audiëntie afgelopen was, maak-te Primilla een buiging en ging naar het openbare gedeelte van de ko-ninklijke ontvangzaal, waar het wemelde van allerlei slag smekelin-gen en nieuwsgierigen. Al pratend met raadslieden en schrijvers die ze kende, kreeg ze heel wat aanwijzingen dat veel mensen blij zou-den zijn als Mael in zijn oude positie werd hersteld en zijn zoon weer gewoon zijn opvolger werd. Misschien dat ze er om gevoelsredenen of uit fatsoen zo over dachten. Misschien. Primilla ging naar raads-heer Cadlew en vroeg hem ronduit waarom sommigen Mael zo graag zouden zien terugkeren als leenheer van Aberwyn en Cannobaen.
'U schijnt verdraaid veel belangstelling voor Maels zaak te hebben,' merkte Cadlew op.
'Natuurlijk. Het gilde moet weten aan wie het geschenken moet bren-

gen. We hebben geen zin om bij de verkeerde heer in de gunst te komen.'

'Uiteraard. Maar luister, vertel het niet verder alstublieft. Prinses Camlada heeft nogal wat verbeelding gekregen sinds haar man Aberwyn is geworden. Er zijn er heel wat die haar graag weer op een lagere plaats zouden zien. En dan zijn er nog een paar weduwen die zichzelf zeer geschikt vinden als troosteres van een prins van middelbare leeftijd.'

'Dus het is helemaal een vrouwenzaak?'

'Verre van dat. De prinses heeft de aan het hof wonende edelvrouwen meer dan eens beledigd en de weduwen hebben broers die op invloed azen.'

'Ik begrijp het. Denkt u dat Mael in zijn positie wordt hersteld?'

'Ik hoop het niet, voor hem. Het zou ongetwijfeld een gevaar voor zijn gezondheid zijn, en nu krijgt u geen woord meer uit me, brave vrouw.'

Het was ook meer dan genoeg, dacht Primilla. Ze ging onmiddellijk contact opnemen met Nevyn, omdat ze niet wilde dat Mael naar zijn vaderland zou terugkeren om daar door zijn verwanten te worden vergiftigd.


Vanuit het raam van Maels kamer leek het binnenplein van Dun Cerrmor zo netjes en zo klein als kinderspeelgoed. Kleine paardjes stapten over nauwelijks zichtbare keien; kleine mannetjes liepen rond en verdwenen in kleine deurtjes. Alleen de hardste geluiden zweefden tot aan zijn raam. Die middag leunde Mael op de vensterbank en hij keek naar het bekende uitzicht toen hij de deur achter zich hoorde opengaan.

'Glyn, koning van heel Deverry, komt eraan,' riep de wacht uit. 'Iedereen knielen.'

Mael draaide zich om en viel juist op zijn knieën toen de koning binnenschreed. Ze namen elkaar even op, lichtelijk geschokt omdat ze beiden sinds hun laatste korte ontmoeting zoveel ouder waren geworden.

'Vanaf vandaag,' zei Glyn tenslotte, 'bent u vrij man.'

'Mijn nederige dank, hoogheid.'

Glyn keek de kamer nog eens rond en vertrok toen, met medeneming van alle wachten. Mael staarde nog lange tijd naar de lege deuropening tot uiteindelijk Nevyn erin verscheen.

'Sta op, vriend,' zei de oude man. 'Het is tijd om je vleugels uit te proberen.'

Terwijl Mael achter hem naar de donkere wenteltrap liep, keek hij naar de muren, naar het plafond, naar ieder mens die ze tegenkwamen. Toen ze het binnenplein opliepen stroomde het zonlicht als water over hem heen. Hij keek op en zag de muur van de dun hoog boven zich in plaats van onder zich, en dat maakte hem opeens duizelig. Nevyn greep zijn arm en hield hem in evenwicht.

'De geest is een vreemd geval,' zei de oude man.

'Zeg dat wel. Ik heb een gevoel of ik behekst ben of zo.'

In het begin waren het lawaai en de drukte te veel voor hem. Het leek wel of het binnenplein vol roepende, lachende mannen was, die met veel gerammel paarden bij de teugel leidden. Dienstmeisjes liepen af en aan met emmers water, stapels brandhout en armen vol levensmiddelen. Overal waren de heldere rood- en zilverkleuren van Cerrmor, die pijn deden aan zijn kluizenaarsoog. Maar na een paar minuten veranderde Maels duizeligheid in nieuwsgierigheid. Hij liep langzaam, genietend van alles wat hij zag, van een fraai uitgedoste heer te paard tot een hoop gebruikt stro bij de stallen. Toen een van de wolfshonden van de koning zo vriendelijk was zich door hem te laten aanhalen, was hij zo blij dat hij zich net een achterlijk kind voelde dat alles leuk vindt omdat het nergens de waarde van kent. Toen hij dat tegen Nevyn zei, moest de dweomerman lachen.

'En wie zegt dat een achterlijk kind niet de wijste van ons allen is?' zei Nevyn. 'Laten we naar mijn kamers gaan, Gavra zal zo ook wel komen.'

Maar Gavra wachtte hen al op in Nevyns schaars gemeubelde ontvangkamer. Mael vloog op haar af, nam haar in zijn armen en kuste haar.

'O mijn schat,' zei hij. 'Ik durf dit haast niet te geloven. Ik denk maar steeds dat we morgenochtend wakker worden en merken dat het alleen maar een mooie droom is geweest.'

'Dat kan het maar beter niet zijn na alle moeite die ik heb moeten doen voor de winkel! Het heeft me zoveel hoofdbrekens gekost om hem op Ebrua's naam te laten zetten, dat ik wat van mijn eigen kruiden heb moeten nemen.'

Nevyn schatte dat het hun ongeveer vier dagen zou kosten om de Eldiddse grens te bereiken waar, zoals was afgesproken, een erewacht van het Eldiddse hof hem zou opwachten. Maar op de derde avond, toen ze ongeveer vijftien kilometer ten westen van Morlyn hun kamp opsloegen, kwam hen een heel ander gezelschap tegemoet: Primilla en twee jongemannen met vechtstokken. Terwijl ze afstegen, liep Nevyn snel met een uitroep van welkom naar hen toe, gevolgd door Mael.

'Wat heeft dit te betekenen?' vroeg Nevyn.

'Tja, ik vrees dat ik wellicht onheilspellend nieuws heb.'

'Is het heus?' vroeg Mael. 'Wil het hof dat ik vergiftigd word?'

'Ik hoor dat de filosoof zich zijn vroegere leven als prins nog goed herinnert,' zei Primilla. 'Maar ik weet niet zeker of hij echt in gevaar is. Het is alleen nooit verstandig om nodeloos risico's te nemen. We zijn gekomen om u naar een veilige plaats te brengen tot ik zeker weet dat we het hof op onze voorwaarden tegemoet kunnen treden, niet op de hunne.'

'Dankjewel,' zei Nevyn. 'Ik heb die jongen niet van de strop gered om hem aan een flesje vergif te verliezen.'

'Maak je geen zorgen. We zullen zo sluw als vossen door het woud sluipen, en dan...' Ze zweeg en glimlachte. 'Dan verschansen we ons als dassen in een hol.'

Aangezien de boeren die week hun wagenladingen brandhout hadden gebracht om hun voorjaarsbelasting aan de vuurtoren van Cannobaen te betalen, was Avascaen elke dag lang voor zonsondergang op om hen te helpen het hout te lossen en in de lange schuren op te stapelen. Dus toen hij op die bepaalde dag een stofwolk over de weg zag naderen, nam hij aan dat er weer een kar vol onderweg was.

'Daar komen de jongens,' zei hij tegen Egamyn. 'Ga eens gauw kijken in welke schuur de meeste ruimte over is.'

Zuchtend, omdat hij zich bij dit alles zo verveelde, slofte Egamyn weg, terwijl Avascaen de piepende, krakende poort openzwaaide. Met zijn hand nog op de roestige stang verstarde hij en staarde naar het gezelschap op de weg. Ruiters, pakezels, die vreemde vrouw met haar blauwe handen, en daarachter – dat kon hem niet zijn – dat moest hem zijn al was hij ook nog zo grijs geworden. Met een kreet die veel weg had van een snik vloog Avascaen de weg op om prins Mael bij zijn terugkeer te begroeten. Toen hij als teken van trouw de stijgbeugel van de prins vastgreep, boog Mael zich uit het zadel naar hem over.

'Moet je ons zien, Avascaen! Toen ik wegging waren we allebei jonge kerels, en nu zijn we helemaal grijs en grauw.'

'Dat is zo, mijn prins, maar ik ben evengoed erg blij u te zien.'

'En wij zijn blij jou te zien. Kun je ons onderdak verlenen?'

'Wat? Natuurlijk, hoogheid. U bent zelfs precies op het goede tijdstip gekomen. Scwna heeft pas uw kamers gelucht, zoals ze elk voorjaar doet, dus u treft ze lekker schoon aan.'

'Doet ze dat heus? Elk voorjaar?'

'Elk voorjaar. Wij zijn net dassen, prins. Wij gaan door.'

Mael kwam van zijn paard, greep Avascaens hand en drukte die stevig. Toen hij de tranen in de de ogen van de prins zag, begon Avascaen zich ook aangedaan te voelen.

'Ik ben geen prins meer,' zei Mael. 'En ik reken het tot een eer jou mijn vriend te mogen noemen. Kijk, ik heb mijn nieuwe vrouw en mijn zoon meegebracht, en laten we bidden dat ik deze keer voorgoed thuis ben gekomen.'

Toen het gezelschap het binnenplein opreed, kwamen Egamyn, Maryl en Scwna de broch uit om hen te begroeten. Avascaen keek Egamyn met een zelfvoldane glimlach aan.

'Heb ik je niet gezegd dat hij terug zou komen?'

Hij genoot de voldoening zijn brutale zoon met zijn mond vol tanden te zien staan.

Na een gezellige middag en een feestelijk avondmaal ging Avascaen het vuur aansteken. Op het moment dat de hemel tot parelgrijs verbleekte, sloeg hij vonken uit zijn vuurslag, stak de droge aanmaakkrullen in brand en blies erop tot de vlammen rond het brandhout lekten. Hij legde er steeds meer blokken op tot het vuurbaken fel brandde en zijn waarschuwing naar de zee zond. Toen liep hij naar de rand en keek naar de broch, waarvan de ramen vrolijk verlicht waren door lantaarns. De prins was thuis. Ik heb hem niet vergeten en hij heeft mij niet vergeten, dacht hij. We zijn net dassen, allebei. De wereld was een prettige plaats, vervuld van gerechtigheid. Later, toen de volle maan hoog aan de hemel stond, kwam Mael naar boven. Hijgend, buiten adem, leunde de prins tegen de balustrade.

'Jij moet verdraaid sterke benen hebben,' zei Mael.

'Ach, je raakt er na een tijdje aan gewend.'

Ze leunden naast elkaar tegen de balustrade en keken naar de zee; de golven braken als schuimend zilver in het maanlicht op het smalle zandstrand.

'Heb ik je verteld dat ik gedurende mijn gevangenschap boven in een toren zat opgesloten?'

'Nee maar. Dus u keek daar naar beneden en ik deed hier hetzelfde.'

'Ja, maar dit uitzicht is heel wat weidser dan wat ik had. Ik wil graag de rest van mijn leven in Cannobaen blijven, maar dat hangt af van prins Ogretoryc. Hij heeft het hier nu voor het zeggen, niet ik.'

'Als hij het lef heeft om u eruit te zetten, zal hij een andere vuurtorenwachter moeten zoeken.' Avascaen dacht even over het probleem na. 'Hoort u eens, mijn broer heeft meer land dan hij zelf kan bewerken. Als de nood aan de man komt, zal hij ons wel in huis nemen.'

'Dank je. En ik kan ook nog wat muntgeld verdienen als brieven-schrijver.'

Ze stonden een paar minuten in kameraadschappelijk zwijgen bijeen.

'Komen hier eigenlijk wel eens schepen langs?' vroeg Mael.

'Verdraaid weinig, maar je weet nooit wanneer iemand het licht no-dig zal hebben.'

Omdat Primilla's hele strategie eruit bestond Mael af te schilderen als iemand die volstrekt ongeschikt was voor hofzaken, had ze erop aangedrongen dat hij zijn brief aan zijn zoon zo openhartig mogelijk maakte, en ze was tevreden met het resultaat.

'Aan prins Ogretoryc, Prins van Aberwyn en Cannobaen, en mijn zoon, zendt Mael de filosoof zijn groeten. Hoewel we nooit een woord met elkaar hebben gewisseld, hoogheid, past het uw vader openhar-tig te zijn tegen zijn eigen vlees en bloed. Ik weet heel goed dat u uw positie en rang aan het hof van mijn broer de koning wilt behouden. Ik verlang niet anders dan die wens in vervulling te zien gaan. Ik ben een eenvoudige geleerde geworden, en na mijn lange gevangenschap niet geschikt voor de taken van legerleider en heerser. Het enige wat ik wil, is de rest van mijn leven doorbrengen in mijn oude buiten-verblijf te Cannobaen, of, als uwe hoogheid dat prefereert, als een gewone dorpeling. U kunt mij bericht sturen via Primilla, het hoofd van het verversgilde. In vrees voor mijn leven in hofkringen. Ik voel er weinig voor de vrijheid te proeven om een paar weken later ver-gif te proeven. Uw vader, Mael de filosoof.'

Toen ze de brief had gelezen, leunde Mael in zijn stoel achterover en keek haar met een raadselachtig glimlachje aan.

'Die zal de gewenste uitwerking hebben,' zei ze.

'Gelukkig. Het doet anders wel vreemd aan, weet je, om zo nederig te doen tegen je eigen zoon. Maar als het niet genoeg voor ze is dat ik ben afgezet dan heb ik nu zelf afstand gedaan. We moeten alles netjes afwerken, zoals onze Avascaen zou zeggen.'

Toen Primilla naar Abernaudd terugging, wachtte ze een dag met het afleveren van de brief om de nieuwste praatjes te kunnen horen. Om-dat het hof – of eigenlijk de hele stad – zo vol geruchten was als een wespennest vol angels is, hadden al haar vrienden haar heel wat te ver-tellen. De koning had inderdaad een erewacht naar de grens gestuurd om Mael te ontvangen, maar ze hadden er in plaats van Mael de Cerr-morse raadsheer Nevyn en prins Cobryn aangetroffen, die hun had-den meegedeeld dat Mael had besloten alleen te reizen. Iedereen ver-moedde verraad van de zijde van Ogretoryc, niet van Cerrmor.

'Ik zeg dat ze in dit geval op het verkeerde paard wedden,' zei Cadlew. 'Als er sprake is van verraad, zit de prinses erachter, niet de prins. Een aantal van haar getrouwen schijnt een krijgsbende op Mael afgestuurd te hebben.'

'O ja? Maar stel nu dat de filosoof niet dood is. Heeft iemand dan enig idee waar hij kan zijn?'

'Er zijn heel wat gissingen, maar men veronderstelt algemeen dat Mael is overgelopen naar de opstandelingen in Pyrdon, die hem een schuilplaats bieden in de hoop hier in Eldidd onlusten te kunnen opwekken. Gelukkig zijn ze te zwak om hem bij zijn jacht op de troon te kunnen steunen – voorlopig althans. Wie zal het iemand die eenmaal een prins is geweest, kwalijk nemen dat hij dat alles weer terug wil hebben?'

Op de morgen dat Primilla haar bezoek aan de prins en de prinses bracht zag Camlada er zo bleek en betrokken uit dat het leek of ze nachten lang niet had geslapen; Ogretoryc zag er alleen maar verbijsterd uit.

'Koninklijke hoogheid, ik heb een brief van uw vader voor u.'

Ogretoryc schoot als een pijl overeind. Camlada dook weg in haar stoel en keek met grote ogen terwijl Primilla de prins de berichtenkoker overhandigde.

'Waar hebt u mijn vader dan gezien?'

'Onderweg. Zijne hoogheid weet dat ik veel reis. Hij maakte een diepbedroefde indruk, en toen hij hoorde dat ik naar Abernaudd ging, verzocht hij mij de brief mee te nemen.'

'Het is inderdaad het zegel van Aberwyn.' Ogretoryc bekeek de koker. 'Dat moet het zegel zijn dat hij bij zich had toen hij gevangen werd genomen.'

Terwijl hij de brief las, keek Camlada toe met ogen die te veel angst verrieden om mooi te zijn.

'Tja,' zei Ogretoryc tenslotte, 'dit zal hopelijk een einde maken aan de geruchten dat we hem onderweg hebben laten vermoorden. Ik vrees dat ik me onbehoorlijk gedraag, brave vrouw, maar ik ben de afgelopen weken nogal terneergeslagen geweest.'

'Dat spreekt vanzelf, hoogheid. De bezorgdheid over het leven van uw vader zal ongetwijfeld een zware last voor u zijn geweest.'

'Dat was het zeker.' De manier waarop hij het zei, overtuigde haar van zijn oprechtheid, evenals de verachtelijke manier waarop hij zijn vrouw de brief in de schoot wierp.

Camlada nam de brief met een ongeduldige hoofdbeweging op en las hem. Primilla zag de stromingen in haar aura, waar angst en achterdocht als demonen ronddraaiden.

'Wel, is mijn vrouwe nu tevreden?' vroeg Ogretoryc hatelijk.

'Wel, denkt mijn heer dat ik iets anders zou zijn?'
Toen ze elkaar strak bleven aankijken, draaide Primilla zich om en begon een bloemstuk te bewonderen. Na een ogenblik wendde Ogretoryc zich met een gedempt grommen af.
'Sta me toe dat ik u naar de deur begeleid, brave vrouw,' zei hij. 'Mijn dank voor het brengen van de brief.'
De prins zei niets meer tot ze ver buiten gehoorsafstand van de prinses waren.
'Kunt u me zeggen waar Mael is?'
'In Cannobaen, hoogheid.'
'Dat vermoedde ik al, maar luister, vertel het aan niemand tot ik alles heb geregeld. Mijn geliefde echtgenote mag er nog best een tijdje over inzitten.'

Mael en Gavra maakten elke morgen een lange wandeling langs de kliffen en om naar de zee te kijken. Omdat de herinneringen aan Cannobaen hem tijdens zijn gevangenschap aldoor hadden gekweld, kon hij haast niet geloven dat hij hier echt was, dat hij de zon warm op zijn rug voelde en de pittige, schone zeelucht kon inademen. 's Middags beklom hij vaak de toren, hij ging er bij de as van het vuurbaken zitten, terwijl hij de weg in het oog hield. Naarmate de tijd verstreek vroeg hij zich af hoeveel dagen van tevredenheid hem nog restten. Elke dag zonder antwoord uit Abernaudd was een onheilspellend teken van geïntrigeer aan het hof.
Maar toen het antwoord kwam, overrompelde het hem toch nog. Hij was in zijn kamer bezig met een schrijfstift langs een liniaal lijnen op een stuk perkament te trekken, toen Avascaens zoon Maryl binnenstormde.
'Hoogheid, er staan vijfentwintig man aan de poort, onder wie uw zoon.'
Mael greep zonder nadenken zijn pennemesje als wapen en rende naar buiten, maar de mannen waren al in een genoeglijk soort gewemel aan het afstijgen. Het kostte Mael geen moeite de prins te onderscheiden in de drukte, gewoon omdat zijn zoon sprekend op hem leek. Ogretoryc kwam glimlachend naar hem toe en stak hem zijn hand toe.
'Het verheugt me u te zien, vader. Ik heb mijn hele leven over u horen praten, en nu ontmoeten we elkaar eindelijk.'
'Zo is het.' Mael schudde de uitgestoken hand.
'Uw brief heeft me diep getroffen. U hebt niets te vrezen, dat zweer ik.'
'Dan moet het hof veranderd zijn sinds ik er voor het laatst was.'

'Ik heb heel wat goddeloze adviezen gehad, als u dat bedoelt, maar ik zal elke man doden die zijn hand tegen u opheft.'

Hij zei het zo oprecht dat Mael bijna huilde van opluchting.

'Daar ben ik je dankbaar voor.'

Ogretoryc draaide zich om en keek omhoog naar de broch en de toren.

'Ik ben hier nooit eerder geweest. Toen ik een kind was wilde moeder hier nooit naartoe, omdat de gedachte dat u zo van deze plek hield haar aan het huilen maakte. Eenmaal volwassen geworden was ik meestentijds op veldtocht. Nu is dit alles weer van u. Ik heb het u toegewezen en de koning was zo goed u er een titel bij te verlenen. Ik heb de overdrachtakten in mijn zadeltas.'

'Alle goden! Dat is edelmoedig van je.'

Hij haalde zijn schouders op, nog steeds met afgewend hoofd.

'Eén ding moet ik u nog zeggen,' vervolgde Ogretoryc. 'Een paar jaar geleden, toen ze die akte van uw afzetting verstuurden, was iedereen er zeker van dat Glyn u zou ophangen. Ik zou de koning hebben gesmeekt die akte niet te verzenden, maar ik was toen niet aan het hof.' Hij keek Mael eindelijk aan. 'Mijn vrouw had het zo geregeld dat ik niet aan het hof was tijdens de raadszittingen waarop de koning zijn besluit nam. Ik heb dat pas veel later ontdekt.'

'Ach, zit daar maar niet te veel over in. Ik betwijfel of de koning naar je smeekbede zou hebben geluisterd. Maar doe me het plezier dat ik je vrouw nooit hoef te ontmoeten.'

'Ik stuur haar weg. Ze mag de rest van haar leven in alle rust ergens in een afgelegen oord slijten.'

Uit de boosaardige klank in zijn stem maakte Mael op dat hij de beste straf voor zijn vrouw had gekozen die hij had kunnen bedenken. De volgende morgen vertrok Ogretoryc vroeg met de belofte spoedig terug te komen als de zomerveldtochten het toelieten. Mael wuifde hem bij de poort na, en ging vervolgens op zoek naar Gavra, die hij in gedachten verdiept in de buurt van Scwna's moestuin aantrof. 'Wat doe je?' vroeg hij.

'Ik denk erover deze keien op te graven, zodat we hier een kruidentuin kunnen maken. Scwna zegt dat hier heel veel zon komt.'

'Ik zie het al. De mensen zullen nog jarenlang over de excentrieke vrouwe Gavra van Cannobaen en haar kruiden praten.'

'Ik wil geen edelvrouw zijn. Dat weiger ik.'

'Je hebt niets te weigeren. Je hebt je lot bezegeld toen je met me trouwde. Weet je, menig meisje heeft een titel veroverd met haar schoonheid, maar jij bent volgens mij de eerste die de hare met een koortswerend brouwsel heeft verworven.'

Toen ze in de lach schoot, kuste hij haar en daarna hield hij haar stevig tegen zich aangedrukt, vrij in het warme zonlicht.

# III

In de zomer van 797 stierf Glyn, gwerbret Cerrmor en zogeheten koning van Groot Deverry, in zijn vijftigste levensjaar aan een stuwing van het hart. Hoewel Nevyn zich al een tijdlang zorgen had gemaakt over Glyns gezondheid, kwam diens dood voor hem toch onverwacht. Glyn reed op zekere morgen aan het hoofd van zijn mannen uit en tegen het middaguur brachten ze hem dood weer thuis. Hij was er bij het bestijgen van zijn paard door getroffen en binnen een paar minuten gestorven. Terwijl zijn snikkende vrouw en haar dienaressen zijn lijk wasten en opbaarden, aanvaardde zijn oudste zoon Camlan in tegenwoordigheid van zijn trouwe vazallen in de grote zaal het koningschap. De hogepriester van Bel zegende hem en speldde de enorme ringbroche van het koningschap op zijn geruite sjaal. Toen de vazallen een voor een naar voren kwamen om voor hun nieuwe leenheer te knielen, glipte Nevyn onopgemerkt uit de drukte weg en ging naar zijn kamers. De tijd was gekomen om Cerrmor te verlaten. Laat die avond was Nevyn druk aan het pakken toen de nieuwe koning hem liet halen. Camlan had de koninklijke appartementen al betrokken en stond bij de haard waarvoor Nevyn zijn vader zo vaak rusteloos heen en weer had zien lopen. De nieuwe koning, dertig jaar oud, was fors gebouwd, maar net zo knap als zijn vader, en hij had net zo'n kaarsrechte, fiere houding.
'Ik hoor dat u van plan bent ons te verlaten,' zei Camlan. 'Ik hoopte eigenlijk dat u me zou dienen zoals u mijn vader hebt gediend.'
'Dat is heel vriendelijk van u, heer.' Nevyn zuchtte om de noodzakelijke leugens die hij ging opdissen. 'Maar de dood van uw vader is een harde slag voor iemand die zo oud is als ik. Ik heb niet meer de kracht voor een taak aan het hof. Ik wil alleen mijn laatste paar jaar doorbrengen met het eren van uw vaders nagedachtenis.'
'Dat zijn nobele woorden. Dan zou ik u graag een stuk grond bij Cerrmor schenken, als beloning voor uw jarenlange trouwe dienst.'
'Dat is heel edelmoedig van u, maar zoiets is beter besteed aan een jongere man. Ik heb familie bij wie ik onderdak kan vinden, en de gedachten van een oude man gaan voornamelijk uit naar zijn verwanten.'
Toen hij Cerrmor verliet, ging Nevyn naar Cannobaen om Mael en Gavra op te zoeken. Hoewel er een openlijke oorlog langs de Eldidd-

se grens woedde, kon hij in zijn vermomming van sjofele oude krui-denman makkelijk door de linies glippen en langs de kust van Eldidd trekken. Laat op een stralende zomerdag, toen overal langs de weg de wilde rozen bloeiden, bereikte hij de dun. Het oude wapen van Aberwyn was boven de poort weggehaald en vervangen door een nieuw, twee stoeiende dassen met het motto: *Wij gaan door.*

Toen Nevyn zijn paard en muildier binnenleidde, rende Mael hem met een luide kreet tegemoet om hem te begroeten. Hij was gebruind en vol energie, en hij lachte breed toen hij Nevyns hand greep en tus-sen zijn beide handen klemde.

'Wat doe jij hier, ver weg van alle belangrijke staatszaken?' vroeg Ma-el. 'Ik ben blij je te zien.'

'Dat komt, Glyn is dood en ik heb het hof verlaten.'

'Dood? Dat nieuws had ik nog niet gehoord.'

'Je kijkt bedroefd, beste vriend.'

'Dat ben ik in zekere zin ook. Wat zijn motieven ook waren, Glyn was de edelmoedigste beschermheer die een geleerde ooit heeft ge-had. Hij heeft me twintig jaar te eten gegeven, nietwaar? Menige leen-heer heeft voor heel wat minder goedheid onverdeelde toewijding ontvangen. Maar kom binnen, kom binnen. Gavra zal ook blij zijn je te zien, en we hebben er een nieuw dochtertje bij.'

Behalve het nieuwe dochtertje kon Mael hem nog een schat tonen, een buitengewoon zeldzaam boek, dat hij bij een van zijn schaarse bezoeken aan Aberwyn in de tempel van Wmm had gevonden. 's Avonds lazen ze om beurten voor uit deze vroege vertaling van een dialoog van Tull Cicryn, de wijze uit Rhwman, en ze bleven tot laat in de avond doorpraten over deze bijzondere gedachten uit de Be-gintijd.

'Dat boek heeft me vervloekt veel geld gekost,' zei Mael op een ge-geven ogenblik. 'Gavra vond dat ik niet goed wijs was, en misschien had ze gelijk. Maar de priesters zeiden dat dit het enige boek van Ci-cryn was dat bij de grote verbanning was meegekomen.'

'Dat is het inderdaad, en het is jammer dat we niet meer van hem hebben. Volgens de overlevering was Cicryn net zo'n soort man als jij, een prins van de Rhwmanes die werd afgezet omdat hij de ver-keerde troonpretendent steunde. Hij heeft de rest van zijn leven aan filosofie gewijd.'

'Nou, ik hoop maar dat hij in zijn verbanning niet te hardvochtig is behandeld, maar we hebben er in elk geval deze *Toscaanse Ge-sprekken* aan te danken. Ik ben van plan zijn betoog tegen zelfmoord in mijn nieuwe boek op te nemen. Het kernpunt ervan is haarscherp en treffend waar hij zegt dat we zijn als schildwachten van een leger, door de goden aangesteld om redenen die we niet kennen, en dat wie zichzelf van het leven berooft, eigenlijk zijn post verlaat.'

'Als ik me goed herinner, heb ik dat heel lang geleden tegen een heel jonge prins gezegd.'

Mael schoot in de lach.

'Inderdaad, en je had groot gelijk. En ik ben al een tijd van plan je iets te zeggen. Je kunt hier gerust de rest van je leven blijven als je wilt. Ik kan je geen pracht en praal bieden, maar Cannobaen is lekker warm in de winter.'

'Dat is heel vriendelijk aangeboden, en ik zou het heus graag doen, maar ik heb familie waar ik naartoe ga.'

'Familie? Ach, natuurlijk heb je familie. Ik dacht altijd dat dweomermannen wel geheel volwassen uit de grond zouden schieten.'

'Als kikkers uit de warme modder? Nou, zo vreemd zijn we niet – niet helemaal, tenminste.'

Toen Nevyn wegging, deed hij dat stilletjes op een heel vroege ochtend voor de familie wakker was, gewoon om iedereen een droevig afscheid te besparen. Bij het wegrijden keek hij nog eens om naar de verblekende gloed van het licht hoog op de vuurtoren van Cannobaen, en hij wist dat hij Mael nooit terug zou zien. Hij wenste dat hij werkelijk familie had waar hij naartoe kon gaan, maar de verre verwanten die hij had, waren allemaal aan de diverse oorlog voerende hoven, die hij een tijdlang zou moeten mijden. Het kwam er gewoon op neer dat hij net moest doen of hij overleden was. Na een flink aantal jaren kon er dan weer een volgende Nevyn de kruidenman opduiken op plaatsen waar men hem eens had gekend, zonder dat de mensen pijnlijke vragen gingen stellen over zijn ongewoon lange leven.

Hij besloot naar een afgelegen plaats in het gebied van Cantrae te gaan, waar hij zijn kennis en kunde kon gebruiken ten behoeve van de gewone mensen van het door oorlog verscheurde rijk. Hij vroeg zich af waar hij Brangwen weer zou vinden en of ze misschien alweer ergens in een nieuw lichaam leefde. Hij kon niet anders doen dan zijn intuïtie volgen en zich laten leiden door de hoop dat het lot hem gunstig gezind was. Met een lange, droevige zucht liet hij zijn paard de naar het noorden lopende weg opgaan. Zijn lange leven mocht anderen dan mooi toeschijnen, hij was erg moe.

En wat Mael, heer van Cannobaen betrof, hij en zijn vrouw leefden nog lang en gelukkig en stierven tenslotte een paar dagen na elkaar van ouderdom en anders niets. Toen zijn faam als wijze groeide werd hij bekend als Mael de Ziener, dat was de titel van het soort mannen dat in de Begintijd bekend stond als 'profeten'. Ofschoon men hem in Deverry Mael y Gwaedd zou hebben genoemd, werd zijn naam in de Eldiddse spreekwijze Maelwaedd, een titel die daarna eeuwenlang aan al zijn nakomelingen werd doorgegeven.

# ZOMER 1063

Zeg nooit dat ge een geest in een kristal of in een talisman 'vastzet'. Als de geest u op deze manier wil dienen, des te beter, omdat hij in ruil daarvoor kennis en kracht verwerft. Maar laat ons dat gepraat over vastzetten en onderwerping aan het duistere pad overlaten.

*Het Geheime Boek van Cadwallon de Druïde*

Het was een prachtige zonnige dag, en het zonlicht glinsterde op het water van de rivier de Lit. Heer Camdel, voor-
malig Meester van de Koninklijke Badkamer, reed zingend
langs de river. Hij zong maar flarden van liedjes, allemaal dooreen-
gehaspeld, omdat hij zich de woorden niet goed kon herinneren. Hij
had trouwens in elk opzicht moeite om dingen te onthouden, zoals
de reden waarom hij door het eenzame heuvelland van Yr Auddglyn
reed. Die vraag kwam af en toe bij hem op, maar hoe lang hij er ook
over nadacht, hij vond nooit een antwoord. Het leek alleen heel terecht dat hij daar was, honderden kilometers van het hof verwijderd,
met een geheimzinnig pakje juwelen in zijn zadeltassen. Hij wist dat
hij die juwelen had gestolen, maar hij wist niet meer waarom of van
wie.
'Ik ben blijkbaar dronken,' zei hij tegen zijn roodbruine ruin. 'Maar
waarom ben ik hier dronken?'
De ruin snoof alsof hij zich hetzelfde afvroeg.
Een paar kilometer verder maakte de weg langs de rivier een scherpe bocht, en toen die rondde, zag Camdel drie mannen te paard. Hij
begreep op zijn verwarde manier dat ze op hem stonden te wachten.
Natuurlijk, dat waren Sarcyn en Alastyr, en die derde man moest Sarcyns broer zijn! Hij was hier ongetwijfeld om opium voor die juwelen te kopen. Nu begreep hij het eindelijk.
'Welkom, vriend,' zei Alastyr. 'Ben je klaar om met ons mee te gaan?'
Camdel wilde al ja zeggen, maar er kwam opeens een gedachte bij

hem op. Niet doen! zei die gedachte, ze willen je kwaad doen! De gedachte was zo dwingend dat hij onmiddellijk zijn paard wendde.

'Hier!' Sarcyn joeg hem op zijn rijdier achterna.

Vlucht! gilde de stem in zijn hoofd.

Camdel gaf gehoorzaam zijn paard de sporen, maar net toen het in galop sprong, krijste het in doodsnood en steigerde. Camdel werd hard naar voren geworpen; hij klampte zich vast aan de hals toen het wankelde. Hij zag het lemmet van een zwaard opflitsen en de keel van het paard doorsnijden. Hij kon nog net op tijd de stijgbeugels uitschoppen en van het paard rollen toen dat in elkaar zakte. Hij krabbelde overeind en graaide naar zijn zwaardgevest. Toen kreeg hij een harde klap op zijn achterhoofd en werd alles donker.

'Goed gedaan, Sarcyn,' zei Alastyr. 'Evy, pak die zadeltassen! We moeten gauw maken dat we hier wegkomen.'

'Vervloekt vervelend van dat paard,' zei Sarcyn, bij Camdel knielend. 'We zullen een ander voor hem moeten stelen.'

'Eigenlijk kunnen we hem beter doden, dan zijn we van hem af. Het is allemaal veel gevaarlijker dan ik had gedacht. Vergeet niet dat er met die ellendige oorlog in deze streek elk ogenblik een patrouille of zoiets op de weg kan verschijnen.

Sarcyn keek met een opstandige blik in zijn ogen op.

'Ik weet dat ik het beloofd heb, maar...' Alastyr aarzelde; hij herinnerde zich de waarschuwing van de Oude dat zijn leerling hem haatte. 'Nou goed, hij weegt niet veel. Bind hem maar op jouw paard tot we een ander voor hem hebben.'

'Dank u, meester. Bovendien kunnen we hem gebruiken voor het ritueel.'

'Dat is waar, en vanavond al. Alle goden, ik ben doodmoe.'

Evy kwam haastig aangelopen met de zadeltassen. Alastyr had ze graag geopend om zich ter plekke in de juwelen te verlustigen, maar de tijd drong. Hij keek zenuwachtig om zich heen, bang de een of andere edelman met zijn voltallige krijgsbende te zien opduiken. Bah, Camdel zou een blok aan hun been zijn. Hij voelde zich gekwetst omdat hij besefte dat Sarcyn hem toch zou haten, na alles wat hij voor dat kleine straatschoffie had gedaan! Maar er was nu geen tijd om over dat soort dingen te piekeren, en haat of niet, Sarcyn was te nuttig om uit de weg te ruimen.

Zijn hoofd bonsde van een barstende hoofdpijn, en er waren armen om hem heen. Maar waar was hij? Camdel deed zijn ogen open en zag groene velden om zich heen. De Auddglyn. Hij had geprobeerd te ontsnappen. Kreunend probeerde hij zich in het zadel om te draaien en merkte dat zijn enkels aan de stijgbeugels vastgebonden waren.

'Je bent wakker, hè?' zei Sarcyn.

Pas toen ontdekte Camdel dat Sarcyn achter hem zat en hem op het paard vasthield. Hij hoorde het geluid van andere paarden die achter hen liepen. De groene velden dansten en draaiden voor zijn gekwelde ogen.

'Het spijt me van die klap op je hoofd,' vervolgde Sarcyn. 'Maar we konden je niet zomaar laten gaan. Over een poosje zul je je wel beter voelen, jochie.'

'Waarom niet? Waar hebben jullie me voor nodig?'

Sarcyn lachte met een binnensmonds knorgeluidje.

'Dat merk je vanavond wel.'

Hij was te uitgeput om verder te vragen. Hoewel hij terdege de kunst van het zwaardvechten had geleerd, en zelfs een paar toernooien had gewonnen, had hij nooit aan een veldslag deelgenomen en zich in heel zijn leven eigenlijk nooit echt ingespannen. De pijn legde gedurende de rest van de lange, afschuwelijke reis beslag op zijn gedachten.

Eindelijk kwamen ze bij een hoeve die al lange tijd leegstond, te oordelen naar de afbrokkelende aarden wal eromheen en de gaten in het rieten dak van de boerderij zelf. Toen de anderen afstegen, sneed Sarcyn Camdels enkels los en trok hem van het paard, daarna duwde hij hem een groot halfrond vertrek binnen dat vroeger een keuken was geweest. De vloer lag bezaaid met reisbenodigdheden en bij de haard lag een stapel dekens.

'Ga maar liggen uitrusten,' zei Sarcyn. 'Maar ik bind wel je handen en voeten vast om te zorgen dat je hier blijft.'

Toen hij gekneveld was, bleef Camdel doodstil liggen in een poging zijn bonzende hoofd niet te bewegen. De anderen kwamen binnen, onder elkaar pratend over hun buit, en gingen naar een andere kamer. Hoewel Camdel probeerde te slapen, hoorde hij opeens een gebrul van woede.

'Hij is weg! Hij moet eruit gevallen zijn toen dat rotpaard dood neerviel! Alles is er, behalve de Grote Steen van het Westen. Sarcyn, zadel je paard en ga terug om hem te zoeken.'

De grote Steen van het Westen. Wat was dat? Camdel herinnerde zich vaag de naam, maar de pijn in zijn hoofd belette hem het denken. Hij viel weer in slaap, maar had een akelige droom waarin Alastyr hem over die geheimzinnige steen ondervroeg.

Toen hij weer wakker werd, was het nacht en brandde er een vuur in de haard. Alastyr, Sarcyn en Evy zaten vlakbij op de grond en praatten zacht op een toon vol ijskoude woede. Toen hij besefte dat ze de steen waarschijnlijk niet hadden gevonden, was hij in zijn schik. Hoewel hij onwillekeurig kreunde toen hij zich probeerde te bewegen, was de pijn in zijn hoofd draaglijk.

'Geef hem iets te eten en te drinken,' zei Alastyr. 'Ik wil onmiddellijk met het ritueel beginnen. Al die astrale reizen die ik heb ondernomen hebben me volledig uitgeput, dat mogen jullie gerust weten.'

Camdels hart begon te bonzen als een trom. Alle verhalen die hij over boze tovenaars had gehoord kwamen weer in hem op toen Sarcyn op hem afkwam.

'O, we zijn niet de opiumkoeriers waar jij ons voor hield,' zei Sarcyn terwijl hij neerknielde. 'Je zult gauw genoeg meer aan de weet komen, knulletje. In het begin zul je het vreselijk vinden wat ik met je doe, maar ik denk dat je het over een tijdje op een rare manier fijn zult gaan vinden.'

Toen Sarcyn zijn handen lossneed, beefden die zo erg dat Camdel de waterzak die hem werd aangereikt nauwelijks kon vasthouden, maar hij had zo'n dorst dat hij zich tot het uiterste bedwong, en dronk met lange teugen. Sarcyn sloeg hem gade met een glimlachje dat hem deed griezelen.

'Honger?' vroeg hij.

'Nee, nee,' stootte Camdel uit. 'Toe, laat me gaan. Mijn vader is rijk, hij zal losgeld voor me betalen, ach goden, laat me alsjeblieft gaan.'

'Nee, je zult je vader nooit terugzien, jongen. Jij gaat met ons mee naar Bardek, en als ik genoeg van je heb, verkoop ik je als slaaf. Dus je kunt maar het beste proberen het me naar de zin te maken, zodat ik niet meteen al genoeg van je heb.'

Camdel begreep opeens wat hem te wachten stond. Hij deinsde onwillekeurig terug toen Sarcyn naar hem lachte.

'Hij zou nu toch niets kunnen eten,' kwam Alastyr tussenbeide. 'Maak zijn enkels los en breng hem mee.'

Toen Sarcyn hem overeind trok, wankelde Camdel. Hij was zo lang vastgebonden geweest, dat het lopen hem moeite kostte. De leerling bracht hem half duwend half dragend naar een andere kamer, waar aan de ene muur een lap zwart fluweel hing met vreemde tekens en symbolen erop geborduurd. Er hingen brandende kaarslantaarns en in de ene hoek stond een bronzen komfoor waaruit een dunne wierookwolk opsteeg. In het midden was een dikke ijzeren ring bevestigd aan een luik dat ongetwijfeld toegang gaf tot een bietenkelder of een ondergrondse ruimte.

'We hadden alles al klaargemaakt, we wachtten alleen nog tot jij wakker zou worden,' zei Alastyr, en Camdel haatte zijn zalvende stem meer dan ooit. 'Denk erom, als je je te veel verzet, doet het misschien pijn, dus blijf stil liggen.'

Bij die woorden duwde Sarcyn hem zo hard voorover op de vloer dat hij naar adem hapte. De leerling bond zijn handen snel aan de ring vast en stapte opzij. Toen Camdel opkeek, zag hij Alastyr op nog geen meter afstand voor zijn hoofd staan. Hij hield zijn handen met de palmen naar boven op schouder hoogte. In het flakkerende kaarslicht leken zijn ogen te fonkelen toen hij recht in Camdels ogen keek. Camdel kon zijn blik niet afwenden, ook al probeerde hij het uit alle macht. Alastyrs ogen hadden hem gevangen, ze zetten hem vast en hij kreeg een gevoel of de oude man het leven uit hem wegzoog, hem volslagen leeg maakte op een geheimzinnige manier die hij niet begreep.

Toen knielde Sarcyn naast hem neer en begon hem zijn brigga uit te trekken, hij stak zijn handen onder Camdels lijf om de bandjes los te maken en hem te liefkozen. Hij verzette zich, ging tekeer als een vis op het droge, maar de tovenaarsleerling was te sterk. Hij lag daar huiverend van angst, half naakt en keek omhoog in Alastyrs ogen, terwijl Sarcyn zijn benen spreidde en ertussen knielde. De oude man begon te prevelen in een onbegrijpelijke taal, een zacht ritmisch gemompel dat des te angstaanjagender was omdat het zo langzaam ging, zo strak in de maat.

Opeens voelde hij dat Sarcyn zijn billen vastgreep. Toen hij besefte wat er met hem ging gebeuren, wilde hij gillen, maar er kwam geen geluid.

In de grauwe, vochtige ochtendschemering begon het kamp te ontwaken – de mannen geeuwden en vloekten, de paarden werden uit zichzelf wakker en trokken zacht snuivend aan hun tuiers. Bij zijn wachtpost bij de rivier stak Rhodry zijn zwaard in de schede en legde zijn schild op de grond, terwijl hij op de hoofdman wachtte die zijn aflosser zou brengen. Aan de overkant van de rivier stond een veld met vroege tarwe, al goudkleurig en klaar om te oogsten. Het is al zomer, dacht Rhodry. Mijn eerste vervloekte zomer als zilverdolk.

Eindelijk werd hij met een uitroep en een handbeweging van de hoofdman afgelost. Rhodry haastte zich naar het kamp terug, gooide zijn schild naast zijn rol dekens en ging naar de karren om haver voor zijn paard en een ontbijt voor zichzelf te halen. De twintig andere mannen van de krijgsbende stonden er al. Hij ging in de etensrij staan, achter Edyl, een ruiter met een hoekig gezicht, en tot nu toe de enige in de krijgsbende die met een zilverdolk wilde praten.

'Morgen, Rhodry. Je hebt zeker geen vijanden rond zien sluipen, of heb je op je post geslapen?'

'O, wakker blijven was niet moeilijk, daarvoor waren jullie te hard aan het snurken en scheten laten.'

Edyl gaf hem lachend een vriendschappelijke stomp tegen zijn schouder. Bij de kar drong heer Gwivans gezette dienaar zich vooraan in de rij om het ontbijt voor zijn heer te halen. 'Hoe ver zijn we nu eigenlijk nog van heer Daens dun?' vroeg Rhodry.

'Goed vijfentwintig kilometer. Als die verrekte karren niet weer in elkaar zakken, kunnen we er vanavond zijn.'

'Zouden we in een beleg terechtkomen?'

'Tja, dat gerucht gaat, hè? Laten we hopen dat het niet waar is.'

Sinds hij in de Auddglyn midden in deze oorlog was verzeild, probeerde Rhodry nog steeds uit te vissen wat er nu eigenlijk aan de hand was. Voor zover hij kon nagaan heerste er tussen heer Daen en een zekere heer Laenrydd al jaren een vete, die nu door een kleinigheid tot een uitbarsting was gekomen. Beide edelen hadden al hun bondgenoten opgeroepen een zo groot mogelijk leger op de been te brengen. Rhodry was ingehuurd door Daens bondgenoot Marclew, maar omdat Marclew Daen maar vijfentwintig man hoefde te leveren, was hij thuis gebleven en had hij zijn zoon Gwivan aanvoerder van de krijgsbende gemaakt. De schande van dit alles knaagde voortdurend aan Rhodry. Vorige zomer was hij nog cadvridoc van een groot leger geweest; nu was hij maar een zilverdolk, ingehuurd om een andere man niet op veldtocht te hoeven sturen.

Het kamp werd vlot opgebroken en twee uur na zonsopgang waren ze onderweg. De helft van de krijgsbende reed met zijn aanvoerder aan het hoofd van de rij; de karren reden hotsend en botsend in het midden; de rest van de ruiters vormde de achterhoede. Rhodry reed als zilverdolk helemaal achteraan en mocht het stof van de hele troep inademen. Hij moest aldoor aan Jill denken en vroeg zich af of ze wel veilig was, in de dun met de rest van de krijgsbende en, niet te vergeten, de edelman zelf die weduwnaar was. Zijn jaloezie was een voortdurende metgezel die hem bestookte en tergde met herinneringen aan haar schoonheid. Toen ze samen waren weggereden, had hij er niet aan gedacht dat ze weken, zelfs maanden aan een stuk gescheiden zouden zijn, dat hij op geen enkele manier zou weten of ze hem trouw was.

Traag trok de lange, slordige troep slingerend door het heuvelland, begroeid met bomen en ruig struikgewas. Rhodry haalde zich alle mannen in de dun een voor een voor de geest en vroeg zich af of er een bij was die ze aantrekkelijk zou vinden. Dat elke man die Jill zag haar in gedachten begeerde, was voor hem een vaststaand feit; de vraag was, zou zij op zijn toenaderingen ingaan? Zijn gepieker werd plotseling onderbroken door de klank van een zilveren hoorn. Met een onwillekeurige kreet ging hij in de stijgbeugels staan en keek om zich heen. Ver voor hen op de weg stond een krijgsbende, volledig bewapend en gevechtsklaar, dwars over hun marsroute opgesteld.

'Vijanden, jongen!' riep Gwivan. 'Bewapenen!'

Terwijl hij zijn schild van zijn zadelknop losmaakte en over zijn linkerarm trok, leidde Rhodry zijn paard met zijn knieën, liet het uit het gelid draaien en langs de karren stappen. De stoet loste zich op in een kolkende, vloekende verwarring toen de andere mannen hetzelfde deden. Net toen hij de voorste linie bereikte, klonk er weer een hoornsignaal en uit de heuvels daalde een tweede krijgsbende af om hen van achteren de weg af te snijden. Rhodry begon zich af te vragen of hij Jill ooit terug zou zien, trouw of niet. Binnensmonds vloekend trok hij een speer uit de schede onder zijn rechterbeen, net toen de vijandelijke krijgsbende hun paarden naar voren liet komen.

'Gwivan!' riep de aanvoerder. 'Geef je over, jonge sufferd.'

De edelman liet zijn paard een paar passen voor zijn verbeten en opdringende mannen uit stappen. Omdat Rhodry schatte dat er veertig man achter hen stonden en dertig voor hen, bereidde hij zich erop voor in de strijd te sneuvelen als Gwivan zou weigeren zich over te geven.

'Gebruik je verstand, jongen!' riep de vijandelijke aanvoerder. 'Het is niet eens jouw vete. Laat je vader jou en je troep toch loskopen. Zolang jij vandaag maar niet Daens kant bereikt, heb ik er geen belang bij om jou koud te maken. Het is niet eerloos om je bij een overmacht als deze over te geven, en bovendien kunnen we de duiten goed gebruiken.'

Achter hem lachte de krijgsbende om de grap.

'Dat is allemaal goed en wel, Ynric,' riep Gwivan terug. 'Maar hoe zit dat met heer Degwyc?'

'Die is hier niet, en ik geef je mijn woord van eer dat je niets van hem te duchten hebt zolang je onder mijn hoede bent.'

Gwivan dacht zo lang na dat Rhodry had kunnen vloeken van spanning. Zijn leven hing in een web van andermans vetes, en hij wist niet eens wie ze waren.

'Goed,' zei Gwivan tenslotte. 'Ik neem je voorstel aan.'

Rhodry slaakte een luide zucht van verlichting.

De wachtende vijanden kwamen langzaam naar voren en omsingelden hen. Ynryc vatte post bij een van de karren en keek toe hoe Gwivan en zijn mannen een voor een naar voren kwamen en hun wapens aflegden. Rhodry kwam als allerlaatste. Hij gooide eerst zijn speren in de kar en trok toen met tegenzin zijn zwaard, een prachtstuk met een lemmet van het beste staal en een handbeschermer in de vorm van de draak van Aberwyn. Het was het enige ding waar hij evenveel van hield als van Jill, en het deed hem zeer het op de stapel te moeten leggen.

'Dat is een mooi zwaard, zilverdolk,' merkte Ynryc op. 'Krijgsbuit?'

'Nee, heer, een geschenk van iemand die ik goed heb gediend.' Rhodry dacht aan zijn vader, die het hem had gegeven.

'Dan moet je als een duivel hebben gevochten om zo'n prachtstuk te verdienen.' Ynryc wendde zich tot Gwivan, die met een nors gezicht naast hem op zijn paard zat. 'Je vader moet zijn verplichtingen wel zeer ernstig nemen als hij zelfs geld uitgeeft om een zilverdolk te huren.'

Gwivans mond werd een smalle streep.

'Nou ja, jij kunt het ook niet helpen dat je pa zo'n vervloekte vrek is,' vervolgde Ynryc. 'Denk je dat hij losgeld voor deze vent zal betalen?'

'Mijn vader is een man van eer,' grauwde Gwivan. 'En hij is géén vrek.'

'Alleen een beetje zuinig, hè?'

Terwijl Ynryc bulderde van het lachen, werd Gwivan knalrood van schaamte. Rhodry voelde een koude, beklemmende angst in zich opkomen. Als zijne edele het losgeld niet betaalde, zou Rhodry worden gedegradeerd tot weinig meer dan een lijfeigene, in feite Ynrycs eigendom tot hij de schuld met werken had afgelost.

Heer Marclew was zo woedend dat iedereen in de grote zaal het nieuws kon horen. Met een zenuwachtige schrijver en kamerheer op zijn hielen beende hij de grote zaal op en neer en bulderde verwensingen aan het adres van Ynryc, diens clan en mannelijkheid. Jill stond met een groepje dienstmeisjes in de bocht van de muur en keek naar de edelman, een reus van een man, nog altijd zwaar gespierd ondanks zijn grijze haren. Hij hield Ynrycs boodschap in zijn reusachtige vuist geklemd en schudde ermee naar de schrijver alsof die stakker hem had geschreven in plaats van alleen maar voorgelezen.

'De brutaliteit!' tierde Marclew. 'Mijn zoon door middel van een smerige klootzakkenlist langs de weg gevangennemen, en míj dan voor vrek uitmaken!' Hij gooide het perkament naar de schrijver, die het opving en buiten zijn bereik dook. 'Wat schrijft hij ook weer, die hoerenzoon?'

De schrijver schraapte zijn keel en streek het perkament glad.

'Ik weet dat zijne edele veel van zijn geld houdt, dat hij het koestert op de wijze waarop de meeste mannen liever een meisje koesteren, maar zijn eigen zoon zal ongetwijfeld zoveel voor hem betekenen dat hij een deel van zijn schat wil afstaan. Wij hebben de prijs voor hem bepaald op twee Deverriaanse realen, op één reaal voor ieder van zijn mannen, de zilverdolk inbegrepen, en voor de bedienden...'

'De brutaliteit!' bulderde Marclew. 'Denken ze nou heus dat ik voor zo'n smerige zilverdolk de volle losprijs betaal? Ze doen het alleen om mij te bespotten, en ik mag hangen als ik het doe.'

Marclew gromde en begon weer te ijsberen. De kamerheer keek naar Jill en wenkte haar bij de edelman te komen smeken, maar Jill schudde afwijzend haar hoofd en liep de zaal uit. Een van de dienstmeisjes volgde haar en greep haar bij de arm.

'Wat doe je?' vroeg Perra. 'Waarom wil je niet voor je man komen smeken?'

'Omdat ik zelf genoeg geld heb om Rhodry vrij te kopen. Ik ben in al mijn jaren bij de lange weg niet zo min door een edelman behandeld, en ik vertik het om dat nog langer te nemen. Als ik een bard was, zou ik een spotlied op Marclew maken.'

'O, dat hebben een heleboel bards al gedaan, maar het heeft niets geholpen.'

Jill ging naar de stallen waar ze in een lege ruimte naast die van haar paard had geslapen. Een stalknecht hielp haar het dier te zadelen en legde haar de weg uit naar Ynrycs dun, ongeveer anderhalve dagrit ver.

'Maar wees voorzichtig, meidje. Er zijn zoveel krijgsbenden in de heuvels als vlooien op een hond.'

'Ik pas wel op. Kun je wat haver voor mijn paard missen, of krijg je dan slaag van onze krenterige heer?'

'Hij komt het niet te weten. Zo'n prachtig paard moet goed verzorgd worden.'

Alsof hij wist dat hij werd geprezen, gooide Sunrise zijn hoofd achterover, zodat zijn zilverkleurige manen over zijn goudblonde hals golfden. Rhodry had haar dit westvolker jachtpaard gegeven toen hij nog in staat was kostbare geschenken uit te delen aan degenen die hem dienden.

Jill reed weg zonder Marclew de eer van een afscheid te gunnen en reed de eerste paar mijl in galop om de dun een eind achter zich te laten. Toen ze de brede, grazige oevers van de rivier de Lit bereikte, vertraagde ze het tempo tot stapvoets om Sunrise te laten afkoelen. Opeens verscheen haar grijze dwerg op haar zadelknop en bleef daar gevaarlijk zitten wiebelen.

'We gaan Rhodry halen en weer rondtrekken,' zei ze tegen hem. 'Die Marclew is een schoft.'

De dwerg grijnsde en knikte bevestigend.

'Ik hoop alleen dat ze hem goed behandelen. Ben jij bij hem wezen kijken?'

De dwerg knikte heftig ja op beide vragen.

'Weet je, broertje, één ding begrijp ik niet. Rhodry heeft elfenbloed en toch kan hij jou niet zien.'

De dwerg peuterde peinzend tussen zijn lange, blauwe tanden terwijl hij nadacht. Toen haalde hij zijn schouders op en verdween. Hij begreep het kennelijk ook niet.

De weg liep slingerend tussen lage heuvels door; soms verwijderde hij zich van de rivier als die door een diepe kloof stroomde, om er in het dal weer naar terug te keren. Aan weerszijden van de rivier strekten zich kilometer na kilometer door struikgewas omzoomde, over de heuvels golvende weilanden uit. Af en toe zag Jill kudden witte koeien met roestbruine oren, onder de hoede van een herder met een stel grote grijs-witte honden. Later op de dag was Jill juist rond een grote bocht in de rivierweg gekomen, toen ze aan haar rechterhand raven zag. Ze waggelden stuntelig door het hoge gras of vlogen onverhoeds op en wiekten rond, alleen om zich weer op hun maal te storten.

Jill vermoedde dat er een kadaver van een dood kalf lag, te zwak geboren om in leven te blijven, of misschien van een koe die ziek was geworden en gestorven voor de herder haar had gevonden, maar plotseling verscheen de grijze dwerg weer. Hij greep met zijn magere vingertjes de teugel, schudde die heftig en wees naar de raven.

'Moet ik daar gaan kijken?'

Hij knikte, zijn ogen groot van opwinding.

Jill bond Sunrise aan een struik langs de weg en volgde haar dwerg. Bij hun nadering vlogen de raven verontwaardigd krijsend op en streken in een boom neer om hun buit in de gaten te houden. In het hoge gras lag het karkas van een paard, nog met zadel en tuig; de leren riemen sneden diep in het gezwollen vlees. Jill liep er een paar keer omheen, maar de vogels hadden er al zoveel van gegeten, dat ze niet kon zeggen hoe het paard was gestorven. Het zadel en het tuig verontrustten haar. Als een paard van een krijgsbende een been had gebroken, zouden de mannen het tuig hebben meegenomen na het arme dier uit zijn lijden te hebben verlost.

Ze kwam met ingehouden adem nog wat dichterbij. Op het tuig glansden zilver en edelstenen.

'Bij alle goden en hun vrouwen! Wie laat er nu zo'n tuig achter?'

Maar de dwerg luisterde niet naar haar. Hij doorzocht het gras, trok het met twee handen uit elkaar om ertussen te kijken, zijn mager gezichtje gerimpeld van concentratie. Terwijl Jill naar hem keek, drong het tot haar door dat er nog iemand aan het zoeken was geweest, omdat het gras een heel eind rondom het paard was vertrapt en uit elkaar gerukt. Toen ze naar de dwerg liep, zag ze iets van goud blinken. Ze raapte een armband op, een halve cirkel van zuiver goud, helemaal gegraveerd met een patroon van slingers en rozetten. Ofschoon ze nooit iemand dit soort sieraden had zien dragen, had ze verhalen gehoord waarin de grote krijgers uit de Begintijd die droegen. Het moest een familiestuk zijn, eeuwenlang van generatie op generatie overgegaan, en ongetwijfeld twintig keer zijn gewicht in goud waard.

'Kijk eens, liep je deze te zoeken?'

De dwerg kwam naar haar toe, zijn ogen tot spleetjes geknepen. Hij raakte de armband met één vinger aan, besnuffelde hem met zijn lange neus, begon toen opeens te glimlachen en maakte een sprongetje van blijdschap.

'Nou, mooi zo. Dan nemen we hem mee.'

De dwerg knikte en verdween. Terwijl Jill de armband in haar tweede paar sokken rolde en in haar zadeltas stak, vroeg ze zich af wie het paard had gedood en wat er met zijn berijder was gebeurd. Plotseling voelde ze een dweomer-waarschuwing, een koude rilling langs haar rug, alsof iemand haar met een kille hand had gestreeld. Er was hier iets gevaarlijks aan het werk, iets dat haar begrip ver te boven ging, maar ze rook het even duidelijk als ze het dode paard rook. Die middag reed ze nog een heel eind door voor ze haar kamp opsloeg, en ze sliep die nacht vrijwel niet maar doezelde tussen slaap en de wacht houden.

Diezelfde nacht verbleef Nevyn in een kleine herberg zowat honderdvijftig kilometer naar het westen. Hij was de laatste paar weken bezig geweest Camdel op te sporen, vanaf het moment dat een van de geesten die bij de steen hoorden, bij hem was gekomen om hem van de diefstal te vertellen. Aangezien hij zelden meer dan vier uur per nacht sliep, was hij nog laat wakker en zat over die ontstellende diefstal te piekeren, toen Jills grijze dwerg plotseling voor hem opdook.

'Nee maar, goeienavond, broertje. Is Jill in de buurt?'

De dwerg schudde van nee, toen danste hij breed grijnzend in het rond.

'Wat is er? Breng je goed nieuws?'

De dwerg knikte en voerde vervolgens een ingewikkelde pantomime op, waarbij hij met zijn handen een klein rond voorwerp uitbeeldde en in die vorm staarde alsof hij aan het scryen was.

'Alle goden! Bedoel je de Grote Steen van het Westen?'

Hij knikte bevestigend en beeldde toen het zoeken en vinden uit.

'Heb jij hem gevonden? Wacht eens, bedoel je dat Jill hem heeft?'

De dwerg knikte weer van ja. Nevyn werd een ogenblik misselijk van angst.

'Besef je wel dat dit betekent dat ze in groot gevaar verkeert? De mannen die hem hebben gestolen willen dat ding met alle geweld hebben en zullen niet voor moord terugdeinzen om het te krijgen.'

De dwerg sperde zijn mond wijd open en stootte zelfs een zacht gejammer uit, wat heel moeilijk was voor een wezen van het Natuurvolk.

'Ga maar gauw naar haar terug. Bij het eerste teken van gevaar kom je me waarschuwen, begrepen?'

De dwerg knikte en verdween. In een stemming die zo dicht aan paniek grensde als met zijn gedisciplineerde geest mogelijk was, ging Nevyn naar het houtskoolkomfoor in de hoek van de kamer. Bij een beweging van zijn hand deed het Natuurvolk van het Vuur de houtskool rood opgloeien. Nevyn staarde erin en dacht aan Jill.

Hij zag haar bijna onmiddellijk, eenzaam overnachtend aan een rivier in een golvend heuvelland. Hoewel ze sliep, zat ze rechtop met haar rug tegen een boom en haar zwaard in de hand geklemd. Ze scheen dus wel te beseffen dat ze in gevaar was, maar hij wist dat het zwaard haar tegen dit soort vijand weinig zou baten. En waar was Rhodry in vredesnaam? Hij schakelde zijn gedachten geërgerd over en zag de jonge man op zijn dekens op de vloer van een overvolle kazerne liggen. De mannen maakten allemaal een stuurse, beschaamde indruk. Nevyn verbreedde het beeld, stuurde zijn geest door de deur naar buiten en zag daar gewapende mannen op wacht staan. Dus Rhodry was tijdens de een of andere veldtocht krijgsgevangen gemaakt. Jill was alleen bij de weg.

Nevyn uitte zo'n gemene vloek dat hij het beeld bijna kwijtraakte, maar hij hervond het en stuurde zijn geest terug naar Jill. Het ging er nu om waar ze zich bevond. Haar kamp als beginpunt gebruikend verbreedde hij het beeld en draaide in steeds grotere kringen rond tot hij genoeg zag om te weten dat ze in het centrale deel van Yr Auddglyn was. Hij verbrak het beeld en hervatte zijn rusteloos heen en weer lopen terwijl hij plannen maakte. Hij moest snel reizen. Hij zou een tweede paard kopen, besloot hij, omdat hij meer kilometers per dag kon afleggen als hij zijn gewicht tussen twee paarden afwisselde.

'Ik moet haar op tijd bereiken,' zei hij hardop. 'En ik zweer bij elke god die er is dat me dat zal lukken, al moet ik elk paard dat ik kan bemachtigen kreupel rijden.'

Toch nam zijn angst toe, omdat de duistere meester achter de diefstal dichter bij haar moest zijn dan hij nu was. Hij ging weer naar het komfoor en besloot via het vuur over haar te waken.

De spiegel lag op een lap zwart fluweel, geborduurd met omgekeerde pentagrammen, dat symbool van het kwaad van hen die het bestel van de natuur omver willen werpen. Aan weerszijden ervan stond een kaars waarvan het licht in het midden van het holle, gebogen oppervlak werd opgevangen en teruggekaatst. Alastyr lag erboven geknield; hij steunde op zijn handen en wilde wel dat hij een echte tafel had. Omdat hij de Grote Steen van het Westen nooit had gezien, kon hij hem niet op de gewone, makkelijke manier scryen. Hij haalde diep adem en riep de boze namen aan van de Heren van Verrotting en Verderf. Bij die namen voelde hij de geesten bijeenkomen, maar net buiten het bereik van zijn geest.

'Laat me de steen zien,' siste hij.

In het midden van de spiegel verschenen en verdwenen schimmige vormen, maar er kwam geen duidelijk beeld. Hoe heftig hij de geesten ook verwenste, ze ontvluchtten hem, zoals ze de hele dag hadden gedaan.

'We hebben bloed nodig,' zei Alastyr opkijkend.

Sarcyn glimlachte en ging naar een hoek van de keuken, waar Camdel in doodsangst gehurkt zat. Toen Sarcyn hem overeind trok, begon hij zacht te kermen, maar de leerling bracht hem met een klap in het gezicht tot zwijgen.

'Je gaat niet dood,' zei Sarcyn. 'Je vindt het misschien zelfs wel fijn. Je gaat nu leren hoe goed pijn en genot in elkaar kunnen overgaan, ja toch, knulletje?'

De jonge edelman hing met halfopen mond tegen Sarcyn aan toen die hem naar de doek met de spiegel sleepte. Terwijl Evy naar voren kwam met het dunne rituele mes, ging Sarcyn achter Camdel staan en begon hem te liefkozen. Alastyr riep met een eentonig gezang de geesten op die hij had afgericht om zijn wil te gehoorzamen. Drie zwarte, gedrochtelijke kabouters en een watergeest met een grote mond vol bloedrode tanden verschenen voor hem.

Evy haalde het mes over Camdels handrug. De edelman kreunde, maar hij leunde achterover in Sarcyns omhelzing terwijl het bloed neerdruppelde. De misvormde wezens van het Natuurvolk verdrongen zich om hem heen en vingen de druppels met hun tong op.

Ze kregen geen voedsel uit het bloed zelf, maar absorbeerden de wrede aantrekkingskracht die zowel het bloed als Camdels seksuele opwinding uitstraalden. De ondiepe wond hield langzaam op met bloeden. De dwergen strekten hun klauwige handen naar Alastyr uit.

'Het is afgelopen tot jullie me de steen laten zien. Dan komt er nog wat.'

De geesten verdwenen. Hoewel Camdel trilde en bijna aan zijn hoogtepunt was, nam Sarcyn zijn hand weg.

'Straks,' fluisterde hij zijn knuffelknulletje in het oor. 'Straks doen we het ritueel nog eens. Je gaat het op den duur fijn vinden – ondanks jezelf. Ik heb je gisteravond toch ook fijn bevredigd.'

Camdel keek hem aan met een gezicht waarop beurtelings begeerte en afkeer te lezen waren. Alastyr negeerde hem en knielde weer bij de spiegel neer.

'Laat me de steen zien!'

In de door het kaarslicht beschenen spiegel vormden zich wervelende wolken die langzaam overgingen in duisternis. Hij boog zich glimlachend verder voorover toen de duisternis zich oploste in vaste vormen: heuvels onder een nachtelijke hemel, een paard dat bij een boom vastgebonden stond. Onder die boom liep een jongeman heen en weer, een zwaard in de hand. Nee, geen jongeman – het was Jill, de krijgsvrouw die vorig jaar zijn plannen in de war had gestuurd.

'De steen,' fluisterde hij. 'Waar is de steen?'

Het beeld dook omlaag en richtte zich op haar zadeltassen.

'Laat me nu precies zien waar ze zich bevindt.'

Het beeld flakkerde, begon zich te verbreden – en verdween opeens in een uitbarsting van wit licht. Alastyr viel half verblind voorover op de spiegel, terwijl de wezens van het Natuurvolk weer verschenen. Hij kon aan hun angstige gezichten zien dat iemand hen had weggestuurd. Iemand met een grote dweomer-kracht waakte over Jill, en hij kon wel raden wie die iemand moest zijn.

'De Meester van de Ether,' fluisterde hij.

De dwergen beaamden het met een hoofdknik en verdwenen toen. Alastyr ging op zijn hurken zitten en overwoog het zoeken naar de steen domweg op te geven. Maar hij was er al jaren mee bezig, hij had informanten gezocht, valstrikken gespannen, daarna veel kracht besteed om Camdel te betoveren en die betovering weken te laten duren. Hij weigerde om weer te vluchten, niet voor hij de steen in handen had. Bovendien had hij Jill vorige zomer in levenden lijve gezien toen ze met haar beroemde vader in een Eldiddse taveerne had gezeten. Hij had dat toen als stom geluk beschouwd, nu was hij er zeker van dat de Heren van Verrotting en Verderf hem daarheen hadden geleid. Omdat hij haar had gezien, kon hij haar op de gewone wijze scryen, zonder dat Nevyn hem op het spoor kon komen. Hij keek op en zag Sarcyns blik op zich gericht.

'Ik heb gezien wie hem heeft,' zei hij. 'En volgens mij kunnen we haar gemakkelijk uit de weg ruimen.'

Jill werd na die morgen na een paar uur slaap met een stijf en pijnlijk lichaam wakker. De zon stond al hoog boven de horizon, en ze voelde een onverklaarbare vrees omdat ze zo lang op deze plek was gebleven. Sunrise had in elk geval al genoeg gegraasd. Ze gaf hem een zak haver en at toen staande haar brood en kaas. Het was een prachtige, zonnige dag, maar ze had het koud van top tot teen, alsof ze op het punt stond koorts te krijgen. Ze pakte haastig haar schaarse bezittingen bijeen, en Sunrise had de laatste haverkorrel nauwelijks op of ze waren al onderweg.

Die morgen voerde haar pad haar van de rivier af. Terwijl ze voortdraafde, kwam de donkere bergketen die Yr Auddglyn van de provincie Cwm Pecl scheidde, steeds dichterbij, als wolken aan de horizon. Tegen het middaguur reed ze stapvoets door een kleine vallei toen ze voor zich op de weg een stofwolk zag aankomen. Toen het stof bleek te bestaan uit zes gewapende mannen, maakte ze haar zwaard in de schede los, maar toen ze elkaar ontmoetten, groetten de ruiters haar door vriendschappelijk te wuiven.

'Een ogenblik, jongen,' zei de aanvoerder. 'Kom jij soms met een boodschap van heer Marclew?'

'Nee, maar ik ben wel op weg naar heer Ynrycs dun. De zilverdolk voor wie hij losgeld eist, is mijn man.'

De ruiters bogen zich in hun zadel naar voren en staarden haar aan.

'Het lijkt me wel een zwaar Wyrd voor zo'n knappe meid om een zilverdolk als man te hebben!' zei de aanvoerder, maar met een vriendelijke lach. 'Wil de ouwe Marclew hem niet voor je vrijkopen?'

'Zal het in de hel zo lekker warm worden dat er bloemen kunnen groeien? Ik kom zelf met jullie heer onderhandelen. Willen jullie me nu doorlaten?'

'O, we zullen je vergezellen. Je zult wel merken dat onze heer heel wat guller is dan Marclew, maar ik waarschuw je: hij zit op het ogenblik krap bij kas.'

Hoewel Jill aanvankelijk op haar hoede bleef, behandelde het zestal haar hoffelijk en toonde medeleven met moeilijke situatie. De oorlog had nog niet het stadium bereikt waarin mannen net zo makkelijk verkrachten als moorden. Bovendien moest ze zichzelf bekennen dat ze eigenlijk wel blij was met dit gewapend escorte, ook al zou ze niet kunnen zeggen waarom ze er zo zeker van was dat ze er een nodig had.

Ynrycs dun stond nog eens zes kilometer verder op de top van een heuvel, omringd door een aarden wal die weer een stenen muur omringde. Daarbinnen rees een kolossale stenen broch op, bijna even breed als hoog, iets dat Jill nooit eerder had gezien, en de gebruikelijke verzameling hutten en schuren. Het met keien geplaveide binnenplein stond vol paarden die buiten waren vastgebonden bij gebrek aan voldoende stalruimte. Helemaal aan het eind zag Jill Rhodry's roodbruine strijdros, alsof het paard van een zilverdolk diens schande deelde.

Eén van Jills nieuwbakken begeleiders, een gezette blonde vent die Arddyr heette, nam haar mee naar de grote zaal, die zo vol was als een stad op marktdag. Tussen de extra tafels en stapels dekenrollen stonden of zaten bijna tweehonderd krijgers bier te drinken en over de komende gevechten te praten. Aan de eretafel zaten vier mannen in de geruite brigga van de adel een perkamenten landkaart te bestuderen. Toen Jill in het kielzog van Arddyr bij hen aankwam, keek een grijsharige edelman met een dikke buik hen aan.

'Heer Ynryc,' zei Arddyr. 'Mag deze dame u een ogenblik storen? Herinnert u zich Rhodry de zilverdolk? Dit is zijn vrouw; Marclew weigert hem voor haar vrij te kopen.'

'Die ouwe varkensdrol!' Ynryc wendde zich tot een andere edelman. 'Nou, Maryl, dan heb ik onze weddenschap gewonnen en ben jij me een zilverstuk schuldig.'

'Inderdaad. Mijn geloof dat Marclew nog een greintje fatsoen zou hebben, moet ik duur betalen. Maar zeg, meidje, ik heb nog nooit van een zilverdolk met een vrouw gehoord.'

'Ik ben vast de enige vrouw in het land die zo dom is om met een zilverdolk rond te trekken, heer, maar hij betekent alles voor me. Ik heb geen Deverriaanse reaal, maar ik zal u elke duit geven die ik bezit om hem terug te krijgen.'

Ynryc aarzelde, kauwde op de rand van zijn snor en haalde toen zijn schouders op.

'Een zilverstuk als symbolisch losgeld,' zei hij. 'En verder niets.'

'Als ik een bard was, heer, zou ik hiervoor uw lof zingen.'

Goed vijf minuten later kwam Arddyr binnen met Rhodry, die zijn zadeltassen over zijn schouder droeg en zijn dekenrol onder zijn arm. Hij liet zijn uitrusting op de vloer vallen en knielde aan de voeten van de edelman. Toen Jill het symbolische zilverstuk overhandigde gaf Ynryc Rhodry zijn zwaard terug en verzocht hem op te staan.

'Je bent een gelukkig man met zo'n dappere vrouw,' zei Ynryc. 'Be-

loof me dat je in deze oorlog nooit meer tegen me ten strijde trekt.'
'Dat zweer ik uit het diepst van mijn hart,' zei Rhodry. 'Denkt u nu heus dat ik zo stom ben om nog eens voor Marclew te gaan vechten?'
Alle edelen lachten luid.
Omdat Ynryc zo gul was als het een edelman betaamde, liet hij Jill en Rhodry die avond met zijn bedienden eten en gaf hun onderdak in zijn dun. Na lang zoeken in het overvolle fort, vond een bediende een slaapplaats voor hen in een voorraadschuur. Terwijl Jill hun dekens spreidde tussen strengen uien en vaten bier, hield Rhodry zijn zwaard bij het lantaarnlicht en bekeek het nauwkeurig.
'Het is toch niet beschadigd, hoop ik?' vroeg ze.
'Nee, de oorlogsgoden zij dank.' Hij stak het in de schede en legde die naast zich neer. 'O, mijn schat, je bent te goed voor een onteerd man als ik.'
'Klets niet.'
Hij legde glimlachend zijn handen op haar schouders, streelde haar en trok haar dicht tegen zich aan.
'Ik heb je nog niet behoorlijk bedankt omdat je me hebt vrijgekocht,' fluisterde hij. 'Kom bij me liggen.'
Zodra zijn mond de hare beroerde, kon Jill aan niets anders denken dan aan hem, maar later, toen ze dicht tegen hem aan in zijn armen lag en ze beiden half sliepen, voelde ze die angst weer door haar gedachten golven. Ze was blij dat ze veilig in een dun waren, omringd door een klein leger.


'Voor zover ik weet,' zei Alastyr peinzend, 'zijn ze ons ongeveer anderhalve dagrit voor. Nu we een paard voor je knuffelknulletje hebben, moeten we flink kunnen opschieten.'
'Zo is het, meester,' zei Sarcyn. 'Kunt u haar geest bereiken en een bezwering sturen om haar in de war te maken?'
'Dat doe ik misschien nog wel, maar voorlopig liever niet. Nevyn zou dat kunnen merken, begrijp je.'
Sarcyn begreep het. Hoewel hij de vorige zomer in Bardek was gebleven om daar de zaken van de meester te behartigen, had hij heel wat verhalen gehoord over de Meester van de Ether en diens geweldige krachten.
'En Rhodry is er ook nog,' vervolgde Alastyr peinzend. 'Ik zal de Oude heel wat interessante zaken te vertellen hebben als we hem zien.'
Als we zolang leven, dacht Sarcyn. Hij had het gevoel dat al hun zorgvuldig gesmede plannen in duigen vielen, net als wanneer een boer te veel in een oude zak laadt en de stof gewoon in snippers uit-

eenvalt in plaats van te scheuren. Toch zou hij dergelijke twijfels nooit tegen de meester durven te uiten. Hij keek onrustig hun kamp rond. Camdel lag opgerold in een deken, als een klein kind. Evy zat in het vuur te staren. Hoewel zijn broer zijn gezicht zorgvuldig in de plooi hield, zodat er geen enkel gevoel te zien was, kende Sarcyn hem goed genoeg om te weten dat hij ook bang was. Alastyr stond op en rekte zich uit.

'Vertel eens, Sacco,' zei hij. 'Heb jij ooit het gevoel dat iemand ons aan het scryen is?'

'Dat heb ik een paar keer gehad, ja. Denkt u dat de Meester van de Ether dat is?'

'Nee, want als hij wist waar we waren, zou hij ons als een woedende slang achternazitten. Maar als hij het niet is, dan...'

Sarcyn huiverde terwijl hij in gedachten de zin afmaakte: dan moeten het de Haviken van de Broederschap zijn. De Haviken, half-sluipmoordenaars, half-dweomer-leerlingen, dienden de bestuursraad van de duistere dweomer en voerden zijn bevelen uit. Ofschoon de Broederschap te los georganiseerd was om een regelement in de werkelijke zin van het woord te hebben, had ze wel middelen om met verraders af te rekenen.

'En waarom zouden die ons in het oog houden?' vroeg Sarcyn.

'Ik heb de vorige zomer immers gefaald?'

'Maar de Oude heeft jou daar de schuld niet van gegeven.'

'Dat is waar.' Alastyr weifelde, er niets van begrijpend. 'Zou het dan misschien een hielenlikkertje van Nevyn zijn?' Weer die aarzeling. 'Ik ga de duisternis in, waar ik hierover kan nadenken.'

Toen de meester wegliep hief Evy zijn hoofd op en keek hem met doffe ogen na.

'Kom, broertje,' zei Sarcyn. 'We zullen die kastanjes wel uit het vuur halen.'

'Zou je denken?'

Sarcyn haalde zijn schouders op. Evy ging weer in het vuur staren.

'Ben je iets aan het scryen?' vroeg Sarcyn.

'Nee. Ik zit te denken. Ik wou dat ik nooit iets met dweomer te maken had gehad.'

'Wat? Met alle macht die de dweomer iemand te bieden heeft?'

'Ach ja, dat is het gevaar wel waard.'

Maar Sarcyn wist dat Evy alleen zei wat hij wilde horen. Hij begon nu zelf ook te piekeren en zich af te vragen wat hij zou doen als Evy zo zwak werd dat de meester beval hem uit de weg te ruimen.

Hij wist niet of hij dan zou gehoorzamen of niet.

'Tja, ik heb gezworen me niet meer voor deze oorlog te verhuren,' zei Rhodry geeuwend. 'Dus welke kant zullen we uit rijden?'

'We kunnen naar het oosten gaan, naar Marcmwr,' zei Jill. 'Om deze tijd van het jaar gaan er altijd karavanen naar Dun Hiraedd.'

'O goden, ik ben die stomme kooplieden en die stinkende ezels spuugzat! Ik ben niet opgevoed om op een troep gemene handelaars te passen.'

'Rhoddo, je hebt in je hele leven nog maar twee karavanen begeleid.'

'Dat waren er twee te veel.'

Jill legde haar handen aan weerszijden van zijn hoofd en kuste hem. 'Als je op bloedvergieten uit bent, zijn er in die bergen bandieten genoeg. Daarom moeten de karavanen gewapende begeleiding hebben.'

Ze verlieten Ynrycs dun en reden oostwaarts, op weg naar Marcmwr. De weg door de heuvels steeg gestadig, en ze lieten de paarden stapvoets gaan. Naarmate ze hoger kwamen, maakten de grazige weiden plaats voor bossen van de ruige, kromgegroeide pijnbomen die kenmerkend waren voor dit deel van Deverry. Terwijl ze door het donkere, stille woud reden, herinnerde Jill zich opeens de armband in haar zadeltas.

'Rhodry? Op weg naar Ynryc is me iets heel vreemds overkomen.'

Toen ze het hem vertelde, werd hij ongerust en hij was het met haar eens dat er iets niet klopte omdat het paardentuig was achtergelaten. 'Waarom heb je dit niet aan Ynryc verteld?' zei hij tenslotte. 'Dat paard zou van een van zijn bondgenoten geweest kunnen zijn. '

'Verdraaid, ja.' Ze voelde een koude rilling langs haar rug glijden. 'Waarom heb ik dat niet gedaan? Ik... ja... ik ben het gewoon vergeten.'

Rhodry draaide zich in zijn zadel om en keek haar aan.

'Heel vreemd dat je zoiets gewoon vergeet.'

'Ik weet het.' Ze huiverde schokkend. 'Er is hier dweomer aan het werk. Verklaar je me voor gek dat ik dat zeg?'

'Ik zou wel willen dat ik me er zo makkelijk vanaf kon maken.' Hij hield zijn paard in. 'We kunnen maar beter met dit verhaal naar Ynryc teruggaan.'

Dat vond Jill ook, maar toen ze haar paard keerde, verscheen de grijze dwerg voor haar op de weg. Het kleine wezen was in alle staten, het rolde angstig met zijn ogen en zwaaide met zijn handjes dat ze halt moesten houden.

'Wat is er?' vroeg Jill. 'Moeten we niet teruggaan?'

Hij schudde zo heftig met zijn hoofd dat hij bijna omviel.

'Wat is dat allemaal?' vroeg Rhodry. 'Je dwerg?'

'Ja, en hij wil niet dat we teruggaan. Hij is doodsbang, Rhoddo.'

Het dwergje verdween en verscheen weer op Rhodry's schoot. Het reikte omhoog en tikte hem smekend op zijn wang. Hoewel Rhodry het niet kon zien, voelde hij de aanraking wel.

'Nou ja, het Natuurvolk heeft mijn leven al eens gered,' zei hij. 'Als hij denkt dat er gevaar achter ons is, neem ik dat van hem aan.'

De dwerg grijnsde en klopte hem op zijn hand.

'Bovendien,' vervolgde Rhodry, 'kunnen we het ding ook bij de tieryn in Marcmwr inleveren.'

De dwerg schudde zijn hoofd en kneep hem in de arm.

'Wil je dat wij het houden?' vroeg Jill.

Hij glimlachte opgelucht, knikte van ja en verdween. Jill en Rhodry zaten elkaar op hun paarden een ogenblik verbijsterd aan te staren.

'Nou,' zei Rhodry tenslotte. 'Dan zal ik mijn maliënkolder maar uit mijn zadeltas halen. Ik zou bij de goden willen dat jij er ook een had.'

'Ik vind dat we er in Marcmwr een voor mij moeten kopen. Nu Ynryc zo weinig losgeld voor je heeft gevraagd, hebben we daar wel geld voor.'

'O ja? En je zei steeds dat we nauwelijks een duit op zak hadden!'

'Als jij alles had verzopen, kon ik nu geen maliënkolder kopen.'

'Dat is waar. Ah, je moet wel echt van me houden, als je zilvergeld hebt uitgegeven om me vrij te kopen!'

Ze boog zich uit het zadel en gaf hem een harde stomp tegen zijn schouder.

Toen Rhodry zijn maliënkolder aanhad, reden ze in een hoger tempo verder, beiden met het zwaard in de hand en het schild aan de zadelknop. De weg slingerde zich door de heuvels, aldoor stijgend. Rhodry keek telkens achterom. Zijn elfen-scherpe gezichtsvermogen kwam nu goed van pas, wist ze, omdat hij veel verder kon kijken dan een gewone man, en hun vijanden in het oog zou krijgen lang voordat die hen zouden kunnen zien. Voor hen doemde het gebergte op, zwart van de pijnbomen en hier en daar met bulten van zandsteen als de knokkels van een reuzenvuist. Elke kleine vallei, elke kloof die ze naderden, leek een hinderlaag te verbergen, maar ze kwamen er altijd heelhuids door.

Eindelijk beklommen ze de laatste heuvel en keken neer op een smalle vlakte, in het oosten begrensd door bergen en in het westen door heuvels. Naast een rivier lag de stad Marcmwr. Ongeveer driehonderd rondhuizen dicht bijeen, midden op een grote open vlakte binnen hoge stenen muren, alsof ze angstig bij elkaar waren gekropen, maar in werkelijkheid was het open land gewoon weiland voor de paarden en de muildieren van de handelskaravanen die hier langskwamen.

'Ik ben nog nooit in mijn leven zo vervloekt blij geweest een stad te zien,' merkte Rhodry op.
'Ik ook niet.'
Toch voelde ze zich niet helemaal veilig voor ze de zware met ijzer beslagen poort binnenreden waar gewapende stadswachten op hun post stonden.

'Ze waren bijna teruggegaan, vervloekt nog toe!' tierde Alastyr.
'Het komt door die dwerg van haar, meester,' zei Sarcyn. 'Ik zag dat hij hen waarschuwde toen ik bezig was ze te scryen.'
'O ja? Dan zullen we daar eens iets aan doen.'
Op dat moment drong het tot Alastyr door dat zijn gevoel dat hij af en toe werd gadegeslagen, misschien gewoon kwam doordat de dwerg of andere wezens van het Natuurvolk hem in het oog hielden. Het werd tijd om een voorbeeld te stellen en hen af te schrikken.

Jill en Rhodry bleven twee dagen in Marcmwr, in een vervallen herberg bij de noordpoort, de enige in deze handelsstad die een zilverdolk onderdak wilde verschaffen. Omdat er in een stad van die omvang geen wapenhandelaar was, reden ze op de eerste dag naar de dun van de plaatselijke tieryn en kochten er, na veel loven en bieden met de kamerheer, een oude maliënkolder voor Jill. Op de tweede dag ging Rhodry in de stad op zoek naar iemand die hem wilde huren. Die vond hij tenslotte in Seryl, die een contract had afgesloten om een karavaan met wapens en luxegoederen naar Dun Hiraedd te brengen.
Dun Hiraedd was een raar soort stad, en ook een nieuwe stad, die pas tachtig jaar tevoren was gesticht. Hij had oorspronkelijk de weidse naam Privddun Ricaid, 'voornaamste koninklijke fort' gekregen, maar de eerste krijgsbende die er in garnizoen lag, had hem de naam 'Fort Heimwee' gegeven, en die naam was blijven hangen. Hij bestond dank zij koninklijke decreten en was uitsluitend bedoeld als gerechtelijk en militair centrum voor Cwm Pecl, dat langzaam door Deverry's toenemende bevolking werd gekoloniseerd. In de tijd van Jill en Rhodry was de verre vallei nog dun bevolkt, en hij zou nooit genoeg belastingen hebben kunnen opbrengen om een gwerbret te onderhouden als de koning zelf niet was bijgesprongen. Elke zomer huurden vertegenwoordigers van de koning mannen als Seryl om handelskaravanen naar de stad van de gwerbret te brengen.
Aangezien Seryl niet zijn eigen geld maar dat van de koning uitgaf, kon hij een goed loon betalen; hij bood Rhodry twee zilverstukken

per week en deed er niet moeilijk over dat hij Jill en haar paard ook te eten moest geven.

'En ik wil dat jij nog vier andere kerels optrommelt,' zei de koopman. 'Die krijgen elk één zilverstuk per week.'

'Afgesproken. Ik denk dat ik in een stad als deze makkelijk begeleiders kan vinden.'

Rhodry ging met een bezwaard hart naar de herberg terug. Hij had een paar goede redenen om Dun Hiraedd nooit terug te willen zien, maar hij had het geld hard nodig omdat ze na de aankoop van Jills maliënkolder nog maar een handvol duiten over hadden. De herbergier, een magere vent met vettig bruin haar, stond hem dan ook al bij de deur van de herberg op te wachten.

'En?' snauwde hij.

Toen Rhodry hem het zilverstuk gaf dat hij als voorschot had gekregen, werd de herbergier opeens de vriendelijkheid zelve en ging een kroes bier voor hem halen. De rokerige, halfronde gelagkamer was stampvol jonge kerels die vol belangstelling toekeken hoe hij zijn rekening betaalde. Het was een haveloos stelletje, ongewassen, armoedig gekleed en armzalig bewapend. Overal in het koninkrijk waren dergelijke mannen te vinden, op zoek naar een plaats in de krijgsbende van een heer, terwijl ze intussen beveiligingswerk aannamen, allen gedreven door de droom van krijgsroem die in de harten van de meeste Deverrianen leeft. Rhodry liet ze nog een tijdje raden en ging naar Jill die met een kroes bier een tafel had opgezocht waar ze met haar rug tegen de muur kon zitten.

'Iets gevonden?' vroeg ze.

'Ja. Begeleiden van een van de koninklijke karavanen.'

Ze knikte verstrooid, in gedachten verzonken.

'Is er iets?' vroeg hij.

'Ik ben vreselijk ongerust over mijn dwerg.' Ze dempte haar stem tot een gefluister. 'Sinds we in deze rotstad zijn is hij nog niet bij me geweest, en toen jij weg was heb ik geprobeerd hem te roepen. Tot nu toe kwam hij dan altijd, maar deze keer niet.'

'Tja, wie weet wat er in hun kleine hoofdjes omgaat?'

'Dit is geen grapje.' Haar stem trilde van ongerustheid.

'Neem me niet kwalijk, maar wat zou er nu met hem gebeurd kunnen zijn?'

'Ik weet het niet, maar denk eens aan wat we hebben gevonden?'

Ze bedoelde natuurlijk dat er overal om hen heen dweomer was. Rhodry klopte op haar hand om haar gerust te stellen, maar wist niets te zeggen om haar te troosten.

Overal was rood en hij kon zich niet bewegen. Hij vond het afschuwelijk en hij ging tekeer en probeerde wanhopig zich te bewegen, tot hij zich op het laatst volslagen weerloos voelde. Hoewel hij geen woorden had, herinnerde hij zich wel beelden en gewaarwordingen, van vrijelijk door zijn eigen wereld zweven, van anderen die verschenen, lelijkerds, misvormd en boosaardig, die hem hadden gevangen en omlaag getrokken. Hij herinnerde zich angst en een mannenstem die eentonig zong. Toen was er alleen dit rood rondom en kon hij zich niet verroeren. Haar gezicht kwam hem voor de geest. Hij werd overspoeld door angst en liefde, vermengd tot pijn. En hij was vervuld van het enige woord dat hij kon zeggen: Jill, Jill, Jill.

Op een drukkend warme morgen verzamelde de karavaan zich bij de oostelijke poort. Jill bleef met Sunrise opzij staan en keek hoe Seryl en Rhodry te midden van de kolkende, balkende verwarring de opstelling bespraken. Er waren veertig muildieren, beladen met 's konings overvloed, en vijftien drijvers, bewapend met vechtstokken, vier begeleiders met zwaarden en Seryls jonge dienaar Namydd. Rhodry posteerde zijn mannen langs de karavaan, droeg Jill op met de koopman aan het hoofd te rijden en nam zelf de gevaarlijke achterhoede voor zijn rekening. Nadat Seryl een gebed aan Nwdd, de god van de handelslieden, had uitgesproken, zette de stoet zich in de warme zonneschijn in beweging, onder nijdig gebalk van de muildieren. Voor hen doemde het donkere gebergte op, hier en daar doorschoten met lichter gesteente en met scherpe punten als een mond vol snijtanden. Vanwege de hitte en de steile weg kostte het de karavaan een volle dag om vijftien kilometer af te leggen. De gestadig stijgende weg slingerde en kronkelde zich langs rotsige heuvels en dichte bossen van kromgegroeide pijnbomen die honderden goede mogelijkheden voor hinderlagen boden. Toen de karavaan een kamp voor de nacht opsloeg, ging Jill met Rhodry mee, die drie wachtposten ging uitzetten. Haar aanbod om ook wacht te lopen, sloeg hij af. Hij wees echter wel drie drijvers aan om de wacht te versterken, maar ook al had hij Seryls gezag achter zich, de mannen bleken net zo onwillig als hun muildieren.
'Hoor eens, zilverdolk,' zei de ene, 'jij wordt betaald om wakker te blijven, wij niet.'
'Je kan nog genoeg slapen in het hiernamaals als we overvallen worden door bandieten. Gehoorzaam je mijn bevelen of niet?'
'Ik neem geen bevelen aan van tuig zoals jij.'
Rhodry gaf hem met zijn rechtervuist een stomp in zijn maag en met zijn linker een directe op zijn kin. Jill bewonderde de manier waar-

op de drijver dubbelsloeg en als een zoutzak op de grond viel. Rhodry keek de kring van zijn kornuiten rond, die hem met open mond aangaapten.

'Nog iemand bezwaren?'

Ze keken naar de man op de grond, toen naar Rhodry.

'Nou goed,' zei een van hen. 'Ik zal wel wacht lopen. Wanneer moeten we er zijn?'

Na een rustige nacht ging de karavaan twee uur na zonsopgang weer op weg en begon aan de langzame klim naar de gevaarlijke Cwm Pecl-pas, waar meer dan eens karavanen door bandieten waren afgeslacht. Als ze daar eenmaal door waren, zou het gevaar afnemen, omdat Blaen, gwerbret Cwm Pecl, aan die kant van het gebergte ruiters liet patrouilleren.

'Ach, bandieten vallen niet vaak koninklijke karavanen aan,' vertelde Seryl de naast hem rijdende Jill, 'omdat ze weten dat de gwerbret zijn hele legermacht zal uitsturen om hen te achtervolgen. Per slot van rekening zijn het zijn goederen die ze stelen.'

Toch leek Seryl niet gerustgesteld door zijn eigen woorden. Toen ze, precies op het middaguur, de pas bereikten, vond Jill dat die zijn slechte naam eer aandeed. Het was een kloof met loodrechte wanden die ongeveer vijftien kilometer lang was en bezaaid met zwerfkeien die hen dwongen in een enkele rij achter elkaar te lopen.

'Het zal moeilijk worden voor de beesten,' zei Rhodry, 'maar we stoppen niet voor we er doorheen zijn.'

Zelfs de muildieren schenen het gevaar te ruiken, want ze bleven flink doorlopen, zonder een enkele klap of vloek van de drijvers. Rhodry reed steeds langs de rij op en neer en praatte beurtelings met elke begeleider. Na een paar kilometer werd het pad breder, maar het slingerde zich nog steeds langs hopen gevallen gesteente. Telkens als Jill naar Seryl keek knikte hij even, maar richtte zijn blik meteen weer op het pad. Tenslotte kwam Rhodry naast hen rijden.

'Ga maar weer in de rij, beste koopman. Ik blijf nu wel vooraan.'

'Verwacht je problemen, zilverdolk?'

Rhodry knikte en keek naar de met keien bezaaide rand van de kloof ver boven hen.

'Ik heb genoeg veldtochten meegemaakt om gevaar te voelen aankomen,' zei Rhodry. 'Ik voel het nu ook.'

Seryl wendde met een zucht zijn paard en ging terug naar een veiliger plaats. Toen Rhodry zijn schild van de zadelknop begon los te rijgen, deed Jill hetzelfde.

'Bestaat er hoop dat ik je kan overreden naar achteren te gaan en je hierbuiten te houden?' vroeg hij, een speer trekkend.

'Nee.' Jill keek om en zag dat alle begeleiders vlak achter hen reden. 'Toen ik Corbyn had gedood, wilde ik nooit meer vechten, maar bij Epona zelf, ik zal keihard voor mijn eigen leven vechten.'

Hij keek haar met een strak glimlachje aan, alsof hij niet anders van haar had verwacht. De weg kronkelde nog anderhalve kilometer verder, zich langzaam verbredend. Het stof dat ze opwierpen, bleef in de windstille lucht hangen als een vlag die hun komst aankondigde. Jill voelde iets kouds in haar binnenste. Ze wist wat een gevecht betekende. Het zwaard in haar hand schitterde fel, het zwaard dat haar vader haar had gegeven. O va, dacht ze, wat een geluk dat je me hebt geleerd het te gebruiken.

Toen maakte het pad een scherpe bocht en Jill zag hen, een bende van wel twintig gewapende mannen die een honderd meter verderop het pad versperden. Achter haar veranderde de karavaan in een schreeuwende troep toen de drijvers de muilezels tot staan brachten en zich met hun stokken naar voren probeerden te dringen. Onder het werktuiglijk uitroepen van zijn oude strijdkreet: 'Voor Aberwyn!' wierp Rhodry de speer die hij in zijn hand had en trok meteen zijn zwaard terwijl de speer nog door de lucht vloog. De bandieten vielen krijsend aan, maar het paard van hun aanvoerder zakte door zijn knieën met Rhodry's speer in zijn borst, waardoor zijn berijder onder de hoeven van zijn eigen mensen terechtkwam. Jill schopte Sunrise naar voren terwijl Rhodry zijn haveloze handjevol mannen aanvoerde om de aanval het hoofd te bieden.

Ze waren ver in de minderheid, dat wel, maar de pas was zo smal dat de bandieten hen niet met hun overmacht konden omsingelen. Bovendien was de tegenstander ook slecht bewapend en droeg grotendeels armzalige wapenrustingen, met ketttinkjes samengeflanst van reepjes leer en stukjes metaal. En ze hadden ook nog nooit tegenover een woesteling gestaan als Rhodry, die bulderde en gierde van het lachen terwijl hij op hen inhakte. Jill bond zwijgend de strijd aan met een man, sloeg zijn onhandige aanval af en trof hem vol in zijn niet beschermde borst. Het bloed welde door zijn hemd terwijl hij dood langs de hals van zijn paard viel. Het paard naast hem steigerde in een poging het lijk te ontwijken, maar de in de strijd geharde Sunrise stapte er gewoon langs en drong verder op. Terwijl het steigerende paard neerkwam, viel Jill zijn berijder aan. Ze stak hem in zijn zij, vlak naast de rand van zijn leren kuras.

Opeens voelde ze een harde klap op haar rug, die wel door de maliënkolder werd gestuit, maar haar toch even de adem benam. Ze was te ver doorgestoten. Ze draaide zich blindelings om en ving een tweede klap net op tijd op haar schild op. Terwijl Sunrise in het aanhou-

dende gevecht probeerde te keren, maaide ze om zich heen, meer afwerend dan aanvallend. Toen ze Rhodry's demonisch gelach hoorde
naderen vocht ze nog harder, sloeg links en rechts om zich heen, pareerde elke slag die op haar afkwam, terwijl Sunrise dook en sprong,
kwaadaardig bijtend naar de paarden om zich heen. Rhodry's bulderend gelach kwam steeds dichterbij, het schalde boven het geroep
en de strijdkreten uit; toen viel de man naast haar, zijn hals gespleten door Rhodry's zwaard. Hij was er doorheen gekomen en nu vochten ze zij aan zij, stotend en stekend om zich van de bende te bevrijden. Plotseling maakte een bandiet zich uit het gewoel los en vluchtte
voor Rhodry's door de goden ingegeven lachen. Een tweede ging hem
krijsend achterna. De bandieten sloegen met de kenmerkende moed
van hun soort op de vlucht, elkaar duwend en stompend om aan de
strijd te ontkomen.
'Laat ze gaan!' riep Rhodry. 'Achter wordt gevochten!'
Weer joelde zijn lach toen ze omdraaiden en naar de achterhoede van
de karavaan drongen, waar een paar bandieten door de rij waren gebroken. Jill zag een van hun jonge begeleiders wanhopig vechten om
tussen Seryl en een wild om zich heen maaiende bandiet te blijven.
Net toen Sunrise Jill erheen voerde, doodde de bandiet de jongen.
Met een kreet van woede wreekte Jill hem door een stoot in de rug
die de ellendeling van zijn paard sloeg. Terwijl de andere bandieten
probeerden te vluchten, maaiden Rhodry en de laatste twee begeleiders hen neer. Jill greep de teugels van Seryls paard. Zijn linkerarm
bloedde uit een lange snee en hij hing slap over zijn zadelknop.
'Ik had nooit gedacht de dag te beleven dat een meisje mijn leven zou
redden,' fluisterde hij. 'Maar bedankt, zilverdolk.'
Het kalmeren van de doodsbange muildieren was haast een nog
zwaarder gevecht dan de strijd van daarnet, maar tenslotte konden
de overgebleven drijvers ze met veel slaag bijeendrijven tot een dicht
opeengepakte, erbarmelijke kudde middenin de pas. Jill deed wat ze
kon voor de gewonden, terwijl Rhodry en de begeleiders tussen de
lijken naar overlevenden zochten. Hun eigen mannen brachten ze bij
haar, maar de bandieten doodden ze door hen de keel af te snijden,
even kalm of ze 's konings beul waren. Jill had juist de laatste gewonde drijver verbonden toen ze Seryls bediende bij haar brachten.
Hij was van zijn paard gevallen en vertrapt. Ofschoon hij nog leefde, spuwde hij bloed en zijn beide benen waren gebroken.
'Alle goden!' kermde Seryl. 'Mijn arme Namydd.'
De jongen keek hem aan met ogen die hem duidelijk niet herkenden.
'We kunnen hem niet vervoeren,' zei Seryl kortaf. 'Dat zou zijn dood
zijn.'

'Sterven doet hij toch,' zei Jill. 'Het spijt me, beste heer, maar dat is de harde waarheid.'

Seryl kermde weer en streelde het haar van de jongen. Jill liet hem met zijn verdriet alleen en ging naar Rhodry, die naast de laatste van de gewonde bandieten knielde met zijn van bloed druipende zilveren dolk in zijn hand. De jongen, die niet ouder dan vijftien kon zijn, jammerde zo meelijwekkend dat Rhodry weifelde.

'Laat maar,' zei Jill. 'Hij sterft toch.'

Toen de jongen zijn gezicht afwendde en begon te huilen, knielde ze naast hem neer.

'Ik kan die wond stelpen en je redden. Als ik dat doe, wil je dan vertellen wat je weet?'

'Ja, ja. Alle goden, het doet zo zeer.'

De snee in zijn onderbuik was zo diep dat het een tijd duurde voor Jill hem had gestelpt. Tegen die tijd was hij zo zwak dat hij nauwelijks meer kon praten, maar ze kwam aan de weet dat hij een weggelopen leerling was die zijn meester had bestolen, dat hij pas bij de bende was en dat er in het geheel eenendertig bandieten waren. Tien van hen waren achtergebleven om hun kamp te bewaken; een onheilspellend bericht.

'Die komen natuurlijk terug,' zei Rhodry. 'Vanavond zullen ze hun wonden likken, maar morgen...'

'We hebben er twaalf van de eenendertig gedood.'

'Dat is waar, maar wij hebben twee zwaardvechters verloren en ook nog zes drijvers. Nou ja, we weten in elk geval wat ons te wachten staat. Het is maar goed dat je hebt besloten die knul te redden.'

'Dat was niet het enige. Ik had het gevoel dat hij ons nog iets had kunnen vertellen.'

'Wat nu weer? Nog meer van die vervloekte dweomer?'

'Precies. En bij het ijs van de hel, ik wou maar dat mijn dwerg terugkwam. Ik weet zeker dat hij iets van dit alles weet.'

Rhodry sidderde als een door een horzel gestoken paard. Jill keek naar de randen van het ravijn. Ze wist dat ze werden gadegeslagen – ze was nog nooit ergens zo zeker van geweest – maar tussen de zwijgende, dreigende bergen was nergens beweging te zien.

Bij zonsondergang stierf Namydd, het leven uit zijn verbrijzelde longen weghoestend. Jill zei een paar woorden van troost tot de koopman en liep toen rusteloos door het kamp. De drijvers zaten op een kluitje bijeen, uitgeput, als angstige schapen die wachten op de wolven die hen komen afmaken. Het is niet eens ver naar de grens van Cwm Pecl, dacht Jill, maar bij de geringe snelheid die deze troep kan halen kon het net zo goed aan de andere kant van de Zuidelijke Zee liggen. Toen kreeg ze een idee, een roekeloos, doldriest idee, maar de enige kans die ze hadden. Toen ze het tegen Rhodry zei, begon hij te vloeken.

'Doe niet zo stom!' vervolgde hij. 'De rest van dat tuig kan best een eindje verderop in de pas liggen. Ik laat je niet alleen gaan, en daarmee uit!'

'Een boodschap naar een van Blaens patrouilles sturen is de enige kans die we hebben, en je vergeet dat ik Sunrise heb. Ook al zouden ze me zien, tegen de tijd dat ze hun paarden hebben gezadeld en in de pas zijn, kunnen ze een westvolker jachtpaard nooit meer inhalen. Ik weeg niet veel, dus ook al is Sunrise moe van het gevecht, hij heeft de hele middag kunnen uitrusten.'

Terwijl ze de ruin zadelde en tuigde bleef Rhodry vloeken, tegenwerpingen maken en dreigen, maar uiteindelijk kreeg ze haar zin, gewoon omdat ze gelijk had: het was hun enige hoop. De volle maan kwam op toen ze wegreed en Sunrise met zijn lange, soepele pas zelf zijn weg liet zoeken tussen de rotsblokken. Ze reed met haar schild voor het grijpen en haar zwaard in de hand.

Rhodry stond nog lang aan de rand van het kamp in de richting te kijken waarin Jill was verdwenen. Tenslotte stortte hij een paar tranen in een korte huilbui vanwege het gevaar waarin ze verkeerde. Toen ging hij terug. De mannen hadden een vuurtje aangelegd, maar de meeste drijvers sliepen al; zij verdrongen hun angst op de enige manier die ze kenden. De twee begeleiders, Lidyc en Abryn, stonden op toen hij aankwam en keken hem aan in de ongegronde hoop dat deze door de wol geverfde zilverdolk hen misschien nog zou kunnen redden.

'Ga maar slapen,' zei Rhodry. 'Ik loop de eerste wacht wel.'

Ze knikten. Abryn wilde iets zeggen, maar hij bedacht zich. Rhodry haalde zijn schild en zijn helm en liep toen een kleine kilometer de pas in. Hij kon in het maanlicht net zo goed zien als bij daglicht, zelfs de kleuren – een deel van de erfenis van zijn elfenbloed. Wachtlopen was altijd vervelend, maar nu hij zo ongerust was over Jill kroop de tijd voorbij. In de verraderlijke schaduwen leek er van alles te bewegen. Konijnen misschien, of fretten? Als hij naar het bewegen bleef kijken, hield het op, maar wat het ook was, het was heel klein en ongetwijfeld ongevaarlijk. Eindelijk, toen hij aan de stand van de maan zag dat het een eind na middernacht was, kwam Lidyc te voorschijn.

'Je had me eerder moeten wekken.'

'Ik word niet zo gauw moe als de meeste mensen. Als je straks wordt afgelost, zeg dan tegen Abryn dat hij me voor zonsopgang moet wekken.'

Lidyc glimlachte, alsof hij dacht dat Rhodry het uiterste van zijn krachten vergde om zijn mannen te sparen, maar de simpele waarheid was dat Rhodry heel lang zonder slaap kon, nog een gave die hij aan zijn wilde bloed dankte. Toen hij naar het kamp terugliep, kwam hij langs de gewonde bandiet, die hardop kreunde. Hij knielde naast de jongen neer en kwam tot de slotsom dat Jills pogingen hem te redden tijdverspilling waren geweest. Aan het hoogrode gezicht van de jongen was duidelijk te zien dat de wond was gaan ontsteken.

'Welke zilverdolk ben jij?' fluisterde hij.

'Rhodry. Hoezo?'

'Waar is het meisje?'

'Hulp gaan halen.'

'Heeft ze werkelijk de juwelen?'

'De wat?'

'De juwelen. Die de oude man zei dat ze die had. We moesten haar levend gevangennemen en de juwelen afpakken.'

Rhodry greep hem bij de schouders en schudde hem door elkaar.

'Vertel me de waarheid!' snauwde hij. 'Welke oude man?'

'Die ons heeft ingehuurd.' De woorden liepen in elkaar over en waren nauwelijks verstaanbaar. 'Ik weet niet hoe hij heet. Maar hij heeft ons ingehuurd om het meisje gevangen te nemen.'

'Hoe zag hij eruit?'

Toen hij niet antwoordde, schudde Rhodry hem weer door elkaar, maar hij had het bewustzijn verloren. Rhodry stond vloekend op en liep weg. Het was nu te laat om Jill achterna te gaan. Hij huilde weer even, toen ging hij naar Lidyc en nam de wacht van hem over. Het zou uren duren voor hij kon slapen nu deze nieuwe angst hem kwelde. Hij had haar alleen laten gaan, terwijl zij juist degene was op wie ze uit waren.

Tegen middernacht werd Sunrise erg moe. Jill steeg af om hem haar gewicht te besparen en leidde hem bij de teugel verder, maar ze strompelden beiden van vermoeidheid. Hoewel haar rug brandde als vuur door het gewicht van de maliënkolder, besloot ze die niet uit te doen. Ze zou dolgraag even gaan zitten om uit te rusten, maar ze wist dat ze in slaap zou vallen als ze dat deed. Na nog anderhalve kilometer verder kwam ze bij het hoogste punt van de pas. Naast de weg stond een ruw gehouwen stenen pilaar met het blazoen van de gwerbrets van Cwm Pecl, een steigerende hengst, erin gebeiteld.

'De aanblik hiervan doet me net zoveel goed als een uur slaap. Het kan nu niet veel verder meer zijn.'

Sunrise snoof vermoeid en liet zijn hoofd hangen. Ze leunde tegen de pilaar en liet hem een paar minuten rusten. Opeens wist ze dat ze werd gadegeslagen; ze voelde het als een koude rilling langs haar rug. Met het zwaard in de hand deed ze een paar stappen het pad op, liep toen langzaam in het rond en liet haar ogen langs de bovenrand van de rotswanden dwalen. Nergens beweging te zien; nergens silhouetten van vijanden tegen het maanlicht. Ze greep de teugels en ging verder, sneller lopend doordat de angst haar nieuwe kracht gaf.

Het gevoel nam toe tot het zweet langs haar rug liep. Ze werd in het oog gehouden. Elk ogenblik, achter de volgende bocht, of achter die hoop stenen, was de hinderlaag die haar dood betekende. Maar ze liep nog een kilometer en er kwam geen hinderlaag. De steile rotswanden begonnen te wijken en het pad werd breder, overzichtelijker, gemakkelijker begaanbaar, een betere plaats voor een aanval. En nog bleven die ogen haar volgen terwijl ze naast haar paard liep, hem op zijn bezwete hals klopte en met zachte woorden aanmoedigde.

Op het laatst struikelde hij en viel bijna. Ze liet hem staan, zijn hoofd bijna tot op de grond hangend, en dacht erover hem achter te laten. Toen voelde ze dat degene die haar bespiedde haar verliet. Ze keek verwezen om zich heen en zag, geen vijftig meter verder, naast het pad een brochtoren staan achter een lage stenen muur. Dat kon alleen een van gwerbret Blaens beroemde patrouilleposten zijn, waarin een kleine krijgsbende huisde, vlak achter de grens en paraat om in te grijpen, een kostbare zaak, die geen enkele andere edelman in Deverry erop nahield. Ze gooide haar hoofd achterover en lachte.

'Kom mee, oude vriend. Die paar meter kunnen we ook nog wel afleggen.'

Sunrise liet zich strompelend naar de met ijzer beslagen poort met het hengstblazoen leiden. Ze hoopte dat iemand haar zou horen als ze riep, maar ze zag de glans van zilver in het maanlicht – een hoorn die met een ketting aan de poort hing. Ze greep hem en blies erop, een lange, wanhopige klank, terwijl Sunrise zijn hoofd schudde en triomfantelijk snoof.

'Wie is daar?' riep een stem van binnen.

'Een zilverdolk. Er zijn bandieten in de pas.'

De poort ging knarsend open en een man van de nachtwacht greep haar arm en trok haar de veilige toevlucht binnen.

'Blijven we hier zomaar wachten?' vroeg Seryl.

'Dat is het beste,' zei Rhodry. 'We kunnen hier vechten met onze rug tegen de rotswand als dekking.'

Seryl knikte instemmend en keek hem aan zoals een hongerend kind naar zijn vader kijkt, er tegen alle redelijkheid in van overtuigd dat va eten zal vinden, ook als alle hoop is opgegeven. Ze liepen in het grauwe morgenlicht om het kamp heen, terwijl Rhodry tegen zijn verdriet vocht. Hij was er zeker van dat Jill dood was. Zijn eigen dood kon hij kalm onder ogen zien, de hare kon hij niet verwerken. Zijn enige troost was de wetenschap dat hij straks de kans zou krijgen haar te wreken door een paar van de bandieten met hem mee te nemen naar het hiernamaals. Het kamp versterkte zich zo goed mogelijk. De pakken met goederen werden opgestapeld tot een ruwe muur waar de drijvers achter zaten, met hun rug naar de rotswand, terwijl de muildieren niet ver daarvan vastgebonden stonden. Rhodry herhaalde zijn bevelen. Nadat hij en de twee andere zwaardvechters na een gevecht te paard zouden zijn gesneuveld, moesten de drijvers de kudde in paniek brengen en te midden van de bandieten jagen. De daardoor ontstane verwarring zou er zeker nog een paar het leven kosten.

'En vecht je dood,' besloot hij, 'want ze kennen geen genade.'

Rhodry, Lidyc en Abryn bestegen hun paarden voor de geïmproviseerde barricade. Hoewel de kerels bleek zagen, hielden ze zich flink, vastbesloten te sterven als mannen. De zon werd langzaam helderder; de minuten kropen voorbij. Rhodry merkte dat hij ongeduldig werd; hij wilde zo gauw mogelijk dood zijn om zich bij zijn geliefde in het hiernamaals te kunnen voegen. Eindelijk hoorden ze hoefslagen en het gerinkel van tuigen: het geluid van vele mannen die hard in hun richting reden. Met een korte beweging van zijn zwaard gaf hij de anderen het sein om hen tegemoet te gaan. De krijgsbende kwam in draf de bocht om, twintig man, in maliënkolders, op goede paarden, met op hun schilden het rood en gouden blazoen van Cwm Pecl. Rhodry hoorde het kamp achter hem uitbarsten in gejuich en hysterisch gelach, maar hij zei niets. Zijn hart was te vol om te spreken omdat hij nu wist dat zijn Jill veilig was. De hoofdman van de krijgsbende kwam naar hem toe.

'Nou, zilverdolk,' zei hij breed lachend. 'Zo te horen is iedereen blij ons te zien.'

'Ik heb nog nooit iemand bij een eerste ontmoeting zo graag mogen lijden. Wanneer is die andere zilverdolk bij jullie aangekomen?'

'Ongeveer een uur na middernacht, en hij is een flinke knaap, ook al lijkt hij niet ouder dan veertien. Hij stortte zowat ter plekke in elkaar, maar hij bleef zeggen dat hij met ons terug wilde rijden.'

'Ja, zo is hij.' Rhodry liet hem graag in de waan dat Jill een jongen was. 'Hebben jullie een heelmeester meegebracht? We hebben gewonden.' Hij deed zijn helm af en trok de kap van zijn maliënkolder van zijn gezicht.

'Die hebben we meegebracht.' De hoofdman staarde hem opeens aan.

'Ja, heer, bedoel ik.'

'O, bij een varkenslul! Dus je hebt me eerder gezien.'

'Menigmaal, heer.'

'Noem me zo nooit meer. Mijn naam is Rhodry, meer niet.'

De hoofdman knikte met een zwijgend medeleven dat onuitstaanbaar was. Rhodry wendde zijn paard en ging de krijgsbende voor naar het kamp, maar toen hij afsteeg, schoot de hoofdman toe om de teugel voor hem vast te houden.

'Laat dat! Ik meende wat ik zei.'

'Nou goed dan. Het is dus Rhodry en meer niet.'

'Zo is het beter. Zeg, hoe ver is het naar jullie patrouillepost? Ik wil onze jonge zilverdolk wel wat lof toezwaaien.'

'Ongeveer vijf uur rijden op een vers paard, maar als wij straks terugkomen, is die jongen er niet meer. Ik heb hem naar Dun Hiraedd gestuurd, zie je, met een verzoek om versterkingen. Hij zei dat hij bij zonsopgang wilde vertrekken.'

Rhodry vloekte hardop. De hoofdman zag hem kennelijk nog steeds als heer Rhodry Maelwaedd, want hij haastte zich een verklaring te geven.

'Ik moest elke man meebrengen die ik had. Dat tuig valt bijna nooit de karavanen van de koning aan, omdat ze weten dat wij ze dan met een grote troepenmacht achterna komen, dus er is hier iets verduiveld raars aan de hand.'

Rhodry luisterde nauwelijks. Jill was weer alleen onderweg, en ze wist nog minder dan hij van het gevaar dat haar besloop.

'Ze ontglipte me gewoon,' zei Sarcyn. 'Ik was nog maar een kilometer van haar af toen ze de patrouillepost bereikte.'

'Ik weet het,' zei Alastyr. 'Ik was jullie aan het scryen...'

'Als u haar eerder was gaan scryen...'

Daar had je het weer, zo'n brutale, veel te vertrouwelijke opmerking, maar Alastyr zei er niets van omdat ze in te groot gevaar verkeerden om onderlinge ruzies te riskeren. En Evy en Sarcyn waren wel goede zwaardvechters, maar er stonden negentien boze bandieten om hen heen en Alastyr kon ze onmogelijk allemaal betoveren. De pas gekozen aanvoerder van de bende, een enorme roodharige kerel die Ganedd heette, kwam naar hen toe, zijn armen voor de borst gekruist.

'U had ons niet verteld dat dat meidje kon vechten als een duivel uit de hel.'

'Ik had jullie gewaarschuwd dat ze een ervaren krijger was.'
Garnedd grauwde angstaanjagend. Alastyr haalde de geldbuidel te voorschijn die hij voor hen gereed had.
'Ik heb gezegd dat jullie goed betaald zouden worden, en dat meende ik. Hier.'
Toen Ganedd de buidel in de palm van zijn harige hand leegschudde, lichtte zijn gezicht op in een brede, half tandeloze grijns bij het zien van een Deverriaanse reaal, twintig zilverstukken, en een rechthoekig geslepen robijn zo groot als zijn duimnagel.
'Nou, dit maakt veel goed,' zei hij zich omdraaiend. 'Kom op, mannen. We hebben hier een edelsteen die we in Marcmwr kunnen verkopen, en dan kunnen we maandenlang leven als vorsten.'
Terwijl de bandieten juichten, bestegen Alastyr en zijn leerlingen hun paarden en reden weg, Camdel achter zich aan sleurend. Hoewel het mogelijk was dat de bandieten later een poging zouden doen om de mannen die ze nu als rijk beschouwden, aan te vallen, kon Alastyr zijn dweomer gebruiken om hen voor dergelijke onaangenaamheden te behoeden. Maar onder het rijden had hij veel zin om te vloeken van teleurstelling. Ze hadden het meisje op een haar na te pakken gehad! Hij wist zeker dat als hij Jill levend kon vangen, hij haar bij Nevyn kon inruilen voor een veilige uittocht uit Deverry – met de steen.

Hoewel Jill in de patrouillepost op Rhodry had willen wachten, kon een zilverdolk een bevel van een hoofdman van de gwerbret om een boodschap naar diezelfde gwerbret te brengen, niet weigeren zonder een geseling te riskeren. Omdat Sunrise nog moe was, gaf de stalknecht haar een stevig zwart paard om haar reis mee te beginnen. De hoofdman had haar al een officieel bewijs gegeven; zolang ze voor zijne genade onderweg was, zou elk van Blaens vazallen haar een vers paard en een maaltijd verstrekken om de boodschap zo vlug mogelijk te kunnen overbrengen.
'Maar denk erom,' zei Jill tegen de stalknecht. 'Sunrise moet hier nog zijn als Rhodry arriveert.'
'Wat denk jij wel van ons, dat we paardendieven zijn?'
'Heel wat grote heren hebben hun paard "ingeruild" voor een paard van iemand die helemaal niet wilde ruilen, en Sunrise is een verdraaid kostbaar dier.'
'Dat is hij, maar hij is hier veilig. Ik zal je eens wat vertellen, zilverdolk. Wij mannen van Cwm Pecl haten paardendieven nog meer dan alle andere dieven. Hier hakken ze een paardendief niet alleen zijn handen af. Hij krijgt ook nog vijftien zweepslagen en wordt in het openbaar opgehangen.'

'Prachtig. Dan ga ik met een gerust hart op weg.'

Jill verliet de patrouillepost met een flinke snelheid, afwisselend in draf en stapvoets tot ze het gebergte uit was. Op de makkelijker begaanbare hellingen van de uitlopers kon ze nu en dan in galop overgaan. Kort voor het middaguur kwam ze bij de dun van een edelman, kreeg haar maaltijd en een vers paard en galoppeerde weer verder. Ze liet de heuvels al spoedig achter zich en reed door de golvende velden van Cwn Pecl. Hoewel een groot deel van het gewest niet geschikt was voor landbouw, was het ideaal voor veeteelt. In de goed bevloeide weiden tussen de bosjes witte berken zag ze heel wat kudden paarden vredig grazen onder de hoede van bereden herders, of witte koeien met roestbruine oren in de schaduw liggen herkauwen.

Op het vlakkere land kon ze afwisselend draven en galopperen, en ze verwisselde nog twee keer van paard. De stad lag ruim vijfenzeventig kilometer van de patrouillepost af, een afstand die alleen een snelle koerier als zijzelf in één dag kon hopen af te leggen. Bij de derde wissel stond de zon al laag aan de hemel, en de edelman die haar het verse paard gaf, zei dat de koerier van de gwerbret gerust bij hem kon overnachten. Jill dacht er even over na, maar een van haar dweomer-waarschuwingen vlijmde als een mes door haar heen. Ze moest verder, zo snel mogelijk.

'Dank u, heer, maar deze boodschap is zeer dringend.'

'Dat weet jij ongetwijfeld het beste, zilverdolk.'

Ze vertrok in volle galop en de dweomer-kou vergezelde haar. Iemand wist waar ze was, en die iemand volgde haar om haar kwaad te doen. Na haar te korte nachtrust zat ze half slapend in het zadel, maar ze deed alles om wakker te blijven en haalde het uiterste uit het paard. Telkens wanneer ze iemand passeerde, riep ze dat hij in naam van de gwerbret de weg vrij moest maken. Dan gingen ze met een kreet van schrik opzij en lieten haar door.

Eindelijk kwam ze op de top van een lage heuvel en ze zag onder zich de gwerbretstad Dun Hiraedd aan weerszijden van de rivier liggen, omringd door hoge stenen muren. De rivier glinsterde zo fel in het licht van de ondergaande zon dat Jills vermoeide ogen het nauwelijks konden verdragen. Zonsondergang. De stadspoorten zouden dadelijk voor de nacht worden gesloten. Ze zette haar paard tot hoge snelheid aan en kwam juist aanrijden toen de poort dichtzwaaide.

'Een boodschap voor de gwerbret!' riep ze hard. 'Van de Cwm-Pecl pas!'

De poort werd opengehouden. Terwijl een wachter haar tegemoet rende, steeg ze af en toonde hem zwierig haar officiële bewijs.

'Heel goed, zilverdolk,' zei hij, het aannemend. 'Ik zal je onmiddellijk naar de dun brengen.'

Toen de poort achter haar dichtviel, kreeg Jill een zo sterk gevoel van opluchting dat ze wist dat het door dweomer ingegeven moest zijn. Hier was ze, althans voor een tijdje, veilig.

De stadswacht leidde haar snel door de doolhof van geplaveide straten en dicht opeengepakte rondhuizen. Achter de vensters scheen lantaarnlicht; de mensen haastten zich naar huis na een dag handel drijven; hier en daar zweefde een vleug etensgeur een huis uit zodat Jills maag begon te knorren. Aan de andere kant van de stad stond een lage, kunstmatige heuvel omringd door stenen muren. Daar was weer een poort met wachtposten, maar haar officiële bewijs bracht hen op het binnenplein van Blaens enorme dun, waar een driedubbele broch boven de schuren en stallen uittorende. Nadat een page Jills paard had aangenomen, leidde de stadswacht haar de grote zaal binnen.

De zaal werd helder verlicht door haardvuren en kaarsen. Jill stond met haar ogen knipperend bij de deur terwijl de wacht de gwerbret ging aanspreken. Bij een van de haarden waren bedienden bezig het avondeten voor een krijgsbende van honderd man op lange tafels te zetten. Naast de erehaard zat de gwerbret alleen te eten. Toen ze naar het fraaie metselwerk, de prachtige wandtapijten, de zilveren bekers en kandelaars op de tafels keek, voelde Jill zich vreselijk opgelaten. Waarom had die stomme patrouille de boodschap niet naar de hoofdman van de gwerbret gestuurd in plaats van haar zomaar bij zo'n voorname edelman te laten binnenvallen terwijl die aan zijn avondmaal zat? Een vuile zilverdolk zoals zij hoorde buiten op het plein te wachten.

Blaen zelf was geen man die iemand op zijn gemak stelde. Toen de wacht hem aansprak maakte hij een arrogante hoofdbeweging en trok zijn schouders fier naar achteren. Hij was veel jonger dan ze had gedacht, ongeveer tweeëntwintig, en hij deed haar, met zijn blauwe ogen en ravezwarte haar, sterk aan Rhodry denken, al was hij natuurlijk lang niet zo knap als haar man.

'Kom hier, zilverdolk,' zei hij kortaf. 'Wat is die boodschap?'

Jill ging haastig naar hem toe en wilde knielen, maar ze was zo moe van haar lange rit dat ze haar evenwicht verloor en bijna wijdbeens kwam te vallen.

'Neem me niet kwalijk, uwe genade,' stamelde ze. 'Ik heb twee dagen gereden en daarvóór nog strijd geleverd.'

'Bij de konten van de goden! Sta dan van die vervloekte vloer op en ga zitten. Page! Haal mede. En een eetplank! Schiet op! Deze jongen moet half uitgehongerd zijn.'

Voor de geschrokken pages iets konden doen had Blaen haar bij de schouders gegrepen, haar overeind geholpen en haar in zijn eigen stoel gezet. Hij duwde haar een bokaal met mede in de hand en ging toen op de rand van de tafel zitten; zijn maaltijd stond vergeten achter hem.

'Ik denk dat ik het wel kan raden,' zei hij. 'Er is weer gedonder geweest in die verwenste pas.'

'Inderdaad, uwe genade.'

Terwijl Jill haar relaas deed, kwam Blaens hoofdman ook luisteren. Hij was een zwaar gebouwde man van halverwege de dertig met een verbleekt litteken over zijn ene wang. Toen Jill uitverteld was, wendde de gwerbret zich tot hem.

'Comyn, neem vijftig man en een stel extra paarden en vertrek vanavond nog. Ik – hier, wacht even.' Blaen greep een plak gebraden rundvlees van een gouden schaal en wierp die Jill toe. 'Neem zelf maar brood, jongen. Luister, Comyn. Jaag die smerige bandieten Yr Auddglyn in. Als gwerbret Ygwimyr het lef heeft om erover te klagen, zeg je maar dat er oorlog komt als we niet binnen twee weken hun hoofden op staken hebben.'

'Goed, uwe genade, en ik stuur een boodschapper zodra er iets te melden valt.'

Jill at door terwijl ze de bijzonderheden bespraken. Toen Comyn wegging om zijn mannen aan te wijzen, greep Blaen zijn bokaal met mede en klokte de drank naar binnen of het water was. Een wachtende page kwam naar voren en vulde de bokaal bij.

'Jij hebt de jouwe zo te zien nauwelijks aangeraakt, jongen,' zei Blaen. 'Wat ben jij voor een zilverdolk dat je zo langzaam drinkt? Trouwens, hoe heet je?'

'Gilyan, uwe genade, en ik ben geen jongen maar een meisje.'

Blaen staarde haar aan en gooide toen lachend zijn hoofd achterover. 'Ik schijn oud en blind te worden,' zei hij, nog steeds lachend. 'Dus jij bent een meisje. Waarom gaat een meisje langs de lange weg trekken?'

'De man van wie ik houd is een zilverdolk, en ik heb mijn familie verlaten om hem te volgen.'

'Dat was heel dom van je, maar ja, wie leert ooit vrouwen kennen?' Hij deed het probleem met een schouderophalen af. 'Goed dan, Gilyan. We kunnen je moeilijk in de kazerne laten overnachten, dus ik zal je vannacht een kamer in de broch geven.'

Eerder diezelfde dag had de patrouille van Cwm Pecl-ruiters de overblijfselen van Seryls karavaan naar de grenspost gebracht voor ze
weer uitreden om achter de bandieten aan te gaan. Rhodry hielp Seryl naar een bed in de kazerne te dragen, zorgde dat zijn begeleiders
en drijvers behoorlijk te eten kregen en ging toen naar de stal om
zich ervan te vergewissen dat alles goed was met Sunrise. De stalknecht vertelde hem dat Jill inderdaad bij zonsopgang als ijlbode was
vertrokken.

'Dan zal ze nu zo ongeveer Dun Hiraedd hebben bereikt.' Rhodry
keek naar de ondergaande zon.

'Klopt. Al eens ooit in onze stad geweest, zilverdolk?'

'Een paar keer. Zo, ik ga ook eens eten.'

Toen hij gegeten had ging Rhodry even bij de gewonde bandiet kijken, die in een voorraadschuur was opgesloten. Die voorzorgsmaat-
regel bleek overbodig, want de jongen was stervende. Hij had niet
alleen te veel koorts om te praten, maar Rhodry kon ook de stank
van zijn ontstoken wond ruiken, zelfs door het verband heen. Hij liet
de jongen wat water drinken, ging toen op zijn hurken zitten en nam
hem peinzend op. Hij had nog nooit in zijn leven gezien dat een ont-
steking zich zo snel uitbreidde (en hij had toch heel wat veldtochten
meegemaakt), bijna alsof de wond opzettelijk was vergiftigd. Aangezien bandieten er niet om bekend stonden dat ze zo goed aten als
edelen, was de jongen ongetwijfeld al een tijdlang slecht gevoed en
dus abnormaal zwak. Maar toch zouden de kwade sappen zich minder snel hebben moeten verspreiden, vooral omdat Jill de wond meteen behoorlijk had verbonden. Als iemand de jongen de mond had
willen snoeren, had hij niet meer geluk kunnen hebben.

'Maar is het wel enkel geluk?' zei Rhodry hardop.

De stervende jongen kreunde en hijgde naar adem in zijn koortsige
slaap. Hoewel Rhodry hem de dag tevoren nog de keel had willen
afsnijden, had hij nu opeens medelijden met hem.

Jill werd laat in de morgen wakker en keek wezenloos om zich heen,
niet wetend wat ze daar deed in dat weelderige bed met geborduurde gordijnen, tot ze zich eindelijk Blaens gastvrijheid van de avond
tevoren herinnerde. Toen ze de gordijnen opzij schoof, zag ze het zonlicht door de vensters stromen en een page onzeker in de deuropening staan.

'Me...eh... vrouwe?' zei de jongen. 'De gwerbret verzoekt u aan te
zitten aan het noenmaal. Zullen we een bad voor u halen? Daar is
nog net tijd voor.'

'Een bad lijkt me heerlijk. Noenmaal? Alle goden! Zeg, zit de echt-

genote van de gwerbret mee aan? Ik weet haar naam niet eens.'
'Die is Caniffa, maar ze brengt een tijdlang een bezoek aan haar broer.'
Daar dankte Jill de goden voor. Ze kon zich wel iets leukers voorstellen dan een edelvrouw die kritisch haar tafelmanieren bezag. Toen
ze uit het bad kwam, haalde ze haar andere hemd, dat nog schoon
was, uit haar zadeltas, en besloot dat ze ook maar beter schone sokken kon aantrekken. Opeens herinnerde ze zich de armband, die in
haar extra kleren had moeten zitten. Hij was verdwenen.
'Bij al het ijs in de hel! Een van die vervloekte drijvers moet hem hebben gestolen.'
Ze doorzocht nijdig haar beide zadeltassen, maar de armband was
er niet. Helemaal onder in de ene tas, onder een vastgestikte flap, zat
echter iets kleins en hards. Toen ze het eruit haalde, bleek het een
ring te zijn met een saffier, een mooie grote steen gevat in een gouden band, met twee kleine draakjes rond de zetting gekruld. Jill bekeek hem vol ongeloof.
'Hoe kom jij tussen mijn spullen? Heeft het Natuurvolk de armband
gestolen en jou ervoor in de plaats gestoken?'
De saffier glansde zacht in het zonlicht. Jill voelde zich een halve ga-
re, omdat ze tegen een ring zat te praten alsof die haar kon verstaan.
Ze zocht een oud lapje en wikkelde hem er zorgvuldig in. Ze had
geen tijd om er verder over te piekeren, aangezien er een gwerbret
op haar wachtte.
Het bleek dat Blaen haar de eer aandeed haar aan zijn tafel te laten
eten omdat hij alles wilde weten over haar leven bij de lange weg.
Aangezien ze wist dat Rhodry het als een schande voelde als de mensen over zijn verbanning praatten, probeerde ze zo weinig mogelijk
over hem te praten, wat haar makkelijk werd gemaakt toen ze vertelde dat haar vader Cullyn van Cerrmor was.
'Is het heus?' vroeg Blaen breed lachend. 'Nee maar, geen wonder dat
je het leven bij de lange weg zo goed aankunt. Weet je, Jill, ik heb je
vader eens ontmoet. Ik was nog maar een klein ventje, zes of zeven,
geloof ik, en mijn vader had hem ingehuurd. Ik weet nog goed dat
ik naar hem opkeek en vond dat ik nog nooit zo'n angstaanjagende
man had ontmoet.'
'Ja, zo komt va meestal op mensen over.'
'Maar hij was een geweldige krijger. Ik weet niet precies hoe alles afgelopen is, maar mijn vader heeft hem bij zijn vertrek een mooie schede gegeven, met goud afgezet, als extra beloning boven op zijn soldij. Zeg, is hij nog in het land der levenden?'
Vanaf dat moment kon Jill de tijd vullen met verhalen over haar vaders wapenfeiten door de jaren heen. Na de maaltijd gaf Blaen haar

achteloos een handvol munten als betaling voor haar koeriersdienst. 'En wanneer zal die karavaan van jullie binnenkomen, denk je?' vroeg hij tenslotte.

'Dat duurt nog minstens drie dagen, uwe genade. Sommige mannen waren gewond.'

'Aha. Nou, als ze er zijn, laat de karavaanmeester dan naar me toe komen.'

Jill ging haar spullen halen en ging van de dun naar de drukke straten van de stad, de enige nederzetting in heel de uitgestrekte vallei die de naam stad waardig was. Onder bogen in de muur stroomde de rivier de stad binnen en verdeelde hem in een westzijde voor de welgestelden, onder wie de gwerbret zelf, en een oostzijde voor het gewone volk. De rivieroevers waren een gemeenschapsweide waar een aantal koeien graasde in de warme middagzon. Bij de oostpoort vond Jill eindelijk een herberg, de Rennende Vos genaamd, waar men dermate om klandizie verlegen zat dat ze er onderdak kon krijgen. Zodra ze alleen in haar smerige kleine kamertje was, deed ze haar zadeltassen open. De ring was er nog, maar nu kronkelde zich nog maar één draak rond de steen.

'Ik ben beslist niet bezig om gek te worden. Jij moet dweomer zijn.' De steen flonkerde een ogenblik hel, daarna verflauwde de glans tot die van een gewone edelsteen. Jill huiverde toen ze hem weer in het lapje wikkelde en hem in het zakje stopte dat ze om haar hals droeg en waarin ze, op een paar duiten na, al haar geld had geborgen. Toen ging ze naar de gelagkamer en nam een kroes van het donkerste bier dat er te krijgen was, om haar zenuwen te kalmeren. Alle goden, hier zat ze nu, in een vreemde stad met een dweomer edelsteen in haar bezit en Rhodry mijlen ver weg! Nevyn, o Nevyn, dacht ze, ik zou bij elke god in de hemel willen dat jij hier was!

Hij komt, klonk een gedachte in haar hoofd. Hij zal ons beiden komen redden.

Jill verslikte zich zo erg in haar bier dat ze hoestte en in de kroes sputterde. De herbergier kwam haastig aanlopen.

'Er zat toch geen vlieg in, hoop ik?' Hij sloeg haar op de rug.

'Nee hoor. Bedankt.'

Hij haastte zich met een meelevend knikje weg. Dat kon er nu nog net bij, dacht Jill. Ik moet iets over deze edelsteen aan de weet zien te komen. Hoewel er in een stad van deze omvang ongetwijfeld verscheidene juweliers zouden zijn, was ze niet van plan openlijk te spreken over een juweel dat van vorm kon veranderen en gedachten door iemands brein stuurde. Er waren echter altijd andere bronnen van informatie voor iemand die wist hoe ze die moest zoeken.

Het was druk in de gelagkamer. Aan een van de tafels snaterde een stel slonzige jonge vrouwen die zo laat op de dag pas aan hun ochtendpap zaten; aan een andere een handjevol op werk hopende karavaanbegeleiders; aan een derde een paar jonge mannen die leerjongens van winkeliers zouden kunnen zijn. Toen de herbergier Jills kroes weer kwam vullen, begon ze luidkeels te pochen; ze prees Blaens gulheid en zei dat ze nog nooit zo goed was betaald voor het overbrengen van een boodschap. Natuurlijk betaalde ze de man uit de buidel die ze zichtbaar aan haar gordel droeg, niet uit het welgevulde zakje om haar hals. Toen ging ze naar buiten om een wandeling te maken door de straten.

De middagzon viel vol op de goed geveegde straatkeien. Welvarende kooplieden waren haastig op weg naar hun zaken of liepen ontspannen te praten. Vrouwen met boodschappenmanden of emmers water keken naar Jills zilveren dolk en staken demonstratief de straat over om haar te mijden. Jill nam alle smalle steegjes die ze kon vinden en liep langzaam, alsof ze in gedachten was verzonken. Eindelijk, in een steegje tussen een bakkerij en een schoenmakerswerkplaats, had haar speurtocht succes. Toen drie jonge mannen haar passeerden, botste een van hen tegen haar op. Hij verontschuldigde zich beleefd en wilde snel doorlopen, maar Jill draaide zich met een ruk om en greep zijn pols beet. Voor hij zich kon loswringen ramde ze hem tegen de stenen muur van de schoenmaker en gaf hem een adembenemende opdoffer. Zijn twee vrienden sloegen, zoals onder dieven is toegestaan, op de vlucht. Jills vangst, een schriel kereltje met kleurloos haar en een neus vol wratten, keek naar adem snakkend naar haar op.

'Neem me niet kwalijk, zilverdolk, ik wilde je niet beledigen.'

'Beledigen? Loop met je beledigingen naar de heer der hel en geef mij mijn geldbuidel terug.'

De dief schopte en probeerde zijwaarts weg te schieten, maar Jill greep hem en draaide hem met zijn gezicht naar de muur. Terwijl hij jammerde en schopte, stak zij haar hand in zijn hemd en haalde haar buidel met kopergeld eruit, waarna ze op de koop toe zijn gemene kleine dievendolk uit de verborgen schede trok. Toen ze hem weer hardhandig omdraaide, kreunde hij en werd helemaal slap in haar handen.

'Zo,' zei Jill. 'Als ik je nu naar de mannen van de gwerbret breng, hakken ze je op het marktplein je handen af.'

De dief werd doodsbleek.

'Maar als je me vertelt wie hier in de stad de dievenkoning is, laat ik je gaan.'

'Dat mag ik niet! Dat zou me mijn leven kosten, niet alleen mijn handen.'

'O bliksem, wat denk je dat ik zal doen? Naar de gwerbret lopen en hem verraden? Hoor eens, ik heb geld voor jullie koning. Als je niet zo stom was geweest om te proberen me te beroven, zou ik het je vriendelijk hebben gevraagd.' Ze stak hem de dolk toe, het gevest het eerst. 'Hier, neem maar terug.'

Terwijl hij erover nadacht, keerde de kleur in zijn gezicht terug. Tenslotte nam hij de dolk aan.

'Ogwern,' zei hij. 'In de herberg De Rode Draak, op de oostelijke oever bij de gemeenschapswei. Je kunt het niet missen. Het is naast een kaarsenmaker.'

Toen draaide hij zich om en ging er als een geschrokken hert vandoor. Jill liep hem langzaam achterna, zodat hij Ogwern het nieuws kon vertellen voor zij zich aankondigde. Ze ontdekte dat hij gelijk had gehad met de kaarsenmaker; die kon je inderdaad niet missen. Op het zonnige erf voor een lange schuur lagen hopen talk in de zon te stinken. Recht ertegenover in de smalle steeg was een houten herbergje met een afgesleten rieten dak en ongeverfde, half vergane luiken aan de ramen. In tegenstelling tot de meeste herbergen was de deur ervan stijf gesloten. Toen Jill klopte, ging hij een klein eindje open en twee donkere, achterdochtige ogen gluurden door de kier.

'Wie ben jij?' vroeg een zware mannenstem.

'De zilverdolk die naar Ogwern heeft gevraagd. Als hij niet met me wil praten is hij een dief van zijn eigen geldbuidel.'

De vraagsteller zwaaide lachend de deur open. Hij was wanstaltig dik met een buik die uit zijn hem puilde en wangkwabben die rond zijn stierenhals hingen.

'Ik mag die lef van jou wel. Ik ben Ogwern. Kom binnen.'

De halfronde gelagkamer stonk naar oud stro en houtrook, en er stonden vier gehavende en wankele tafels. Op Jills aandringen gingen ze ergens zitten waar ze haar rug tegen de muur kon houden. Een waard even bleek en mager als Ogwern dik was, bracht hun kroezen verrassend lekker bier, waar Jill voor betaalde.

'Zo, schone vrouwe,' zei Ogwern. 'Want je bent een schoonheid, al kun je geen edelvrouw zijn als je zoveel over ons slag volk weet. Wat voert je naar mij?'

'Een eenvoudige zaak. Je weet waarschijnlijk dat ik een boodschap voor zijne genade uit de Cwn-Pecl pas heb overgebracht.'

'O, ik hoor wel eens kleinigheden die de moeite van het weten waard zijn.'

'Mooi zo. Ik ben hierheen gereden op een paard van een van de vazallen van de gwerbret, maar mijn eigen paard komt na met de karavaan die ik begeleidde. Het is een kostbaar paard en ik wil niet dat het gestolen wordt. Ik dacht dat een beetje geld op de juiste plaats zijn veiligheid zou kunnen waarborgen.'

'Heel goed gedacht, en je bent inderdaad aan het juiste adres. Wat voor paard is het?'

'Een westvolker jachtpaard, een ruin, en hij is goudkleurig.'

'Met gevechtservaring?'

'Ja.'

Ogwern dacht even na en wapperde met een dikke hand in de lucht. 'Tja, als het een hengst was, zou het je een goudstuk kosten. Maar voor een ruin, laten we zeggen vijftien zilverstukken.'

'Wat? Alle goden! Dat is struikroverij!'

'Gebruik alsjeblieft niet zulke lelijke woorden. Die doen mijn dik maar waardevol hart zo'n zeer. Dertien dan.'

'Tien en geen duit meer.'

'Elf. Mag ik je eraan herinneren dat er een aanzienlijke markt voor zo'n kostbaar dier is?'

'Akkoord. Elf – zes nu en vijf als we veilig de stad verlaten.'

'Tien als je me ze nu geeft. Ik beloof je dat mijn mannen mijn bevelen gehoorzamen. Ik mag dan dik zijn, maar ik regeer over Dun Hiraedd als een gwerbret.'

'Des te beter, en nu krijg je nog een kroes van me om de overeenkomst te bezegelen.'

Terwijl Jill hem het beschermgeld gaf, nam Ogwern haar met schrandere bruine ogen op.

'En dan wil ik je een beetje raad geven,' zei hij, terwijl hij het geld in zijn zak stak. 'Onze verwenste gwerbret heeft een stadswacht gesticht, patrouilles van altijd zes mannen die over straat lopen en niets beters te doen hebben dan hun snotneuzen in andermans zaken te steken.'

'Bij de harige zwarte kont van de duivel!' Ze deed net of ze walgde. 'Patrouilleren die 's nachts ook?'

'Ja. Om van te kotsen, vind ik het. Ah, Blaens vader was een reuzevent – gemakkelijk, dacht alleen maar aan oorlog voeren, en nogal dom. Blaen lijkt helaas op zijn pientere moeder, en het leven is moeilijk geworden sinds hij het rhan heeft geërfd.'

'Dat is jammer, hoewel ik moet toegeven dat ik blij ben dat hij zijn best doet om bandieten onschadelijk te maken.'

'Dat is waar. Vervloekte struikrovers, ik haat ze! Ik hoop van harte dat jullie er een paar hebben afgemaakt toen ze die karavaan van jullie aanvielen.'

'Nee maar, nu praat je als een van de gwerbret zijn mannen.'

'Doe nou niet zo onaardig.' Ogwern legde een dikke hand op een deel van de vleesberg waar bij benadering zijn hart onder zat. 'Bandieten zijn bloeddorstige stommelingen die de wegen versperren en eerlijke mensen dwingen gewapende begeleiders in te huren. Heus, als zij er niet waren, kon een echte dief zomaar voor de aardigheid eens een karavaan besluipen. Bovendien willen ze de gilden geen belasting betalen.'

'Aha! Dus dat is de ware doorn in je vlees, is het niet?'

Ogwern snoof, zogenaamd gegriefd, en nam haar toen weer onderzoekend op. Jill begon te beseffen dat hij even graag iets uit haar wilde krijgen als zij uit hem.

'Het is zomaar een vraag,' zei hij tenslotte. 'Ik heb natuurlijk gehoord dat de karavaan uit Yr Auddglyn kwam. Zijn jullie soms in Marcmwr geweest?'

'Een paar dagen. Hoezo?'

Hij keek even fronsend in zijn kroes.

'Tja,' zei hij na een ogenblik. 'Ik denk niet dat een zilverdolk er iets voor voelt om juwelen te stelen.'

Jills hart sloeg over van opwinding.

'Niet in het minst,' zei ze. 'Ik weet best dat we allemaal neven van dieven zijn, maar dat is niet hetzelfde als broers.'

'Zo is het. Ik heb een interessant nieuwtje gehoord uit de buurt van Deverry, zie je. Dat een zeker iemand naar Yr Auddglyn zou gaan met een groot pakket gestolen juwelen. Wat mij overigens nogal stom lijkt. Ze zeiden dat hij zich voordoet als koopman, maar dat zijn paard een zadel en tuig heeft dat een gwerbret niet zou misstaan – en nog een krijgerszadel bovendien.'

Jill probeerde maar weinig geïnteresseerd te lijken. Alle goden, dacht ze, je hebt inderdaad zilverdolkengeluk gehad.

'Kijk, als die juwelen nog in Yr Auddglyn zijn,' vervolgde Ogwern enigszins peinzend, 'is het mijn zaak niet. Maar een paar van de jongens zijn naar die zogenaamde koopman op zoek gegaan, om hem van het gewicht van dat pakket te ontlasten, natuurlijk. Ze hebben zijn spoor gevolgd tot de Aver Lit, en bliksems, daar was ie opeens verdwenen.'

'Aha, en nu vraag jij je af of hij misschien in jouw gebied is aangeland. Hij moet wel kostbare spullen bij zich hebben als alle dieven van het koninkrijk achter hem aan zitten.'

'Heel kostbaar. Ze zeggen dat de juwelen van de koning zelf zijn geweest.'

'Nee maar, hoe kan iemand nu iets stelen van de koning?'

'Een goeie vraag, zilverdolk, een heel goeie vraag. Ik herhaal alleen wat ik heb gehoord. Maar een van die stenen is een robijn zo groot als een duimnagel. Weet je wat zo'n edelsteen waard zou zijn? En verder schijnt er een opaal te zijn ter grootte van een walnoot. Nu is een opaal gewoonlijk niet zoveel waard als andere edelstenen, maar een van die grootte is zeldzaam genoeg om een kapitaal te kosten.'

'Dat zal best. Ik heb wel iemand over een ring met een saffier horen praten toen ik in Marcmwr was. Denk je dat die een deel van dezelfde buit is?'

'Best mogelijk.'Ogwerns ogen glinsterden tussen de vetplooien. 'Wat heb je gehoord?'

'Dat er een vloek op schijnt te rusten.' Jill dacht razendsnel na en probeerde verhalen over dweomerstenen om te zetten in termen die hij kon begrijpen. 'Hij kan gedachten naar je hersens sturen, zeiden ze, en dat hij af en toe zo raar oplicht. Waarschijnlijk niets dan kletskoek.'

'Hoor eens, spot nooit met edelstenen waar een vloek op rust. Ik heb in mijn dik maar waardevol leven heel wat edelstenen in handen gehad, en je zou verbaasd staan over de kracht die sommige daarvan hebben. Een echt mooie edelsteen heeft een eigen leven. Waarom denk je dat de mensen ze zo fel begeren?' Hij zweeg en trommelde met zijn vingers op tafel. 'Een steen met een vloek, hè? Dat zou een verklaring kunnen zijn. Een paar jongens hebben geprobeerd die vent te pakken te nemen, maar daarbij is het met allebei slecht afgelopen. De ene is doodgevallen toen hij door een hoog raam naar binnen probeerde te klimmen, net of iemand hem duwde, zei zijn maat. Wat er met de andere is gebeurd, weet ik niet.'

De gedachte klonk weer in haar brein: het slechte Natuurvolk had hem laten struikelen en in een rivier laten vallen.

'Is er iets?' vroeg Ogwern scherp. 'Je ziet zo bleek.'

'Nee hoor, niets. Ik ben nog moe van mijn lange rit.'

De gelagkamer begon inmiddels vol te lopen. Onopvallende jongemannen kwamen tersluiks en met een paar tegelijk binnen, namen een kroes bier en stonden zwijgend met elkaar in schemerige hoeken. Bij de haard schoof de magere herbergier gebraden kippen van een spit.

'Blijf eten,' zei Ogwern tegen Jill. 'Het eten is hier heel wat beter dan in de Rennende Vos. De keukenmeid daar staat in haar neus te peuteren terwijl ze in de stoofpot roert.'

Het eten was inderdaad heel wat beter dan Jill had gedacht. De herbergier bracht haar een plank met een halve kip en een stuk vers brood, en voor Ogwern een met een hele kip en een heel brood. Terwijl ze aten, kwam de ene na de andere dief naar hen toe om een paar woorden tegen Ogwern te zeggen of hem wat geld te brengen. Eindelijk kwam de wrattige jongeman binnen die door Jill was gesnapt. Ogwern wenkte hem door gebiedend met een kippepoot te zwaaien.

'Dit is Jill,' zei hij tegen de dief. 'En Jill, dit is de Reiger. Ik neem aan dat er geen wrok meer tussen jullie is?'

'Van mijn kant niet,' zei Jill.

'Van mijn kant ook niet.' De Reiger maakte een lichte buiging voor haar. 'Zeg, jij bent toch in Yr Auddglyn geweest...'

'Daar hebben we het al over gehad,' onderbrak Ogwern hem. 'En ze...'

Er werd luid en ongeduldig op de deur geklopt. Terwijl de herbergier zich erheen haastte, gingen sommige jongemannen dicht bij de ramen staan. De herbergier gluurde naar buiten, toen schudde hij van nee. Iedereen herademde.

'Het zijn niet de stadswachten, snap je,' fluisterde Ogwern tegen Jill. De herbergier ging opzij en liet een lange, breedgeschouderde man binnen die een eenvoudige grijze brigga droeg en een hemd met zweetplekken, ingesnoerd door een zware zwaardgordel met een kostbaar uitziende schede en zwaard. De kalme, beheerste manier waarop hij binnentrad, zei haar dat hij ook goed met dat zwaard overweg kon. Toen hij naar Ogwerns tafel kwam, ging de Reiger haastig weg. Jill kon zijn reactie begrijpen. Ze had nog nooit ogen gezien als die van deze blonde vreemdeling: ijsblauw, ijzig koud en fanatiek, alsof hij zoveel afschuwelijke dingen had gezien dat hij niet anders meer kon dan de wereld met verachting bekijken. Ze legde onwillekeurig haar hand op haar zwaardgevest. Toen de vreemde dat gebaar zag glimlachte hij door zijn lippen even te vertrekken.

'Eh, goedenavond,' zei Ogwern. 'Ik neem aan dat u mij wilt spreken?'

'Misschien. Dat hangt ervan af wat deze zilverdolk te zeggen heeft.' Zijn stem was niet echt onaangenaam, alleen koud en toonloos, maar Jill huiverde toen hij zich tot haar wendde.

'Ik geloof niet dat we elkaar ooit hebben ontmoet, goede heer,' zei ze.

'Dat is ook niet zo. Maar ik heb begrepen dat jij een gestolen juweel in je bezit hebt. Ik zal je er met goud voor betalen.'

Jill was zich ervan bewust dat Ogwern met geamuseerde verbazing toekeek, alsof hij dacht dat ze hem daarstraks had beetgenomen.

'U vergist zich,' zei Jill, 'Ik heb geen juwelen te koop. Wat dacht u dat ik had?'

'Een opaal. Een zeer grote opaal. Ik weet dat jullie dieven marchanderen, maar ik verzeker je dat ik er heel wat meer voor zal betalen dan welke obscure juwelier ook. Hij zit in die geldbuidel om je hals. Haal hem eruit.'

'Als ik die opaal had, zou ik hem u verkopen.' Jill voelde dat een onbekende macht haar woorden in de mond legde. 'Maar het enige sieraad dat ik heb is een ringbroche.'

De vreemde kneep zijn ogen half dicht van ergernis. Jill haalde de buidel te voorschijn, maakte hem open en haalde er iets uit – een ringbroche, precies zoals ze had verwacht, een eenvoudige koperen broche, bezet met stukjes glas bij gebrek aan edelstenen.

'Spot niet met me, meisje,' grauwde de vreemde.

'Ik bezweer u, dit is het enige sieraad dat ik bezit.'

De vreemde leunde op de tafel en keek haar recht in haar ogen. Zijn blik doorboorde haar op een manier die haar aan Nevyn deed denken, alsof hij tot in haar ziel doordrong.

'Is dat echt het enige sieraad dat je bezit?'

'Ja.' Het spreken viel haar moeilijk. 'Het enige dat ik heb.'

Zijn ogen leken donkerder te worden en ze voelde dat hij probeerde dieper in haar ziel te dringen. Ze maakte zich met inspanning van al haar wilskracht los, gooide haar hoofd achterover en nam haar kroes op, klaar om hem die naar het hoofd te gooien als hij weer zoiets probeerde te flikken. De vreemde zette zijn handen op zijn heupen en keek verbluft rond.

'Wat heeft dit allemaal te betekenen?' vroeg Ogwern nijdig. 'Jill spreekt de waarheid.'

'Dat weet ik, vet varken! Heb jij de steen? Weet jij waar hij is?'

'Welke steen?' Ogwern legde zijn kippepoot neer en veegde zijn handen af aan zijn hemd. Jill kon uit een vluchtige schittering opmaken dat hij zijn dolk had gegrepen. 'Hoor eens even, u kunt in een fatsoenlijke herberg zoals deze niet zomaar de boel op stelten komen zetten. Wees zo goed te zeggen wat u wilt, dan zullen we zien of we u kunnen helpen.'

De vreemde aarzelde, Ogwern met zijn blik doorborend.

'Goed,' zei hij tenslotte. 'Ik kijk uit naar een bepaalde opaal, zo groot als een walnoot, maar volmaakt gepolijst. Probeer me niet wijs te maken dat je er niet van hebt gehoord. Dit soort nieuwtjes verspreidt zich overal.'

'Dat is waar, en ik zal u niets voorliegen. Ik heb gehoord dat hij in Yr Auddglyn was. Als hij ergens in Cwm Pecl was zou ik het weten, maar dat is hij niet. Ik zou hem zelf ook wel eens willen zien.'

Weer aarzelde hij en keek met die fanatieke ogen om zich heen. Hoewel hij zichzelf goed in bedwang hield, werd Jill zo duidelijk een zweem van angst in hem gewaar, dat ze wist dat hij had geprobeerd een soort band tussen hen te smeden toen hij in haar ogen keek. Ze voelde een walging alsof ze in een nest spinnen had gegrepen.

'Luister goed,' zei hij tegen Ogwern. 'De steen moet op weg zijn naar Dun Hiraedd. Als hij hier aankomt, moet jij je dikke klauwen erop leggen en hem aan mij verkopen. Ik zal je goed betalen, maar ik moet hem hebben, anders ga je eraan. Heb je dat goed begrepen?'

'Mijn beste heer! Het enige dat ik ervan zou willen hebben is de winst, en omdat u mij die aanbiedt, krijgt u hem beslist. Het is niet nodig me te bedreigen.'

'Je zou ook door iemand anders benaderd kunnen worden. Snap je? Maar als je hem aan een ander verkoopt, dan maak ik je open en snij ik er wat van die reuzel uit terwijl je me smeekt je te laten sterven.'

De kalme toon waarop hij dit zei, liet er geen twijfel over bestaan dat het geen loos dreigement was. Ogwern knikte gehoorzaam, terwijl zijn onderkinnen trilden van angst.

'Ik kom af en toe langs om te zien of je hem al hebt. Hou hem voor me vast. Hij zal er binnenkort zijn.'

De vreemde draaide hem verachtelijk de rug toe, beende naar buiten en knalde de deur achter zich dicht. De Reiger wilde iets zeggen, maar kon alleen slikken.

'Alle bliksems,' fluisterde Ogwern. 'Heb ik dat echt gezien?'

'Ik vrees van wel,' zei Jill. 'Ik hoop dat hij niet in de Rennende Vos verblijft. Ik heb weinig zin om terug te gaan en hem daar weer in de gelagkamer tegen te komen.'

'Dat komen we makkelijk genoeg aan de weet. Reiger, neem een paar jongens mee. Wees niet zo stom om de smeerlap te volgen; je hoeft alleen maar hier en daar naar hem te vragen.'

'Iemand moet hem gezien hebben,' zei de Reiger. 'Het is een opvallende figuur.'

De Reiger klom met een stel vrienden het achterraam uit. Ogwern bekeek zuchtend de overblijfselen van de kip.

'Nu heb ik helemaal geen trek meer,' zei hij. 'Wil jij hier nog wat van, Jill?'

'Nee, dank je. Het lijkt me een klein wonder dat jij geen honger hebt.'

'Wees alsjeblieft niet zo onaardig.' Hij legde zijn hand op zijn gekwetste hart en stak in hetzelfde gebaar zijn dolk weer in de schede. 'Ik ben al genoeg beledigd. Reuzel? Ha!'

Het duurde meer dan een uur voor de Reiger terugkwam, nog slinkser dan anders. Hij zag zo wit als een doek toen hij Ogwern vertelde dat hij en zijn vrienden, hoe ze ook gezocht hadden, geen spoor van de vreemde hadden gevonden.

'Maak het nou?' sputterde Ogwern. 'Zo groot is Dun Hiraedd toch zeker niet.'

'Ik weet het, maar hij is er niet, en niemand heeft hem zien binnenkomen of wat ook. En het allervreemdste is nog dat we even een glimp van hem hebben gezien, terwijl hij op weg was naar de stadsmuur. En toen sloeg hij een steeg in en leek gewoon weg te smelten. Ogwern, ik zweer het! Hij verdween gewoon.'

'O, bij de roze konten van de goden,' zei Ogwern zwakjes. 'Laten we hopen dat dat juweel gauw opduikt, zodat we zijn smerige geld kunnen aannemen en van hem af zijn.'

Kort daarna ging Jill naar haar herberg terug. Ze liep snel, dicht langs de huizen en keek voortdurend om zich heen. Bij de deur van de herberg bleef ze staan om zich ervan te vergewissen dat de vreemde haar niet opwachtte, voor ze naar binnen ging. In haar kamer gekomen grendelde ze zowel de deur als de luiken aan de binnenkant. Hoewel ze die nacht sliep met haar zwaard naast zich op de vloer, verstoorde niets haar rust, behalve haar dromen, die wemelden van afgehakte hoofden, donkere spelonken en de ogen van de vreemde die haar woedend aanstaarden.


Rhodry werd diezelfde dag verteerd door ongeduld. Jill was ver weg, alleen en in gevaar, en hij was hier, aan zijn eer verplicht kindermeisje te spelen voor een gewonde koopman en zijn stinkende muilezels. Aangezien hij Seryl zijn woord had gegeven dat hij hem naar de stad zou begeleiden, zag hij geen andere mogelijkheid dan bij hem te blijven tot hij weer zou kunnen reizen. Tegen de middag stierf de gewonde bandiet. Rhodry hielp hem begraven, gewoon om wat tijdverdrijf te hebben. Eindelijk, ongeveer een uur voor zonsondergang, kwam de patrouille terug.

'We zijn ze achterna gegaan tot Yr Auddglyn,' zei de hoofdman. 'Ik mag niet zonder opdracht de grens over, dus moeten we wachten tot zijne genade ons een boodschap stuurt.'

'Dan hoop ik bij alle goden in het hiernamaals dat die hier gauw zal zijn.'

De boodschap kwam sneller dan iemand had verwacht. De patrouille zat juist aan het avondmaal toen Comyn arriveerde met vijftig man en even zoveel extra paarden. Rhodry kon in de verwarring makkelijk ongemerkt wegkomen. Het laatste dat hij wilde was door Comyn herkend worden. Bij gebrek aan een betere schuilplaats ging hij naar de keukenhut, waar de koortsachtig werkende bedienden het te druk hadden met het bereiden van vijftig onverwachte maaltijden om hem op te merken in de ronding van de muur naast de haard. Het vuur laaide hoog op toen een kok een spit vol stukken varkensvlees te roosteren hing, en er vet omlaagdrupte.

Rhodry keek naar de dansende vlammen en verwenste zijn ellendig Wyrd. Hier stond hij zich nu te verbergen voor een man die hij ooit respecteerde en die hem ooit eer had betoond. Het gouden vlammenspel leek hem te bespotten toen het van de ene kant naar de andere flakkerde, een ogenblik hoog oplaaide om meteen weer te doven. Zo kon het ook met iemands eer en glorie gaan. De gloeiende kolen leken beelden te vormen, alsof hij er Aberwyn en zijn geliefde Dun Cannobaen in kon zien. Alsof hij Nevyn kon zien. Rhodry voelde opeens een koude rilling langs zijn rug. Hij kòn Nevyn zien, of liever gezegd een duidelijk beeld van het gezicht van de oude man dat boven het vuur zweefde. Toen kwam er een gedachte in zijn hoofd met het geluid van Nevyns stem.

'Je bent niet bezig om gek te worden, jongen. En ik praat echt tegen je. Denk je antwoorden maar naar mij terug.'

'Goed. Maar wat is dit allemaal?'

'Ik heb nu geen tijd om het uit te leggen. Onze vijanden zouden ons kunnen afluisteren. Maar je moet naar Dun Hiraedd gaan. Jill is in groot gevaar. Vertrek morgenochtend bij zonsopgang.'

'Wat? Ik vertrek vanavond nog.'

'Nee!' Nevyns gezicht werd grimmig. 'Het is niet veilig als je 's nachts alleen bij de weg bent. Hoor je me? Wacht tot zonsopgang, maar ga!'

'Natuurlijk ga ik. O goden, ze heeft niet eens haar dwerg bij zich.'

'Wat? Wat bedoel je?'

'Het wezentje is ergens onderweg verdwenen. Jill was er doodongerust over.'

'En terecht. Ik zal op onderzoek uitgaan.'

Opeens was het beeld verdwenen. Rhodry keek op en zag dat een bediende hem nijdig aankeek.

'Moet je wat, zilverdolk?' snauwde hij.

'Nee. Ik zal jullie niet langer in de weg lopen.'

Terwijl hij naar buiten ging worstelde Rhodry met zijn eergevoel. Ook al had hij Seryl zijn woord gegeven, hij wist dat Jill het enige ter wereld was waarvoor hij dat woord zou breken.

Nevyn had zich de laatste paar dagen van tijd tot tijd afgevraagd waarom de grijze dwerg niet meer bij hem kwam, maar hij had aangenomen dat het trouwe wezentje niet bij Jill weg durfde te gaan. Nu vermoedde hij dat het in het web van de duistere meester verstrikt was geraakt. Die nacht kampeerde hij langs de weg in Yr Auddglyn, waar hij een vrolijk vlammend kampvuur had aangelegd om te kunnen scryen. In zijn hart dankte hij de goden voor het gelukkig toeval dat Rhodry zo ver weg in dat andere vuur had doen staren. Hoewel Rhodry geen echt dweomertalent had, maakte zijn elfenbloed hem uiterst gevoelig voor dweomer die van buitenaf op hem werd uitgeoefend. En juist daarom was Nevyn even ongerust over hem als over Jill.

Nevyn richtte zijn geest op de taak die hem nu wachtte en zette zijn ongerustheid voorlopig opzij. Toen hij de wezens van het Natuurvolk opriep die hem kenden, verschenen ze onmiddellijk en dromden om hem heen: een zwaarlijvige gele kabouter, blauwe watergeesten, grijze dwergen, groene dwergen, luchtgeesten als kristallijne verdikkingen van de lucht, en salamanders die in het vuur omhoogsprongen.

'Kennen jullie je grijze broertje dat met Jill door het koninkrijk trekt?' Ze knikten met veel geruis van kleine hoofdjes.

'En jullie kennen de slechte man waar ik achteraan zit? Welnu, ik ben bang dat hij jullie broertje te pakken heeft.'

Hij werd overspoeld door een vaag gedruis van schrik.

'Probeer uit te vinden waar hij is, maar blijf heel ver uit de buurt van de slechte man. Hebben jullie me begrepen? Wees heel voorzichtig.'

Opeens waren ze weg en was het vuur weer gewoon vuur. Nevyn richtte er zijn aandacht op en dacht aan Jill. Hij zag haar meteen naast een enorm dikke man in een smerige herberg zitten, maar hoe hij ook zijn best deed, hij slaagde er niet in haar aandacht te trekken, hij kon niet voldoende invloed op haar uitoefenen om haar naar het vuur te laten kijken. Hij voelde echter wel hoe bang ze was, en haar angst deed zijn eigen angst toenemen. Tenslotte vaagde hij het beeld weg en begon rusteloos heen en weer te lopen.

Een hele tijd later kwamen de wezens van het Natuurvolk terug, breed lachend en springend van triomf. Nevyn telde ze haastig om zich ervan te vergewissen dat ze allemaal veilig waren.

'Ik neem aan dat jullie hem hebben gevonden.'

De gele kabouter kwam naar voren, hij wreef over zijn buikje en knikte van ja. Toen hief hij zijn duim en wijsvinger op om iets kleins en vierkants aan te duiden. Nevyn kon gemakkelijk raden wat hij bedoelde.

'De slechte man heeft hem in een edelsteen opgesloten.'

De dwerg knikte bevestigend.

'En nu het moeilijke gedeelte, vriendjes. Ik moet weten waar die edelsteen is. Heeft de slechte man hem nog?'

Toen de dwerg nee schudde, zuchtte Nevyn van opluchting. De dwerg wees op het rode kopje van een salamander.

'Het is een rode edelsteen.'

Dat was het inderdaad. Terwijl het Natuurvolk met veel mimiek ingewikkelde pantomimes opvoerde, begreep Nevyn geleidelijk wat ze hem te vertellen hadden. De elementaire geest van de dwerg zat opgesloten in een robijn die van de koning was gestolen; de duisterling had hem aan een bandiet met rood haar gegeven; die bandiet had hem meegenomen naar een stad om hem te verkopen. Hoewel de naam van de stad moeilijk was, ging een watergeest tenslotte op de schouders van een dwerg zitten terwijl de anderen iets groots aanduidden.

'Marcmwr! Een groot paard!'

Ze warrelden draaiend en dansend om hem heen en verdwenen toen. Lichtelijk vermoeid van al dat raden ging Nevyn bij het vuur zitten. Het was echt iets voor een duistere meester om een geest in een edelsteen op te sluiten en die steen dan te geven aan iemand die niets van dergelijke zaken afwist, en zo het arme wezen voor alle eeuwigheid vast te zetten. Gelukkig zou hij Marcmwr morgen tegen de middag kunnen bereiken.

'En dan verder naar Cwm Pecl,' zei hij tegen het vuur. 'Het is maar goed dat ik snellere wegen door die bergen weet dan die ellendige pas.'

Door in de stal te blijven, waar zijn slaapplaats was, kon Rhodry Comyn de hele avond ontlopen. Maar zodra de hoofdman en zijn vermoeide manschappen zich in de kazerne hadden geïnstalleerd, ging Rhodry terug naar de broch, waar Seryl een kamer op de begane grond had gekregen. De koopman was wakker en staarde met nietsziende ogen naar het flakkerende kaarslicht.

'Goede heer,' begon Rhodry, 'ik kom u een gunst vragen. Ik weet dat ik plechtig heb beloofd bij u te blijven, maar een van de mannen van de gwerbret heeft me een boodschap van Jill gebracht. Ze is in de stad in de problemen geraakt.'

'Dan moet je beslist morgen naar haar toegaan.' Seryl verhief zich zuchtend op een elleboog en keek de kamer rond. 'Zie je die geldbuidel op mijn mantel liggen? Die is voor jou, zilverdolk, met mijn dank. Als jij er niet was geweest, zou ik nu dood zijn.'

Hoewel Rhodry's geweten even knaagde, nam hij de zware geldbuidel aan. Jill en hij zouden dat geld binnenkort nodig kunnen hebben. Terwijl hij de kamer verliet, besefte hij dat hij tegen Seryl had gelogen; de eerste leugen die hij ooit in zijn leven had verteld. Hij begon als een zilverdolk te denken, en hij werd bevangen door zo'n sombere hiraedd, dat hij had kunnen huilen.

Die nacht kon hij de slaap niet vatten. Omdat hij vastbesloten was Dun Hiraedd voor zonsondergang van de volgende avond te bereiken, stippelde hij zijn plan zorgvuldig uit. Zijn eigen paard had goed kunnen uitrusten en bovendien had hij Sunrise. Door die twee afwisselend te berijden, kon hij een hoog tempo aanhouden, en als de ruin te moe werd, kon hij hem misschien bij de dun van deze of gene edelman verwisselen.

Helaas werd Rhodry de volgende morgen gewekt door het geluid van regen. Hoewel hij toch vertrok, graag bereid voor Jill door het slechte weer te gaan, kon hij nu niet snel vooruitkomen. Terwijl hij glibberend en plenzend zijn weg over het modderige pad zocht, verwenste hij zijn tegenslag en vroeg zich af of het inderdaad alleen tegenslag was. Als iemand hem wilde beletten de stad voor zonsondergang te bereiken, had ze diegene geen betere manier kunnen bedenken.


'Dat zal die vervloekte zilverdolk wel ophouden,' zei Alastyr, van het vuur opkijkend. 'Het pad is in een regelrechte modderpoel veranderd.'

'Prachtig, meester. Dan moet ik hem onderweg kunnen vangen, lang voor hij de stad bereikt,' zei Sarcyn. 'Wilt u echt niet dat ik hem gewoon maar dood? Ik weet dat hij een betere zwaardvechter is, maar ik kan hem betoveren en traag maken.'

'Ik zou je graag toestemming geven om hem uit de weg te ruimen, maar de Oude heeft me bevolen hem in leven te houden.'

Daar viel natuurlijk niets tegen in te brengen. Sarcyn voelde de angst met ijzige handen zijn maag omklemmen. Hoewel hij hoop probeerde te houden, bracht elke dag dat de steen hun ontging hen dichter bij de mislukking, een mislukking die hun dood kon betekenen, door toedoen van hetzij de dweomer van het licht hetzij hun eigen broederschap, die zwakkelingen en mislukkelingen nooit lang duldde. Alastyr zag er afgetobd uit, alsof hij ook zulke akelige gedachten koesterde.

'Het is natuurlijk heel goed mogelijk dat Rhodry de edelsteen heeft,' zei de meester. 'Ze reizen tenslotte samen; tuigen en bagage worden voortdurend verwisseld. Kon ik het vervloekte ding maar scryen! We weten in elk geval dat zij het op een bepaald moment in haar bezit heeft gehad. Het Natuurvolk was daar absoluut zeker van. Als Rhodry het niet heeft, zal ik het Natuurvolk weer moeten oproepen, maar alle goden, nu de Meester van de Ether ons in het oog houdt, is dat bliksems gevaarlijk.'

'Dat is het zeker. En die ellendige steen kan bij het gevecht met de bandieten ook wel uit haar zadeltas gevallen zijn.'

'Precies. Nou ja, ga maar eerst die dikke dief weer opzoeken en ga dan achter die zilverdolk aan. Als al het andere mislukt, zal ik proberen de stad ongemerkt binnen te komen en zelf Jill te betoveren. Ik was vergeten dat zij ook dweomertalent schijnt te hebben.'

'Een zeer krachtig zelfs, meester. Ze wuifde me weg of ik een vlieg was.'

Alastyr gromde iets en staarde in het vuur. Sarcyn zadelde zijn paard, beval Evy Camdel goed in het oog te houden, verliet hun kamp tussen de bomen en reed in een door dweomer opgewekte regen naar Dun Hiraedd.

Aan Nevyns kant van het gebergte was het helder en warm weer, en hij bereikte Marcmwr ruim voor het middaguur. Omdat hij bijhield welke smeden in het koninkrijk voor zilverdolken werkten – en dat soort smeden handelde gewoonlijk met dieven – wist hij precies waar hij heen moest: naar een vervallen winkeltje aan de oostzijde van de stad. Vlak onder een smerig rieten dak hing een bord met een verbleekte afbeelding van een zilveren beker erop. Toen Nevyn de deur opende tinkelden er zilveren belletjes boven zijn hoofd, en Gedryc kwam uit een binnenkamer om hem te begroeten. Het was een broodmagere kerel met enorme handen en een vrijwel kaal hoofd.

'Nee maar, daar hebben we onze Nevyn!' zei hij glimlachend. 'Wat brengt u hier, beste kruidenman?'

'Gestolen goed dat jij hebt gekocht.'

Gedryc verbleekte.

'Ga alsjeblieft mijn tijd niet verspillen,' beet Nevyn hem toe. 'Als je me die robijn gewoon geeft, zal ik je niet bij de wetsdienaren aangeven.'

'De vierkante robijn zo groot als een duimnagel?'

'Precies. Ik dacht wel dat jij hem in handen zou krijgen.'

'Klopt. Hoor eens, als ik geweten had dat hij van u was, zou ik hem niet hebben aangeraakt.'

'Hij is niet van mij en ik ben trouwens vervloekt blij dat jij hem hebt. Heb je hem al gekloofd?'

'Dat wilde ik vanmiddag doen. Om hem wat minder herkenbaar te maken, maar het ging me aan het hart om zo'n mooie steen te bederven. Ik heb er verduiveld veel voor betaald, ziet u.'

'Dat geld zal ik je terugbetalen. Ga hem nu maar halen. De tijd dringt.'

Nevyn had geld bij zich dat door de dweomermensen bijeen was geschraapt om de juwelen van de koning terug te kunnen kopen als hij ze vond. Hoewel alleen de opaal dweomer was, was de rest, gestolen om Camdels misdaad geloofwaardiger te laten lijken, toch zo waardevol dat de koning een geldelijke beloning had uitgeloofd aan ieder die ze terugbracht. Nevyn was niet in de geldelijke beloning geïnteresseerd, maar hij hoopte een beetje rechtstreekse invloed bij de koning te verwerven en misschien een plaats aan het hof te verkrijgen voor een van de jongere dweomermensen, die vervolgens de corruptie zou kunnen uitroeien waardoor deze diefstal had kunnen plaatsvinden. Toch maakte hij zich over de rest van de juwelen weinig zorgen. Zijn eigenlijke doel was de Grote Steen van het Westen te beschermen.

Toen Gedryc terugkwam, gaf Nevyn hem een goudstuk en sloot de enorme robijn vervolgens in zijn handpalm. Daardoor zag hij met zijn tweede gezicht een vaag kristallijn patroon van krachtlijnen, de erin opgesloten geest.

'Dank je,' zei Nevyn. 'En als je nog eens bijzondere edelstenen aangeboden krijgt, bewaar ze dan ongekloofd voor mij. Je zult er een goede prijs voor krijgen.'

'Met plezier. Eh, u kunt me zeker niet vertellen wat dit allemaal te betekenen heeft?'

'Goed geraden. Dat kan ik niet. Dag, beste smid.'

Met de robijn in zijn hand geklemd beende Nevyn de winkel uit. Buiten gekomen bleef hij naast zijn paarden staan, wierp een snelle blik om zich heen en zag dat er niemand in de buurt was. Hij deed zijn hand open en staarde in de robijn. In tegenstelling tot echt dood materiaal zoals aarde of leer, geeft de kristallijne structuur van edelstenen deze een uiterst vaag, uiterst rudimentair bewustzijn, dat kan worden beïnvloed door een dweomermeester die de daarvoor benodigde, jaren durende scholing heeft gehad. Die invloed is iets heel subtiels en houdt gewoonlijk in dat de steen met een bepaald gevoel gaat meetrillen, om dat gevoel dan naar de menselijke geest terug te sturen, zoals wanneer een dweomerman een talisman van moed maakt, bijvoorbeeld. Degenen die hierin hooggeschoold zijn kunnen de edelsteen precies in overeenstemming met een bepaalde elementaire geest laten trillen, met als gevolg dat de steen de geest opzuigt en binnenin zich gevangen zet. Zo'n geest bevrijden is gewoonlijk een moeilijk proces, maar voor Nevyn was het maar een minuut werk om de steen over te halen zijn onvrijwillige bewoner te laten gaan. Hij zag de krachtlijnen in de robijn vervagen en wegpinken. Opeens omklemde de grijze dwerg zijn benen en keek naar hem op, zijn gezichtje verwrongen van blijdschap en dankbaarheid.

'Gelukgewenst, broertje,' fluisterde Nevyn. 'Zorg dat je nooit weer in de buurt van die slechte man komt. Ga maar gauw naar Jill. Ze mist je.'

De dwerg drukte zich nog even tegen hem aan en verdween. Nevyn liet de robijn in de buidel om zijn hals glijden, besteeg zijn paard, nam de teugel van het andere en reed snel de stad uit. Hoewel hij niet veel eten meer had besloot hij nog geen nieuwe voorraad in te slaan, omdat hij een plaats wist waar hij betere waren kon krijgen dan in Marcmwr.

Zodra hij de stad een eind achter zich had gelaten verliet Nevyn de hoofdweg en reed in noordelijke richting, rechtstreeks de uitlopers van het gebergte in. Een paar uur lang zocht hij zijn weg over smalle paadjes tussen de pijnbomen, terwijl de heuvels om hem heen steiler en rotsachtiger werden. Eindelijk kwam hij bij een aardlaag van licht gesteente die ruim dertig meter boven hem uittorende als een steile rotswand. Aan zijn voet lagen enorme zwerfkeien, als door een reuzenhand rondgestrooid. Nevyn steeg af en leidde zijn paarden ertussendoor, tot hij onder aan de rotswand stond. Aangezien het vele jaren geleden was dat hij hier voor het laatst was geweest, stond hij de diverse richels en groeven in de steen een tijdje te bestuderen, tot hij eindelijk het juiste patroon vond en er hard met de muis van zijn hand op drukte. Hoewel hij niets kon horen, kon hij zich voorstellen dat de reusachtige bel binnenin luidde. Een tijdlang moest hij ongeduldig blijven wachten. Eindelijk hoorde hij een schrapend geluid boven zich, en toen hij opkeek zag hij een stenen luik opengaan en een achterdochtig, baardig gezicht naar buiten steken.

'Tarko!' riep Nevyn hem toe. 'Ik moet je weg gebruiken, als je volk het goedvindt.'

'Wanneer hebben wij de Meester van de Ether ooit iets geweigerd? Ga een eindje achteruit, heer, dan zal ik de deur opendoen.'

Nevyn zette de paarden uit de weg en Tarko verdween naar binnen. Een paar minuten later begonnen er steentjes omlaag te vallen; steenstof wolkte als rook op de rotswand. Met een schurend geluid zwaaide een kolossale deur in de berg open. Tarko, een lantaarn in de hand, wenkte Nevyn om binnen te komen. Hij was lang voor een dwergman, ongeveer een meter vijftig, en nog zwaarder gespierd dan de meesten van zijn volk. Zijn grijze baard was kort en keurig geknipt.

'We hebben u in jaren niet gezien, heer,' zei hij tegen Nevyn, die zijn nerveuze paarden zoetjes de donkere tunnel binnenpraatte. 'In feite gebruiken we deze deur niet veel meer, sinds uw volk zo dicht in de buurt woont. U treft het eigenlijk. Een stel van onze mensen is gaan jagen en ik was hier om ze weer binnen te laten.'

'Je weet niet hoe dankbaar ik daarvoor ben. Ik moet met de grootste spoed naar Dun Hiraedd.'

'Nou, de grote weg gaat er recht naartoe.'

Dat was inderdaad zo. De weg door de berg was maar vijfendertig kilometer lang en daarna was het nog maar vijfenveertig kilometer naar de stad.

'Deze paarden zullen uitgeput zijn tegen de tijd dat ik er doorheen ben,' merkte Nevyn op.

'Laat ze hier en neem er twee van ons mee.'

'Graag. Dan kan ik ook de hele nacht doorrijden.'

Nevyn steeg op, wuifde naar Tarko en ging op weg. De hoefslagen weerklonken onder het hoge booggewelf van de tunnel met wanden van prachtige blokken steen en verlicht door zorgvuldig gekweekte lichtgevende zwammen en mossen. Dadelijk zou hij in een van de grote grotten komen waar luchtkokers zonlicht binnenlieten, en daar kon hij genoeg voedsel voor zijn hele tocht kopen.

Door het slaapverwekkende geluid van de regen werd Jill die morgen pas laat wakker. Ze bleef na het ontwaken nog even in bed liggen en overlegde bij zichzelf of ze naar de gelagkamer zou gaan. Ze wist dat haar een verschrikkelijke dag wachtte, een dag vol verveling te midden van gevaren, net zo iets als ten strijde trekken. In haar verbeelding zag ze nog steeds de felle ogen van de vreemdeling, met die dreigende blik erin. Tenslotte stond ze op en kleedde zich aan. Ze gespte juist haar zwaardgordel om toen de grijze dwerg verscheen.

'Alle goden zij dank!'

Toen ze haar armen spreidde, vloog hij op haar af, hoog opspringend om zijn magere armpjes om haar hals te kunnen slaan. Ze drukte hem stijf tegen zich aan en wiegde hem als een klein kind, terwijl de tranen over haar wangen stroomden.

'Jij kleine ondeugd! Ik heb zo in angst gezeten. Ik was bang dat je iets was overkomen.'

Hij ging een eindje achteruit om haar aan te kijken en knikte ernstig van ja.

'Is je iets ergs overkomen?'

Hij wierp zich weer tegen haar aan en beefde van angst.

'Arm wezentje! De goden zij dank ben je nu veilig. Hoe ben je aan dat gevaar ontkomen?'

In een poging tot uiterste concentratie keek hij de andere kant op, kennelijk op een manier zinnend om het haar duidelijk te maken.

Nevyn heeft hem gered, suffie, zei de stem in haar hoofd, wie anders?

'Zeg eens, lastig juweel! Scheld me niet uit! Door jou zit ik tot aan mijn nek in de paardestront.'

Weet ik, maar dat ben ik wel waard.

'Schavuit.'

Als je zo vervelend blijft doen, vertik ik het om je ook maar een greintje meer te vertellen.

Jill was zo blij dat ze haar dwerg terug had, dat het haar een zorg zou zijn of de dweomersteen tegen haar wilde praten of niet. Ze zat een hele tijd op de vloer met de dwerg op schoot en gaf hem haar onverdeelde aandacht. Toen hij eindelijk verdween ging dat heel langzaam, alsof hij geen zin had om weg te gaan: hij verbleekte beetje bij beetje, werd doorschijnend en was op het laatst nog een vlek in de lucht die in het niets opging.

Bij zichzelf glimlachend ging Jill naar de gelagkamer en haalde een kom verdacht klonterige gerstepap. Ze zat er met lange tanden van te eten, bang er klanders in aan te treffen, toen de Reiger binnenkwam. Hij liep achteloos langs haar tafel, keek naar haar of hij haar nooit eerder had gezien en fluisterde toen bijna onhoorbaar: 'Naar de Rode Draak.' Jill haalde haar mantel uit haar kamer en haastte zich door de motregen naar de herberg, waar ze een bleke, zwetende Ogwern aan zijn gewone tafel aantrof. Zijn enorme knuisten trilden zo dat hij zijn kroes met beide handen naar zijn mond moest brengen.

'Wat is er?' vroeg ze.

'Herinner je je die vent van gisteravond? Nou, die is teruggekomen. Hij loopt hier nog geen uur geleden binnen, zo brutaal als de beul en twee keer zo vals, en gaat zonder ook maar iets te vragen naast me zitten. Als ik die opaal niet voor hem vind, zegt hij, maakt hij worstjes van me! De brutaliteit!'

'De brutaliteit ten top! Hij moet dat vervloekte ding wel hard nodig hebben, als hij op klaarlichte dag hier durft te komen.'

'O, ik denk niet dat hij gevaar loopt.' Ogwern zweeg even voor een versterkende slok bier. 'Want nu komt het vreemdste. Ik weet dat het gek klinkt, Jill, maar ik zweer het bij mijn dikke maar waardevolle persoonlijkheid. Toen hij wegging, besloot ik hem te volgen. Dat was niet moeilijk, want het was druk op straat en hij liep weg zonder zelfs maar achterom te kijken. Dus hij loopt over straat en ik volg hem op een afstandje. Hij loopt recht naar de gemeenschappelijke wei langs de rivier. Weet je dat berkenbosje bij de brug?'

'Ja.'

'Nou, hij loopt dat bosje in en verdwijnt. Ik bedoel, hij verdween echt! Hij loopt tussen die bomen en ik wacht. En wacht en wacht.

En ik zie hem er maar niet uitkomen, en berkenbosjes zijn niet zo dicht als hazelaarsbosjes. Dus ik ben dat bosje ook maar ingelopen, en hij is er niet.'

'Kom nou! Je zenuwen hebben je parten gespeeld. Je hebt hem gewoon niet zien weggaan.'

'Zou ik de positie hebben die ik nu heb als ik op klaarlichte dag nog geen man kon zien? En zeg nu niet dat ik oud word. Dat zou vervloekt onbeleefd zijn.'

Jill huiverde van angst. Hij moet dweomer zijn, dacht ze. Ze wist hoe gevaarlijk dweomer kon zijn in handen van een krankzinnige; nu had ze te maken met iemand die hem ijskoud voor kwade doeleinden gebruikte.

'Ik wil je inhuren,' vervolgde Ogwern. 'Om mijn waardevolle persoonlijkheid te beschermen. Een dolk zal niet veel tegen die kerel kunnen uithalen, en als ik een zwaard opzij heb, kan dat zwaard beter door een ander worden vastgehouden, anders heb ik er nog niets aan. Een zilverstuk per nacht, zilverdolk.'

'Afgesproken. Hij mag dan ogen hebben als de heer der hel, ik wil wedden dat hij net zo bloedt als elke andere man.'

'Laten we hopen dat zijn bloed niet over mijn vloer zal vloeien. Bah! Wat heb ik een hekel aan al die dreigende toestanden.'

Een regenachtige zonsondergang overviel Rhodry ruim dertig kilometer voor Dun Hiraedd. Nevyns waarschuwing over reizen bij nacht indachtig bood hij een boer een paar duiten om bij hem in de koestal te mogen overnachten. Voor nog twee duiten meer voorzag de boerin hem van een kom lekker stoofvlees en een homp brood. Rhodry nam het dankbaar aan en at met het gezin aan de lange schraagtafel voor de haard. Het grauwe stro op de vloer stonk naar varkens, en de boeren aten met hun handen zonder een woord tegen elkaar of Rhodry te zeggen tot de laatste kruimel met waterig bier was weggespoeld, maar tot zijn verbazing was Rhodry blij met hun gezelschap. Toen hij klaar was met eten bleef hij nog een poosje zitten, afwezig naar het gepraat over het zware werk van de volgende dag luisterend en in het vuur starend, terwijl hij zowel hoopte als vreesde dat er weer een boodschap van Nevyn zou komen. Maar die kwam niet.

Opeens sprongen de honden op uit het stro en vlogen als een blaffende, grommende meute door de openstaande deur naar buiten. De boer wierp een blik op Rhodry's zwaard.

'Je komt beter van pas dan ik had gedacht. Ga je mee naar buiten, zilverdolk?'

'Met plezier.'

De boer greep een pektoorts, hield hem even in het vuur om hem aan te steken en rende naar buiten, gevolgd door Rhodry met zijn zwaard in de hand. Bij het hek in de aarden wal blaften de honden woedend tegen een man die buiten stond. Hij hield een paard bij de teugel, en Rhodry zag dat hij een zwaard droeg. Toen de boer tegen de honden tekeer ging hielden ze op met blaffen, maar ze bleven onafgebroken met ontblote tanden tegen de vreemdeling grommen en grauwen, zonder zich door schoppen of vloeken tot zwijgen te laten brengen.

'Wat is dit allemaal?' zei de boer.

'Dat gaat jou niets aan, brave man,' zei de vreemde met een onaangename glimlach. 'Ik wil alleen die zilverdolk even spreken.'

Rhodry voelde iets kouds in zijn binnenste. Hoe was deze kerel aan de weet gekomen waar hij was? De vreemde nam hem met een abnormale intensiteit op. Rhodry begreep opeens dat de man seksuele belangstelling voor hem had; hij had zelf waarschijnlijk zo tegen heel wat aardige meisjes geglimlacht.

Hij voelde zo'n sterke walging dat hij terugdeinsde.

'Ik ben op zoek naar een gestolen edelsteen,' zei de vreemde. 'Iemand in Marcmwr heeft laten doorschemeren dat jij die misschien bij je hebt.'

'Ik ben geen dief.'

'Natuurlijk niet. Maar als jij die opaal hebt, zal ik je er een goudstuk voor geven. Dat is meer dan je bij een obscure juwelier kunt krijgen.'

'Ik heb geen edelstenen bij me.'

De vreemde boog zich vooorover en keek hem vol in het gezicht. Eén ogenblik voelde Rhodry zich zo beneveld of hij te veel mede had gedronken.

'Heb jij geen edelstenen bij je?'

'Nee.'

De vreemde ging met een korte hoofdknik achteruit en liet zijn blik los.

'Dus je hebt hem niet,' zei hij. 'Bedankt.'

Voor Rhodry iets kon zeggen steeg hij op en reed weg. De honden bleven grommen tot hij uit het gezicht was verdwenen.

Sarcyn had een grote houten schuur gevonden die ongetwijfeld was gebouwd voor koeherders die met hun kudden rondtrokken. Het stonk er wel, maar het was er droog en er was zelfs een kleine haard in een van de muren. Hij zette zijn paard in een hoek en legde vervolgens een vuur aan. Toen hij aan Alastyr dacht, verscheen het gezicht van de meester onmiddellijk. Hij had kennelijk bij zijn eigen vuur op nieuws zitten wachten.

'Hij heeft hem niet,' dacht Sarcyn tegen hem.

'Daar was ik al bang voor.' Zelfs Alastyrs gedachten klonken vermoeid. 'Tja, dan moet ik de geesten dwingen hem te scryen. Als het meisje hem heeft, stuur ik Evy naar de stad.'

'Nee, niet doen. Hij is niet sterk genoeg...'

'Jij hoeft me niet te vertellen wat ik moet doen.'

Alastyrs beeld verdween. Hoewel Sarcyn het nog een tijdlang probeerde, kon hij hem niet meer oproepen. Het had geen zin om te proberen Evy te bereiken, want de meester liet hem ongetwijfeld assisteren bij het scrying-ritueel. Sarcyn stond op en liep naar de deur van de schuur om naar de regen te kijken. Als Evy zo zwak was dat hij faalde, moest hij, volgens de wetten van het Duistere Pad natuurlijk boeten voor dat wat zijn falen had aangericht. Bovendien bracht een zwak lid in hun kleine groep hen allemaal in gevaar. Maar Sarcyn dacht onwillekeurig terug aan een regenachtige dag in Cerrmor, jaren geleden, toen ze nog dakloze schooiertjes waren. Evy had koorts en terwijl hij moest toezien hoe zijn broertje rilde van kou, had hij gehuild en aan hun moeder gedacht.

'Ik heb geprobeerd voor hem te zorgen, mam,' fluisterde hij tegen de regen in Cwm Pecl.

Toen verwenste hij zichzelf hartgrondig omdat hij zo'n weekhartige idioot was dat hij tegen zichzelf stond te praten. Met iets dat veel op woede leek, ging hij naar het vuur terug en staarde erin, maar hij zag niets dan de flakkerende en dansende vlammen. Evy was blijkbaar nog bij Alastyr en dus onder zijn astrale stolp. Het enige dat Sarcyn kon doen was hopen dat de Grote Steen van het Westen ergens in de modder van de Cwm Pecl pas lag.

Jill en Ogwern bleven tot na het avondeten in de Rode Draak omdat Ogwern de diverse belastingen en commissies moest ontvangen die de andere dieven hem schuldig waren. Terwijl de gildemeester een hele lamsbout verorberde, zat Jill te kieskauwen en dacht erover naar de stadswacht te laten roepen. Maar wat zou ze kunnen doen? Naar de gwerbret hollen met een verhaal over edelstenen waar een vloek op rustte en boze dweomermannen? Als ze dat deed zou Blaen haar waarschijnlijk laten arresteren voor openbare dronkenschap.

Na het eten haalden Jill en Ogwern Jills spullen uit de Rennende Vos en gingen naar Ogwerns onderkomen, twee kleine kamertjes boven de werkplaats van een kleermaker. In het ene stond een bed; in het andere een kist, een tafeltje en twee banken. Hij vertelde haar dat hij zo goedkoop woonde om te voorkomen dat de stadswacht zou bewijzen dat hij meer inkomen had dan zijn gedeeld eigenaarschap van de Rode Draak kon opleveren. Jill legde haar beddegoed voor de deur en ging erop zitten, maar Ogwern bleef heen en weer lopen, stak kaarslantaarns aan, waggelde naar het raam om tussen de kier van de luiken naar buiten te gluren en waggelde diep zuchtend weer naar de haard terug.

'Toe nou,' zei Jill tenslotte. 'Denk je nu heus dat onze griezelige vriend middenop je bed uit de lucht komt vallen?'

'Het zou me niet in het minst verbazen.' Ogwern liet met een laatste zucht zijn geweldige omvang op de bank zakken. 'Ik ben vreselijk van streek. Als ik dit soort dingen leuk vond, zou ik zelf zilverdolk zijn geworden.'

'Dan zou je misschien magerder zijn gebleven.'

'Doe alsjeblieft niet zo onaardig. Ik kan nu eenmaal niet tegen beledigingen. Worstjes, het idee! De brutaliteit van...' Hij brak zijn zin af en luisterde.

Iemand kwam met zware tred de trap op. Jill maakte haar zwaard in de schede los en stond op. Iemand bonsde op de deur, wachtte even en bonsde opnieuw.

'Ik weet dat jullie daar zijn.' Het was een andere stem dan ze hadden verwacht. 'Doe die deur open of ik trap hem uit de scharnieren.'

Hoewel de stem een ondertoon van woede had, wekte hij geen vrees, eerder ergernis. Jill en Ogwern wisselden een vragende blik.

'Wie ben je?' snauwde Ogwern. 'Wat wil je?'

'Met jullie praten... over zaken.' De stem veranderde van klank en werd angstig, smekend. 'Mijn broer heeft kortgeleden met jullie gesproken.'

Met een schouderophalen ontgrendelde Ogwern de deur en opende hem op een kier. Jill hoorde een grom toen hun bezoeker de deur opensmeet, de dikke dief opzij duwde, naar binnen glipte en de deur achter zich dichtgooide. Zijn gezicht was zo bekend dat hij inderdaad de broer moest zijn van de man die naar de opaal op zoek was, maar zijn ogen misten de felheid van die van de ander. Hij keek schichtig om zich heen en manoeuvreerde zorgvuldig zo dat hij met zijn rug tegen de muur bleef, terwijl zijn afhangende schouders en de donkere kringen onder zijn ogen van een zielsverlammende moeheid getuigden.

'De opaal is nog niet opgedoken,' zei Ogwern.

'Ik geloof je niet.' Hij wendde zich tot Jill. 'Jij moet hem hebben. Hij is in jouw bagage gezien.'

'Gezien? Gescryed, bedoel je zeker, maar er is iets misgegaan aan jouw kant. Je hebt genoeg dweomer om te weten dat ik de waarheid spreek als ik zeg dat het enige sieraad dat ik bezit een ringbroche is, en bovendien maar een goedkope.'

'Alle goden, dat klopt niet. Je moet... mijn meester...'

'Zeg eens!' riep Ogwern schril. 'Waar hebben jullie het over? Ik snap er geen woord van.'

Zonder op hem te letten deed de vreemde een stap in Jills richting, keek haar recht aan en deed zo'n onhandige poging om haar wil te verlammen, dat ze hem in zijn gezicht uitlachte. Hij uitte een verwensing en greep zijn zwaardgevest. Terwijl hij zijn zwaard trok, trok Jill het hare ook en hurkte in een gevechtshouding.

'Ogwern! Roep de stadswachten!'

Omdat ze tussen hem en de deur was, aarzelde de vreemde en deed een stap terug zodat hij ruimte kreeg om te manoeuvreren. Ogwern vloog naar het raam en gooide de luiken open. Bij dat geluid deed de vreemde een uitval naar Jill, maar ze ontweek de slag zo handig dat zijn mond openviel van verbazing. Ze maakte een schijnbeweging en drong hem tegen de muur, net toen Ogwern zo hard hij kon 'Help! Moord!' begon te krijsen. De vreemde viel aan als een in de val gelokt dier. Hij was geen lompe bandiet maar haar gelijke. Jill vocht voor haar leven, het staal galmde, zwaard tegen zwaard, terwijl ze met snelle bewegingen door het kleine kamertje sprongen en doken.

Op de trap daverden voetstappen en een stem riep: 'In naam van de gwerbret, doe open. De vreemde deed nog een wanhopige uitval, maar hij werd één enkel ogenblik afgeleid. Jill schoot naar voren en gaf hem een houw op zijn rechterschouder, toen zwaaide ze haar zwaard terug en omhoog, raakte zijn zwaard en sloeg het uit zijn slappe hand. De vreemde wierp zich met een schelle kreet weer tegen de muur, net toen zes stadswachten in korte rood met goudkleurige mantels de deur opengooiden en de kamer binnenstormden.

'Ah, bij de goden, brave Cinvan,' zei Ogwern. 'Nooit is een eerzaam burger zo blij geweest je te zien als ik nu.'

'Is het heus?' De leider, een gezette man met grijzend donker haar, vergunde zichzelf een verachtelijk glimlachje. 'Wat is dit allemaal? Kijk, daar hebben we die verwenste zilverdolk die een meisje is!'

'Dat ben ik, en ik verzoek je ons onmiddellijk naar de gwerbret te brengen.'

'Daar kun je zeker van zijn,' zei Cinvan.

De vreemde leunde naar adem happend tegen de muur. Hij legde zijn rechterhand op de wond en drukte er hard op, in een poging het bloed te stelpen dat langs zijn arm stroomde. Toen hij Jill aankeek, hadden zijn ogen een gekwelde blik die niet alleen werd veroorzaakt door de pijn van zijn wond.

'Stelp die man zijn wond,' blafte Cinvan. 'En ontwapen die zilver-dolk.'

Jill gaf haar zwaard en dolk aan een van de wachters, terwijl een andere in Ogwerns kamer begon te zoeken naar een lap. De vreemde bleef haar onafgebroken aankijken. Plotseling glimlachte hij, alsof hij een besluit had genomen. Hij nam zijn hand van zijn wond, streek hem langs zijn hemd alsof hij hem wilde afvegen en bracht hem toen naar zijn mond.

'Hou hem tegen!' Jill schoot naar voren.

Te laat – hij had het vergif al ingenomen. Verstijfd tot een halve cirkel viel hij achterover, sloeg met zijn hoofd tegen de muur, draaide weg en viel, nog steeds zo stijf als een gespannen boog, op de grond. Zijn hielen bonkten op de vloer; toen lag hij stil en sijpelde er een straaltje bitter ruikend grijs schuim uit zijn mond.

'Alle goden,' fluisterde Cinvan.

Met het zweet langs zijn hangwangen gutsend stommelde Ogwern naar zijn slaapkamer. Ze hoorden hem braken in een kamerpot en lieten hem maar begaan. De jongste wachter keek of hij best hetzelfde zou willen doen.

'Kom, mannen,' zei Cinvan een tikje te luid. 'Twee van jullie dragen dat lijk. We zullen onze herbergier hier meenemen naar zijne genade.'

'Neem me niet kwalijk!' Ogwern kwam trillend van verontwaardiging weer binnen. 'Wordt een eerzaam burger zo behandeld als hij in gemoede de wachters van de gwerbret te hulp roept?'

'Houd je mond,' siste Jill. 'Hoop nu maar voor je eigen bestwil dat de gwerbret deze zaak tot op de bodem kan uitzoeken.'

Ogwern keek haar aan, huiverde en knikte toen instemmend. Jill voelde zich misselijk. Waar was hij bang voor geweest, dat hij glimlachte toen hij besloot te sterven?

Het was een macabere kleine stoet die achter elkaar het door toortsen verlichte wachtlokaal achter Blaens broch binnenkwam. Terwijl Cinvan de gwerbret ging halen, gooiden zijn mannen het nog steeds stijve lijk op een tafel en bevalen Jill en Ogwern er vlakbij te knielen. Een paar minuten later kwam Blaen binnen met een beker mede in zijn hand. Hij keek naar het lijk, nam een flinke teug mede en luisterde toen aandachtig terwijl Cinvan verslag uitbracht.

'Juist ja,' zei Blaen. 'En zilverdolk, wat deed jij bij dat alles?'

'Ik was ingehuurd als bewaking, anders niets, uwe genade.' Jill aarzelde; hoezeer ze Blaen ook respecteerde, als zilverdolk had ze meer binding met het dievengilde dan met dit levende symbool van de wet. 'Ogwern had me verteld dat iemand zijn leven bedreigde, en hij bood me een zilverstuk om hem te bewaken.'

'En waarom bedreigde hij u?' wendde Blaen zich tot Ogwern.

'Ach, uwe genade.' Ogwern wreef zijn bezweet gezicht af met zijn omvangrijke mouw. 'Ziet u, het oorspronkelijke dreigement kwam van een andere man, niet van deze. Ik ben voor de helft eigenaar van de herberg De Rode Draak, en die man beweerde dat ik hem in de gelagkamer had bedrogen. Dus had ik Jill ingehuurd, en kijk nu eens, deze volkomen vreemde...' Hij maakte een handgebaar naar het lijk. '...kwam mijn kamers binnenvallen met de mededeling dat hij de kwestie van de schuld aan zijn broer kwam regelen.'

Het was niet verwonderlijk dat Blaen vreemd opkeek van dat vage verhaaltje.

'Zijn broer?' vroeg hij tenslotte.

'Ja, uwe genade,' zei Ogwern. 'Ik kan alleen maar aannemen dat deze man de broer is van degene die bij hoog en laag beweerde dat ik hem had bedrogen.'

'Ha!' snoof Cinvan. 'Beroofd, zal je bedoelen.'

'Maar beste man!' Ogwern keek hem gegriefd aan. 'Als hij dacht dat hij beroofd was, zou hij bij jullie zijn gekomen.'

'Dat is waar,' zei Blaen. 'Dus je bedoelt dat de man die je beschuldigde, nog ergens rondloopt.'

'Precies, uwe genade, en ik vrees nog steeds voor mijn dikke maar waardevolle persoonlijkheid. Ik heb getuigen van zijn dreigementen, uwe genade, hoogst betrouwbare getuigen.'

Blaen dacht even na en nam af en toe een teugje mede terwijl hij naar het blauwig-grijze lijk keek. 'Tja,' zei hij tenslotte. 'Het lijdt geen twijfel dat iemand die vergif bij zich draagt, weinig goeds in de zin heeft. Morgen zal er in mijn rechtszaal een hoorzitting over de kwestie plaatsvinden. Ogwern, jij kunt voorlopig gaan. Cinvan, wijs een wachter aan die de hele nacht voor zijn deur de wacht moet houden. De malover is om twee uur na de middag, dus breng je getuigen mee.'

'Goed, uwe genade.' Ogwern stond op en maakte een verrassend elegante buiging. 'Ik zeg u nederig dank omdat uwe genade zoveel veiligheid voor het eerzame arme volk van uw stad schept.'

Ogwern verliet achterwaarts, aan een stuk door buigend, de nabijheid van de gevreesde gwerbret. Jill vermoedde dat hij de hele weg van de dun naar huis zou rennen. Blaen wendde zich tot Cinvan.

'Kom nou, wachtmeester,' zei hij. 'Denk je nu heus dat die dikkerd de koning van de Cwm Peclse dieven is? Ik voor mij vind het vervloekt moeilijk te geloven.'

'Ik weet dat uwe genade eraan twijfelt, maar ik zweer u, vandaag of morgen pak ik hem met genoeg bewijzen om een hele zaal vol raadsheren te overtuigen.'

'Als je dat doet, hakken we zijn handen af, maar eerder niet. En wat jou betreft, zilverdolk, ik wil niet dat je de benen neemt zodra de stadspoorten opengaan. Cinvan, we houden haar onder arrest.'

'Maar uwe genade,' stamelde Jill. 'Hij viel mij eerst aan.'

'Dat zal best, maar ik wil dat je dat persoonlijk tegen de malover zegt. Hoor eens, meisje, ik beschuldig je niet van moord of zo. Hij heeft zichzelf immers vergiftigd. Ik weet alleen hoe weinig zilverdolken zich van de wet aantrekken.'

'Zoals u wilt dan, uwe genade, maar neem me niet kwalijk, uwe genade, als ik ergens voor moet terechtstaan, heb ik het recht verwanten aan mijn zijde te hebben.'

'Morgen hebben we alleen een hoorzitting, maar dat recht heb je inderdaad. Als ik vind dat de zaak een volledige malover rechtvaardigt, zullen we wachten tot je een familielid binnen een redelijke afstand hebt opgeroepen.'

'Ik dacht aan mijn man, uwe genade. Rhodry kan binnenkort met de karavaan hier zijn.'

'Rhodry?' Blaen keek haar eigenaardig doordringend aan.

'Zo heet hij, uwe genade. Rhodry Mael... ik bedoel Rhodry van Aberwyn.'

Cinvan maakte een raar verstikt geluid, maar Blaen gooide zijn hoofd achterover en lachte.

'Je begon Rhodry Maelwaedd te zeggen, hè?' vroeg de gwerbret. 'Alle goden, Jill, dat is mijn neef, de zoon van mijn moeders zuster.'

'Dan is het geen wonder dat hij zo op u lijkt, uwe genade.'

'Precies. In alle grote clans komt net zoveel inteelt voor als in een kudde Bardekse paarden. Vooruit, sta op! Het is schande dat ik de vrouw van mijn neef zo behandel! Het zal verdraaid leuk zijn om Rhodry weer te zien. Toen ik hoorde dat hij was verbannen, was ik woedend, maar Rhys is altijd een halsstarrige rotzak geweest, en ik weet dat hij van mij geen woord over zijn stommiteit wil horen. Cinvan, haal een stoel voor deze vrouwe.'

De enige stoel die het wachtlokaal te bieden had, was een houten krukje, maar Jill maakte er dankbaar gebruik van.

'Maar eerlijk gezegd, uwe genade,' zei ze. 'Ik ben noch een vrouwe noch Rhodry's wettige echtgenote.'

'Hij heeft je niet behoorlijk getrouwd, is het wel? Nou, daar zal ik hem eens over aanspreken. Waar zijn je spullen? Cinvan, laat een van je mensen die halen. Gilyan logeert vannacht in de broch.'

Toen de wachter was weggestuurd begon Cinvan aan de macabere taak het lijk te onderzoeken. Blaen nam Jill met een vaderlijk lachje op. Voor mensen van adellijke geboorte waren iemands neven veel belangrijker voor hem dan zijn broers, die mededingers waren naar land en invloed. Je hebt zilverdolkengeluk gehad, zei Jill tegen zichzelf, maar ik vraag me af wat Rhodry van dit alles zal vinden. Ze wenste plotseling hartgrondig dat hij hier was, zodat ze zich in zijn armen kon werpen en al die duistere dweomer vergeten.

'Hoor eens,' zei Blaen, 'aangezien we zo goed als familie zijn, moet je me de waarheid vertellen. Jij weet meer over die vent dan je wilt bekennen.'

'Uwe genade zal me wel gestoord vinden, maar ik zweer u dat hij dweomer had. Hij drong Ogwerns kamers binnen om problemen te maken. Toen ik dat probeerde te verhinderen, keek hij in mijn ogen en het scheelde niet veel of hij had me betoverd. Ik kon heel even niet denken of me bewegen.'

Achter hen vloekte Cinvan hardop.

'Neem me niet kwalijk, uwe genade,' zei hij. 'Kijkt u hier eens naar.' De wachter hield een medaillon omhoog dat aan een ketting bungelde. Het was een dun cirkelvormig loden plaatje, met een omgekeerd pentagram, een Bardeks woord en drie vreemde tekens erin gegraveerd.

'Dit had die smeerlap om zijn hals. Ik betwijfel of Gilyams gepraat over dweomer zo gek is als het klinkt.'

Alastyr zag in zijn scryingvuur hoe Evy stierf, hij zag het lijk nog met de hielen roffelen en stuiptrekken terwijl de etherische gedaante zich eruit losmaakte en boven de dode materie bleef zweven. Alastyr hapte naar adem, het duizelde hem en een goudkleurige nevel knetterde voor zijn ogen. Hij moest zijn geschoolde wil tot het uiterste inspannen om die nevel te laten verdwijnen en te verhinderen dat hij flauwviel. Hij was met Evy verbonden geweest door een schakel tussen hun aura's, zodat hij, wanneer hij maar wilde, de levenskracht van zijn leerling kon overhevelen om er zijn eigen levenskracht mee te voeden. Het breken van de schakel trof hem als een zwaardstoot. Camdel zat aan handen en voeten gebonden aan de andere kant van het vuur en keek doodsbang hoe Alastyr op zijn rug ging liggen. Hoewel Alastyr zich volkomen uitgeput voelde, wist hij dat hij deze wond moest uitbranden.

Toen hij naar zijn tweede gezicht overschakelde kon hij zijn eigen aura zien, zwakjes kloppend, een roodachtige, eivormige wolk, doorschoten met zwarte lijntjes. Er bungelde een afgebroken lichtlijn aan, flappend als een slang zonder kop. Hij concentreerde zich erop, begon hem in zijn aura te trekken en dacht toen aan Camdel. Met zijn tweede gezicht nog geopend krabbelde hij overeind en keek naar de ineengedoken edelman. Camdels aura hing bleek en gekrompen om hem heen. Nog meer levenskracht aan hem onttrekken zou zijn dood kunnen zijn, en hij was nog steeds een bruikbaar werktuig. Alastyr ging zitten, zijn hoofd over zijn knieën gebogen, en absorbeerde de lichtlijn in zichzelf terug, toen sloot hij zijn tweede gezicht. Hij moest rusten.

Op dat ogenblik voelde hij Sarcyns brein het zijne raken en eisen dat Alastyr contact met hem opnam. Sarcyns woede was bijna voelbaar en sloeg als een vuurzee over Alastyr heen. Toen Alastyr een persoonlijke stolp over zich heen zette, trok de zee zich terug en verdween. Hij ging weer liggen en viel in slaap.

Sarcyn had natuurlijk ook de gebeurtenissen in Ogwerns kamer gescryed. Toen Alastyr weigerde contact met hem op te nemen, werd hij zo woedend, dat hij een groot stuk brandhout greep en tegen de muur kapotsloeg. Het hinniken van zijn geschrokken paard bracht hem tot bezinning. Met een uiterste wilsinspanning bracht hij zijn adem en zijn geest tot kalmte. Omdat hij dertig mijl van Dun Hiraedd verwijderd was, kon hij niets voor zijn broer doen. Een beter geschoolde dweomerman had daar in een lichtgedaante naartoe kunnen gaan, maar Sarcyn was nog maar een beginner in die gevaarlijke kunst, en bovendien stroomde er een rivier door de stad, een gevaarlijke krachtstroom op het etherische vlak, die een onverstandige reiziger zou kunnen vernietigen.

Er was echter nog altijd wraak. Hoewel hij er het liefst vandoor was gegaan en Alastyr aan zijn lot had overgelaten, wist hij dat hij niet sterk genoeg was om Jill in zijn eentje te grijpen. Hij zou nog een tijdje met de meester moeten optrekken, tot hij zichzelf voldoende had opgeladen met wraak. Met een glimlach die angstaanjagend zou zijn geweest om te zien, ging hij bij het vuur zitten om haar te scryen. Ze mocht dan dertig kilometer van hem af zijn, hij had nog een paar kunstgrepen tot zijn beschikking. Juist haar gave voor de dweomer maakte haar kwetsbaar.

Omdat Blaen erop stond Jill te behandelen alsof ze de wettige echtgenote van zijn dierbare neef was, gaf zijn kamerheer haar een grote kamer met een eigen haard, een weelderig geborduurd bed en zilveren kaarsenhouders aan de muren. Nadat een page haar warm waswater had gebracht, poedelde Jill zich lekker en zette het vuile water buiten, zodat een page het kon weghalen. Toen deed ze de deur van binnen op de grendel. Omdat ze die hele dag erg weinig had gedaan, had het korte zwaardgevecht haar alleen maar nerveus gemaakt, niet moe. Ze liep een tijdje de kamer rond en keek naar het op de muren flakkerende kaarslicht. In de kamer, in de broch, overal was het doodstil, maar ze was er opeens zeker van dat ze niet alleen was.

Geen geluid, zelfs niet dat bijna onmerkbare verschil in de kamer dat betekent dat een extra lichaam het geluid opneemt – en toch voelde ze dat iemand haar als met een tastbare aanwezigheid gadesloeg. Hoewel ze het mal van zichzelf vond, trok ze haar zilveren dolk en liep langzaam de kamer rond. Ze vond zelfs geen muis in de hoeken en als ze zich snel omdraaide, zag ze alleen kaarslicht en schaduwen. En toch was er iets; ze was er nog nooit in haar leven zo zeker van geweest dat iemand haar begluurde.

Ze ging met onhoorbare stappen naar het raam en gooide de luiken open. Niemand klom bij de gladde stenen toren omhoog; het donkere binnenplein, ver in de diepte, was leeg. Toen ze omhoogkeek kon ze de sterren zien, de brede baan van de Sneeuwweg ver boven haar – licht, maar koud en onverschillig voor haar penibele situatie of die van anderen. Opeens werd ze bevangen door wanhoop, een donker verdriet in haar hart, alsof niets er meer toe deed, haar eer niet, haar leven niet, zelfs haar liefde voor Rhodry niet, helemaal niets, omdat een mensenleven niets meer kon zijn dan een lichtplekje tegen de allesomvattende duisternis, zoals een van die sterren, zo klein als een speldeprik, onverschillig en wreed. Ze leunde op de vensterbank en voelde hoe de wanhoop bezit van haar nam en haar levenskracht en eigen wil uitloogde. Waarom nog vechten, dacht ze. De nacht wint toch altijd; waarom ertegen vechten?

Ver weg aan de horizon, achter de slapende stad, klom het laatste kwartier van de maan omhoog, een bleke glans tegen het zwart. Weldra zou de maan in de duisternis glippen en weg zijn. Maar ze komt ook weer op, dacht Jill, ze komt bij haar terugkeer vol weer op. De maan was een belofte aan de hemel, die terugkeerde en uitdijde tot een groot zilveren baken dat haar licht wierp over allen, zowel goeden als kwaden, als haar periode van maanduister voorbij was. Om dan weer af te nemen, fluisterde een gedachte in haar hoofd. Maar de gedachte kwam in een andere stem, niet de hare. Pas toen begreep ze dat ze vocht, dat ze streed tegen een vijand die ze niet kon zien, met wapens die ze nooit had gebruikt.

Dat besef doorbrak de wanhoop, liet hem afbreken zoals een te strak gespannen touw knapt. Ze draaide zich met een ruk om en liet haar ogen zoekend door de kamer gaan. Er was niemand, en toch praatte ze hardop.

'Bij de godin zelf, het licht wint uiteindelijk toch!'

Ze was alleen in de kamer. De aanwezigheid was weg, maar ze wist dat hij zou terugkeren om haar te kwellen, misschien in haar dromen, waar ze zich er niet tegen kon verzetten. Plotseling even huilend ging ze op het bed zitten en drukte haar trillende handen tussen haar knieën. Haar veelgeprezen zwaardvechterskunst kon haar in deze strijd niet baten. Alleen dweomer kon dweomer bestrijden, en zij was ongeschoold en zwak. Ze begreep ineens dat het verloochenen van haar dweomerkracht haar weerloos had gemaakt, dat het blijven verloochenen ervan betekende dat ze voortdurend betrokken zou worden bij vreemde zaken die ze niet kon beïnvloeden of beheersen. Op dat ogenblik herinnerde ze zich Nevyn en het feit dat hij onderweg was.

Ze had de oude man vaak andere dweomermeesters zien oproepen door middel van een scryingvuur. Voor zover ze wist kon alleen een meester zoiets doen, en niet een onwetende zoals zij, maar ze stond toch op en liep langzaam naar de kaarsen die bij elkaar in hun houder waren gestoken. Bij deze, haar eerste bewuste poging om dweomer te gebruiken, voelde ze zich eerst belachelijk, toen opgelaten en tenslotte angstig, maar ze dwong zichzelf om in de vlammen te staren en aan Nevyn te denken. Een ogenblik was ze zich alleen bewust van een leegte in haar geest, toen van een eigenaardig soort druk, die toenam tegen iets onverklaarbaars, net als wanneer iemand even een naam die hij goed kent vergeten is en nu koortsachtig zijn hersens pijnigt om zich die te herinneren.

Haar angst nam toe, angst om dweomer te gebruiken, angst voor de onbekende die haar besloop, bleef toenemen tot ze zich plotseling herinnerde wat ze eigenlijk altijd al had geweten, dat die angst haar sleutel was, dat een sterk gevoel de muren in de geest kan slechten.

'Nevyn!' riep ze uit. 'Help me!'

En toen zag ze boven de flakkerende kaarsvlammen zijn gezicht, helder en duidelijk, zijn borstelige wenkbrauwen verbaasd opgetrokken, een bezorgde blik in zijn ogen.

'Alle goden zij dank dat je me hebt geroepen,' klonk zijn stem in haar gedachten. 'Ik probeer je al dagen te bereiken.'

Het klonk zo vanzelfsprekend, dat ze in een zenuwachtig gegiechel uitbarstte.

'Probeer kalm te blijven, anders verlies je het beeld,' dacht hij tegen haar, en toen scherp: 'Beschouw het als een zwaardgevecht, kind. Je weet hoe je je moet concentreren.'

Ze merkte dat ze dat deed nu hij haar erop had gewezen. Het was bijna hetzelfde als de koude, dodelijke concentratie die ze opbracht als ze naar de bewegingen van een tegenstander keek.

'Ik heb jou daarstraks gescryed en ik zag hoe die vent zich vergiftigde,' vervolgde Nevyn. 'Geen wonder dat je van streek bent. Luister goed; onze vijanden schijnen vervloekt sterk te zijn. Weet je wat ze willen?'

'De opaal die ik bij me heb. Tenminste, ik geloof dat ik hem bij me heb. Dat eigenwijze kreng blijft maar van vorm veranderen.'

Hij grinnikte zo geamuseerd dat ze haar angst voelde verdwijnen.

'Dan is het inderdaad die opaal, en ik moet toegeven dat de geesten die hem onder hun hoede hebben verdraaid irritant kunnen zijn. Het ding is een talisman van de edele deugden, zie je, en ze nemen de deugd van het eergevoel een beetje te serieus. Maar zeg eens, heeft de schim van de dode man je lastiggevallen?'

'Ik weet het niet. Iemand. Ik heb je geroepen omdat er steeds gedachten bij me opkwamen en omdat ik voelde dat iemand me besloop.'

'Dan is hij het niet. Maak je geen zorgen. Ik zal een stolp over je heen zetten. Ga slapen en rust uit, kind. Ik ben bijna in Dun Hiraedd.'

Zijn beeld verdween. Hoewel Jill inderdaad naar bed ging, liet ze de kaarsen aan en legde ze haar zilveren dolk naast zich op het kussen. Ze wist zeker dat ze geen oog dicht zou doen, maar ze werd wakker in een kamer vol zonlicht. Buiten op de gang hoorde ze een page fluiten en dat simpele menselijke geluid scheen haar de mooiste muziek toe die ze ooit had gehoord. Ze stond op en liep naar het raam om naar buiten te kijken. Op het zonovergoten binnenplein liepen lachende en pratende mannen. Het leek nu haast niet te geloven dat er zoiets als dweomerstrijd bestond. Toch wist ze dat ze haar wil had ontboden en door het vuur met Nevyn had gesproken. Ze ging huiverend bij het raam vandaan en begon zich haastig aan te kleden. Ze wilde andere mensen om zich heen hebben.

In de grote zaal gekomen kon ze de herinnering aan haar angst wegduwen. De krijgsbende zat aan hun tafels met elkaar te eten en grappen te maken, terwijl bedienden af- en aanliepen. Blaen zelf was in een stralend humeur en babbelde met Jill alsof hij geen moment meer aan vergiftigde vreemdelingen in zijn stad dacht. De hoge functionarissen van zijn hof, de kamerheer, de bard, de raadslieden en de schrijvers, kwamen en gingen, wensten hun heer goedemorgen en bogen plechtig voor Jill. Blaen brak een zoet notenbrood in stukken en bood Jill met een hoffelijk gebaar een homp aan. Ze zag tot haar genoegen dat zijne genade bier bij zijn ontbijt dronk, geen mede.

'Ah, ik verheug me erop mijn neef weer te zien,' zei de gwerbret. 'We hebben als jongens heel wat plezier gemaakt. We waren allebei page op Dun Cantrae, zie je, en de oude gwerbret was nogal een steiloor, dus hebben we heel wat streken uitgehaald.' Hij zweeg toen een page haastig naar hem toe kwam. 'Wat is er, jongen?'

'Er staat zo'n vreemde oude man buiten, uwe genade. Hij zegt dat hij u onmiddellijk moet spreken over een dringende kwestie, maar hij ziet eruit als een bedelaar en zijn naam is niemand.'

'Nevyn, de goden zij dank!' riep Jill uit.

'Ken jij die man?' vroeg Blaen verwonderd.

'Ja, uwe genade, en ik smeek u met hem te spreken, zowel omwille van Rhodry als van mij.'

'Goed. Breng hem binnen, jongen, en denk erom, wees altijd hoffelijk tegen oude mensen, armoedig of niet.'

Terwijl de page zich weghaastte, huiverde Jill met een gevoel of de zonnige, rumoerige zaal plotseling onwerkelijk was geworden. Blaen leek haar stemming aan te voelen, want hij stond op en keek licht fronsend naar de deur toen Nevyn binnenkwam, zijn gescheurde bruine mantel vanaf zijn schouders naar achteren geworpen en achter hem aan wapperend. Hij knielde voor de gwerbret met een gemak waarom menige jonge hoveling hem zou hebben benijd.

'Vergeef me dat ik uw aandacht vraag, uwe genade,' zei Nevyn. 'Maar de kwestie is hoogst dringend.'

'Iedereen kan te allen tijde aanspraak maken op mijn bemiddeling. Wat baart u zorgen, beste man?'

'De man die zichzelf gisteravond heeft vergiftigd.'

'Alle goden!' zei Blaen verbaasd. 'Heeft dat verhaal zich zo snel verspreid?'

'Wel voor degenen die oren hebben om het te horen. Uwe genade, ik kom u de kosten van het begraven van die dwaas besparen. Weet u edele waar het lijk ligt?'

'Is hij dan familie van u?'

'Tja, aangezien elke clan zijn zwarte schaap heeft, zou men kunnen zeggen dat hij dat is.'

De gwerbret keek vragend naar Jill.

'Alstublieft, uwe genade,' zei ze. 'Doe alstublieft wat hij zegt.'

'Nou goed. Daar kan geen kwaad in steken.'

Ongetwijfeld verteerd door nieuwsgierigheid ging Blaen met Jill en Nevyn naar het binnenplein en hield een wachter aan. Het bleek dat het lijk in een deken was gewikkeld en in een schuur gelegd waar gewoonlijk brandhout in werd opgeslagen. Nevyn en Jill haalden het samen naar buiten en legden het op de keistenen. Nevyn knielde ernaast neer en trok de deken weg om het gezicht te bekijken.

'Ik herken hem niet,' zei hij tenslotte. 'Wat in zekere zin een slecht teken is.'

Hij ging op zijn hielen zitten, legde zijn handen op zijn bovenbenen en bleef een tijdlang naar het lijk kijken. Zijn ingezakte houding en de slaperige blik in zijn ogen deden Jill vermoeden dat hij in trance was. Af en toe bewoog zijn mond geluidloos, alsof hij met iemand praatte. Tenslotte keek hij hoofdschuddend op en leek zielsbedroefd toen hij overeind kwam.

'Een zielig spierinkje was het,' verklaarde hij. 'Gevangen in een net dat hij niet zelf had gemaakt. Nu ja, we zullen hem zijn rust geven.'

Hij beduidde Blaen en Jill opzij te gaan, ging zelf aan het hoofd van het lijk staan en hief zijn armen alsof hij tot de zon bad. Zo stond hij een hele tijd, zijn gezicht strak van concentratie; toen liet hij langzaam zijn handen zakken, liet ze in een soepele boog omlaag gaan tot zijn vingers bijna het dode ding op de stenen raakten. In het lijk barstte vuur los, een onnatuurlijk, griezelig vuur met blauw-zilverige vlammen die dansten en oplaaiden. Toen Nevyn drie onbegrijpelijke woorden uitriep, werden de vlammen witheet en laaiden hoog op, te fel om in te kijken. Blaen sloeg met een verwensing een arm voor zijn gezicht. Jill bedekte haar ogen met beide handen. Ze hoorde een gekwelde kreet, een lange zucht van doodsangst, maar vreemd genoeg vermengd met opluchting, zoals wanneer een gewonde weet dat zijn dood nadert om hem van zijn pijn te verlossen.

'Het is gebeurd!' riep Nevyn. 'Het is afgelopen.'

Jill keek juist op tijd op om hem drie keer op de grond te zien stampen. Waar het lijk had gelegen lag nu alleen een handvol witte as. Toen Nevyn met zijn vingers knipte, stak er een briesje op dat de as verspreidde en vervolgens even plotseling ging liggen als het was opgestoken.

'Zo,' zei de oude man. 'Zijn ziel is van zijn lichaam bevrijd en op weg naar het hiernamaals.' Hij wendde zich tot de gwerbret. 'Er zijn vreemde dingen gaande in uw rhan, uwe genade.'

'Dat zal best,' stamelde Blaen. 'Bij de zwarte harige kont van de heer der hel, wat is dit allemaal?'

'Dweomer. Waar zag het anders naar uit?'

Blaen deed een stap achteruit, hij trok wit weg en zijn mond bewoog zenuwachtig. Nevyn keek hem met een vriendelijke, geduldige glimlach aan, zoals moeders doen bij kinderen die iets hebben meegemaakt dat ze nog niet kunnen begrijpen.

'Het wordt tijd dat iedereen in het koninkrijk leert wat de dweomer eigenlijk inhoudt,' zei Nevyn. 'U mag uzelf gelukwensen, uwe genade, dat u een van de eersten bent. Vindt u het goed dat Jill en ik een tijdje weggaan? Ik moet in de stad een dringende kwestie regelen.'

Blaen keek naar de keien, die nog zinderden van de hitte, en huiverde.

'Zoals u wilt, heer,' zei de gwerbret die opeens Nevyns rang verhoogde. 'Ik vind het goed.'

Nevyn trok Jills arm door de zijne en nam haar gedecideerd mee.

'Ik ben verrekt blij je te zien,' zei ze. 'Ik ben zo bang geweest.'

'Terecht. En denk erom, kind, het gevaar is nog niet geweken. Blijf dicht bij mij en doe precies wat ik zeg,'

Jill huilde bijna van teleurstelling, omdat ze er zeker van was geweest dat ze zodra hij er was, veilig zou zijn.

'Ik heb in mijn vuur gezien dat je Ogwern de dief bewaakte,' vervolgde hij. 'Breng me bij hem. Als jij gisteravond in angst hebt gezeten, is dat met hem vast ook het geval geweest. Iemand heeft jullie gekweld om zich te wreken voor Evy's dood.'

'Evy? Hoe wist je zijn naam?'

'Die heeft hij me daarstraks verteld. Aangezien hij al een tijd dood was, kon hij me niet veel meer vertellen, omdat zijn schim al begon te verzwakken en uit elkaar te vallen. Dus heb ik hem maar naar zijn laatste oordeel gezonden, ook al had ik graag nog wat meer uit hem losgekregen.'

Jill voelde zich bij dat gepraat over geesten verstijven van angst.

'Kom, kom,' zei Nevyn. 'Het is iets heel gewoons, maar dit is niet het juiste ogenblik om het je allemaal uit te leggen. Laten we eens gaan zien wat Ogwern overkomen is.'

In de herberg van de Rode Draak gekomen, merkten ze dat Nevyns bezorgdheid gegrond was. De angstige herbergier vertelde hun dat Ogwern de vorige avond ziek was geworden en dat hij thuis was. Bij hun haastige tocht naar de werkplaats van de kleermaker koos Jill de achterstraatjes uit een aangeboren achterdocht voor de stadswachters in combinatie met angst voor Evy's broer. Toen ze op Ogwerns deur klopte, deed de Reiger open.

'Ik heb gehoord dat Ogwern ziek is,' zei Jill. 'Ik heb een kruidenman meegebracht die we kunnen vertrouwen.'

'Dank aan elke god in het hiernamaals,' zei hij met oprechte vroomheid. 'Het is verschrikkelijk geweest, echt waar. Ik had nooit gedacht dat ik nog eens blij zou zijn zo'n vervloekte wachter te zien, maar als zijne genade niet zo'n grote sterke kerel had gestuurd om op wacht te staan, zou Ogwern uit het raam zijn gesprongen, dat weet ik zeker.'

Nevyn knikte kort, alsof dat precies was wat hij had verwacht. Ze troffen Ogwern in bed aan met een gerafelde blauwe deken opgetrokken tot zijn omvangrijke nek. Hoewel hij strak naar het plafond staarde, leek hij eerder doodsbang dan ziek.

'Gisteravond leek het wel of we in de derde hel waren,' zei de Reiger. 'We dronken een kroes in de Rode Draak en hij begon ineens te beven en te raaskallen.'

'Ik wil er niets over horen.' Ogwern trok de dekens over zijn hoofd. 'Laat een stervende man met rust, jullie allemaal.'

'Je gaat niet dood,' zei Nevyn kortaf. 'Ik ben kruidenkenner, beste man, dus trek die deken omlaag en vertel me je symptomen.'

De deken ging omlaag tot Ogwerns donkere ogen over de rand gluurden.'

'Ik word gek. O onheil, dood en verderf! Ik zou nog liever doodgaan dan gek worden, dus meng alsjeblieft een zacht werkend vergif voor me, kruidenman.'

'Ik pieker er niet over. Kraam niet zo'n onzin uit maar vertel me over dat raaskallen.'

'Tja, ik weet echt niet wat ik moet zeggen. Ik was opeens doodsbang, goede heer, en ik begon te beven en te zweten als een otter. Ik wist dat ik ten dode opgeschreven was, dat ik zou sterven, wat ik ook deed.' Ogwern liet zijn stem zwakjes wegsterven. 'Ik ben nog nooit in mijn leven zo doodsbang geweest.'

'En toen begon hij te gillen dat hij liever snel wilde sterven dan langzaam,' viel de Reiger in. 'Hij greep zijn dolk, dus we overweldigden hem en ik en een paar jongens hadden hem net hier gekregen toen die wachter kwam opdagen. Nadat hij had geprobeerd uit het raam te springen, hebben we hem aan het bed vastgebonden, maar hij bleef raaskallen en blèren dat hij dood wilde.'

'Ah, ik begin het te begrijpen,' zei Nevyn. 'En tegen de morgen werd hij opeens kalm.'

'Precies.' Ogwerns hoop herleefde en hij ging zitten, zodat zichtbaar werd dat hij geheel gekleed onder de dekens lag. 'Het ging zo vlug dat het net koorts was die zakte.'

'Juist, maar het was geen koorts, het was vergif. Luister, Ogwern, je moet een vijand in de stad hebben die een bepaald kruid in je bier heeft gedaan: *oleofurtiva tormenticula smargedinni.*' Nevyn liet deze indrukwekkende naam zwierig uit zijn mond rollen. 'Gelukkig heeft je dikke lijf je behoed voor een dodelijke dosis. Dit vergif brengt de lichaamssappen in de war en laat de warme en vochtige zegevieren over de koude en droge, die de verstandelijke vermogens ondersteunen. En als het lichaam nu dat gif voelt werken, begrijpt de geest niet wat er aan de hand is en kan de rede niet laten werken om het

te bestrijden, en zodoende verdubbelt dit sluwe vergif zijn eigen uitwerking.'

'Alle goden,' fluisterde Ogwern. 'Duivels, goede heer.'

'Je moet van nu af aan goed op jezelf passen. Om de laatste resten
gif te verwijderen moet je twee weken lang alleen koel, droog voedsel eten: waterbrood, appels, koud vlees van wit van gevogelte. Dat
zal de lichaamssappen reinigen.'

'Dat zal ik doen, beste kruidenman. Alle goden, dat was op het nip-
pertje!'

Omdat hij dus niet stierf, kwam Ogwern zijn bed uit en stond erop
Nevyn een zilverstuk te geven voor het consult.

'Evengoed is het jammer dat ik niet ziek ben,' zei hij somber. 'Nu
moet ik vanmiddag toch voor die verwenste gwerbret verschijnen.
Hoor eens, Jill, zeg zo weinig mogelijk. Houd je bij het verhaal dat
je alleen mijn lijfwacht was en laat de rest aan mij over.'

'We zijn uren met dat verhaal bezig geweest,' viel de Reiger in. 'Het
is iets heel moois geworden.'

Toen ze weggingen, wilde Nevyn met alle geweld naar de tempel van
Bel bij de rivier, zodat hij Ogwerns gestolen geld in een offerblok
voor de armen kon stoppen. Onder het lopen bleef Jill nerveus om
zich heen kijken, half en half verwachtend vijanden uit de muren te
zien springen.

'Nevyn, hoe heeft Evy's broer dat vergif in Ogwerns bier kunnen
doen?'

'Wat? Nou zeg, als jij al die onzin hebt geloofd, kan ik blijkbaar even
goed liegen als een zilverdolk. Ik heb dat geneeskundige verhaal ter
plekke verzonnen om Ogwern gerust te stellen. Hij moet op zijn hoede zijn, maar ik kon hem onmogelijk de waarheid vertellen, omdat
hij die niet zou hebben geloofd.'

'Bedoel je dat het geen echt vergif is?'

'Precies. De naam is in de oude Rhwmanse taal en betekent kleine
groene kwelgeest voor dikke dieven.'

'Wat is er dan wel gebeurd?'

Nevyn keek om zich heen naar de rivieroever. Bij de waterkant hoed-
den een paar jongens de koeien die er graasden.

'Evy's broer beïnvloedde Ogwerns geest net zoals hij de jouwe probeerde te beïnvloeden,' zei Nevyn. 'Ik denk niet dat hij jou tot zelfmoord zou hebben gedreven, want als hij dat had gedaan, zou
Blaen je bezittingen in beslag hebben genomen, en dan zouden ze
geen kans hebben gehad de opaal in handen te krijgen. Maar hij wilde je wel kwellen, je laten lijden. Omdat er een soort band tussen ons
is, kon ik van een afstand een stolp over je heen zetten, maar voor

onze arme dief kon ik niets doen voor ik hier was. Ik zal zorgen dat hij een rustige nacht heeft.'

Jill voelde zich zo beroerd dat het op haar gezicht te zien moest zijn, want Nevyn legde een kalmerende hand op haar schouder.

'Begrijp je nu waarom ik de kwestie voor Ogwern heb opgepoetst met geruststellende woorden? Alle bliksems, kind! Ik heb nooit gewild dat je met zoveel kwaad te maken zou krijgen. Ik heb geprobeerd je met rust te laten om je Wyrd op je eigen manier te ontwikkelen, maar nu schijnt je Wyrd je iets heel vreemds te hebben gebracht.'

'Daar lijkt het wel op. Ben ik werkelijk door mijn Wyrd hierheen gebracht?'

'Laten we het zo stellen. Het toeval heeft je bij dat dode paard in Auddglyn gebracht, maar je Wyrd liet je daar in het gras die edelsteen vinden. Als het Natuurvolk je niet had vertrouwd, zou je die nooit hebben gezien. En laten we nu naar de dun teruggaan. Ik zeg hier in het openbaar geen woord meer.'

Het was ongeveer twee uur na de noen toen Rhodry eindelijk de zuidpoort van Dun Hiraedd bereikte. Hij steeg af en leidde zijn paarden binnen achter een groepje boeren met groenten en kippen voor de dagelijkse markt. Net binnen de poort stonden een paar stadswachten. Toen Rhodry langskwam, zag hij de een iets mompelen tegen de andere; toen kwamen ze naar voren en versperden hem de weg. Uit de schaduw van de muur kwamen er nog twee naar voren. De ene greep de teugels van zijn paarden, de andere zijn zwaardarm.

'Zilverdolk, hè? Niks aan de hand, maat, maar je moet met ons mee.'

'Wat krijgen we nou, bliksems nog toe?'

'Order van zijne genade, dat is het. Kijk uit naar een zilverdolk die eruitziet als een Eldidder en pak hem op. We hebben hier de laatste tijd genoeg gedonder gehad met een van jouw soort.'

'En dat was ook nog een meisje,' zei een andere wachter. 'Je vraagt je af wat er van het koninkrijk moet worden.'

'Wat heeft Jill gedaan?'

'O, je kent haar, dus?' zei de eerste wachter met een onaangename grijns. 'Ze schijnt iets te maken te hebben met een vent die zich van kant heeft gemaakt. Zijne genade houdt om deze tijd malover, dus we zullen je er rechtstreeks heen brengen.'

Rhodry was te ongerust om bezwaar te maken toen de wachters hem ontwapenden. Terwijl ze hem door de straten leidden, deed hij er nors het zwijgen toe. Hij had gehoopt Blaen te kunnen ontlopen omdat die hem (dat dacht hij tenminste) ongetwijfeld zou verachten als een eerloze banneling, en nu werd hij geconfronteerd met het vooruitzicht hem weer te zien alleen om hem om Jills leven te moeten smeken. En wat heeft Jill gedaan? dacht hij. Als ik haar hier heelhuids uit krijg, sla ik haar bont en blauw! Op het binnenplein van de dun droegen de wachters zijn paarden over aan een page en duwden hem de broch binnen. Het was twee jaar geleden dat Rhodry in Dun Hiraedd was geweest, toen hij was overgekomen voor Blaens bruiloft. Hij keek verbouwereerd om zich heen in de grote zaal waar hij eens als eregast aan tafel had gezeten; toen duwden ze hem de wenteltrap op naar de tweede verdieping. De zware eikehouten deuren van de rechtszaal stonden open en de wachters en hij gingen naar binnen en wachtten.

In de bocht van de muur, onder een rij vensters, zat Blaen aan een tafel met een schrijver aan zijn linker- en twee raadslieden aan zijn rechterhand. Omdat er geen priesters aanwezig waren, begreep Rhodry dat dit alleen een hoorzitting was, geen volledige malover. Op de grond voor de gwerbret knielden Jill, een stel ongunstig uitziende jongelieden en een enorm dikke vent. Eromheen stonden wachters met vechtstokken in de hand. In een hoek, waar de ronde stenen muur samenkwam met een scheidswand van gevlochten wilgetenen, zat Nevyn in een halfronde stoel. Rhodry voelde zich oneindig opgelucht, want hij wist dat de oude man nooit zou toelaten dat Jill iets kwaads overkwam.

'Heel goed, Ogwern,' zei Blaen. 'Ik geef toe dat de dreigementen van de dode man van dien aard waren dat je een lijfwacht wilde hebben.'

'Het was afschuwelijk, uwe genade,' zei de dikke kerel. 'En een arme maar eerlijke herbergier zoals ik heeft geen tijd om zich in de vechtsport te bekwamen.'

'Zelfs een mestvarken zou slagtanden moeten hebben.'

'Zijne genade kan het altijd grappig zeggen, maar ik huur liever slagtanden dan dat ik ze laat groeien. Heus, die zilverdolk was prima voor haar werk, dat bleek toen die akelige kerel me echt aanviel.'

Blaen knikte en keek toen Jill aan.

'Tja, zilverdolk, ik begin te denken dat je het volste recht had hem een houw toe te brengen.'

'Mijn dank, uwe genade, en ik kon toch echt niet weten dat die kerel vergif zou innemen.'

Op dat ogenblik vergat Rhodry zichzelf dermate dat hij een stap naar voren deed. De wachters grepen hem vloekend beet en trokken hem terug. Blaen keek in de richting van de verstoring.

'Breng hem naar voren. Dus jullie hebben die pummel van een zilverdolk gegrepen, hè?'

'Hij reed hondsbrutaal de zuiderpoort binnen, uwe genade,' zei een wachter. En hij heeft een westvolker jachtpaard bij zich dat vast gestolen is.'

'Dat geloof ik dadelijk. Hij was altijd al gek op andermans paarden.'

Blaen probeerde een grijns te onderdrukken, maar Rhodry had het toch gezien.

'Blaen, jij rotzak!' brulde Rhodry. 'Dit is weer een van je vervloekte geintjes.'

Hoewel iedereen in de zaal zich een ongeluk schrok bij die belediging, barstte Blaen in lachen uit en liep met grote passen de zaal door om de hand van zijn neef te grijpen.

'Dat is het inderdaad. Ik vond het een reuzemop om jou te laten arresteren als de zilverdolk die je nu bent. Ach goden, wat ben ik blij je te zien.'

Terwijl ze elkaar de hand schudden had Rhodry kunnen huilen.

'Ik ben ook blij jou te zien,' zei hij. 'Maar wat doe je met mijn vrouw?'

'Niets, dat verzeker ik je. Ik behandel vrouwen met meer respect dan sommige familieleden van me. Ik noem geen namen.'

Rhodry gaf hem breed lachend een stomp tegen zijn schouder. Iedereen in de zaal staarde hen aan en Blaen herinnerde zich plotseling dat hij met een rechtszitting bezig was.

'Ga maar bij de oude Nevyn staan, wil je? Dan maken we dit vervelende gedoe even af.'

Toen Rhodry deed wat hem gezegd werd, gaf Nevyn hem een flauw glimlachje, maar de ogen van de oude man stonden uiterst bezorgd. Hij begon te begrijpen waarom toen de wachter naar voren kwam om getuigenis af te leggen over een vreemdeling die liever vergif innam dan voor de gwerbret te verschijnen en die een soort betoverde talisman om zijn hals droeg. Blaen dacht even over de kwestie na, verklaarde toen dat niemand schuldig was aan 's mans dood en sloot de zitting.

'Dun Hiraedd is ongetwijfeld beter af zonder hem,' besloot hij monter. 'En daarmee is de zaak afgedaan.'

Ogwern en zijn getuigen stonden op, bogen voor de gwerbret en maakten zich haastig uit de voeten. Terwijl de verwonderde raadslieden zich rond Blaen schaarden om vragen te stellen over die vergiftiging, ging Rhodry naar Jill en greep haar bij de schouders.

'Alle goden, lieveling! Wat is dit allemaal?'

'Ik weet het echt niet. Rhoddo, wat ben ik blij je te zien.'

Toen hij zijn armen om haar heensloeg en haar tegen zich aantrok, voelde hij haar beven van angst. Omdat hij nog nooit had meegemaakt dat ze ergens bang voor was, bezorgde hem dat een koude beklemming in zijn binnenste.

'Nou ja, lieveling,' zei hij. 'We hebben samen al eerder zware gevechten geleverd. We zullen deze slag ook wel winnen.'
'Ik hoop van harte dat je gelijk hebt.'

Alastyr zat doodstil met zijn rug tegen een berkestam op de grond en probeerde niet in paniek te raken. Hij had zojuist geprobeerd Jill te scryen en helemaal niets gezien, hoe hij zich er ook op had geconcentreerd. Dat kon maar één ding betekenen: Nevyn was er en had een stolp over haar heen gezet. Toen hij hoefslagen zijn richting uit hoorde komen sprong hij op, half verwachtend dat de Meester van de Ether op hem afkwam, maar het was Sarcyn maar, die vlak bij het kamp afsteeg en zijn paard tussen de bomen leidde. Alastyr bereidde zich voor op een onaangename scène, maar zijn leerling leek volkomen beheerst toen hij naar hem toe kwam.
'Ik weet dat je van streek bent over Evy's dood,' zei Alastyr. 'Maar ik heb hem daarheen gestuurd bij wijze van proef, en hij heeft gefaald. Dat is het lot van een krijger, jongen.'
'Dat weet ik, meester,' zei Sarcyn zachtzinnig. 'Trouwens, mijn genegenheid voor hem was toch maar een blok aan mijn been. U had gelijk toen u me waarschuwde dat een man helemaal alleen moet zijn om macht te verwerven.'
'O.' Alastyr herademde. 'Mooi zo. Ik ben blij dat je de dingen eindelijk zo helder ziet. Zeg, hoe moe is je paard? Als we deze kastanje uit het vuur willen halen, moeten we een plaats hebben waar we ons een tijdje schuil kunnen houden. We kunnen niet als struikrovers langs de weg blijven kamperen. Ik ben vanmorgen op het etherische vlak geweest om eens rond te kijken, en ik geloof dat ik een uitstekende plek heb gevonden.
'Goed. Ik kan op Evy's paard rijden en het mijne meevoeren.'
'Verwissel het tuig dan maar. Ik zal mijn paard zelf zadelen. We moeten opschieten.'
Toen Alastyr haastig wegliep, stond Sarcyn even naar de brede rug van zijn meester te kijken. Tot zover gaat het goed, dacht hij. Die vervloekte ouwe gek denkt inderdaad dat ik hem heb vergeven.

Geen bard of gerthddyn had ooit een aandachtiger gehoor gehad dan Nevyn die middag, en hij kon de verleiding niet weerstaan het er een beetje dik op te leggen. In Blaens eigen kamer, een eenvoudig vertrekje met alleen een haard, vijf stoelen, Blaens schild en verder niets, zaten Rhodry, Jill en de gwerbret naar hem te kijken terwijl hij bij de haard stond en tegen de schoorsteenmantel leunde. Nadat de onvermijdelijke mede was rondgediend en de page weggestuurd, maakte Blaen met zijn beker een gebaar naar hem.

'Welaan, goede tovenaar,' zei de gwerbret gedecideerd. 'U bent me over deze kwestie een verklaring schuldig.'

'Dat ben ik inderdaad, uwe genade, en die krijgt u. Jill, geef me dat sieraad eens dat je in je buidel hebt.'

Toen ze hem de goedkope ringbroche overhandigde, legde hij die in zijn handpalm zodat ze hem allemaal konden zien, en dacht toen een kort bevel aan de geesten die eraan verbonden waren.

'Dit, uwe genade, wordt de Grote Steen van het Westen genoemd.'

'Dat lelijke ding?' sputterde Blaen.

Op hetzelfde ogenblik veranderde de steen van vorm, hij glansde, flikkerde en leek op te lossen. Plotseling lag er een enorme opaal ter grootte van een walnoot in Nevyns hand. Hij was zo prachtig gepolijst dat zijn glanzend oppervlak het licht van het raam ving en dat in zijn diep gelegen aderen in vuur veranderde, terwijl het kleurenspel van een regenboog eroverheen speelde. Toen de anderen kreten van verbazing slaakten, kon Nevyn voelen hoe zelfvoldaan de geesten van de steen waren. Ze waren een hoger soort geesten dan het Natuurvolk, van de orde die men gewoonlijk planetaire geesten noemt, ook al hebben ze geen verbinding met de planeten zelf maar eerder met de krachten die de planeten vertegenwoordigen.

'Alle goden,' zei Jill. 'Heb ik daarmee rondgelopen?'

'Dit is zijn ware vorm. Er zijn geesten die hem beschermen, zie je. Ze kunnen hem zo nodig van vorm laten veranderen en ook verplaatsen, niet ver, maar genoeg om hem te verstoppen als er gevaar dreigt. Onze vervloekte vijanden hebben zich die twee dingen niet gerealiseerd en daarom is het ons gelukt hen tegen te werken.'

Nevyn gaf de anderen de tijd om deze informatie te verwerken terwijl hij de steen in het zakje om zijn hals deed. De geesten zuchtten van opluchting, een hoorbaar geluid in zijn gedachten, omdat ze weer zo dicht bij hem waren. Blaen wilde een paar keer iets zeggen, maar bedacht zich. Tenslotte knikte de dweomermeester hem beleefd toe en gaf de gwerbret in zijn eigen dun toestemming om te spreken.

'En wie, goede tovenaar, zijn die vijanden?'

'Mannen die de duistere dweomer volgen, natuurlijk. Het zal u zijn opgevallen, uwe genade, dat ik aldoor "onze" vijanden zeg. Deze edelsteen behoort namelijk toe aan de Eerste Koning zelf, en de duistere dweomer wilde hem hebben om daarmee hem en het koninkrijk kwaad te berokkenen.'

Blaen en Rhodry vloekten allebei hardop van woede. Ofschoon de ene een geëerde edelman was en de andere een uit zijn rechten ontzette banneling, hadden ze beiden eden van persoonlijke trouw aan hun leenheer gezworen. Het deed Nevyn goed te zien dat ze die eed gestand deden.

'De koning woont in het sterkste fort van heel Deverry,' riep Blaen. 'Hoe heeft iemand hem dan kunnen stelen?'

'Met veel moeite. Ik vermoed dat ze dit plan heel lang hebben beraamd. De opaal is een van de meest bijzondere dweomer-edelstenen die de wereld ooit heeft gezien. Een zekere dweomerman heeft hem ongeveer honderd jaar geleden gevormd, heeft geesten gevraagd erin te gaan wonen en hem toen aan een vorstelijk geslacht gegeven.' Nevyn zuchtte even bij de gedachte aan de vele uren die het hem had gekost om de steen tot een volmaakte bol te slijpen en te polijsten. 'Ik mag jullie niet vertellen wat hij allemaal vermag, dat zullen jullie wel begrijpen. Om hem te beveiligen zijn er verscheidene dweomermensen aangesteld als bewakers. Als een van ons sterft, neemt een ander zijn plaats in. Het is nu mijn beurt om die functie te bekleden.' Oei, daar had hij bijna gezegd 'weer mijn beurt'. 'Het geheim van de edelsteen gaat over van koning op kroonprins, en dus weten de koningen genoeg om hem goed te bewaken. Ze bewaren hem in hun eigen vertrekken, niet in de koninklijke schatkamer. Geen enkele dief maakt natuurlijk een kans om de loyale mannen en vrouwen die toegang hebben tot de koninklijke vertrekken, om te kopen. Er zijn echter meer manieren om iemands geest te beïnvloeden dan goud. Vertel eens, uwe genade, en Rhodry ook, hebben jullie aan het hof ooit een man ontmoet die Camdel heette?'

'Ja,' zei Blaen. 'Dat was toch de Meester van de Koninklijke Badkamer? Een magere vent als ik me goed herinner, maar de koningin scheen weg van hem te zijn omdat hij zo mooi kon praten.'

'Het was een verwaande vlerk,' onderbrak Rhodry hem. 'Ik heb eens een schijngevecht van hem gewonnen, en toen heeft hij de hele dag lopen mokken.'

'Juist, die bedoel ik,' zei Nevyn. 'De jongste zoon van de gwerbret van Blaeddbyr. Ik vrees dat die verwaandheid maar een van zijn gebreken was, maar daarom verdient hij niet wat hem nu is overkomen. De duistere dweomermannen hebben hem met lichaam en ziel in bezit genomen en hem gebruikt zoals een boer een houweel gebruikt – om een steen op te graven.'

'Wat?' zei Blaen. 'Ik kan me niet voorstellen dat Camdel zijn leenheer zou bestelen.'

'Uit vrije wil zou hij dat nooit hebben gedaan, uwe genade. Ik weet trouwens nog niet hoe de duisterlingen met hem in contact zijn gekomen. Een vriend van mij is op het ogenblik in Dun Deverry om dat uit te zoeken. Maar zodra ze hem in hun macht hadden, had

309

Camdel geen enkele zeggenschap meer over zijn eigen daden. Ik wil wedden dat de laatste paar maanden hem als een droom voorkomen, één lange verwarde dagdroom die in een nachtmerrie is geëindigd.'

'Welnu,' zei Blaen, en zijn stem had een grimmige ondertoon, 'mijn zwaard en mijn krijgsbende staan tot uw beschikking, goede tovenaar. Weet u wie die mannen zijn?'

'Dat weet ik niet, en hier, uwe genade, ziet u de beperkingen van de dweomer. Ik kan die gevaarlijke snoeshanen beletten me te scryen, maar zij kunnen dat helaas ook bij mij doen.'

Blaen huiverde bij dat gepraat over scryen en dweomer. Hoewel Nevyn het vervelend vond om zoveel geheimen te vertellen, had hij geen andere keus. De mogelijkheid bestond dat hij Blaen aan zijn aanbieding van de krijgsbende zou moeten houden.

'Tot vanmorgen,' vervolgde Nevyn, 'konden ze niet verder dan een dagrit van Dun Hiraedd verwijderd zijn, maar voor zover ik weet kunnen ze nu op de vlucht zijn geslagen. Want als ik ze te pakken krijg, laat ik ze voorgoed van de aardbodem verdwijnen.'

'Tja,' zei Blaen peinzend, 'als we een krijgsbende opsplitsen in patrouilles, kunnen we het platteland gaan uitkammen. Het kan niet missen dat een boer of zo iemand een stel rare vreemden door het rhan heeft zien rijden.'

'Misschien komt het nog eens zover, uwe genade, maar ik zou er nog even mee willen wachten. Vanwege Camdel, ziet u. Als die duistere meester door middel van scryen uw mensen zijn richting uit ziet komen – en de sufferd zal heus wel op zijn hoede zijn – bestaat de kans dat hij Camdel de keel afsnijdt en maakt dat hij wegkomt. Als het enigszins mogelijk is zou ik onze jonge edelman hier levend uit willen halen. Ik heb ook nog een paar kunstgrepen tot mijn beschikking.'

Blaen knikte ernstig, en vertrouwde maar op deze verzekering. Nevyn zelf was ongeruster dan hij wilde tonen. Natuurlijk kon hij het Natuurvolk vragen de duistere meester op te sporen, maar daarmee zou hij hen aan een groot gevaar blootstellen. Hij kon ook in een lichtgedaante naar het etherische vlak reizen, maar daarmee zou hij een openlijke oorlog met zijn vijanden riskeren. Uit de dingen die Jill hem had verteld kon hij opmaken dat deze duistere meester leerlingen bij zich had; hij wist alleen niet hoeveel. Als hij in een astraal gevecht verslagen zou worden, zouden Jill en Rhodry weerloos zijn tegen de duisterlingen die ongetwijfeld op gruwelijke wijze wraak zouden nemen. En hij had wel andere dweomermannen te hulp geroepen, maar het zou dagen duren voor de dichtstbijzijnde hem had bereikt. Tegen die tijd kon Camdel wel dood zijn.

'Hoe dan ook,' zei Nevyn tenslotte. 'Deze vervloekte warboel is net een spelletje gwiddbwcl, uwe genade. Ze hebben Camdel – het stuk van hun koning – en ze proberen hem van het bord te gooien terwijl wij onze mannen erop zetten en proberen hen tegen te houden. Ik weet helaas niet zeker of de volgende zet aan ons is of aan hen. Jill, ik wil je even onder vier ogen spreken. Ik wil alles weten over de dagen dat je alleen was, en daar hoeven we zijne genade en Rhodry niet mee te vervelen.'

Ze stond gehoorzaam op en keek hem aan met de vertwijfelde hoop dat hij haar zou kunnen beschermen. Diep in zijn hart bad hij dat hij dat inderdaad zou kunnen.

Toen de kamerdeur achter Nevyn en Jill dichtviel, sloeg Blaen zijn laatste teug mede achterover en Rhodry nam ook een flinke slok van de zijne. Ze keken elkaar even aan in wederzijds begrip waarvoor geen woorden nodig waren. Rhodry wist heel goed dat ze allebei bang waren. Tenslotte slaakte Blaen een zucht.

'Je bent smerig, zilverdolk. We zullen de pages een bad voor je laten klaarmaken. En ik wil ook nog wel wat mede.'

'Je hebt genoeg gehad voor een middag.'

Blaen keek even woedend; toen haalde hij zijn schouders op.

'Je hebt gelijk. Laten we dat bad voor je gaan regelen.'

Terwijl Rhodry een bad nam in de fraai ingerichte kamer die hij met Jill zou delen, zat Blaen op de rand van het bed en gaf hem als een page de zeep aan. En Rhodry, die in de houten kuip zat te plenzen, wilde wel dat hij al dat gepraat over dweomer net zo makkelijk kon wegwassen als het vuil van de weg.

'Vind jij dat ik een vreemde smaak heb wat vrouwen betreft?' vroeg Rhodry na een tijdje.

'Die heb je altijd gehad. Maar ik vind dat Gilyan goed bij jou en je manier van leven past. Ach bliksems, het doet me verdriet die zilveren dolk in je gordel te zien.'

'Het is beter dan langs de weg van honger om te komen. Er was vervloekt weinig wat ik anders kon doen.'

'Dat is waar. Toen ik de vorige keer aan het hof was, heb ik met je vereerde moeder gesproken. Ze vroeg me er bij Rhys op aan te dringen je terug te roepen, maar hij wilde er geen woord over horen.'

'Verspil je adem er niet meer aan. Hij heeft me altijd uit de weg willen hebben en ik ben zo stom geweest hem die kans te geven.'

Rhodry kwam uit de badkuip en nam de handdoek die Blaen hem aangaf.

'Ik onderhoud geen officiële betrekkingen met Aberwyn,' zei Blaen.

'Ik kan je een functie bij mij aanbieden. Je zou met Jill kunnen trouwen en mijn adjudant worden of zo. Als het Rhys niet bevalt, wat dan nog? Hij zit veel te ver weg om een oorlog tegen me te beginnen.'

'Dank je voor het aanbod, maar toen ik deze dolk aannam, heb ik gezworen dat ik hem met trots zou dragen. Ik mag dan een banneling zijn, maar ik vertik het om ook een woordbreker te worden.'

Blaen trok een vragende wenkbrauw op.

'Ach, bij een varkenslul,' zei Rhodry zuchtend. 'Ik bedoel eigenlijk dat het me veel erger lijkt van jouw liefdadigheid te moeten leven, en te zien hoe de geëerde gasten neerkijken op Aberwyns onteerde broer. Dan leef ik nog liever bij de lange weg.'

Blaen gaf hem zijn brigga aan.

'Ik denk dat ik er zelf ook zo over zou denken,' zei hij. 'Maar bij de zwarte harige kont van de heer der hel, je bent hier altijd welkom.'

Rhodry zei niets, uit angst dat hij zou gaan huilen en zichzelf te schande maken. Terwijl hij zich aankleedde, pakte Blaen de zilveren dolk en speelde ermee; hij woog hem op zijn hand en beproefde met zijn duim het scherp van de snede.

'Dat verrekte ding is scherp,' merkte hij op.

'Eerloos of niet, het is de beste dolk die ik ooit heb gehad. Ik snap niet hoe die smeden het metaal legeren, maar hij roest nooit.'

Blaen wierp de dolk naar het brandhout dat naast de haard lag opgestapeld; hij scheerde recht naar het doel en het lemmet drong er diep in.

'Een prachtdolk, dat is een feit. Tja, iedereen weet dat de zilveren dolk schande meebrengt, maar ik heb nooit geweten dat hij ook dweomer bracht.'

Hoewel Rhodry wist dat hij maar een grapje maakte, maakte de gedachte toch iets in hem los. Nu hij erbij stilstond, was het wel merkwaardig dat de dweomer hem eerst de zilveren dolk had gebracht en dat zijn eerste zomer bij de lange weg, hem weer bij de dweomer had gebracht.

'Is er iets?' vroeg Blaen.

'Nee, niets.'

Maar hij voelde hoe zijn Wyrd hem riep, als het fluiten van de wind.

Ofschoon Salamander een paar keer in Dun Deverry was geweest, was hij er zelden lang gebleven, omdat een gerthddyn te veel concurrentie had in de drukke straten van de hoofdstad. De stad was in die tijd een spiralig doolhof van straatjes die halverwege om Loc

Gwerconedd liepen. Het was de grootste stad van het koninkrijk en hij had bijna drieduizend inwoners die allemaal wereldser vermaak verlangden dan een paar trucs met sjaaltjes. In de vele openbare parken en op marktpleinen die over de stad verspreid lagen, zag men gerthddynion en acrobaten, minstrelen uit Bardek, mensen met dansende beren of afgerichte varkens, jongleurs en rondtrekkende barden, die allemaal probeerden de voorbijgangers een paar duiten af te troggelen. In die horde viel een gerthddyn meer of minder niet op, zelfs niet als die af en toe een vraag over de opiumhandel stelde.

Omdat hij ongewenste aandacht wilde vermijden had hij zijn eisen geminderd en verbleef hij nu in een tweederangs herberg in het oude gedeelte van de stad langs de Aver Lugh, een wijk van kleine ambachtslieden en fatsoenlijke winkeliers. De Korenschoof had nog een voordeel, namelijk dat er veel van de rondtrekkende kunstenmakers verbleven en hij dus alle praatjes kon vernemen die de ronde deden. Niet dat de praatjes over heer Camdels misdaad in het verborgene rondgingen; ook al was de diefstal al een paar weken geleden, de hele stad gonsde er nog van.

'Ze zeggen dat de koning boodschappers naar alle gwerbrets van het land heeft gestuurd,' vertelde Elic, de herbergier, die middag. 'Ik zou wel eens willen weten hoe één man tussen al die krijgsbenden en zo door weet te komen.'

'Misschien is ie dood,' zei Salamander. 'Zodra het nieuws bekend werd, zal elke dief in het koninkrijk wel naar hem op zoek zijn gegaan.'

'Dat is een waar woord.' Elic dacht even na, sabbelend op de punt van zijn lange snor. 'Dat zou best zo kunnen zijn.'

Er was één gast in de Korenschoof die erg op zichzelf was, om de eenvoudige reden dat hij een Bardekker was die maar weinig Deverriaans sprak. Enopo was ongeveer vijfentwintig, had een heel donkere huid, en hij droeg geen gezichtsverf, wat betekende dat zijn familie hem om de een of andere reden uit hun huis en hun clan had gezet. Hij trok door Deverry met een wela-wela, een ingewikkeld Bardeks instrument dat plat op de schoot van de bespeler lag en ongeveer dertig snaren had die met de schacht van een ganzenveer werden betokkeld. Omdat hij goed Bardeks sprak, had Salamander vriendschap gesloten met de minstreel. Het was bijna aandoenlijk zo dankbaar als hij was dat hij iemand had gevonden die zijn moedertaal kende. Ze plachten elkaar aan het eind van hun werkdag in de gelagkamer te ontmoeten om hun ontvangsten te vergelijken en te mopperen over de krenterigheid van de mensen in de rijkste stad van het koninkrijk.

Die dag had Salamander bijzonder veel opgehaald en hij onthaalde hem op een fles goede Bardekse wijn. Toen ze die aan een tafel bij de muur zaten te drinken, genoot Epono van elke teug.

'Heerlijke wijn,' verklaarde hij. 'Maar ach, hij brengt bittere herinneringen aan thuis.'

'Dat zal best. Zeg, je hoeft me niet te antwoorden als je niet wilt, maar...'

'Ik weet het.' Hij glimlachte breed tegen Salamander. 'Je vertellershart brandt van nieuwsgierigheid naar mijn verbanning. Nou ja, ik heb geen zin om er tot in bijzonderheden over uit te weiden, maar het had iets te maken met een getrouwde vrouw van zeer hoge geboorte, die veel te mooi was voor de lelijke ouwe knar met wie ze getrouwd was.'

'Ah. Dat is geen ongewoon verhaal.'

'Nee, verre van dat.' Hij slaakte een diepe zucht. 'Maar lelijk of niet, haar man had veel invloed bij het stadsbestuur.'

Ze zaten een ogenblik zwijgend te drinken, terwijl Epono in de verte staarde alsof hij aan de schoonheid van zijn gevaarlijke geliefde dacht. Salamander kwam tot de conclusie dat als Epono hem de reden voor zijn verbanning vertelde, hij hem dermate vertrouwde dat Salamander gerust zijn volgende stap kon zetten.

'Weet je, wijn is niet het enige lekkere dat Bardek voortbrengt,' merkte de gerthddyn terloops op. 'Toen ik je mooie en beschaafde vaderland bezocht, heb ik daar ook een pijpje of wat opium genoten.'

'Pas op,' zei de minstreel ernstig en boog zich naar voren. 'Je moet heel voorzichtig zijn met de witte rook. Ik heb mannen er zo door zien ontaarden dat ze zich als slaaf verkochten om ervoor te zorgen dat ze weer wat kregen.'

'Heus? Alle goden, dat wist ik niet! En dat krijg je door af en toe zo'n pijpje te roken?'

'O nee, maar zoals ik zeg, je moet er heel voorzichtig mee zijn. Het is net zoiets als drank. Sommige mannen kunnen drinken of het laten staan, anderen worden zuiplappen. Maar de witte rook heeft een sterkere aantrekkingskracht dan alle drank die ik ken.'

Salamander deed of hij hier diep over nadacht, terwijl Epono hem met een flauw glimlachje gadesloeg.

'Ik weet wat je me zou willen vragen, gerthddyn,' zei hij. 'En ik ken niemand die het spul te koop heeft.'

'Nou, als het zo gevaarlijk is als jij zegt, is dat maar goed ook, ik vroeg het me alleen maar af.'

'Ik heb trouwens begrepen dat alleen de edelen in deze stad het gebruiken.'

'O ja?' Salamander schoot overeind. 'Waar heb je dat gehoord?'
'Van iemand van mijn volk, een koopman, die hier geloof ik, eh...
zowat, een maand geleden is geweest. Mijn vader had hem gevraagd
me op te zoeken om te zien of ik het goed maakte, en hij bracht me
wat geld van mijn broers. We hebben lekker gegeten met een heleboel wijn erbij.' Hij dacht er met zichtbare weemoed aan terug. 'Maar
hoe dan ook, in de loop van het gesprek begon Lalano over de witte rook. In ons land zijn zakenlieden die het af en toe aan Deverrianen verkopen, vertelde hij. Hij maakte zich daar zorgen over, want
bij ons staat die handel in een slecht daglicht, en hij wist dat het hier
tegen de wet is. En terwijl we erover praatten, vroegen we ons af wie
er geld zou hebben om smokkelwaar te kopen.'
'Wie anders dan de adel, dat spreekt.'
'Of een enkele rijke koopman misschien, maar die zogenaamde edelen van jullie weten heel goed hoe ze een koopman arm moeten houden.'
Kijk, dat is interessant, dacht Salamander. Als Camdel opium had gerookt, zou dat verklaren hoe de duistere dweomermannen hem in
hun klauwen hadden kunnen krijgen. Hij besloot de eerstvolgende
dagen hier en daar onopvallend vragen te stellen, alsof hij zelf het
spul wilde kopen. Op dat ogenblik voelde hij het seintje in zijn geest
dat betekende dat de een of andere dweomerpersoon met hem in contact probeerde te komen. Hij stond achteloos op.
'Een ogenblik, Epono. Ik moet even naar achteren.'
De minstreel liet hem met een handbeweging gaan. Salamander haastte zich naar buiten en ging naar het stalerf, waar een drinktrog in de
middagzon stond. Hij staarde naar de glinsterende plekken op het
water en opende zijn geest, in de verwachting Nevyn te zullen zien.
In plaats daarvan keek Valandario's mooie maar strenge gezicht naar
hem op. Hij was te verrast om iets tegen haar te denken.
'Daar ben je dus,' zei ze. 'Je vader heeft me gevraagd contact met je
op te nemen. Hij wil dat je onmiddellijk naar huis komt.'
'Dat kan ik niet. Ik voer opdrachten van de Meester van de Ether
uit.'
Haar wolken-grijze ogen werden groot van verwondering.
'Ik kan je niet precies vertellen wat,' vervolgde hij. 'Maar er zijn ge-
vaarlijke en duistere dingen gaande...'
'Kwebbel niet zoveel, kletsmeier! Dan zal ik maar tegen je vader zeg-
gen dat je wordt opgehouden, maar dat je naar huis komt zodra je
kunt. Hij zal aan de Eldiddse grens bij Cannobaen op je wachten.
Wees deze keer alsjeblieft niet ongehoorzaam.'
Toen was haar gezicht verdwenen. Salamander voelde zich schuldig,

zoals altijd wanneer hij tegenover zijn oude lerares in de dweomer stond, ook al had hij deze keer niets verkeerd gedaan.

Bij het avondmaal stond Blaen erop zijn neef als een geëerde gast te behandelen. Telkens wanneer een page hem 'heer' noemde, kromp Rhodry ineen, en toen hij een bediende een van zijn oude titels hoorde gebruiken, 'Meester van Cannobaen', kreeg hij tranen in zijn ogen. Al die goed bedoelde beleefdheid bracht herinneringen aan zijn geliefde Eldidd, haar woeste kusten en uitgestrekte wouden, ongerept sinds mensenheugenis. Hij was dan ook blij toen Jill en hij de tafel van de gwerbret konden verlaten en naar hun kamer gaan.

Het was toen al laat en Rhodry was meer dan een beetje dronken en veel vermoeider dan hij wilde toegeven. Terwijl hij moeite deed om zijn laarzen uit te krijgen, ging Jill naar het venster, opende de luiken en boog zich naar buiten om naar de sterren te kijken. Het kaarslicht wierp flakkerende schaduwen om haar heen en deed haar haar glanzen als gesponnen goud.

'Bij alle goden en hun vrouwen,' zei Rhodry. 'Ik zou willen dat je dat vervloekte sieraad in het gras had laten liggen toen je het zag.'

'Alsof dat beter was geweest. Stel dat de duistere meester het had gevonden?'

'Ja, daar heb je gelijk in, geloof ik.'

'O, ik weet het, liefste.' Ze wendde zich van het venster af. 'Ik vind al dat gepraat over dweomer ook akelig.'

'Heus? Is het echt?'

'Natuurlijk. Wat denk je dan dat ik zal doen? Jou in de steek laten voor de dweomer?'

'Eh, nou ja.' Hij besefte opeens dat hij daar inderdaad bang voor was geweest. 'O, paardenpoep, nu ik het jou hoor zeggen klinkt het stom.'

Ze keek hem aan met haar mond half open alsof ze overwoog wat ze verder zou zeggen; toen glimlachte ze plotseling. Ze boog zich voorover, stak haar handen uit, tilde iets op dat naar hij vermoedde haar grijze dwerg was en wiegde het in haar armen.

'Is er iets?' vroeg ze. 'Nee? Gelukkig. Kom je zomaar even langs? Dat is lief, klein baasje.'

Haar te zien praten met iets dat hij niet kon zien maar dat, zoals hij wist, wel bestond, was griezelig en maakte hem nog meer van streek. Terwijl hij haar in het kaarslicht gadesloeg, herinnerde hij zich hoe hij als kleine jongen had gedacht dat het Natuurvolk misschien echt bestond en dat hij het misschien kon zien. Soms, wanneer hij in zijn vaders jachtgebied was, leek het wel eens of er hier en daar een wonderlijk wezentje vanonder een struik of uit een boom naar hem keek.

Toch had Rhodry als kind het Natuurvolk al afgedaan als iets waar zijn kindermeid over vertelde om hem bezig te houden. Zijn keiharde vader had er voor gezorgd dat zijn zoon niets zweverigs meer had. Maar nu wist hij dat het Natuurvolk bestond en hij glimlachte toen hij zich voorstelde hoe Tingyr Maelwaedds mond bij die werkelijkheid zou openvallen van verbazing. Jill droeg de dwerg naar het bed en ging naast hem zitten.

'Hier is Rhoddo,' zei ze. 'Zeg hem eens "goeienavond".'

Rhodry voelde een handje om zijn vinger klemmen.

'Goeienavond,' zei hij glimlachend. 'En hoe is het met onze brave dwerg?'

Opeens zag hij het wezentje; een stoffig soort grijs met lange armen en benen en een wrattig neusje. Het lachte naar hem terwijl het zijn vinger in een knokig handje hield. Rhodry hield hoorbaar zijn adem in.

'Je ziet hem, hè?' fluisterde Jill.

'Ja. Alle goden!'

Jill en de dwerg wisselden een tromfantelijk glimlachje; toen verdween het kleine wezen. Rhodry keek Jill met open mond aan.

'Ik heb Nevyn vanmiddag gevraagd waarom jij het Natuurvolk niet kon zien,' zei ze even kalm alsof ze hem vroeg wat hij die avond wilde eten. 'En hij zei tegen me dat je het, met jouw zweem elfenbloed, best zou kùnnen zien, maar dat je het niet kon omdat je dàcht dat je het niet kon. Dus ik dacht, als ik zou zorgen dat je wist dat ze er echt zijn, dat het dan wel zou gaan.'

'Dat had je goed gezien. Bliksems, lieveling! Ik weet niet wat ik moet zeggen.'

'Oho, het moet wel echt iets bijzonders zijn als het jou met stomheid slaat!'

'Ach, hou toch op. Waarom betekent het zoveel voor je dat ik ze zie?'

'Omdat het nog wel eens van pas kan komen.' Ze wendde haar blik af, opeens bezorgd. 'Ze kunnen boodschappen overbrengen en zo als we weer eens van elkaar gescheiden zijn.'

Daar was het weer, de waarheid die hij niet onder ogen wilde zien: ze werden beslopen door duistere dweomer. Hij nam haar stevig in zijn armen en kuste haar hartstochtelijk, gewoon om zijn angst te verdrijven.

Nadat ze hadden gevrijd sliep Rhodry het grootste deel van de nacht als een blok, maar tegen de morgen kreeg hij zo'n akelige droom dat hij met een schok wakker werd, en overeind vloog. In de kamer hing grauw ochtendlicht en Jill lag nog naast hem te slapen. Hij stond op, trok zijn brigga aan en ging uit het raam kijken om het onbehagen van de droom te verjagen. Toen iemand op de deur klopte, slaakte hij een kreet, maar het was Nevyn, die geruisloos de kamer binnenkwam.

'Zeg, jongen, ik was benieuwd of je vannacht soms vreemd hebt gedroomd.'

'Bij de grote god Tarn zelf! Ik heb zeker vreemd gedroomd.'

Jill ging met een slaperige geeuw zitten en keek hen met omfloerste blik aan.

'Vertel me die droom,' zei Nevyn.

'Nou, het was nacht en ik stond op wacht voor de poort van een kleine dun. Jill was daarbinnen en ik moest haar beschermen. Toen kwam er een krijger naar de poort die niet wilde antwoorden toen ik hem het wachtwoord vroeg. Hij hoonde me, schold me uit voor alles wat mooi en lelijk was en wierp me mijn verbanning voor de voeten. Ik ben nog nooit in mijn leven zo duivels woedend geweest. Dus trok ik mijn zwaard en ik wilde de rotzak al uitdagen, toen ik me herinnerde dat ik op wacht stond, dus ik bleef op mijn post. Eindelijk dacht ik eraan de hoofdman te roepen. En nu komt het vreemdste. Toen de hoofdman kwam aanrennen was jij dat, met een zwaard in je hand.'

'Dat klopt.'

'Nee maar!' kwam Jill tussenbeide, 'had die droom een betekenis?'

'Een heel duidelijke betekenis zelfs,' zei Nevyn. 'Weet je, Rhodry, je hebt een sterk ontwikkeld eergevoel als je er zelfs in je slaap aan vasthoudt. Die droom toonde je de werkelijkheid door een fantasie te gebruiken als in een bardenlied. De dun was je lichaam, en de man die jij jezelf voelde was je ziel. Die krijger was een van onze vijanden. Hij probeerde je ziel uit je lichaam te lokken, want als iemand slaapt, kan zijn ziel uittreden en naar de Binnenwerelden glippen. Maar als jij hem achterna was gegaan, had je op zijn eigen terrein tegen hem moeten vechten, en zijn terrein is een vreemd gebied. Hij zou hebben gewonnen.'

'En wat dan? Zou ik dan dood zijn geweest?'

'Dat denk ik niet.' Nevyn dacht even na. 'Hij zou je ziel hoogstwaarschijnlijk gevangen hebben gezet en je lichaam tot het zijne hebben gemaakt. Je zou je hebben gevoeld of je aldoor droomde, zie je, terwijl hij je lichaam in zijn macht had. Hm, ik vraag me af wie hij wilde doden, mij of Jill. Misschien ons allebei. In elk geval zou jij wakker zijn geworden met een bebloed zwaard in je handen en een van ons beiden dood aan je voeten.'

Rhodry voelde zich zo misselijk, het leek wel of hij in rot vlees had gehapt.

'Gelukkig waak ik altijd over je,' vervolgde de dweomerman. 'Maar van nu af aan moet je me elke droom of zelfs maar een vluchtige fantasie die je dwarszit, onmiddellijk komen vertellen. Zonder je daar ook maar in het minst voor te schamen.'

'Afgesproken.'

'Goed zo.' De oude man begon op en neer te lopen. 'Ik ben overigens zojuist iets belangrijks te weten gekomen. Onze vijanden trekken zich niet terug. Die droom was een uitdaging, Rhodry. Ze zullen blijven proberen me uit te schakelen.'

Na zijn mislukte poging om Rhodry's lichaam over te nemen was Alastyr doodmoe en behoorlijk in de war. Hij had bij een zilverdolk nooit zoveel wilskracht verwacht, hoewel, als hij erover nadacht, een geharde krijger toch een zeker vermogen tot concentratie zou moeten ontwikkelen om in de strijd te overleven. Het vreemdste was echter dat Rhodry's geest zo eenvoudig aanvoelde en dat zijn droomgedaante op het astrale vlak een onverwachte vorm had. Met Rhodry's sterke geest, ook al was die ongeschoold, had zijn droomprojectie buitengewoon vast moeten zijn, maar die had voortdurend geflakkerd en af en toe eerder een kaarsvlam in mensvorm geleken dan een gedaante. Ergens in zijn voorraad kennis moest daar een verklaring voor zijn. Hij zat doodstil en liet zijn geest zelf van de ene vluchtige gedachte naar een volgende subtiele samenhang zweven.

'Bij de duistere macht zelf!' zei hij plotseling.

Sarcyn keek geschrokken op en wendde zich naar hem toe.

'Er is juist iets tot me doorgedrongen,' vervolgde Alastyr. 'Ik durf te wedden dat Tingyr Maelwaedd evenmin Rhodry's vader was als ik het ben. Ik weet zeker dat die vent een halve Elcyion Lacar is.'

'Heus? Dan is het geen wonder dat er niets van de voorspellingen en de sterrenwichelarij van de Oude klopte.'

'Precies. Nou, hij zal het wel interessant nieuws vinden.'

'Als we lang genoeg leven om het hem te kunnen vertellen.'

Alastyr wilde antwoord geven, maar haalde toen alleen zijn schouders op. Toch vroeg hij zich voor de zoveelste keer af of ze Camdel niet gewoon moesten vermoorden en vluchten om hun eigen leven te redden. Maar daar was die steen. Als hij de Grote Steen van het Westen had, zou hij diens geesten kunnen onderwerpen, er voor zichzelf onbegrensde macht aan kunnen onttrekken en de plannen van de duistere machten bevorderen. Uit zijn jarenlange studie wist hij dat de Grote Steen rechtstreeks in verbinding stond met de geest van de Eerste Koning, een verbinding die kon worden aangewend om hem langzaam krankzinnig te maken en het koninkrijk in chaos te stor-

ten. Dan konden de duistere meesters in Deverry doen wat ze wilden. Sarcyn sloeg hem met donkere, ondoorgrondelijke ogen gade. 'Denk je erover om er in je eentje vandoor te gaan, jongen?' vroeg Alastyr dreigend. 'Als je dat doet, zal ik je toch weten te vinden.'
'Nee, natuurlijk niet, meester.'
Alastyrs dweomer zei hem dat zijn leerling de waarheid sprak, maar hij voelde nog een andere gedachte onder de oppervlakte van zijn geest. Het werd tijd, vond hij, om Sarcyn eens op zijn plaats te zetten.
'Ga de paarden en je knuffelknul verzorgen,' zei hij. 'Ik moet alleen zijn om een handeling te verrichten.'

Sarcyn ging naar de stal van de afgelegen hoeve die ze in bezit hadden genomen door de bejaarde eigenaar eenvoudigweg te vermoorden. Gehurkt in het stro van een lege box zat de boerenknecht, die ze in leven hadden gelaten omdat hij nog nut zou kunnen hebben. Het was een forse man van een jaar of veertig, maar zo grondig betoverd dat hij gehoorzaam overeind kwam toen Sarcyn met zijn vingers knipte.
'Voeder en drenk de paarden,' zei de leerling-tovenaar. 'En kom dan naar de keuken voor je volgende opdracht.'
Hij knikte, op zijn benen zwaaiend of hij dronken was.
De keuken was een groot, kwartrond vertrek, van de rest van het huis gescheiden door gevlochten tenen wanden. Het was een ouderwets huis met een haard in het midden onder een rookgat in het rieten dak. In het stro op de vloer lag Camdel, ineengerold als een pas geboren kind. Toen ze de hoeve doorzochten, had Sarcyn een ijzeren ketting gevonden met een band eraan die ongetwijfeld ooit was gebruikt om een os vast te leggen. Nu verbond deze Camdels enkel met een ijzeren ring die bedoeld was om een kookpot bij de haard aan op te hangen. Toen Sarcyn hem losmaakte, kreunde Camdel en ging zitten.
'Wil je ontbijten, jochie? Er is echte gerstepap.'
De vuile en ongeschoren jonge edelman knikte. Sarcyn besloot dat zijn knuffelknul straks in bad mocht. Hij woelde met één hand door Camdels haar en lachte hem vriendelijk toe.
'Het leed is bijna geleden,' zei hij met een bravoure die hij niet voelde. 'Zodra we weer in Bardek zijn, krijgen we een behoorlijk huis en jij krijgt wat kleren en zo.'
Camdel bracht een beverig glimlachje te voorschijn. Gek toch, dacht Sarcyn, dat mannen zo verschillend waren. Sommigen verweerden zich tot het bittere einde tegen zijn overheersing; anderen merkten

dat ze de vreemde seksuele genoegens waarin hij hen inwijdde, eigenlijk wel fijn vonden. Camdel behoorde, tot Sarcyns voldoening, tot de laatsten. Terwijl hij toekeek hoe de edelman zijn pap at, besefte Sarcyn dat hij blij was met Camdels voorkeur. Hij voelde een eigenaardige emotie in zijn binnenste knagen en schrijnen, zo ongewoon dat het een tijd duurde voor hij hem kon thuisbrengen: schuldgevoel. Hij herinnerde zich opeens hoe hij als klein kind had gehuild toen Alastyr hem verkrachtte. Het is toch ergens goed voor geweest, hield hij zichzelf voor, want hij heeft me de weg van een krijger doen inslaan. De geruststelling klonk vals, zelfs voor hem.

'Vertel me eens,' zei Camdel. 'Heb je verdriet over je broer?'

'Je hebt me tegen Alastyr horen zeggen hoe ik erover denk.'

'Ja, maar heb je verdriet over hem?'

Sarcyn wendde met een ruk zijn hoofd af.

'Ja hè?' zei Camdel. 'Dat dacht ik al.'

Sarcyn gaf hem een klap in zijn gezicht en liep de deur uit. De knecht kwam eraan en knielde wankel voor Sarcyn neer. Sarcyn zond een lichtlijn uit, wikkelde die rond zijn aura en liet die rondtollen.

'Ga nog wat eten voor ons halen. Je zegt niets behalve het verhaaltje dat we je hebben verteld. Kijk me aan, man.'

De knecht hief zijn hoofd op en keek Sarcyn aan.

'Ik zal de konijnen halen,' zei hij. 'Ik zeg niets anders dan het verhaal dat jullie me hebben verteld.'

'Goed. Ga maar gauw.'

De knecht stond op en slofte naar de stal. Toen Sarcyn weer in de keuken kwam, zat Camdel nog pap te eten. Zonder hem een blik waardig te keuren liep Sarcyn door de kamertjes die rond de haard lagen naar de voorraadkamer. Daar bleef hij met een kreet van verbazing staan. Alastyr stond bij het raam en het lijk van de vermoorde boer stond ook overeind, een bleek geval, grauw en bloedeloos dat niettemin bewoog en wankelde op onzekere voeten. Alastyr wierp zijn leerling een triomfantelijke blik toe.

'Ik heb wezens van het Natuurvolk in het lijk opgesloten. Die houden het nog een tijdje in leven, en het zal doen wat wij willen. Zeg eens, klein misbaksel, zou jij me dat kunnen nadoen?'

'Nee, meester, dat kan ik niet.'

'Let dan een beetje op je woorden, anders zul jij op een goede dag net zo eindigen.'

Sarcyn voelde zo'n hartgrondige afkeer dat hij zich wilde omkeren om de kamer uit te rennen, maar hij dwong zichzelf kalm naar het ding te kijken terwijl de meester zich in de aanblik verlustigde. Hij dacht er even over om samen met Camdel een vluchtpoging te ondernemen, maar hij besefte dat hij te diep in deze duistere vuiligheid zat om er nog uit te kunnen komen.

Nevyn stond erop dat Jill en Rhodry met hem op zijn kamer ontbeten, en toen een page kwam zeggen dat de gwerbret Rhodry aan zijn tafel wilde hebben, stuurde Nevyn hem terug met het antwoord dat de zilverdolk andere dingen te doen had. Hoewel hij niet geloofde dat Alastyr een verbinding kon leggen met een ruiter van Blaens krijgsbende of iemand anders in de dun, was de situatie te gevaarlijk om risico's te nemen. Er was tenslotte maar één gek gemaakt keukenmeisje met een hakmes en de onnatuurlijke kracht van een betovering voor nodig om zijn plannen tot een abrupt einde te brengen. Nu hij erover nadacht, vond hij het vreemd dat de duistere meester Rhodry's droom had kunnen beïnvloeden. Hij begon te vermoeden dat de vijand die nu tegenover hem stond, dezelfde man was die het jaar tevoren in Eldidd de oorlog had veroorzaakt, iemand die Rhodry had gezien en in de gelegenheid was geweest hem uitgebreid gade te slaan.

Later die dag kreeg hij opnieuw een bewijs dat zijn vermoeden versterkte. Hij zat in de vensterbank en keek naar Jill en Rhodry die zaten te dobbelen om een hoopje duiten. Zodra een van beiden de pot had gewonnen, deelden ze die in twee gelijke helften en begonnen opnieuw. Om de tijd te verdrijven gebruikte Nevyn zijn tweede gezicht om te zien wie van hen elk afzonderlijk spelletje zou winnen. Hij had zichzelf juist voorspeld dat Rhodry's geluk aan het keren was toen Blaen in eigen persoon de kamer binnenkwam.

'Comyn is terug uit de Cwm Pecl pas,' verkondigde hij. 'Ze hebben die bandieten onschadelijk gemaakt, en hij heeft een gevangene meegebracht. Misschien dat die iets van belang weet.'

'Dat zou best kunnen,' zei Nevyn. 'Ik denk dat ik het er maar op waag om hier weg te gaan en de ondervraging bij te wonen. Kom mee, zilverdolken, ik laat jullie niet uit mijn ogen.'

Naast het wachtlokaal van de bewakers was een kleine, lage toren die als kerker diende voor plaatselijke misdadigers die op hun berechting of hun straf wachtten. Toen ze daar een cel binnenkwamen, die maar vaag werd verlicht door een heel klein raampje, zagen ze dat de bewakers al het nodige hadden gedaan. Aan een stenen pilaar zat een man vastgebonden, naakt tot op het middel. Vlakbij lag een verzameling brandijzers en tangen op een tafel. De beul, een forse kerel, met armen zo gespierd als van een smid, legde brokjes houtskool in een komfoor en blies erop.

'Dit zal dadelijk wel lekker heet zijn, uwe genade,' zei hij.

322

'Mooi zo. Dus dit is de rat die mijn terriërs mee naar binnen hebben gesleept, hè? Rhodry, heb jij hem al eens eerder gezien?'

'Ja. Hij hoorde bij de horde die ons heeft aangevallen.'

Uit de manier waarop de bandiet zijn hoofd tegen de pilaar legde en wanhopig naar de zoldering staarde, begreep Nevyn dat hij wel wilde dat hij met de rest van zijn bende was gesneuveld. Hoewel Nevyn foltering in beginsel afkeurde, wist hij dat hij de gwerbret onmogelijk zou kunnen overreden het achterwege te laten. Blaen liep naar de bandiet toe en gaf hem een klap in het gezicht.

'Kijk me aan, schoft. Je hebt de keus. Je kunt genadig en snel sterven, of langzaam, bij stukjes en beetjes.'

De bandiet perste zijn lippen stijf op elkaar. Toen de beul een smal ijzer in het vuur legde om het te verhitten, siste de houtskool en walmde een stank van verbrand vlees uit. De bandiet begon kermend te kronkelen tot Blaen hem met een volgende klap tot zwijgen bracht.

'We weten dat iemand jullie heeft ingehuurd om de karavaan aan te vallen. Wie?'

De beul haalde het ijzer uit het vuur en spuwde erop. Het speeksel siste.

'Ik weet niet veel,' stamelde de bandiet. 'Ik zal u alles vertellen wat ik weet.'

'Mooi zo.' Blaen glimlachte vriendelijk. 'Begin dan maar.'

'Onze leider heette de Wolf en hij was in Marcmwr om wat over karavanen en zo aan de weet te komen. Nou, toen hij terugkwam zei hij dat hij werk voor ons had. We moesten voor de een of andere ouwe koopman een meisje, dat bij de karavaan was, gevangen nemen. Een makkie, zei de Wolf, dus de duiten van die ouwe knar zijn zo verdiend. Hij had ook al een plan klaar. Wij zouden de karavaan aanvallen, en de Wolf en nog een paar kerels zouden het meidje grijpen en dan zouden alle anderen er gewoon vandoor gaan voor we mensen konden verliezen. Maar we wisten niet dat ze kon vechten als de duivel zelf. Doe haar niks, zei hij. Paardestront! Alsof een van ons dat zou hebben gekund.' Hij zweeg en wierp Jill een giftige blik toe.

'Verder.' Blaen gaf hem weer een klap in het gezicht.

'En we mochten die zilverdolk ook niks doen, als het niet nodig was tenminste.' Hij keek Rhodry aan. 'Hij wist uw naam. Doe Rhodry geen kwaad, zei hij, tenzij het moet om je leven te redden. Hij is niet zo belangrijk, maar ik zou hem niet graag dood zien. Maar toen jullie zomaar ineens de Wolf hadden gedood, vergaten we natuurlijk wat die ouwe man had gezegd, vuile rotzak.'

Rhodry glimlachte alleen maar. Ach zo, dacht Nevyn, dan moet het dus dezelfde duistere meester zijn! Maar waarom wilde hij Rhodry levend in handen krijgen? Jill had hij hoogstwaarschijnlijk willen hebben om Nevyn om te kopen om hem te laten gaan, maar waarom Rhodry?

'Hoe dan ook, uwe genade,' zei de bandiet, 'we konden haar niet te pakken krijgen. Dus we kozen een nieuwe aanvoerder en we gingen naar die ouwe man. We dachten erover hem te vermoorden, ziet u, uit wraak, maar hij gaf ons zoveel geld dat we het niet hebben gedaan.'

'Wat was hij voor iemand?' Nevyn kwam naar voren. 'Een Bardekker?'

'Nee, hij kwam uit Deverry. Hij was gekleed als een koopman en kwam zo te zien uit de buurt van Cerrmor. Hij had zo'n zalvende stem, walgelijk gewoon. Een van zijn mensen noemde hem Alastyr. Hij had twee kerels met zwaarden bij zich, ziet u, en die ene was zo'n griezel dat ik er kippenvel van kreeg. Die keek ons aan of ie ons de keel zou willen afsnijden alleen om ons te zien sterven.'

'Dat zou hij inderdaad wel leuk hebben gevonden. Hadden ze ook een gevangene bij zich?'

'Ja, een knul met bruin haar die ze op een paard vastgebonden hadden. Zijn gezicht was bont en blauw, en hij wilde niemand aankijken. Het was nogal een iel ventje, zo'n jongen die je een beetje aan een meisje doet denken.'

'Dat moet Camdel zijn,' onderbrak Blaen hem.

'Ik vrees van wel,' zei Nevyn. 'Tja, uwe genade, ik denk dat er niet veel bier meer uit deze knolraap te persen zal zijn.'

'Hang dit ongedierte morgen op het middaguur in het openbaar op.' Blaen wendde zich tot de beul. 'Maar zorg dat hij een snelle dood sterft.'

Het stonk opeens naar urine en de bandiet viel flauw.

Terwijl ze de toren verlieten, dacht Nevyn na over de zojuist verkregen inlichtingen. Hij herinnerde zich dat de scheepskapitein in Cerrmor had gezegd dat de passagier die hij mee naar Bardek had genomen, een zalvende stem had en een typisch Cerrmors uiterlijk. Het was hoogst onwaarschijnlijk dat er twee dweomermannen waren die zo sprekend op elkaar leken. En die Alastyr had maar twee leerlingen gehad, wat betekende dat er nu nog maar een over was. Zijn kansen in de strijd leken steeds gunstiger te worden.

Hij besefte ook dat hij had gedacht zijn tegenstander te kennen, om nu tot de ontdekking te komen dat hij zich had vergist. Hij had een oude vijand, een duistere meester met wie hij in de laatste honderd jaar verscheidene malen de degens had gekruist, een Bardekker die buitengewoon goed tekens van komende gebeurtenissen kon lezen.

De oorlog verleden jaar in Eldidd, de poging om de dweomer-opaal te stelen, zelfs het in leven laten van Rhodry als een soort experiment – het zou allemaal net iets voor Tondalo zijn geweest. Natuurlijk, hield hij zichzelf voor, zou de Bardekker nu zo'n honderdvijftig jaar oud zijn, en waarschijnlijk te zwak om ver te reizen. Hoewel duisterlingen zich met onnatuurlijke middelen in leven kunnen houden, hebben ze geen mogelijkheden om gezond te blijven, zeker niet tegen het einde. De natuur zelf probeert hen tegen te werken, gewoon omdat ze tegen haar wetten ingaan, zoals water dat heuvelopwaarts probeert te stromen.

Gevangen in Alastyrs sterke greep, probeerde het bruin met witte konijn zijn achterpoten vrij te worstelen om hem te kunnen krabben, maar Alastyr sloeg het met zijn kop tegen de keukentafel tot het dier slap werd. Toen sneed hij het met zijn mes de keel door en boog zich erover heen om het warme bloed rechtstreeks uit de wonde te drinken. Ook al deed hij dit al jaren, het stond hem nog altijd tegen, maar het was helaas de enige manier om er zeker van te zijn dat hij alle magnetische stoffen uit het bloed kon opnemen. Hij begreep nooit waarom andere meesters in het ambacht het doden van hun vlees aan hun bedienden overlieten. Terwijl hij dronk, voelde hij de dierlijke kracht als een kleine verjongingskuur door zijn lichaam stromen. Hij veegde zijn mond zorgvuldig met een lap af en begon het konijn te villen en open te snijden.

Terwijl hij daarmee bezig was, voelde hij zijn vrees als een geklop in zijn aderen. Hoewel hij er het liefst vandoor zou gaan, durfde hij niet weer met een mislukking bij de Broederschap terug te komen. De Oude zou hem misschien wel vergeven, vooral omdat hij zou begrijpen dat Rhodry's elfenbloed de factor was die zijn berekeningen volledig in de war had gestuurd, maar de andere meesters van het duistere pad zouden hem als een zwakkeling beschouwen. Zodra iemand verzwakte, werd hij doorgaans aangevallen, onderuit gehaald en van zijn macht beroofd. Daarbij vergeleken was zelfmoord nog beter. Bij de gedachte aan de dood begon hij van top tot teen te beven. Het was tenslotte juist de angst voor de dood geweest waarom hij zich al die jaren geleden tot het duistere ambacht had gewend. Nu zou hij binnenkort moeten kiezen of hij zou vluchten of vechten. Binnenkort. Zeer binnenkort. Hoewel de dweomer geen waarschuwingen voor gevaar zendt naar degenen die het duistere pad volgen, zei zijn verstand hem dat de tijd drong.

Hij schrok op uit zijn gepieker en zag dat Sarcyn naar hem stond te kijken.

'Wat moet je?' vroeg Alastyr ongeduldig.

'Ik wilde alleen het konijn voor u slachten, meester. Het is mijn plicht u te bedienen.'

Alastyr gaf hem het mes en ging zijn handen wassen in een emmer water. Camdel zat vlakbij ineengedoken in het stro.

'Als we ervandoor gaan,' zei Alastyr, 'moeten we Camdel afmaken. Hij zou een blok aan ons been zijn.'

De jonge edelman deinsde jammerend achteruit. Sarcyn keek met het mes in zijn hand op; zijn ogen hadden een moorddadige gloed van woede.

'Ik sta niet toe dat je hem doodt.'

'O nee? En wie ben jij om mij iets al dan niet toe te staan?'

Alastyr zond een golf van haat door de verbinding tussen zijn aura en die van Sarcyn en liet er een kronkel van woede op volgen. Sarcyn liet met een kreet het mes vallen toen emoties zich vertaalden in zuiver lichamelijke pijn. Hij viel krimpend op zijn knieën, zijn gezicht verwrongen om te voorkomen dat de pijn erop te zien zou zijn. Alastyr liet hem met een grauw vrij, zodat hij bevend op de vloer lag.

'En hou nu je mond tot je iets gevraagd wordt,' beet hij hem toe. 'Ik moet nadenken.'

Hij liep naar het raam en staarde met nietsziende ogen naar buiten, terwijl hij de angst in zijn binnenste voelde kloppen en klauwen. Hij keek even om en zag dat Sarcyn en Camdel elkaar stevig omvat hielden. Stommelingen, dacht hij. Misschien breng ik ze allebei om.

Toen het tijd was voor het avondmaal at Jill met Nevyn en Rhodry in de kamer van de oude man. Zijzelf had geen honger, maar Rhodry verslond het rundergebraad en de gebakken uien als de krijger die hij in hart en nieren was, en die voor een veldslag nog eens stevig buffelt omdat hij weet dat het zijn laatste maaltijd zou kunnen zijn. En wat ben ik dan, dacht Jill. Ik ben eigenlijk een lafaard. Hoezeer ze het woord ook haatte, ze moest bekennen dat ze doodsbang was bij de gedachte aan de duistere meester die haar voor zijn eigen doeleinden gevangen wilde nemen. Tenslotte kon ze niet langer aanzien hoe de anderen aten en ging naar het raam.

Het uitzicht op het gouden zonlicht van een zomeravond herinnerde haar eraan dat de werkelijke, stoffelijke wereld er nog was, onaangetast door de dweomer, maar ze wist dat ze die wereld nooit meer zou kunnen zien zoals vroeger. Een vraag kwelde haar, een vraag die bijna even angstaanjagend was als de duistere dweomer zelf: hoe komt het dat ik zoveel over dit alles weet? Hoewel ze verwikkeld was geweest in gebeurtenissen die de meeste mensen volkomen zouden hebben ontredderd, had ze een heleboel dingen instinctief geweten: dat het juweel van vorm kon veranderen, dat de leerling de duistere dweomer had en die kon gebruiken om te zien of ze de waarheid sprak, dat ze Nevyn via het vuur kon bereiken. Langzaam, met tegenzin, zich steeds verzettend, werd ze gedwongen te beseffen dat ze niet zomaar dweomer-talent had, maar een groot dweomer-talent.

Met haar handen om de vensterbank geklemd boog ze zich uit het raam naar buiten en stelde zichzelf gerust door naar de gewone bedrijvigheid van de bedienden op het binnenplein te kijken. Toen zag ze de Reiger, die bij de hoofdpoort van de dun stond en steels om zich heen keek. Hij wil mij zeker spreken, dacht ze. En waarom was ze juist op dat moment naar het raam gegaan om hem te zien?

'Is er iets, kind?' vroeg Nevyn. 'Je bent een beetje bleek geworden.'

'Nee, er is niets, maar de Reiger staat aan de poort, en ik geloof dat we maar even met hem moeten praten.'

Nevyn stond erop een bediende te sturen om de Reiger naar hun kamer te brengen in plaats van naar hem toe te gaan. De arme man was zo zenuwachtig over het feit dat hij in de broch van de gwerbret was, dat hij niet in staat was te gaan zitten. Hij liep rusteloos op en neer met de kroes bier die Jill voor hem had ingeschonken stijf in zijn handen geklemd.

'Beste kruidenman,' zei hij, 'weet u zeker dat we niet worden afgeluisterd?'

'Heel zeker. En om je te beschermen zal ik desnoods de gwerbret wat voorliegen.'

'Dan is het goed.' Hij nam een grote slok bier. 'Ik geloof dat we de mannen die Ogwern wilden vergiftigen hebben gevonden.'

Het duurde even voor Jill de leugen te binnen schoot die Nevyn de dieven had verteld, maar de dweomerman zelf schoot overeind in zijn stoel en glimlachte.

'Is het heus? Nou, vertel me dan alles.'

'Na uw waarschuwing hebben we eens diep nagedacht. Het moest een vreemde zijn die die olejofel-weet-ik-veel in Ogwerns bier had gedaan, want hij is goudeerlijk wat het verdelen van de poet en het heffen van belastingen betreft, en geen van de jongens zou hem willen afmaken. Dus dachten we dat een ander gilde ons misschien probeerde te overvallen. Dus zijn we uitgezwermd, zou je kunnen zeggen, en alle vreemden die we zagen zijn we gevolgd. We hebben ook met wat duiten gestrooid om aan inlichtingen te komen. En net voor het middaguur had ik een beetje geluk toen die kerel naar de stad kwam om op de markt inkopen te doen. Iemand zei dat het een boerenknecht was, maar hij kocht een hok vol konijnen. Nu vraag ik u, waarom zou een boer geld uitgeven aan konijnen als het op zijn akkers wemelt van konijnen die 'm niks kosten?'

'Dat is een betere vraag dan je zelf beseft, beste vriend.'

'Dus heb ik een van de gildepaarden genomen en ben ik de man gevolgd. In het begin doodvoorzichtig, maar hij keek niet één keer om. Zoals hij te paard zat, zo slap als een zoutzak, leek het wel of hij ziek was of zo, dus ik kon hem echt vlak op zijn hielen zitten. Hij gaat inderdaad naar een hoeve, en ik begin al te denken dat ik een verkeerd spoor volg. Maar ik ben daar nu eenmaal, dus ik strooi wat duiten rond, en ik krijg een vreemd verhaal te horen. Die hoeve is van een oude weduwnaar die met de jaren een beetje eigenaardig is geworden. Iedereen dacht dat hij geen levende ziel meer op de wereld had, maar ineens heeft-ie gasten, lijkt het wel. Een van de dorpsjongens zat daar in die buurt een losgebroken koe achterna, en die zag op het erf een vent een kostbaar paard staan zadelen. Gelukkig moest hij achter zijn koe aan, dus hij is niks gaan vragen.'

'Dan mag hij dubbel van geluk spreken,' zei Nevyn zacht.

'Dat dacht ik ook,' zei de Reiger knikkend. 'Want ik wil wedden dat die gasten tot een ander gilde behoren, en dat ze die arme oude man naar zijn vrouw in het hiernamaals hebben gestuurd.'

'Ik heb het akelige gevoel dat je gelijk hebt.' Nevyn stond op en ging met de Reiger op- en neerlopen. 'Vertel me eens precies waar die hoeve is en alles wat je je van de omgeving kunt herinneren.'

Dat 'alles' bleek een heleboel te zijn. De Reiger kon blijkbaar een plaats bekijken en die als een duidelijk plaatje in zijn geheugen opslaan, want terwijl hij praatte staarde hij in de ruimte, en zijn ogen bewogen alsof hij een beeld bekeek dat niemand anders kon zien. De hoeve lag in de heuvels en was tamelijk afgelegen; een keer per maand of zo ging een buurman erheen om te zien of alles goed was met de oude man, maar verder zagen de dorpelingen hem maar zelden.

'Een uitstekende schuilplaats voor mannen die moord in de zin hebben,' zei Nevyn toen hij uitverteld was. 'Luister goed, zeg tegen het gilde dat ze dit aan mij moeten overlaten. Ik kan niet zeggen waarom, maar die kerels zijn veel gevaarlijker dan je denkt.'

'Ik zal het zeggen. Weet u, goede heer, Ogwern beweert dat u dweomer bent.'

'Is het heus? Is dweomer dan niet alleen maar versiering van bardenliederen?'

'O, maar als je in een gilde werkt, zie je een heleboel vreemde dingen. Ik weet dat edelen en dat soort lieden er schamper over doen,

maar die lopen niet op straat en zien niet wat er eigenlijk omgaat.'
'Dat is waar. Tja, Ogwern is ondanks zijn dikte een pientere man, en dat zal ik je bewijzen. Jij wilt hier weg zonder gezien te worden, is het niet?'
De Reiger kreunde toen hij zich ineens weer herinnerde waar hij was.
'Goed,' vervolgde Nevyn. 'Als je me belooft dat je niets zult stelen zolang de betovering werkt, zal ik je een paar minuten lang zo goed als onzichtbaar maken.'
Hoewel de Reiger in alle oprechtheid vloekte van verbazing, was Jill ontsteld. Ze had Nevyn nog nooit zo openlijk over zijn vermogens horen spreken als het niet strikt noodzakelijk was. Toen de oude man de Reiger naar de schemerige gang leidde, veranderde de dief opeens in een wonderlijk wazige gestalte. En nauwelijks had hij een paar passen gezet of hij leek zomaar te verdwijnen. Rhodry vloekte hardop. Nevyn sloot met een brede grijns de deur.
'De jacht is open,' verklaarde Nevyn. 'De meesters van de duistere dweomer staan bekend om hun voorkeur voor rauw vlees maar niet om hun handigheid in het vangen van konijnen. Ik wil wedden dat die boerenknecht ook betoverd is.'
'Ze zitten hier vlakbij,' riep Jill vinnig. 'De verwaande rotzakken.'
Rhodry staarde naar de gesloten deur; zijn mond was strak en een beetje vertrokken, alsof hij iets bitters had gegeten.
'Wat is er, liefste?' vroeg ze.
'Die man is een dief, en Ogwern ook.'
'O kom nou, mijn blanke onschuld, is dat nu pas tot je doorge-drongen?'
'Dat is geen grap, bliksems nog toe! Hij geeft ons de hulp die we no-dig hebben, en ik zou hem moeten belonen, maar verduiveld, mijn eer gebiedt me hem aan Blaen uit te leveren.'
'Wat? Dat kun je niet doen!'
'Hoor eens jongen,' kwam Nevyn tussenbeide. 'Ik veracht dieven ook, maar ik ken Ogwern al jaren en ik heb hem nooit aangegeven. Weet je waarom niet? Omdat hij eigenlijk maar een klein boefje is. Hij houdt zijn jongens in het gareel, hij pleegt nooit moorden en hij doet zijn best om moord in zijn koninkrijk te voorkomen. Als hij weg is, wie weet wat er dan voor een boosaardig sujet aan de macht komt.'
'Dat kan best zijn,' zei Rhodry. 'Maar ik ben hier te gast bij mijn neef, terwijl hij me met recht de deur had kunnen wijzen. Ik kan on-mogelijk mijn mond houden en de spot drijven met zijn rechtvaar-digheid.'
'Jij stommeling!' Jill had veel zin om hem door elkaar te rammelen.

'Waarom, maak je daar nu zo'n drukte over? We zijn aan alle kanten omringd door duistere dweomer.'

'Dat heeft er niets mee te maken. Het gaat om het fatsoen van het geval.'

'Kom, kom.' Nevyn legde een vaderlijke hand op Rhodry's schouder. 'Ik weet dat het heel moeilijk voor je is, jongen, om te moeten kiezen tussen twee oneervolle kwesties. Kijk me eens aan, wil je? Ja zo, bedankt. Jij gaat niets tegen Blaen zeggen over de dieven. Je bent het al vergeten, nietwaar? De Reiger is geen dief, en Ogwern ook niet. Ze waren me alleen nog iets verplicht en daarom hebben ze ons geholpen. Zo zul je het onthouden, jongen.'

Toen Nevyn zijn hand wegnam knipperde Rhodry met zijn ogen als iemand die uit een donkere kamer in het felle zonlicht komt.

'Wie was die knul eigenlijk? Een hulpje in Ogwerns herberg?'

'Ja,' zei Nevyn. 'Je weet dat ik altijd bereid ben arme lieden gratis te helpen.'

'Dat is waar. Maar het is toch vervloekt geschikt van hem om dat risico te nemen. Ik zal zorgen dat Blaen hem een beloning geeft.'

Jill had de grootste moeite haar gezicht in de plooi te houden.

'Rhodry, wil jij eens gaan vragen of Blaen even hier wil komen?' vervolgde Nevyn. 'Ik denk dat we zijn aanbod van die krijgsbende toch maar zullen aannemen.'

Zodra de deur achter Rhodry was dichtgevallen, wendde Jill zich tot Nevyn.

'Nou zeg!' barstte ze uit. 'En jij zei dat het verkeerd was om iemand te betoveren.'

'Dat is het ook, maar niet als het de enige manier is om iemands leven te redden. Als bekend zou worden dat Rhodry de koning en de prins van het Cwm Pecl-gilde aan de gwerbret had uitgeleverd, hoe lang denk je dat je man dan nog had geleefd?'

'Niet lang. Dat had ik ook nog willen aanvoeren, heus. De dieven zouden hem niet zien als iemand met verplichtingen aan zijn eer.'

'Precies. Voor hen zou hij gewoon een onbetrouwbare zilverdolk zijn geweest. Weet je kind, ik ben vervloekt blij dat ik nooit heb gezworen geen leugens te vertellen. Veel dweomermensen doen dat, en je verwerft er de goedkeuring van de Heren van Wyrd mee, maar ik ben in dergelijke kwesties liever wat soepel.'

Hij keek zo sluw dat Jill in de lach schoot.

'Zo zie ik je liever,' zei hij. 'En wil jij nu bij de deur op wacht gaan staan? Ik moet scryen.'

Nadat het Natuurvolk het vuur in de haard had ontstoken, knielde

Nevyn ervoor en staarde in de dansende vlammen. Omdat hij de bewoonde gedeelten van Cwm Pecl goed kende, herkende hij de hoeve in kwestie van Reigers beschrijving. Hij was er zelfs een keer geweest om een ziek kind te behandelen. Toen hij de herinnering opriep aan het pad dat hij die zonnige middag had gevolgd, lieten de vlammen dat pad zien zoals het nu was. In het visioen volgde hij de weg naar de plek waar de hoeve zou moeten staan. Daar was echter alleen een onontgonnen veld te zien, geen huis, geen muur, zelfs geen grazende koe in de nabijheid. Dus Alastyr had er een astrale stolp overheen gezet. Met een vingerknip doofde Nevyn het vuur.

'Heb je ze gezien?' vroeg Jill.

'Nee – en dat betekent dat ze er zijn. O, Alastyr kan zich heus wel voor me verbergen, maar hij is vergeten wat het betekent om mannen tot vijanden te maken die niet de dweomer maar hun ogen gebruiken.' Nevyn glimlachte vriendelijk. 'Maar dat zal hij zich zodadelijk weer herinneren.'

Nu zijn besluit vaststond, voelde Alastyr zich een stuk kalmer. Hij liep de keuken binnen, waar Sarcyn en Camdel aan tafel zaten. Sarcyn keek op met een onderdanigheid die Alastyr voldoening schonk.

'We vertrekken bij het krieken van de dag,' kondigde Alastyr aan. 'Ik neem liever risico's met de Broederschap dan met de Meester van de Ether.'

'Goed, meester. Ik zal vanavond nog een gedeelte inpakken.'

'Mooi zo.' Hij wendde zich tot Camdel. 'En wat jou betreft, als je meewerkt mag je blijven leven. We reizen snel, en als je me ook maar de geringste last bezorgt, ga je eraan, begrepen?'

Camdel knikte slaafs. Alastyr maakte rechtsomkeert en ging terug naar de kamer waar hij zijn riten uitvoerde. Hij moest het beschermende schild in stand houden.

Nevyn wist dat het een riskant plan was, maar hij moest snel handelen. Vroeg of laat zou Alastyr beseffen dat het gevaarlijk was om zo dicht bij Dun Hiraedd te blijven, en verdertrekken. Toen hij met Jill en Rhodry te paard op het door toortsen verlichte binnenplein zat te wachten, huiverde hij. De strijd die hun wachtte, zou een hard gevecht zijn tegen twee tegenstanders, zeker als die leerling net zo goed kon vechten als zijn meester. Om hem heen waren vijfentwintig van Blaens beste mensen bezig hun paarden te zadelen, terwijl de gwerbret ertussendoor liep en hier en daar een praatje maakte. Hoewel Nevyn veel op het spel zette door zijne genade mee te nemen, moest hij iets hebben dat als afleiding kon dienen.

'Onthoud nu goed wat ik heb gezegd,' fluisterde hij tegen de twee zilverdolken. 'Op een gegeven ogenblik gaan wij onopvallend bij de krijgsbende weg.'

Ze knikten instemmend. De krijgsbende steeg met veel gerinkel van tuigen en schedes op. Nevyn wenkte Jill en Rhodry hem te volgen en reed naar de gwerbret.

'Weet uwe genade de hoeve te vinden?'

'Bliksems, met de instructies die jij me hebt gegeven zou zelfs een blinde die kunnen vinden. Maak je geen zorgen, brave tovenaar. We zullen die ratten eens uit hun holen roken.'

Toen de krijgsbende uitreed, hield Nevyn Jill en Rhodry bij zich in de achterhoede. Hij wierp Rhodry zijn teugels toe en droeg hem op zijn paard te leiden. Omdat hij in een lichte trance wilde gaan, zou het al moeilijk genoeg zijn om in het zadel te blijven zonder zijn paard te moeten leiden. Terwijl de krijgsbende in het avondduister over de weg klepperde, vertraagde Nevyn zijn ademhaling en trok zijn bewustzijn uit de wereld om hem heen terug. Een toeschouwer zou kunnen denken dat hij half sliep, waarbij zijn hoofd met de bewegingen van het paard op en neer bewoog. Hij keek met half gesloten ogen naar de krijgsbende en ging aan het werk.

Eerst deed hij een beroep op de Groten en zag een straal van verbeeld licht die naar hem toekwam. Hij mediteerde hierover en zag hem steeds duidelijker in zijn geest, tot hij tenslotte losstond van zijn wil, een brede baan licht in de vorm van een zwaard. In gedachten greep hij het gevest en gebruikte de kling om een reusachtige bol van licht rond en boven de krijgsbende te trekken. Door de bewegingen van het paard en de geluiden om zich heen had hij de grootste moeite om zich te concentreren, maar eindelijk kreeg hij de bol rond en zaten de zegels – de vijfpuntige sterren van de Koningen van de Elementen – op alle raakpunten en op het hoogste en het laagste punt. Zodra hij helder gloeide, riep hij het grote Licht aan dat achter alle goden schijnt, en vroeg toestemming iets met de duisternis te doen. Langzaam en zorgvuldig trok hij het licht uit de bol weg, terwijl hij de omtrek intact liet, tot er niets overbleef dan een grote donkere bol, die onzichtbaar was voor normale ogen, maar een schild vormde tegen scryen.

Toen de bol klaar was, kon Nevyn zijn geest weer naar de gewone wereld terugbrengen. Hij ontdekte tot zijn schrik dat de krijgsbende bijna zes kilometer had gereden; te paard dweomer uitvoeren was moeilijker dan hij had gedacht. Het eerstvolgende uur rustte hij uit tot ze nog ongeveer vijf kilometer van de hoeve verwijderd waren. Hij ging nog even opnieuw in trance, riep het licht op en liet het in de wachtende bol terugstromen, maar hij wierp een nieuwe sluier van duisternis over Jill, Rhodry en hemzelf. Nu kon hij alleen maar hopen dat Alastyr zo verstandig was om scryend de wacht te houden. Dan zou hij namelijk die bol met daarop de zegels van het licht recht op zijn schuilplaats af zien komen. Nevyn wilde dat hij totaal en volkomen in paniek zou raken.

'Jill, Rhodry,' fluisterde hij. 'Nu!'

Ze hielden hun paarden in tot ze zijn snelheid hadden en reden nog een tijdje achter de krijgsbende aan tot er een behoorlijke afstand tussen hen en de nietsvermoedende gwerbret was. Met een snelle handbeweging leidde Nevyn de twee zilverdolken op een draf van de weg af. Ze sloegen een zijpad in dat langs een smalle maar kortere route naar de hoeve voerde, galoppeerden door een berkenbosje en vervolgden hun weg verborgen door de bomen. Tegen de tijd dat Blaen zou merken dat ze weg waren, zouden ze de krijgsbende al een heel eind voor zijn.

Na een tijdje, toen ze bij een beekje kwamen dat door een vallei tussen twee heuvels stroomde, liet Nevyn zijn miniatuur krijgsbende stoppen.

'Goed, zilverdolken. De hoeve ligt aan de andere kant van deze heuvel. Hier zijn jullie orders. Ik ga liggen en ik ga in een diepe trance. Jullie binden de paarden vast en houden de wacht bij mijn lichaam. Het kan zijn dat Alastyr zijn leerling stuurt om te proberen me te doden.'

'Die komt nooit langs mijn zwaard,' zei Rhodry kalm.

'Tja, als ik deze strijd verlies, zullen we elkaar te zijner tijd in het hiernamaals weerzien.' Hij wendde zich tot Jill. 'Als ik sterf, kind, bidt dan met heel je hart en ziel tot het Licht dat zich achter de Maan bevindt, en zeg niet dat je niet weet wat ik bedoel.'

Jill hield even hoorbaar haar adem in, maar ook al had hij met haar te doen, Nevyn had geen tijd meer om nog iets te zeggen. Hij spreidde zijn mantel op de grond uit, ging er op zijn rug op liggen en vouwde zijn armen over zijn borst met elke hand op de tegenovergestelde schouder. Eerst riep hij de Heren van het Licht aan, toen bleef hij stil liggen om kracht te verzamelen. Jill en Rhodry stonden met getrokken zwaard naast hem. Toen hij zijn ogen sloot, vroeg hij zich af of hij hen ooit zou weerzien.

Langzaam en zorgvuldig ontbood Nevyn in gedachten zijn lichtgedaante, een lichtblauw schijnbeeld van zijn eigen gedaante, maar met weinig meer dan de omtrek en met een zilveren koord aan zijn zonnevlecht verbonden. Toen Nevyn zijn bewustzijn ernaar overbracht, kreeg hij een gevoel of zijn stoffelijke lichaam met een schok wegviel. Heel even voelde hij zich misselijk; toen was er een klik alsof een zwaard tegen een schild sloeg, en keek hij met de ogen van zijn schijnbeeld. Zijn stoffelijke lichaam lag onder hem in een wereld gevuld met het blauwe licht van het etherische vlak. Omdat hij zich eruit had teruggetrokken, leek zijn eigen lichaam een klomp dood vlees en meer niet, maar hij zag Jill en Rhodry als twee eivormige kransen van vlammen, met daaromheen hun kloppende aura's. De bomen en het gras hadden de dofrode gloed van plantaardige levenskracht.

Nevyn steeg ongeveer drie meter boven zijn lichaam, het zilveren koord als een vislijn achter zich uitvierend. Het riviertje dat door de vallei stroomde, zou van pas kunnen komen, dacht hij, omdat het in lichtgedaante oversteken van stromend water uitermate gevaarlijk is. In het blauwe licht leek het water van zilver, en erboven zweefde zijn elementaire stroom, zichtbaar als een onrustig bewegende muur van een rookachtige materie, een val, als het hem lukte zijn wezel erin te krijgen. Hij steeg hoger en zweefde naar de top van de heuvel. Het was tijd om zijn aas uit te werpen.

Aan de andere kant van de heuvel lag een groene wei en daarin lag de hoeve, een vervallen rondhuis achter een aarden wal, een paar schuren, een paar vruchtbomen, zo oud dat hun levensgloed eerder bruin was dan rood. Nevyn glimlachte bij zichzelf. De stolp was weg, wat betekende dat Alastyr de krijgsbende had gescryed en hem in zijn paniek had weggelaten. Plotseling zag hij een man met zijn armen vol zadeltassen het huis uitrennen, in de richting van een schuur. Hij besloot dat hij zijn vijanden zo druk bezig moest houden dat ze er niet aan dachten Camdel te vermoorden.

Uit het gloeiende blauwe licht maakte Nevyn in gedachten een speer en wierp die met kracht naar de donker doorschoten aura van de rennende man. Toen de speer hem trof, liet de man de zadeltassen vallen en uitte een harde schreeuw. Hoewel zijn stoffelijke lichaam de pijn niet kon voelen, had zijn geschoolde geest de speer waarschijnlijk voelen schroeien als een heet ijzer. Nevyn dook als een aanvallende valk op de boerderij af terwijl de man weer naar binnen rende.

'Alastyr!' riep hij in een lange gedachtenzucht uit. 'Alastyr, ik kom je halen!'

Hij hoorde de kreet van een antwoord in het blauwe licht terugkaatsen. Alastyr schoot vanaf de grond als een slang omhoog in Nevyns richting. Zijn schijnbeeld was een reusachtige in een zwart gewaad gehulde gestalte, behangen met juwelen en doorweven met symbolen. Het zilveren koord was drie keer om zijn middel gewikkeld tot een gordel en er hingen afgehakte hoofden aan. Het gezicht dat uit de kap loerde was bleek en boosaardig, de ogen een duistere glinstering in een witte schim. Nevyn riep het Licht te hulp en voelde zijn eigen lichtgedaante kloppen en gloeien van kracht. Alastyr zwol bij wijze van antwoord op en werd nog donkerder, alsof hij al het licht in het heelal wilde opzuigen en doven.

Ze gingen de strijd aan om te zien wie de lichtgedaante van de ander kon verpletteren en de ziel die erin zat naakt en weerloos kon overleveren aan de macht van de grotere krachten achter elke krijger.

Nevyn sloeg als eerste toe met een golf van licht die Alastyr deed deinen en dobberen als een stuk wrakhout op zee. Hij sloeg opnieuw toe, waardoor zijn vijand omhoogschoot, maar toen hij hem achterna ging, voelde hij Alastyrs krachten op zich inwerken – een verscheurende gewaarwording alsof duizend klauwen aan hem trokken en hem uiteen probeerden te rukken. Een groot gedeelte van zijn kracht had hij nodig om zijn schijnbeeld bijeen te houden; hij moest steeds meer licht aantrekken en het even snel ontwikkelen als Alastyr het kon vernietigen. De rest van zijn kracht stak hij in de aanval, een regen van gouden pijlen en speren die Alastyr alle kanten op dreef, terwijl Nevyn rondcirkelde, aanviel, hem bestookte met licht dat tegen de duisternis bonkte, en die deed terugdeinzen.

Zijn hele strategie was Alastyr uit het blauwe licht te trekken en in de eerste sfeer van de eigenlijke Binnenwerelden te duwen, waar hij over sterkere krachten kon beschikken. Maar daar was Alastyr nu nog te sterk voor. Nevyn bleef hem met lichtpijlen bestoken, wat Alastyr beantwoordde met golven duisternis die hem klauwden en beten. De donkere ogen in de kap fonkelden van woede. Toen Nevyn zo hard toesloeg dat hij een paar van de opzichtige symbolen van het zwarte gewaad scheurde, brulde Alastyr als een dier en trok zich terug. Nevyn durfde een poging te wagen om een poort achter hem te bouwen, en gebruikte een gedeelte van zijn kracht om de duistere vijand in bedwang te houden en een gedeelte om een pad naar de Binnenwerelden te openen. Te vroeg – Alastyr glipte weg en ontketende een vloed duisternis als een woeste zee.

Heel even maakte Nevyn een duikeling en viel. Hij voelde zijn schijnbeeld als een losgeraakte jas van zich afglijden en riep wanhopig het Licht te hulp. Het enige wat hij kon doen was proberen weer op krachten te komen en de ergste van Alastyrs slagen afwenden terwijl de duistere vijand steeds sterker opdrong. De slagen troffen hem als stenen van voelbare duisternis. Plotseling zag Nevyn de watersluier boven de rivier dichterbij komen, te dichtbij! Hij zwenkte met een ruk om, schoot omhoog en scheerde weg voor de geschrokken Alastyr kon reageren. Toch had hij nauwelijks zijn beschadigde lichtgedaante hersteld toen zijn vijand hem alweer achtervolgde met een duisternis die was als giftig braaksel.

Nevyn wierp hem een muur van licht in het gezicht die verscheidene van de afgehakte hoofden van zijn gordel rukte en vernietigde. Maar hij voelde dat hij steeds zwakker werd naarmate de vijand sterker opdrong en de duisternis uit diens verwrongen handen stroomde. Plotseling gilde Alastyr, de gedachte-klank weergalmde in het blauwe licht en schoot alle kanten op als een zwaluw die boven een veld muggen vangt. Zijn zilveren koord bungelde onder hem, gebroken. Iemand had zijn stoffelijk lichaam gedood en Nevyn vermoedde dat dat Jill was geweest, of misschien Blaen.

Maar hij had geen tijd om toe te geven aan zijn verrassing over deze onverwachte hulp. Alastyrs schijnbeeld verbrokkelde en onthulde de lichtblauwe etherische gedaante eronder. Terwijl de duistere meester vocht tegen de onvermijdelijke ondergang, bouwde Nevyn een poort naar de Binnenwerelden, twee pilaren, een zwarte en een witte, met een diepblauwe leegte ertussen. Zodra ze stevig stonden, zond hij een lichtstoot uit die Alastyr er tussendoor duwde; daarna ging hij er zelf achteraan. Maar al had hij de eerste slag gewonnen, de vijand was nog lang niet verslagen, dat wist Nevyn maar al te goed.

Nevyn wierp zichzelf door de poort, de vluchtende duisterling achterna, en beiden raasden, zweefden, vielen langs het pad, voortgejaagd als snippers perkament op een woeste diepblauwe wind, terwijl er overal stemmen, gelach en gekrijs en flarden van woorden op een stortvloed van diepblauw langs hen woeien, en er ook beelden – gezichten, beesten, sterren – wentelend en fladderend op hen afkwamen als een vlucht manische vogels. Nevyn wierp golven licht voor zich uit, die op Alastyr inbeukten en hem telkens weer doorboorden tot het laatste stuk van het zwarte gewaad afscheurde en langs wapperde, enkel nog flarden die opbolden in de leegte. De wind blies hen voort, joeg hen verder en wierp hen tenslotte in een gloed van violet licht, waar ver onder hen een rivier stroomde, ijl, onrustig water van een soort dat geen stroom op aarde ooit heeft gezien en geen mens ooit heeft geproefd. Hier was het stil, de wind was weg, rondom hen strekten zich velden vol bloemen uit, of liever gezegd, de vormen van bloemen, van ragdun maanlicht, bleek en doods.

Ontredderd dook en fladderde Alastyrs etherische lichaam heen en weer in een wanhopige poging om te ontsnappen, nu de overwinning was verkeken. Het Maanland, waar hun gevecht plaatsvond, is de poort tot vele andere landen: Nevyns eigen Groene Land, het Oranje land van de wereld van de vorm, het stralende tehuis van de Groten; maar daaraan grenst ook het echte gebied van de duistere dweomer, het Duister van de Duisternis, het land van Verrotting en Verderf. Als Alastyr daarheen wist te ontsnappen, zou zijn ziel voortleven en nog eeuwenlang onheil stichten. Nevyn kon zien dat hij een poort probeerde te openen, maar zijn handen bewogen onzeker en de woorden van het ritueel kwamen brabbelend uit zijn mond. Nevyn zond een lichtspeer uit die hem trof en omhoogwierp net toen de eerste pilaar was gevormd en de half afgemaakte poort verbrijzelde.

Alastyr probeerde brullend te vluchten, maar Nevyn schoot omhoog en liet het felle lichtstralen regenen om hem in te sluiten. Met zijn ene hand wierp Nevyn speer na speer en sloot Alastyr op in een kooi van licht, waarin de etherische gedaante zich tegen de glanzende tralies wierp en er in paniek in beet. Nu zijn vijand vastzat, bouwde Nevyn weer een poort, deze kreeg gouden pilaren van zonlicht en ertussen ontrolde zich het heldere blauw van een zomerhemel.

'Het oordeel is niet aan mij!' riep Nevyn uit. 'Maar aan u!'

Tussen de pilaren uit schoot een enorme, flikkerend blinkende pijl van licht, in een rechte lijn, die Alastyr zo hard trof dat de gedaante vermorzeld werd tot duizenden armzalige snippers. Er klonk een kreet, toen het zachte gejammer van een klein kind. Gedurende één ondeelbaar ogenblik zag Nevyn dat kind, flakkerend als een kaarsvlam, een dreinend kind met Alastyrs woedende ogen. Toen nam het licht toe, omhulde de kleine gedaante en vloog ermee de poort door en het pad op naar de Zaal van het Licht, waar hij zou worden geoordeeld.

'Het is voorbij!' riep Nevyn uit. 'Het is afgelopen!'

Drie harde klappen, drie donderslagen, dreunden door het violette licht, terwijl beneden de doods-witte bloemen wiegden. Nevyn knielde en boog zijn hoofd, niet in aanbidding maar als een bewijs van trouw, toen liet hij de poorten vervagen en verdwijnen. In zijn dodelijke vermoeidheid voelde hij het zilveren koord aan hem trekken, hem terughalen naar zijn lichaam, dat op grote afstand lag al was het geen meetbare afstand.

Sarcyn trok zijn dolk uit Alastyrs hart en veegde hem af aan het gezicht van zijn dode meester.

'Wraak,' fluisterde hij. 'En wat is die honingzoet.'

Hij stond haastig op en rende naar de keuken, waar hij de knecht nog net de achterdeur uit zag vluchten. Sarcyn liet hem gaan; hij wilde geen tijd verspillen aan iemand die zo weinig over hen wist. Camdel lag zacht jammerend in het stro bij de haard. Toen Sarcyn bij hem neerknielde deinsde hij terug voor het mes.

'Ik zal je niet doden, jochie,' zei Sarcyn, het mes in de schede stekend. 'Ik kom je ketenen losmaken. We moeten maken dat we wegkomen.'

Toen Camdel hardop kreunde, aarzelde Sarcyn, gegrepen door een gevoel dat hij niet helemaal begreep. Zijn adellijke knuffelknul ging een ellendig leven tegemoet, ook al beleefde hij nog zoveel genot aan zijn meesters seksuele kwellingen.

'O verhip!' zei Sarcyn kortaf. 'Je zult je verwenste vader toch nog terugzien.'

Zichzelf uitscheldend voor stommeling omdat hij toegaf aan de eerste opwelling van medelijden die hij in jaren had gevoeld, stond Sarcyn op en greep de leren tas die Alastyrs boeken bevatte.

'Vaarwel, knul,' zei hij.

Langs Camdels wangen gleden twee tranen van angstige opluchting. Sarcyn rende de keuken uit, naar het erf, waar zijn paard gezadeld en wel stond te wachten. Nadat hij de kostbare boeken in een zadeltas had gedaan, steeg hij op en reed snel weg, niet over de hoofdweg, maar door de heuvels. Hij had sinds ze de hoeve hadden betrokken, aldoor ontsnappingsroutes uitgestippeld. Toen hij een halve kilometer had gereden, hoorde hij gerinkel van tuigen, wat betekende dat de gwerbret en zijn vervloekte mannen in aantocht waren. Hij steeg haastig af en hield de mond van zijn paard dicht terwijl het gerinkel luider werd, hem passeerde en langzaam wegstierf.

'Die stommeling ben ik kwijt,' fluisterde hij.

Maar toen hij weer opsteeg wist hij dat het gevaar verre van geweken was. Zodra de Broederschap zou horen wat Alastyr was overkomen, zouden er sluipmoordenaars naar hem op zoek gaan. Hij zou op de vlucht moeten blijven, altijd onderduiken, altijd onderweg, terwijl hij de boeken bestudeerde en zijn macht groeide. Misschien dat hij de Haviken net lang genoeg voor zou kunnen blijven om voldoende macht te verzamelen om zijn leven te redden. Misschien. Het was de enige hoop die hij had.

Zodra Nevyn in trance ging, trok Jill zich terug tussen de bomen terwijl Rhodry naast de oude man bleef staan. Het bleke maanlicht bescheen de rivier en veranderde de witte berken in spookbomen. In de van dweomer vervulde stilte was ze zich pijnlijk bewust van het geluid van haar eigen ademhaling. Nevyn lag zo stil dat ze bij hem neer zou willen knielen om te zien of hij nog leefde. Plotseling hoorde ze een geluid achter zich en draaide zich met een ruk om, haar zwaard geheven om toe te slaan.

'Het is maar een konijn,' zei Rhodry.

Omdat ze wist dat hij in het donker kon zien, draaide ze zich weer terug en hield haar ogen op de heuveltop gevestigd, uitkijkend naar een beweging die zou betekenen dat er vijanden door de nacht trokken. Opeens begon Nevyn te kreunen. Jill kwam naar voren toen hij op zijn zij rolde. Met een vaag vermoeden dat hij vergiftigd was, wierp ze zich naast hem neer. Hij kwam half overeind en viel toen opzij, maar zijn ogen bleven aldoor stijf gesloten en zijn ademhaling ging traag en behoedzaam. Hij schopte, waarbij hij Rhodry op een haar na miste, en hees zich op zijn buik met een schuivende beweging als van een krab, die hem dertig centimeter verderop bracht. Toen hij rakelings met zijn hoofd langs een steen schoot greep Jill hem bij de schouders en probeerde hem vast te houden, maar ze was niet opgewassen tegen zijn trancekracht. Hij wierp haar met gemak van zich af en dook zijwaarts weg. Rhodry schoot te hulp.

Gedurende enkele ogenblikken die een groteske eeuwigheid leken, worstelden ze met Nevyns lichaam dat kronkelde, schokte en met zijn armen in het rond maaide. Een keer kreeg Rhodry een harde dreun op zijn kaak, maar hoewel hij nog harder vloekte, bleef Rhodry vasthouden. Jill kon alleen de Godin bidden eventuele vijanden op een afstand te houden. Eindelijk werd Nevyn slap, en ze kon hem in het maanlicht zien glimlachen. Zijn mond bewoog alsof hij praatte; toen bleef hij doodstil liggen.

'O goden,' zei ze. 'Gaat hij dood?'

Op hetzelfde ogenblik opende hij zijn ogen en glimlachte naar haar. 'Wat heb ik gedaan?' vroeg Nevyn. 'Heb ik erg gesparteld?'

'Als een vis op het droge.'

'Dat gebeurt soms in trances.' De oude man ging zitten en keek lichtelijk verwezen om zich heen. 'Heeft een van jullie Alastyrs lichaam gedood?'

'Nee,' zei Jill. 'Wij zijn bij jou gebleven.'

'Dan moeten Blaen en zijn mannen al op de hoeve zijn. Geen tijd om het uit te leggen. We moeten opschieten.'

En toch bereikten ze de hoeve op hetzelfde ogenblik als Blaen en de krijgsbende. De gwerbret draafde hen aan het hoofd van zijn krijgsbende tegemoet. Hij keek hen in het grauwe morgenlicht geërgerd aan.

'De goden zij dank dat jullie veilig zijn,' riep Blaen nijdig. 'We hebben de heuvels naar jullie uitgekamd.'

'Ik bied u mijn verontschuldigingen aan, uwe genade,' zei Nevyn. 'Het gevecht is al achter de rug.'

Camdel hoorde hen allemaal het erf oprijden. Hij luisterde gespannen, elke spier in zijn lichaam verkrampt in paniek nu hij besefte dat hij niet zou doodhongeren maar zou worden gered. Hij hees zich kreunend op zijn knieën, waarbij zijn enkelketting rinkelde. Die was juist zo lang dat hij kon opstaan en een paar passen doen. Op de keukentafel lag een lang mes waarmee hij zijn keel of zijn polsen zou kunnen doorsnijden, als hij er maar bij zou kunnen. Hij wilde dood zijn, hij verlangde naar de dood, het enige dat zijn schande kon uitwissen en hem de afschuwelijke waarheden over zichzelf, die Sarcyn hem had geleerd, kon doen vergeten.

De ketting liet hem tot de tafel komen, maar het mes lag aan het eind van het bijna twee meter lange tafelblad. Hij boog zich over de rand, rekte zich, kon niet ver genoeg komen om erop te gaan liggen, rekte zich tot het uiterste, maar kon met zijn vingertoppen maar net tot het heft komen. Van buiten kwamen stemmen, en twee ervan herkende hij: gwerbret Blaen en heer Rhodry van Aberwyn, die kwamen kijken wat er van de Meester van de Koninklijke Badkamer was geworden. Zo ver rekkend dat zijn schouder er pijn van deed, raakte hij het mes aan. Hij kon net twee vingers als een schaar om het heft klemmen, maar toen hij het naar zich toe begon te trekken, voer er een trekking door zijn verkrampte hand die het mes op de grond gooide. Het stuitte af op de rand van de haardsteen en bleef ver buiten zijn bereik liggen.

Snikkend, naar adem happend, liet hij zich van de tafel vallen en kroop weg in het stro. Waarom had Sarcyn hem niet gedood? Misschien wist zijn meester dat hij wilde sterven en had die hem bij wijze van laatste kwelling in leven gelaten. Blaen zal je ophangen, zei hij bij zichzelf, omdat je de Eerste Koning hebt bestolen. Hij klampte zich vast aan die ene troost, dat hij binnenkort op de markt van Dun Hiraedd aan een touw zou bungelen. Buiten kwamen de stemmen nader.

'Ik hoop alleen dat we Camdel levend aantreffen.' Dat was Blaen, die zich er ongetwijfeld op verheugde hem te laten ophangen.

'Ik ook,' zei een onbekende stem. 'Maar ik waarschuw, uwe genade, hij is misschien krankzinnig.'

'Ach, die arme stakker.' Blaens stem was vol medelijden. 'Tja, uit wat je me hebt verteld weet ik dat niemand hem hiervoor verantwoordelijk kan stellen.'

Camdel voelde zijn hoofd omhooggaan. Blaen zou hem niet ophangen. Hij zou vergiffenis krijgen en moeten leven met wat hij over zichzelf wist. Hij begon te gillen, slaakte kreet na kreet, terwijl hij zich van de ene kant naar de andere wierp. Hij hoorde vaag mannen roepen en snelle voetstappen, maar hij bleef krijsen tot hij voelde dat iemand voor hem neerknielde en hem bij de schouders greep. Hij opende zijn ogen en keek in Blaens gezicht, dat verwrongen was van afschuw en medelijden.

'Dood me,' stamelde Camdel. 'Bij de liefde van alle goden smeek ik u, dood me.'

Hoewel Blaens mond bewoog, kon hij niet spreken. Een oude man met een dikke witte haardos en doordringende blauwe ogen knielde naast de gwerbret neer.

'Camdel, kijk me aan,' zei hij. 'Ik ben een geneesheer en ik zal je helpen. Kijk me alleen maar aan, jongen.'

Zijn stem was zo vriendelijk dat Camdel deed wat hem werd gevraagd. De blauwe ogen werden zo groot dat het leek alsof er niets anders meer bestond en hij in een helder meer keek. Toen de oude man een hand op zijn arm legde, voelde hij warmte door zijn bloed stromen, een troostende, kalmerende warmte die al zijn verkrampte spieren ontspande.

'We moeten later nog maar eens praten over alles wat je is overkomen, maar voorlopig mag je het allemaal een tijdje vergeten.'

Camdel kreeg een gevoel of hij dronken was, op een plezierige, lichtelijk aangeschoten manier dronken.

'Je begint het al te vergeten, nietwaar, jongen? Dat is ook het beste. Je weet alleen dat je erg ziek bent en dat wij je zullen helpen.'

Camdel knikte instemmend en dacht dat het door zijn ziekte kwam dat hij zich zo koortsig en verward voelde. Hij klemde de hand van de oude man in de zijne en huilde van dankbaarheid over zijn redding.

Toen hij zag hoe ellendig Camdel eraan toe was, verliet Rhodry haastig de keuken. De man was gek, zijn verstand was aan stukken gescheurd en de stukjes waren voor altijd verstrooid – althans zo zag Rhodry het. Op het slagveld sterven was iets dat hij aankon, maar dit lijden? Met een wee gevoel in zijn maag slenterde hij naar de voordeur van het huis waar een paar van Blaens mannen op wacht stonden.

'Hebben ze hem gevonden, heer?' vroeg Comyn.

'Zo mag je me niet meer noemen.'

'Neem me niet kwalijk, zilverdolk.'

'Ja, ze hebben hem gevonden en het is niet best met hem.'

341

Comyn huiverde.

'Ik heb een paar mannen weggestuurd om het erf af te zoeken,' zei de hoofdman. 'Voor het geval er nog iemand rondsluipt.'

'Goed idee. Is er al iemand binnen geweest?'

'Ze willen geen van allen, en ik kan iemand niet bevelen iets te doen dat ik zelf ook niet durf.'

'Nou, er staat immers een zilverdolk onder je bevel. Ik bied me aan als vrijwilliger. Dat is beter dan dat Blaen het doet en zich aan wie weet wat voor dweomer-gevaren blootstelt.'

Comyn aarzelde even, toen gaf hij Rhodry zijn schild.

'Je weet nooit wat je daarbinnen vindt, nietwaar?'

'Dat is zo.' Rhodry schoof het schild over zijn linkerarm. 'Bedankt.' Rhodry trok zijn zwaard. Comyn schopte de deur open. Het was een grote boerderij, ongeveer achttien meter in diameter, en als de meeste huizen van dit soort als een taart verdeeld in wigvormige kamertjes, van elkaar gescheiden door gevlochten schotten. Rhodry ging binnen in wat kennelijk had gediend als een soort zitkamer met twee houten stoelen, met een gebeeldhouwde kist onder het raam en aan de muur een plank waarop drie borden van beschilderd aardewerk prijkten. Het stof lag zo dik op de vloer dat hij voetafdrukken achterliet.

In beide wanden waren openingen, afgesloten met dekens. Omdat de opening aan zijn rechterkant naar de keuken en Camdel leidde, besloot Rhodry die aan de linkerkant te nemen. Hij naderde de opening behoedzaam, toen hief hij met een snelle beweging zijn zwaard en trok de deken omlaag. Toen die op de vloer viel keek hij in een slaapkamer, met vers stro op de vloer en een paar met hooi gevulde matrassen. Hij ging naar binnen en zag een aantal dekenrollen en zadeltassen, die in het rond lagen alsof iemand ze kort geleden had doorzocht. Hoewel het doodgewoon spul leek, raakte hij het niet aan. Het kon best betoverd zijn.

De deken voor de volgende opening was opzij geschoven. Hij keek in een vertrek dat veel groter was dan de vorige twee en een rommelige verzameling ploegscharen, oude paardentuigen en kapotte meubelen bevatte. Bij de deuropening aan de andere kant zat een lijk, een grauw, opgezwollen geval, in boerenkleding en met een grote houthakkersbijl in beide handen. Rhodry veronderstelde dat de boer had geprobeerd zich te verdedigen toen de duistere dweomer hem had overweldigd en geveld.

'Nou, oude man,' zei hij, terwijl hij naar binnen liep, 'we zullen je een fatsoenlijke begrafenis geven.'

Het lijk hief zijn hoofd op en keek hem aan. Rhodry gaf een gil en stond een ogenblik versteend toen het langzaam overeind kwam. Hoewel zijn oogkassen leeg waren, hief het de bijl op en strompelde in zijn richting alsof het kon zien. Rhodry wilde kokhalzen, maar hij zwaaide zijn schild omhoog en deed een stap opzij toen een onhandige slag omlaag kwam en hem maar net miste. Toen het ding zich naar hem toewendde, zwaaide hij zijn zwaard omhoog onder diens trage afweer en raakte het vol in de hals. Er stroomde een donker, scherp ruikend vocht uit, maar het lijk hief kalm opnieuw de bijl en kwam naar voren.

Rhodry's woeste lach borrelde op. Snikkend en grinnikend ontweek hij, viel aan en stak het lijk in de oksel. Hoewel ook daar stinkend vocht uit spoot, drong het ding verder op en liet de bijl op hem neerkomen. Toen hij de houw met zijn schild opving, hoorde hij het hout kraken: de spookstrijder was sterk. Rhodry's lach zwol aan tot gebrul toen hij uithaalde en de rechterarm van het ding half afhakte. Het nam alleen de bijl in zijn linkerhand en viel opnieuw aan. Rhodry dook weg, schoot eromheen en stak het in de rug. Het draaide zich langzaam weer naar hem toe.

In de verte hoorde hij luide stemmen die snel naderbij kwamen, maar hij concentreerde zich volledig op de bijl die het ding heen en weer zwaaide alsof het Rhodry als een boom wilde omhakken. Hij dook weg, ving een slag op met zijn schild en hieuw in de arm van het ding, maar het bleef de bijl zwaaien. Hij werd bij het om elkaar heendraaien gehinderd door de rommel in het vertrek. Opeens gleed hij uit; de bijl vloog rakelings langs zijn hoofd. Hij sprong op, gierend van het lachen, en legde al zijn woeste kracht in de slag. Het zwaard drong diep door en kraakte een bot toen het het ding in de nek raakte.

Met zijn hoofd aan een sliert huid en spier bungelend liet het lijk de bijl vol op Rhodry's schild neerkomen. Het hout en het leer spleten en braken tot aan de schildknop en de helft van het schild viel weg. Rhodry dook en ontweek en haalde uit naar de linkerarm van het ding. Hoewel het de bijl eindelijk liet vallen, bleef het op hem afkomen. Hij sprong snel achteruit. Het leek hem dat de aanraking van de vingers van het ding erger moest zijn dan een houw van een zwaard. Met de moed der wanhoop sneed hij de buik van het lijk open. Er puilden geen ingewanden uit en nog steeds kwam het op hem af.

'Stop in naam van de Meester van de Ether!'

Het aan flarden gehouwen, druipende lijk bleef stokstijf staan. Terwijl Nevyn binnenkwam, smeet Rhodry zijn zwaard en zijn schild neer, viel op zijn knieën en gaf over, zonder zich erom te bekommeren wie hem zou zien. Hij hoorde ook andere stemmen toen er mannen naar binnen dromden. Comyn knielde naast hem neer, net toen hij met zijn mouw zijn mond afveegde.

'Ben je ongedeerd, zilverdolk? Bij de reet van de heer der hel, wat was dat voor een ding?'

'Ik mag vervloekt zijn als ik het weet. Maar ik ben nog nooit in mijn leven zo dankbaar geweest voor een geleend schild.'

Terwijl hij opstond hoorde hij Nevyn in een vreemde taal iets prevelen. Toen de oude man daarmee klaar was, begaf het lijk het; het ging door de knieën en zakte meer op de vloer dan het viel. Nevyn stampte drie keer op de grond. Rhodry zag lelijke en misvormde wezens van het Natuurvolk op het lijk dansen; toen verdwenen ze.

'Na deze ervaring, Rhodry mijn jongen,' zei de dweomermeester, 'zul je misschien mijn raad vragen voor je in vreemde huizen gaat rondsnuffelen.'

'Daar geef ik je mijn erewoord op.'

En toch moest het gruwelijkste voor hem nog komen. Nevyn liep naar de ingang van de laatste kamer en trok de deken voor de opening weg. Erachter lag een klein, vensterloos hokje waar een stuk zwart fluweel aan de holle muur hing. Er was een omgekeerde vijfpuntige ster op geborduurd en nog een aantal tekens die Rhodry niet kon thuisbrengen. Het vertrekje stonk naar wierook en iets vissigs. Midden op de vloer lag het lijk van een gezette, grijsharige man, de armen naar weerszijden uitgestrekt. Hij zag eruit als een gewone Cerrmorder man, maar iemand moest hem hebben gehaat, want hij was herhaalde malen in de borst gestoken, zo vaak zelfs, dat hij allang dood moest zijn geweest voor de laatste steek werd toegebracht. Hoewel het zien van het lijk Rhodry weinig deed, joeg alleen al de aanblik van de kamer hem een dusdanige angst aan dat hij, toen Nevyn er binnenging, de dweomerman had willen toeschreeuwen dat vooral niet te doen. Hij dwong zichzelf achter Nevyn aan te gaan, maar alleen omdat hij ervan overtuigd was dat de oude man bescherming nodig had. In het schemerige licht leek het alsof de dingen bewogen, half zichtbaar, geluidloos. Nevyn porde met de punt van zijn rijlaars in het lijk.

'Zo, Alastyr,' zei hij, 'eindelijk ontmoeten we elkaar dan persoonlijk. Je bent verdraaid handig geweest, want ik kan me niet herinneren dat ik je ooit eerder heb gezien.' Hij keek Rhodry aan. 'Dit is de man die jou dood wilde hebben, degene die in de oorlog achter Loddlaen stond.'

Rhodry staarde meer verbijsterd dan woedend naar zijn oude vijand. Omdat hij zich de duistere meester had voorgesteld als een demon in mensengedaante, was hij vreemd teleurgesteld nu die er zo gewoon bleek uit te zien. In de kamer hing echter wel een demonische sfeer. Rhodry's redeloze angst nam toe tot Nevyn een hand op zijn schouder legde.

'Er is hier geen gevaar meer,' zei de dweomerman. 'Maar het beetje elfenbloed in je aderen maakt je overgevoelig.'

'Heus?'

'Heus. Dit is de kamer waar Alastyr zijn walgelijke perversiteiten van de dweomer bedreef, zie je. Ach goden, arme Camdel!'

'Dwongen ze hem om toe te kijken of zo?'

'Toekijken? Ha! Ze hebben hem gebruikt voor hun rituelen. Hij is hier herhaaldelijk verkracht.'

'O varkenslul!' Rhodry probeerde te loochenen wat hij hoorde. 'Hoe kun je nu een man verkrachten?'

'Hou je alsjeblieft niet zo onnozel, want dat is een aan het hof opgegroeide man niet. Je weet drommels goed wat ik bedoel. En terwijl ze dat deden, brachten ze hem ook nog snijwonden toe om bloed te krijgen voor hun verziekte geesten.'

Als Rhodry's maag niet leeg was geweest, zou hij opnieuw zijn gaan overgeven. Nevyn sloeg hem nadenkend gade.

'Blaen en ik zijn van plan tegen de koning te zeggen dat Camdel dood is,' zei de oude man. 'Staat je eergevoel je toe ons geheim te bewaren?'

Rhodry keek het kamertje rond en vroeg zich af hoe het eruit zou zien voor een man die hier op grond was gegooid.

'Best mogelijk dat Camdel een dief was,' zei hij tenslotte. 'Maar ik voor mij wil er verder geen woord over vuilmaken.'

Nevyn hielp Blaen om Camdel op een van de in de stallen achtergelaten paarden te zetten. Hoewel de jonge edelman als een dronkenman in het zadel zat te schommelen, was hij voldoende bij bewustzijn om te kunnen rijden. Nevyn zou zijn betovering later wel verbreken – veel later, als hij nog een dweomerpersoon had om aan het genezen van Camdels geest te beginnen.

'Welnu, goede tovenaar,' zei Blaen. 'Weet u zeker dat u hier veilig bent, zo alleen?'

'Heel zeker. Mijn werk hier zal niet veel tijd in beslag nemen. Ik denk dat ik tegen het noenmaal in de dun terug zal zijn.'

'Dat zult u zelf ongetwijfeld het beste weten, en ik wil liever niet weten waaruit uw werk hier bestaat.'

Terwijl de krijgsbende opsteeg, had Nevyn de gelegenheid iets te zeggen tegen Jill, die geeuwend in het zadel zat.

'Camdel zal bij jullie terugkeer eerst wel een paar uur slapen. Mag ik jou vragen bij hem te gaan zitten als hij wakker wordt?'

'Dat zal ik doen. Hij mag niet alleen zijn, voor het geval hij zich iets herinnert van alles wat hij heeft doorgemaakt.'

Nevyns hart deed pijn. Als het domme kind het maar wilde zien, dacht hij, zou ze zo'n geweldige genezeres kunnen worden! Maar hij kon haar Wyrd niet aan haar opdringen, en dat wist hij. Hij wachtte tot de krijgsbende uit het gezicht was verdwenen, zelf ook een beetje geeuwend in de warme zon. Zelfs zijn meer dan normale vitaliteit had zijn grenzen. Hij bedacht enigszins wrang dat hij vannacht voor het eerst in meer dan vijftig jaar weer eens een hele nacht zou kunnen slapen.

Blaens mannen hadden Alastyr en wat er van het lijk van de boer over was, in de heuvels begraven. Nevyn ging naar de ritenkamer, trok het stuk fluweel van de muur en gooide het in de haard, zodat het Natuurvolk van het Vuur het kon vernietigen. Terwijl het rookte en knetterde, snuffelde hij wat rond en vond een aarden potje met de kostbare zoutvoorraad van de boer en een paar dunne houtsplinters die gebruikt werden om vuur uit de haard over te brengen naar een kaars. Omdat hij geen wierook had, moest gewone rook maar voldoende zijn.

Toen hij in de kamer terugkeerde, leek de atmosfeer daar al wat opgeklaard, gewoon doordat dat liederlijke symbool al van de muur was gehaald. Hoewel hij de uitbanningen zo gauw mogelijk wilde verrichten, had het vertrek hem nog geheimen vertellen, die verloren zouden gaan zodra hij met de handelingen begon. Hij ging met gekruiste benen voor een bruine vlek van Alastyrs bloed zitten, legde het zout en de splinters opzij en vertraagde zijn ademhaling tot zijn geest volledig geconcentreerd was. Toen stelde hij zich een zespuntige ster voor tot die gloeide als twee verstrengelde driehoeken, een rode en een blauwe. Hij duwde het beeld langzaam uit zijn geest tot het voor hem leek te staan.

In de zeshoek in het midden stelde hij zich Alastyrs lijk voor zoals hij dat bij zonsopgang had gezien, toen stuurde hij zijn geest terug in de tijd en begon met zich alleen de kamer voor te stellen zoals die er bij kaarslicht zou hebben uitgezien. Omdat de moord zo kortgeleden was gepleegd, werd zijn fantasie na luttele seconden vervangen door het ware beeld. Hij zag de blonde leerling die geknield de wacht hield bij het hoofd van zijn meester. Om zijn mond speelde een angstaanjagend glimlachje, terwijl Alastyr in zijn trance kronkelde en schokte; toen ging Sarcyns hand naar zijn gordel en trok hij zijn dolk. Hij wachtte even, alsof hij van het moment wilde genieten, voor hij de dolk steeds opnieuw in het hart van de hulpeloze man stak. Omdat hij er geen behoefte aan had de steekpartij te zien, verbrak Nevyn het beeld en trok de ster weer in zichzelf terug.

'Dus dat was mijn onverwachte hulp, nietwaar? En dan heeft hij zeker ook Alastyrs boeken en de andere rituele voorwerpen meegenomen. Nou ja, aangenomen dat hij ze bij zich had.'

De wezens van het Natuurvolk die in de hoeken hurkten, knikten allemaal om aan te geven dat Alastyr inderdaad alle gebruikelijke attributen van een duistere meester bij zich had gehad. Het was een zielig troepje geesten, gestoord en misvormd door Alastyrs knoeierijen.

'En toch heeft hij de doek achtergelaten. Had hij haast omdat wij eraan kwamen?'

Weer knikten ze van ja.

'Heeft hij daarom Camdel niet gedood?'

Ze schudden ontkennend hun hoofd. Een zwarte kabouter met uitstekende hoektanden ging op de grond liggen en deed net of hij ineenkromp van angst, terwijl een ander naast hem ging staan met zijn geklauwde hand opgeheven alsof er een mes in zat. Toen knielde hij neer, deed of hij het mes in de schede stak en klopte de andere dwerg op de schouder.

'Alle duivels! Bedoel je dat hij medelijden met Camdel had?'

Ze knikten ernstig.

'Nee maar, dat zou ik nooit van hem hebben gedacht! Huh. Maar goed, beste vrienden, dat is jullie zaak niet. Jullie zullen nu gauw genoeg bevrijd zijn van die lelijke vormen. Help me de uitbanningen te volvoeren, daarna kunnen jullie naar je koningen gaan.'

Toen ze opsprongen, voelde hij hun vreugde als water over zich heen stromen.


'Is hij wakker?' vroeg Rhodry.

'Min of meer,' zei Jill weifelend. 'Het is moeilijk te zeggen.'

Rhodry kwam de kamer binnen en dwong zichzelf naar Camdel te kijken, die zonder hemd boven op het bed lag. Hij was vuil en zat onder de blauwe plekken en smalle roofjes van snijwonden. Eindelijk opende hij zijn ogen en keek angstig op, alsof hij verwachtte dat Rhodry hem nog een paar letsels zou toebrengen.

'Wil je iets eten?' vroeg Jill.

'Nee,' fluisterde Camdel. 'Water?'

Terwijl Jill een beker vulde uit een kan staarde Camdel Rhodry met grote angstogen aan.

'Toe nou, je kent me toch nog wel van het hof? Rhodry Maelwaedd, Aberwyns jongste zoon.'

Bij die woorden gleed er even een flauw glimlachje om zijn mond, en hij kwam rechtop zitten om de beker water aan te nemen. Hij hield hem met beide handen vast en keek langzaam drinkend de kamer rond. De late middagzon viel schuin naar binnen en stofjes dansten in de gouden stralen. Camdel glimlachte bij de aanblik, verrukt als een kind. Rhodry voelde zijn afkeer opkomen en wendde zich af. Stel dat de duistere meesters Jill te pakken hadden gekregen? Zouden ze dan met haar ook iets dergelijks hebben gedaan? Hij nam zich plechtig voor dat hij, als het ooit in zijn macht zou liggen de wereld van duistere dweomermannen te bevrijden, zo nodig zijn leven zou wagen om ze als kruipende insekten uit te roeien.

'Rhoddo, zou jij een page willen roepen?' vroeg Jill. 'Ze moeten water brengen, zodat hij een bad kan krijgen.'

'Een bad?' vroeg Camdel met dubbele tong. 'Dat lijkt me wel wat.'

Rhodry was blij dat hij de kamer kon verlaten. Hoewel hij Camdel niets kwalijk nam, kon hij hem nu niet uitstaan.

Nadat hij de pages naar boven had gestuurd ging Rhodry bij Blaen aan de eretafel zitten. Blaen zat natuurlijk mede te drinken, en Rhodry besloot voor het eerst van zijn leven hem bij te houden. Terwijl zijn neef met een glimlachje toekeek, klokte hij een zo groot mogelijke teug naar binnen.

'Dat doet een mens goed,' merkte Blaen op. 'Het wist een heleboel dingen uit.'

'Zeg dat wel. Heb je gehoord wat...'

'... er met Camdel is gebeurd? Ja.'

Rhodry nam nog een flinke teug. Toen spraken ze urenlang geen woord meer.

In de uitlopers aan de westkant van Cwm Pecl leidde Sarcyn zijn vermoeide paard over een smal pad door de dennenbossen. Hij was blindelings naar het westen gevlucht, op zoek naar een afgelegen plek waar hij zich een dag of twee zou kunnen verbergen, maar nu kwam het hem voor dat hij beter zo ver mogelijk weg kon zien te komen. Zowel de mannen van de gwerbret als, erger nog, de Meester van de Ether zouden achter hem aan zitten. Toch vroeg hij zich in zijn vermoeidheid nog af of het niet verkieslijker was om zich door de gwerbret te laten ophangen dan in handen van de Duistere Broederschap te vallen. Die zouden zijn doodsstrijd weken laten duren.

'Maar ik heb de boeken,' fluisterde hij hardop. 'Eens zal ik de macht hebben om hen te weerstaan.'

Tegen zonsondergang vond hij een klein dal met een riviertje en ruim voldoende gras voor zijn paard. Hij sloeg een kamp op, sprokkelde wat dood hout op de beboste helling en ontstak een vuurtje met zijn vuursteen en zwaard. Hoewel zijn maag rammelde, besteedde hij geen aandacht aan zijn honger. Hij had die dag al een maaltijd gehad en hij moest zo zuinig mogelijk met zijn karige voorraad levensmiddelen omspringen. Hij staarde een poosje in het vuur en piekerde over zijn plannen. Verspreid over het koninkrijk waren er diverse mensen die hem wel voor een paar dagen onderdak zouden willen verlenen. Hij kon zich niet veroorloven langer dan een paar dagen op één plaats te blijven, hoeveel tijd hij ook nodig had om Alastyrs boeken te bestuderen. Opeens was hij te moe om verder te denken – opvallend moe en verward, zoals hij later zou beseffen.

Hij rolde zich als een kind op zijn dekens in elkaar en viel bij het vuur in slaap. Toen hij wakker werd, was het met een schok, omdat hij handen op zijn armen voelde. Hij gaf een schreeuw en probeerde zich schoppend en kronkelend los te rukken, maar om zijn polsen gleed een touw dat strak werd aangetrokken, en iemand viel over zijn knieën en drukte hem tegen de grond. Bij het licht van het dovende vuur zag hij zijn aanvallers, twee lichtgetinte Bardekse mannen in Deverriaanse kleren. De ene bond zijn polsen stevig vast, de ander zijn enkels, ook al wierp hij zich wild heen en weer. Eindelijk waren ze klaar en lag hij hijgend op de grond en stonden zij naast hem.

'Zo, jonkie,' zei de langste. 'Jij hebt je meester vermoord, hè?'

Sarcyn verstijfde van angst; een ijzige kou verspreidde zich van de onderkant van zijn ruggegraat naar boven.

'Ik zie dat je weet wie we zijn,' vervolgde de huurmoordenaar. 'Ja, de Haviken van de Broederschap hebben je te pakken. De Oude heeft ons achter Alastyr aan gestuurd en we moesten ook een oogje op jou houden. We hebben je aldoor gescryed, jonkie, maar we hadden nooit verwacht een moord te zien.'

'Ik denk dat de Oude zoiets wel vermoedde,' zei de tweede. 'Hij laat nooit het achterste van zijn tong zien.'

'Best mogelijk.' Hij schopte Sarcyn hard tegen zijn slaap. 'Maar je zult ervoor boeten, jonkie, en heel lang, nadat je de meesters alles hebt verteld wat je weet.'

Hoewel de wereld door de trap tegen zijn hoofd danste als vuur, beet Sarcyn hard op zijn lip en kon een kreet binnenhouden. En ook al trilde hij van angst, hij nam zichzelf plechtig voor dat hij hun niets zou vertellen, hoe sluw ze hem ook zouden martelen, omdat hij van hen geen genade te wachten had zelfs als hij hen gehoorzaamde. Terwijl de Haviken hun paarden gingen halen die ergens tussen de bomen verborgen waren, trok hij zich in zichzelf terug en klampte zich vast aan zijn wil. Het was het enige dat hem nog restte, zijn vermogen om zijn wil te beheersen en er kracht uit te putten. Hij verdreef de angst, hield op met beven en bleef zo slap als een gebonden hert in het vuur liggen staren.

Hoewel Nevyn tegen het middaguur terug was gekomen, kreeg Jill pas tegen zonsondergang gelegenheid om met hem te praten, omdat de dweomerman de hele middag met Camdel bezig was; hij waste hem en behandelde niet alleen zijn wonden maar kalmeerde ook zijn geest. Pas na het avondeten liet hij haar door een page naar zijn kamer halen, waar een fel licht door het venster binnenstroomde. Jill ging op een kist zitten, terwijl hij rusteloos heen en weer liep.

'Hoe is het met Camdel?' vroeg ze.

'Hij slaapt als een blok, de goden zij dank. Ik moest hem een gedeelte laten vertellen van wat er met hem gebeurd was, maar ik heb ervoor gezorgd dat hij zich dat niet zal herinneren. Hij is voorlopig veel te zwak om zijn herinneringen aan te kunnen.'

'Dat zal best. Waarom hebben ze hem... nou ja, op die manier gebruikt?'

Nevyn hield zijn hoofd scheef en keek haar met een eigenaardig sluwe blik aan.

'Eigenlijk mag ik je dat niet vertellen,' zei hij tenslotte. 'Bovendien dacht ik dat je al dat gepraat over dweomer maar akelig vond.'

'Toe, Nevyn, plaag me nu niet! Je weet drommels goed dat ik verga van nieuwsgierigheid.'

'Ja.' Hij glimlachte even. 'Nou goed dan. Kijk, als twee mensen samen naar bed gaan, komt er een bepaalde hoeveelheid vrij van een substantie, magnetische uitstroom genaamd. Ik weet dat jij niet weet wat dat is, en ik ga het ook niet verder uitleggen aan iemand die niet over meer kennis beschikt, dus moet je wat ik vertel maar van me aannemen. Die uitstroom heeft veel wonderlijke eigenschappen, maar het is in de grond een soort levenssap. Het zit ook in bloed. Welnu, de duistere dweomermensen hebben geleerd hoe ze die uitstroom ogenblikkelijk kunnen opzuigen en gebruiken om hun eigen levenskracht te herstellen. Telkens wanneer zijn leerling Camdel misbruikte, deed Alastyr zich letterlijk te goed aan hun zingenot.'

Jill voelde zich misselijk worden.

'Walgelijk, hè?' merkte Nevyn op. 'Dat doet me trouwens aan iets denken. Die leerling – Sarcyn heet hij, heeft Camdel me verteld – is ontkomen. Rhodry en jij moeten erg voorzichtig zijn als jullie hier weggaan.'

'Daar heb ik, eerlijk gezegd, de hele dag al over zitten piekeren.'

'Ik ben van plan hem op te sporen, en ik sta erop dat jullie zolang bij Blaen blijven, ook al voelt Rhodry zich dan nog zo beschaamd. Die Sarcyn is op het moment tamelijk zwak en hij zal uiteindelijk ergere vijanden hebben dan mij. Als het bericht van de moord op Alastyr zijn immorele broederschap bereikt, zullen ze huurmoordenaars op Sarcyn afsturen. Ik verwacht dat hij het te druk zal hebben om zich het hoofd te breken over wraak op jullie. Maar blijf op je hoede. Hij heeft een voorsprong op mij, en ik kan hem onmogelijk scryen. Ik heb hem nooit in levenden lijve gezien.'

Het idee dat onmiddellijk bij Jill opkwam leek heel vanzelfsprekend behalve dat ze niet begreep hoe ze wist wat ze wist. Ze zat het doodstil te overdenken en voelde haar angst toenemen, niet alleen haar angst voor Sarcyn, maar voor het doelbewust en nuchter gebruiken van de dweomer. Als ze met haar idee voor de dag kwam, zou ze daarmee de eerste stap op een heel vreemde weg zetten, dat wist ze. Tenminste, was het werkelijk de eerste stap? Nevyn keek haar enigszins verwonderd aan tot ze eindelijk haar besluit had genomen.

'Ik heb hem in levenden lijve gezien,' zei ze. 'Dan kun je hem toch via mij scryen, nietwaar? Ik weet niet waarom ik daar zo zeker van ben, maar kun je mij niet als een paar ogen gebruiken?'

'Bliksems! Dat is inderdaad waar, maar weet je zeker dat je me dat wilt laten doen? Het betekent dat ik je wil overneem.'

'Natuurlijk wil ik je dat laten doen. Je zou toch moeten weten dat ik je zelfs mijn leven zou durven toevertrouwen.'

Nevyn moest er bijna om huilen. Hij wendde zich haastig af en veegde met zijn vuile mouw langs zijn ogen, terwijl zij zich verwonderd afvroeg waarom haar vertrouwen zoveel betekende voor een man met zijn gaven.

'Nou, dank je,' zei hij tenslotte. 'Ik zal even een bediende wat hout laten brengen en dan zullen we een vuur aanleggen.'

Tegen de tijd dat het vuur rustig brandde, verdiepte de schemering zich al tot een fluwelig duister. Nevyn liet Jill op een stoel voor het vuur plaatsnemen en ging zelf achter haar staan. Hoewel ze bang was, vermengde haar angst zich met hetzelfde soort vervoering dat ze vlak voor een veldslag voelde. Toen hij zijn hand in haar nek legde, op de plaats waar de ruggegraat bij de schedel komt, leken zijn vingers eerst gewoon warm; toen nam de warmte toe en leek door haar aderen te vloeien, zich door haar gezicht en geest te verspreiden, om zich tenslotte als een wonderlijk wringende gewaarwording tussen haar ogen te nestelen.

'Kijk in het vuur, kind, en denk aan Sarcyn.'

Zodra ze dat deed, zag ze hem in een heuvelachtig gebied bij een kampvuur liggen slapen. Het beeld was eerst klein; toen zette het zich uit zodat het eerst de haard en vervolgens haar hele geest vulde, tot ze boven het tafereel zweefde zoals ze dat ook in een gewone droom deed. Terwijl ze boven het dal zweefde, zag ze twee mannen tussen de bomen op de helling uitkomen en in de richting van de argeloze slaper sluipen. Ze bewogen zich langzaam en geruisloos, laag bij de grond voortschuivend als fretten. Ook al had ze Sarcyn nog geen minuut geleden gehaat, nu was ze opeens dodelijk ongerust over hem. Ze probeerde in haar trance-visioen te roepen en hem te wekken, maar er kwam geen geluid. Ze dook omlaag en greep hem bij de schouders, maar haar onstoffelijke aanraking kon hem niet wakker schudden. Net toen de twee mannen zich op hem wierpen schoot ze weg en ging aan de andere kant van het vuur staan terwijl de Haviken hun gevangene vastbonden en hoonden. Opeens hoorde ze Nevyns stem in haar geest.

'Kom onmiddellijk terug! Ze zijn in staat om je te zien als ze met het tweede gezicht in je richting zouden kijken. Denk aan mij, kind. Kom in de kamer terug.'

Ze stelde zich zijn gezicht voor en de kamer; plotseling waren haar ogen open en keek ze in het vuur. Nevyn raakte haar niet langer aan. Ze stond op en rekte een eigenaardige stijfheid uit haar leden.

'Ik had nooit gedacht dat ze Alastyr zo scherp in het oog zouden houden,' zei Nevyn. 'Ik zal snel te werk moeten gaan als ik onze leerling uit deze gevaarlijke situatie wil halen.'

'Wat? Waarom wil je hem redden, na al die smerige streken die hij heeft uitgehaald?'

'Hij zal heus wel voor die misdaden boeten, dat staat vast, maar dan volgens de wet.'

'Maar hij is de gemeenste schoft die ik ooit...'

Nevyn stak zijn hand op om haar tot zwijgen te brengen.

'Waarom ga jij niet naar de grote zaal en je Rhodry? Ik moet eens heel diep nadenken.'

Zodra Jill weg was hervatte Nevyn zijn ijsberen, terwijl hij overdacht wat hem te doen stond. Hij was vastbesloten Sarcyn uit handen van de Haviken te redden, meer ten behoeve van het koninkrijk dan van de leerling zelf. Als hij vloekend en schreeuwend onder foltering stierf, zouden zijn haat en pijn overgaan naar zijn volgend leven, zodat hij een griezelige bedreiging zou zijn voor iedereen in zijn omgeving.

'Als me dat tenminste lukt,' zei Nevyn tegen de dikke gele kabouter die zich in de warmte van het vuur koesterde. 'Ze zijn ongetwijfeld op weg naar Bardek. Ik vraag me alleen af hoe ze hem op een schip willen smokkelen. Misschien in een grote kist of zo.'

De kabouter krabde peinzend over zijn buik. Nevyn overwoog Blaen te vragen een krijgsbende achter hen aan te sturen, maar de Haviken hadden een grote voorsprong. Bovendien zouden ze, omdat ze opgeleid waren voor de dweomer, de achtervolging bijtijds zien en zich doeltreffend kunnen verbergen. Hoewel, ik zou met de krijgsbende mee kunnen gaan, bedacht hij opeens, we zouden ze misschien kunnen inhalen. Als de Haviken door de bergen trokken, zouden ze immers maar langzaam vooruitkomen.

De bergen. Nevyn had plotseling een binnenpretje. Hij knielde bij het vuur neer om contact op te nemen met de enige dweomermeester in het koninkrijk die hem nu zou kunnen helpen.

Nadat de Haviken hun paarden hadden verzorgd kwamen ze naar het kampvuur terug. Sarcyn bleef roerloos naar hun gepraat liggen luisteren tot hij eindelijk had uitgeknobbeld hoe ze heetten. Dekanny was de langste, de man met de gelig-bruine ogen die een druppeltje Anamura-bloed in zijn aderen verrieden, terwijl de andere, die de leiding scheen te hebben, Karlupo heette. Zodra ze hadden gegeten knielde Dekanny naast Sarcyn neer en greep zijn polsen om zijn armen boven zijn hoofd te strekken, toen trok hij zijn hemd omhoog tot over zijn gezicht, zodat hij niets meer kon zien. Hij lag doodstil, zich tot het uiterste beheersend, en luisterde naar de Havik die zacht neuriede terwijl hij iets aan het vuur deed. Eindelijk kwam de man terug.

'Ik heb hier een dolk. En die is gloeiend heet.'

Sarcyn zette zich met elke vezel van zijn wil schrap. Dekanny giechelde als een meisje en legde het verhitte staal op Sarcyns rechtertepel. Hoewel de pijn tot diep in zijn binnenste schroeide, gaf hij geen geluid.

'Nu de andere kant, jonkie.'

De pijn beet in zijn linkertepel. Hij moest zich bedwingen om de kreet die uit zijn keel opwelde binnen te houden. Opeens voelde hij dat hij dat zijn darmen zich leegden.

'Wat een stank. Voor straf keer ik je om en ik wrijf je er met je gezicht in.'

'Nee, dat doe je niet!' zei Karlupo ergens vlakbij. 'Je hebt genoeg gedaan voor één avond. Hij moet bij thuiskomst in een behoorlijke conditie zijn, omdat de meesters hem zo lang mogelijk in leven willen houden.'

'Ach wat, hij kan op het schip op verhaal komen.'

'Ik zei: genoeg.'

Toen draaide de wereld rond en Sarcyn verloor het bewustzijn. Hij kwam midden in de nacht bij en merkte dat hij nog steeds in zijn eigen ontlasting lag. Ze hadden zijn hemd omlaag getrokken, en het ruwe linnen schuurde langs zijn brandwonden, waar een soort vocht uitkwam. Hij lag lange tijd wakker, zich inspannend om niet te kreunen, voor hij opnieuw bewusteloos raakte. 's Morgens schopten ze hem wakker en hesen hem in een zittende houding. Karlupo had in een kookketeltje gerstepap gemaakt en bracht hem een kom.

'Ik zal je handen losmaken, zodat je kunt eten,' zei hij. 'Maar als je ook maar de geringste last veroorzaakt, zal Dekanny zich nog even met je vermaken voor we vertrekken.'

Sarcyn wendde zijn hoofd af. Hij was vastbesloten te verhongeren en zichzelf te verzwakken, zodat hij vlugger onder de folteringen zou sterven.

'Je moet eten,' snauwde Karlupo.

Toen hij bleef weigeren, knielden ze aan weerszijden van hem neer. Dekanny wrong zijn kaken van elkaar terwijl Karlupo hem een lepel pap in de mond stak. Het spul deed hem zo hevig kokhalzen dat hij louter reflexmatig slikte. Ze voerden hem de hele kom op, en de vernedering schrijnde net zo hevig als zijn brandwonden.

Maar toen ze eenmaal te paard zaten, kreeg de pijn de overhand. Door de bewegingen van het paard wreef zijn hemd over de rauwe brandwonden, en toen hij in de warme zon ging zweten kwam er nog zout bij de wrijving, tot hij aan niets anders meer kon denken dan aan sterven en zo een eind aan de pijn maken. Halverwege de morgen begonnen zijn gebonden polsen op te zetten, zodat de touwen in het gezwollen vlees sneden. Toen ze eindelijk stopten voor het noenmaal deed zijn onderlip ook pijn. Hij begreep dat hij die, bij het zich tegen de pijn verzetten, kapot had gebeten.

'Ga je wat eten, jonkie?' vroeg Karlupo. 'Of moeten we je soms weer voeren?'

'Ik zal wel eten.'

Karlupo maakte zijn handen los en bleef met een getrokken zwaard naast hem staan terwijl hij gedroogd vlees en scheepsbeschuit at. Daarna was het weer paardrijden en nog meer pijn.

Ze waren inmiddels al ver in het gebergte en volgden een smal pad dat zich tussen enorme zwerfstenen door slingerde. Af en toe waadden ze een snelstromend riviertje door of reden ze langs een gebarsten, afbrokkelende rots. Sarcyn zag nauwelijks waar ze langskwamen. Hij had een nieuw ongemak bij zijn andere pijn: door de lange rit in zijn natte, bevuilde brigga waren zijn billen en dijen rauw geschuurd. Eindelijk hield Dekanny zijn paard in en kwam naast hem rijden.

'We gaan zo dadelijk een kamp opslaan. Dan mag ik weer een paar minuten met je spelen. Ik wil dat je zelf kiest. Ik kan de gloeiende dolk in je oksels drukken of in je lendenen – twee keer natuurlijk. Vanavond mag je zeggen wat je wilt.'

Met die woorden hield hij zijn paard in om de achterhoede te nemen en liet Karlupo voorop rijden. Sarcyn beefde nu zo hevig dat zijn wil niet bij machte was het te laten ophouden. Hij wist precies wat Dekanny bedoelde. Als hij niet koos, zou hij natuurlijk beide folteringen moeten ondergaan. Maar als hij wèl koos, zou hij de eerste stap naar samenwerking met zijn kwelgeest zetten. Ze wilden dat hij zijn wil opgaf, dat hij deelgenoot werd in zijn eigen pijn, tot er op het laatst een vreselijke, bijna seksuele medeplichtigheid zou ontstaan tussen de veroorzaker van de pijn en de ontvanger.

'Dekanny!' riep hij. 'Ik wil niet kiezen.'

Achter hem klonk alleen een meisjesachtig gegiechel van opwinding. Ze reden door een engte tussen twee rotsen begroeid met kreupelhout en struikgewas. Toen Sarcyn op een gegeven ogenblik omhoog keek, leek een van de struiken in een gezicht te veranderen. Hij wendde haastig zijn blik af. Als hij buiten zinnen raakte, zou hij niet langer bij machte zijn hen te weerstaan. Hij concentreerde zich op zijn ademhaling en probeerde zijn geest ver te verwijderen van zijn pijnlijk, kloppend lichaam, terwijl de schaduwen steeds langer werden en de avond onverbiddelijk nader kwam.

Twee uur voor zonsondergang hielden ze halt in een dal zo smal, dat het meer een kloof tussen twee heuvels was. Sarcyn zat op de grond en keek naar elke beweging die Dekanny maakte toen de twee Haviken het kamp opsloegen en de paarden een extra rantsoen haver gaven als vergoeding voor het gebrek aan gras.

'Laat hem maar eerst eten,' zei Karlupo tenslotte. 'Als je straks met hem klaar bent, zal hij geen hap meer door zijn keel kunnen krijgen.'

'Goed. Ik zal hem trouwens tussen elk brandmerk even rust gunnen.'

Sarcyn beet op zijn bloedende lip en staarde naar de grond, alsof hij de hele wereld tot dit rotsachtige plekje kon laten inkrimpen. Opeens hoorde hij Dekanny een kreet slaken. Hij keek op en zag de Havik wankelen met een pijl in zijn linkerschouder en meteen daarop stroomde een zwerm mannen het dal binnen. Ze waren klein van stuk, ongeveer een meter vijftig lang, maar stevig gebouwd en bewapend als krijgers. Ze zwaaiden twee, drie keer doeltreffend met hun lange bijlen, en Karlupo lag dood op de grond, onthoofd en met zijn beide benen tot de knieën afgehakt. Dekanny probeerde te vluchten, maar een grote bijl kwam van onderaf en hakte diep in zijn kruis. Hij viel brullend achterover waarna zijn keel keurig werd gespleten met een vlijmscherpe bijl. De krijgers keken elkaar glimlachend aan en drongen samen rond de lijken. Pas toen besefte Sarcyn dat geen van hen gedurende de ongelijke strijd ook maar een kik had gegeven.

Een van de krijgers zette zijn ijzeren helm af en kwam naar Sarcyn toe. Hij had een doorgroefd, gebruind gezicht, een zware grijze baard en borstelige zwarte wenkbrauwen.

'Spreek je Deverry-spraak?'

'Ja.'

'Mooi. Ik spreek Deverry-spraak. Niet goed goed, maar ik spreek. Anderen spreken goed goed, thuis binnen. Spreek dan. Ik Jorl. Kun je staan?'

'Dat weet ik niet. Maar, goede Jorl. Ik begrijp dit niet. Wie zijn jullie?'

'Bergvolk. Niet bang, jongen. Wij redden. Jij veilig.'

Sarcyn liet zijn hoofd naar voren zakken en huilde dikke tranen, als van een kind, terwijl Jorl met een heel klein dolkje zijn handen lossneed.

Er was een aantal dwergmannen nodig om Sarcyn weer in het zadel te krijgen. Ze haalden ook de andere paarden en gingen te voet op weg, de leerling met zich meevoerend. Hoewel hij suffig probeerde te bedenken waarom ze hem hadden gered, had hij zijn wil voornamelijk nodig om op het paard te blijven zitten. Eindelijk, toen de schemering grauw begon te worden, liepen ze door een smalle vallei recht op een rots af. Toen ze dichterbij kwamen hoorde Sarcyn een knarsend geluid.

'Alle goden!'

In de rotswand ging langzaam een reusachtige deur open. Op het ogenblik dat ze hem bereikten was hij helemaal geopend. Toen Jorl zijn gezelschap een hoge, steil uitgehouwen tunnel binnenleidde, kwamen er andere mannen aan; ze droegen lantaarns en spraken een taal die Sarcyn nooit eerder had gehoord. Hij keek achterom en zag de deur langzaam dichtdraaien. De aanblik van het verdwijnende kiertje schemering maakte hem duizelig. Plotseling werden er handen uitgestoken die hem beetpakten en hem voorzichtig van het paard tilden. Jorls gezicht boog zich over hem heen.

'We halen draagbaar. Dragen je weg.'

Sarcyn wilde hem bedanken, maar de wazige duisternis overmande hem.

Toen hij wakker werd, lag hij op een smal hard bed in een pikdonkere kamer. Zijn eerste reactie was paniek, omdat er nergens ook maar het flauwste glimpje licht was, zelfs geen schakeringen van duisternis, zoals anders in een nachtelijke kamer. Hij werd langzaam gewaar dat hij schoon was en naakt onder een zachte deken lag. Zijn brandwonden deden haast geen pijn meer en zijn kapotte lip was ingesmeerd met een aangenaam ruikende zalf. Een paar minuten later ging er in een baaierd van licht een deur open. Een man die ongeveer een meter twintig lang was kwam binnen met een lantaarn in zijn hand.

'Het Natuurvolk zei dat je wakker was,' verklaarde hij. 'Kun je eten?'

'Ik denk van wel.'

'Dan zal ik je iets brengen.'

Hij zette de lantaarn op een tafeltje bij de deur, ging de kamer uit en sloot de deur achter zich. Sarcyn hoorde het geluid van een zware balk die er aan de buitenkant voor viel. Hij was dus een gevangene, al werd hij goed behandeld. Ofschoon de kamer maar drie meter lang en breed was en uit het gesteente van de berg was gehouwen, was het allesbehalve een cel. Op de vloer lag een zwaar rood tapijt en naast het bed en het tafeltje stond een rechthoekige stoel met een hoge rugleuning en een gestoffeerde zitting die eruitzag of hij heel lekker zat – voor iemand met zeer korte benen. Naast de deur stond een po, discreet met een doek bedekt, en daarnaast lagen zijn kleren, gewassen, gedroogd en keurig opgevouwen.

Heel langzaam, omdat hij nog steeds licht in het hoofd was, stond hij op en kleedde zich aan. Het verbaasde hem niet dat zijn zwaard nergens te zien was. Hij was juist klaar toen de man terugkwam met een houten blad met twee kommen erop.

'Houd je van paddestoelen?'

'Ja.'

'Mooi zo.' Hij zette het blad op het tafeltje. 'Het meubilair is wat klein voor je, hè? Nou ja, je zult hier niet lang zijn.'

'Kun je me vertellen waar ik dan naartoe ga?'

De man zweeg met zijn hoofd wat scheef alsof hij nadacht, toen haalde hij zijn schouders op en liep naar de deur. Hij hield hem een eindje open zodat Sarcyn twee zwaar bewapende soldaten kon zien die er op wacht stonden, voor hij verder sprak.

'De Meester van de Ether komt je halen.'

Toen ging hij de kamer uit en sloeg de zware deur dicht, net toen Sarcyn erop af sprong, meer uit angst dan in een poging om te ontvluchten. Hij smakte er tegenaan en bleef zo met gespreide armen en benen naar het geluid van de vallende balk staan luisteren; toen begon hij met bijna geluidloze snikken te huilen. Tenslotte ging hij bij de deur weg en begon de kamer rond te lopen. Vlak onder de hoge zoldering zat een opening die waarschijnlijk een luchtkoker was, maar die was hooguit dertig centimeter in het vierkant, veel te klein om doorheen te kruipen. Misschien kon hij doen of hij ziek was en dan zijn verzorger overmeesteren – maar de bewakers waren er ook nog. Misschien dat hij zijn aura kon terugtrekken, en naar buiten glippen – als die deur tenminste nog eens openging voor Nevyn kwam. Of hij zou het Natuurvolk kunnen ontbieden om verwarring te stichten; misschien kon hij een van hen zelfs de balk voor de deur laten oplichten.

Plotseling hield hij op met rondlopen toen een gedachte als een pijl door hem heenschoot: hij wilde niet ontsnappen. Hij ging langzaam naast het tafeltje op de vloer zitten en overdacht het steeds opnieuw: hij wilde helemaal niet vrij zijn. Hij was moe, volkomen uitgeput, veel te moe om ervandoor te gaan, en als hij al ontsnapte, zou hij voortdurend op de vlucht zijn, voor Nevyn, voor de gerechtsdienaren, voor de Haviken, voor de verschrikking van zijn eigen herinneringen. Hij zou altijd moeten vluchten, altijd moeten liegen, altijd op zijn hoede moeten zijn.

'De herten in een jachtgebied hebben een rustiger leven, dat staat vast.'

Hij glimlachte met een wrang, scheef glimlachje om zijn eigen woorden. Dus hij zou sterven. Nevyn zou hem ongetwijfeld aan de gwerbret uitleveren en hij zou gedood worden. Het was natuurlijk beter dan in handen van de Haviken zijn. In het ergste geval zou hij worden geradbraakt, maar hij had genoeg van Blaen gehoord en gezien om te weten dat hij hoogstwaarschijnlijk de milde dood door de strop zou krijgen. Hij voelde ook een pervers soort genoegen bij de gedachte dat alle belangrijke feiten die hij had vergaard met hem zouden sterven. De Oude zou nooit iets over Rhodry's gemengd bloed aan de weet komen. Toen die gedachte hem deed glimlachen, besefte hij opeens dat hij de Oude al jaren had gehaat, dat hij hen allemaal haatte, alle duistere meesters en leerlingen en Haviken die hij ooit had ontmoet, dat hij ze haatte zoals zij hem moesten hebben gehaat. Nou ja, hij was nu in elk geval van hen af.

Toen hij zijn handen omhoogstak, verwachtte hij half ze te zien trillen, maar ze waren volkomen stil. Hij wilde sterven. Hij begreep opeens dat zijn onvermijdelijke dood geen terechtstelling zou zijn, maar een zelfmoord waarbij hij geholpen werd. Jarenlang had hij zich een lege, holle paskwil van een man gevoeld; nu zou het dunne, valse omhulsel dat hij de wereld had getoond, verpulveren en verzwolgen worden door de leegte in zijn binnenste. De lange vermoeidheid zou ten einde zijn. Hij glimlachte weer, en terwijl hij dat deed, voelde hij hoe een aangename kalmte hem omhulde, alsof hij in een warm, geurig bad dreef, alsof hij een paar centimeter boven de vloer zweefde, zo licht en kalm en veilig voelde hij zich nu hij wilde sterven. Niemand zou hem ooit nog dwingen iets te doen dat in strijd was met zijn wil; niemand zou hem ooit nog pijn doen. Nog steeds glimlachend trok hij het blad met eten naar zich toe. Hij was volkomen kalm en had erge honger.

Toen hij klaar was met eten, was de kalmte een zo intense vermoeidheid geworden, dat hij zijn hoofd niet langer omhoog kon houden. Hij ging op zijn buik liggen, legde zijn hoofd op zijn gevouwen armen en keek naar de schaduwen die de lantaarn op de vloer wierp. Af en toe trad hij uit zijn lichaam en gleed hij ook weer terug, moeiteloos en ongewild heen en weer zwevend tussen het etherische en het stoffelijke. Hij was dan ook buiten zijn lichaam toen de celdeur opening en Nevyn binnenkwam, vergezeld van de dwergman die het eten had gebracht. Ook al had Sarcyn de oude man nooit eerder gezien, toch wist hij dat dit nu de Meester van de Ether was; hij zag het aan diens aura, een bijna verblindende gloed van helder goudkleurig licht.

'Alle wormen en slakken!' riep de dwergman uit. 'Is hij dood?'

'Dat denk ik niet.' Nevyn knielde naast Sarcyns lichaam neer en legde een hand in zijn nek. 'Hij is niet dood, maar in trance.'

Opeens voelde Sarcyn het blauwe licht om hem heen warrelen. Het leek net of zijn lichaam aan hem zoog; hoe hij zich ook verzette, het trok hem langs het zilveren koord omlaag tot hij een ruisend gesuis en een klik hoorde. Met een zucht opende hij zijn ogen en zag Nevyn over hem heen gebogen staan.

'Goed,' zei de dwerg. 'Welnu, ik sta vlak buiten de deur als u me nodig mocht hebben.'

Sarcyn bleef naar de grond staren tot hij de deur hoorde dichtslaan; toen draaide hij heel langzaam zijn hoofd om en keek zijn tegenstander aan. Hij had het idee dat hij iets moest zeggen, een opstandige kreet slaken misschien, of eenvoudigweg opmerken dat hij bereid was te sterven, maar hij was weer moe en kon geen woord zeggen. Nevyn bleef hem een tijdje, dat heel lang leek, alleen maar aankijken.

'Ik kwam hier in de hoop over genoegdoening te kunnen spreken,' zei Nevyn tenslotte. 'Maar me dunkt dat het daar veel te laat voor is.'

De oude man stond met een zucht op en ging naar de deur. Toen hij hem opende sliep Sarcyn alweer.

Hoewel Nevyn met klem had beweerd dat hij best in staat was een eind te rijden en zonder hulp een gevaarlijke gevangene mee terug te nemen, was noch Jill noch Rhodry bereid geweest hem alleen te laten gaan. Nu echter begrepen ze waarom de dweomerman had geweigerd zich door mannen van Blaen te laten vergezellen. Ze zaten in zwijgend ontzag op een lange stenen bank tegen de muur van de enorme grot en keken naar de druk bezochte markt van het dwergvolk. De grot, die minstens zestig meter in doorsnee was en zeker twee keer zo hoog, kreeg zijn licht door banen zonlicht die van heel hoog binnenstroomden. Recht tegenover hen sijpelde water uit de rots dat werd opgevangen in kunstmatige bekkens. Zo nu en dan kwam een dwerg daar een emmer vullen voor huishoudelijke doeleinden. In het midden van de grot waren ongeveer honderd bergvolkers aan het loven en bieden. Het aanbod bestond voornamelijk uit etenswaren die op ruwe doeken waren uitgestald: paddestoelen, vleermuizen, wortelen, heimelijk geteeld op het aardoppervlak, en wild waarop al even heimelijk gejaagd was.

'Die mensen hebben een hard leven,' merkte Jill op.

'Huh. Ze verdienen niet beter.'

'Toe nou, schat. Neem het niet zo kwaad op.'

Rhodry's antwoord was een boze blik. Hij was gegriefd, wist ze, omdat het dwergvolk in één oogopslag had gezien dat Rhodry elfenbloed had en onmiddellijk had geoordeeld dat hij een dief was. Alleen Nevyns tussenkomst had hen ervan kunnen weerhouden Rhodry buiten te laten wachten. En hoewel er af en toe iemand naar Jill toekwam om een paar vriendelijke woorden tegen haar te zeggen, negeerden ze Rhodry, alsof hij een wolf was of een ander gevaarlijk huisdier.

'Nu begrijp ik ook waarom Otho de smid zo lelijk tegen je deed,' zei ze.

'Ik wou alleen dat ik nog lelijker tegen hem had gedaan.'

Jill streelde zijn arm op een naar ze hoopte kalmerende wijze. Een vrouwtje, hooguit een meter dertig lang en gehuld in een bruine jurk die tot haar enkels reikte, kwam naar hen toe. In een omslagdoek op haar heup droeg ze een kind. Omdat Jill geen idee had hoe lang deze mensen leefden of hoe snel ze groeiden, kon ze de leeftijd van het kindje niet schatten, maar het zat net zo rechtop en keek net zo bijdehand in het rond als een mensenkind van ongeveer een jaar.

'Ah,' zei de vrouw. 'U bent zeker het meisje dat met de Meester van de Ether is meegekomen.'

'Dat klopt. Is je kindje een jongen of een meisje?'

'Een meisje.'

'Het is een echt klein schatje.'

Bij die lof begon het kindje te lachen en te kraaien. Hoewel het een laag voorhoofd had onder een dikke bos zwarte krullen en een dik, breed neusje, was ze zo klein en toch zo levendig, dat Jill haar graag eens had vastgehouden.

'Mag ik u eens iets vragen?' vervolgde Jill. 'Waarom spreken zovelen van jullie volk Deverriaans?'

'O, we drijven handel met de boeren in de heuvels. Dat zijn vreedzame mensen, en ze bewaren onze geheimen in ruil voor een beetje van ons zilver. Niets werkt zo goed als edele metalen om goede vrienden te maken – of verbitterde vijanden.'

Bij die laatste woorden keek ze veelbetekenend naar Rhodry en liep door, geluidjes makend tegen haar kindje.

'Ik wou bij alle goden dat Nevyn terugkwam,' grauwde Rhodry.

Zijn wens ging een paar minuten later in vervulling toen de dweomermeester uit een tunnel aan de andere kant van de grot te voorschijn kwam. Hij werd vergezeld door de dwergman genaamd Larn, die tot taak had de gevangene te bewaken, en ze voerden al lopend een heftig gesprek.

'Waar is Sarcyn?' Rhodry stond op om hen te begroeten.

'Die heb ik in zijn cel gelaten,' zei Nevyn. 'Hij is gek geworden. Volslagen en onaanspreekbaar gek.'

'Dat is die vervloekte smeerlap zijn verdiende loon.'

'Dat zal wel. O, je standpunt is wel gerechtvaardigd, maar ik...' Nevyn aarzelde en haalde toen zijn schouders op. 'Het doet er niet toe. Hij is gek en daarmee uit.'

Jill wist dat de dweomerman iets voor hem verborg, dat hij een reden had om te willen dat Sarcyn gezond van geest werd, maar ze wist ook dat hij die pas zou onthullen wanneer hij het ogenblik gekomen achtte.

'Nevyn?' zei ze. 'Je laat hem toch niet los, hè? Het zou me door de ziel snijden hem als vrij man te zien.'

'Nog altijd even wraakgierig, nietwaar? Maar ik laat hem heus niet los. Gek is hij net zo gevaarlijk als toen hij gezond van geest was, en bovendien was hij wel bij zijn volle verstand toen hij die boer vermoordde en Camdel ontvoerde. We nemen hem mee terug voor Blaens malover.'

'Waarom?' haakte Larn op het onderwerp in. 'Ik kan hem door een paar van mijn mensen naar buiten laten sleuren en de keel doorsnijden. Dat bespaart ons allemaal een hoop last.'

'Het is niet aan mij om hem te veroordelen en te laten terechtstellen. Dat kan alleen de malover.'

'Zoals je wilt,' zei de dwerg schouderophalend. 'Ik zal hem naar boven laten brengen.'

Het beeld van Salamanders gezicht dat boven het vuur zweefde, grijnsde breed. Nevyn wenste hartgrondig dat de gerthddyn voor één keer eens iets serieus zou willen nemen.

'Dus,' dacht Salamander tegen hem, 'Camdels verklaring betekent dat ik gelijk had wat de opium betrof.'

'Inderdaad. Ik wil dat je dadelijk naar een zekere heer Gwaldyn gaat. Die werkt samen met de voorzitter van de kroonraad. Gwaldyn moet die Anghariad zo spoedig mogelijk in hechtenis nemen, en zeg dat hij haar heel goed moet laten bewaken. Ik wil wedden dat er veel edelen aan het hof zijn die haar graag zouden laten vergiftigen om te voorkomen dat haar tong in beweging komt.'

'Ik zal morgenochtend allereerst naar hem toegaan. Hoe lang moet ik in Dun Deverry blijven?'

'Tot ik daar aankom. Liddyn, de artsenijmenger – je hebt hem ontmoet, geloof ik – is uit Dun Cantrae op weg hierheen. Ik laat Camdel onder zijn hoede achter en ga dan op weg om de Grote Steen aan de koning terug te geven. Vind je het erg om daar te wachten?'

'Niet in het minst. Het komt me juist zeer gelegen dat je me vraagt daar te blijven, omdat mijn dierbare en vereerde vader wil dat ik naar huis kom.'

'O, maar als hij je nodig heeft, kan ik wel iemand anders naar de hoofdstad sturen.'

'Doe geen moeite, o Meester van de Ether.' Salamander werd op dramatische wijze droefgeestig. 'Ik weet precies wat er speelt: hij wil me de les lezen over mijn zwerflust. Ik heb gezegd dat ik in de herfst terug zou komen. Dat is vroeg genoeg om het zoveelste zorgvuldig gestelde en scherp geformuleerde sermoen te moeten aanhoren over mijn tekortkomingen, die hij met sonore bardenstem opsomt.'

Toen ze hun gesprek hadden beëindigd maakte Nevyn het vuur uit, want de zomeravond was warm, en bleef bij de dovende kolen zitten om zich nogmaals af te vragen of er iets was dat hij aan Sarcyn zou kunnen doen. Sarcyn zou morgenochtend bij zonsopgang op het marktplein worden opgehangen, en hij zou sterven met een geest even verward en stom als die van een dier wanneer de boer de bijl heft om het te slachten. En hoe zou dat doorwerken in zijn volgende leven? Nevyn zou het niet precies kunnen zeggen, hij wist alleen dat het eindresultaat zeer slecht zou zijn en Sarcyns ziel nog verder het pad van het kwaad zou opdrijven. Hij had wel geprobeerd met de leerling te praten, maar hij had niets bereikt omdat Sarcyn in zijn waanzin niet in staat was iets te begrijpen van zulke ingewikkelde begrippen als goedmaken en vrije wil. Aan de andere kant vroeg Nevyn zich af of de leerling dat soort begrippen zelfs bij zijn volle verstand zou hebben begrepen, en of hij dan ooit de wens zou hebben gehad om te veranderen. Hoogstwaarschijnlijk niet, veronderstelde hij, maar de gedachte aan een ziel die zich zonder noodzaak in de duisternis stortte, vervulde hem met droefheid.

Naast hem op de haardsteen lagen de drie boeken van Alastyr die de dwergen hem hadden overhandigd. Een was gewoon een exemplaar van het *Geheime Boek van Cadwallon de Druïde*; de andere, in de Bardekse taal, hadden als titel *De Weg naar de Macht* en *Het Zwaard van de Krijger*, gedeeltelijk hoogdravende nonsens en gedeeltelijk buitengewoon gevaarlijke handelingen en rituelen. Nevyn sloeg verstrooid *Het Zwaard van de Krijger* open.

'Ja, want alle dingen zullen worden overheerst door de Wil van de ware Krijger, tot in de diepte van de geheime woningen der Duisternis, want het is de heerlijkste en minstbekende aller waarheden dat zij die vechten onder het Teken van de...'

Nevyn klapte het boek snuivend van ergernis dicht en gooide het van zich af.

'Ik vraag me af waarom dat soort lieden nooit behoorlijk kan schrijven. 'Minstbekend, wat een woord!'

De kabouter krabde over zijn buik, toen greep hij een handvol houtskool en strooide die uit over het tapijt. Voor Nevyn hem kon grijpen was hij verdwenen. Nevyn was juist bezig de laatste stukjes op te rapen, toen er op de deur werd geklopt.

'Ik ben het, Jill.'

'Kom binnen, kind, kom binnen.'

Ze kwam binnen, sloot de deur achter zich en leunde er tegenaan alsof ze moe was.

'Ik kom afscheid nemen. Rhodry en ik vertrekken morgenochtend vroeg.'

'Alle goden! Dan al?'

'Dan al. Het komt door de manier waarop Blaen Rhodry behandelt. Door al zijn gulheid en hartelijkheid gaat Rhoddo zich alleen maar beschaamder voelen. Ik begrijp soms niets van die aan hun eer verknochte lieden.'

'Hun pad gaat niet over rozen. Maar ik had gehoopt dat jullie hier minstens zouden blijven tot ik mijn zaken heb afgehandeld.'

'Ik ook. Ik zal je missen.'

'Heus?' Hij kreeg een brok in zijn keel. 'Ik zal jou ook missen, maar je kunt me altijd via het vuur bereiken.'

'Dat is waar.' Ze zweeg zo lang dat hij dichterbij kwam om haar aan te kijken. 'Ik heb nagedacht. Soms wilde ik wel dat ik met jou was meegegaan toen je wilde dat ik het vak van kruidenkenner zou leren, en nu is het daar te laat voor.'

'Vanwege Rhodry?'

Ze knikte bevestigend, in gedachten verzonken.

'Maar ach,' zei ze tenslotte. 'Vandaag of morgen maakt hij me vast en zeker zwanger en dan kan ik toch niet meer met hem door het land trekken. Als ik naar Dun Gwerbyn zou teruggaan om bij va te zijn, zou hij me niet eens kunnen bezoeken omdat hij verbannen is. Maar ik vertik het om taveernemeid te worden, zoals mam. Dus heb ik me afgevraagd, zie je, of ik misschien...'

'Natuurlijk, kind!' Nevyn had kunnen dansen van pure blijdschap. 'Er is geen enkele reden waarom jij en ik en je kind ons niet ergens zouden vestigen waar de mensen een kruidenman en zijn leerling nodig hebben.'

Ze glimlachte zo stralend opgelucht dat ze eerder een kind leek dan een vrouw.

'Als Rhodry zich niet zo halsstarrig aan zijn eergevoel vastklampte,' vervolgde hij, 'zou het meteen al kunnen, maar ik denk niet dat hij zin heeft om als een boer tussen de kruiden te wroeten.'

'Dat komt misschien nog wel – in de nacht dat de maan paars wordt en uit de hemel valt.'

'Zo is het. Maar goed. We zullen het in gedachten houden. In de noordelijke provincies zijn steden waar men een kruidenkenner hard genoeg nodig heeft om het feit dat een zilverdolk bij hem overwintert over het hoofd te zien.'

Toen Jill weg was, stond Nevyn nog een tijdlang aan het venster, stil glimlachend. Eindelijk, dacht hij. Nu zou zijn Wyrd zich weldra gaan ontwarren; nu zou hij weldra kunnen beginnen haar in de dweomer in te wijden. Weldra. Maar zelfs in zijn vreugde voelde hij een kille waarschuwing dat niets in zijn met de dweomer verstrengelde leven ooit weer eenvoudig zou zijn.

# Epiloog

## Winter 1063

De woeste wind van iemands Wyrd gooit zijn leven overhoop.
Ongebreideld is het, raadselachtig zijn koers.
Vrees de onnozele die verklaart dat hij het zijne ziet, in
sprankelend zonlicht.
Vanuit een duistere spiegel slaat Wyrd hem gade.

*Uit de* Tijdloze Verzen *van Gweran, Bardd Blaedd*

'aarom heb je Valandario niet gevraagd Ebañy te bevelen naar huis te komen?' vroeg Calonderiel. 'De
Meester van de Ether heeft hem al maanden niet meer
nodig.'

'Omdat ik in mijn hart hoopte dat hij één keer eens iets zou doen enkel en alleen omdat ik het hem heb gevraagd,' zei Devaberiel. 'Eén
keer maar.'

Calonderiel dacht daar even ernstig over na. Ze zaten in Devaberiels
tent, waar onder het rookgat in het midden van het dak een vuur
brandde. Zo nu en dan glipte er een regendruppel door de flarden en
siste in de vlammen.

'Weet je,' zei de legerleider tenslotte, 'jij raast en tiert te veel tegen
die jongen. Heus, bard, als jij luidkeels tegen iemand staat te foete-
ren, bezorg je hem hoofdpijn.'

'Heb ik jou soms om raad gevraagd?'

'Nee, maar je hebt hem toch gekregen.'

'Jij moet nodig wat zeggen...'

'O, ik ken ons beiden zo goed. Daarom ben je nu immers kwaad op
me, nietwaar?'

Devaberiel onderdrukte een woedende repliek.

'Eh, ja,' zei de bard tenslotte. 'Dat zou best kunnen.'

Calonderiel gaf hem glimlachend de medezak aan en was voor de
verandering zo tactvol om het onderwerp te laten rusten.

De herfst liep inmiddels ten einde. De matte zon hees zich laat omhoog en bleef maar krap zes uur alvorens tussen regenwolken onder te gaan. De meeste Westvolkers waren naar verder in het westen gelegen winterkampen getrokken, maar Devaberiel en een paar vrienden waren langs de Eldiddse grens gebleven; ze dreven er hun paarden van de ene wei naar de andere op zoek naar fris gras en jaagden op de grijze herten en het verwilderde vee dat daar was achtergebleven uit de tijd toen Eldidders hadden geprobeerd de grensstreek in bezit te nemen. Ondanks zijn getier maakte Devaberiel zich zorgen over zijn zoon. Stel dat Ebañy ziek was geworden in een van die smerige mensensteden, of gedood was door moordenaars of struikrovers?

Eindelijk, twee dagen voor de donkerste dag, toen de regen bij bakken uit de hemel viel en de wind rond de tenten loeide, kwam Ebañy aangereden, doornat en huiverend van de kou. Hij was er zo beroerd aan toe dat Devaberiel niet het hart had hem meteen de les te lezen. Hij hielp zijn zoon zijn paarden bij de andere vast te binden, bracht hem naar zijn warme tent en liet hem droge kleren aantrekken. Ebañy zat ineengedoken bij het vuur en nam dankbaar een medezak aan.

'En heb je nu genoeg voor loopjongen gespeeld voor één zomer?' vroeg de bard.

'O ja, en het was een vreemde zaak.' Ebañy veegde met de rug van zijn hand zijn mond af en gaf de medezak aan zijn vader. 'Zo. Ik ben er klaar voor, o vereerde ouder. Nu mag u me naar hartelust kapittelen, hekelen, uitschelden en afkraken. Ik weet dat ik wel in de herfst ben teruggekomen, maar dan in de meest beperkte, begrensde, krappe zin van het woord.'

'Ik was gewoon ongerust over je, dat is alles.'

Ebañy keek verwonderd op en greep zwierig de medezak.

'Nou ja,' vervolgde Devaberiel zo zachtzinnig als hij kon. 'Deverry is ook een gevaarlijke plaats.'

'Dat is waar. Neem me niet kwalijk. Toen leerde ik in Pyrdon, op mijn thuisreis, dat meisje kennen dat mijn nederig persoontje buitengewoon leuk vond.'

'O. Ja, dat is een redelijk excuus.'

Weer keek Ebañy hem stomverwonderd aan. Devaberiel glimlachte, genietend van de uitwerking die zijn woorden hadden.

'Wil je weten waarom ik je naar huis heb geroepen?'

'Nou, ik nam aan dat je me onder handen wil nemen omdat ik een nietsnut, een schavuit, een luie drinkebroer of misschien een volslagen gek ben.'

'Niets van dat alles. Ik heb belangrijk nieuws. Dit voorjaar heb ik ontdekt dat je een halfbroer hebt van wiens bestaan ik niets afwist. Zijn moeder is een Deverriaanse, net als de jouwe, en hij is tenslotte zilverdolk geworden.'

'Rhodry.'

'Precies, zo heet hij.'

'Ah, bij de Duistere Zon zelf, die heb ik dit voorjaar ontmoet. Ik heb hem een hele tijd aangestaard en ik vroeg me af waarom ik hem dacht te kennen. Zeg, va, hij lijkt drommels veel op jou.'

'Dat heb ik ook gehoord. Herinner jij je die zilveren ring, je weet wel, met rozen erop? Die is voor hem. Moet je horen, ik kan onmogelijk het hele koninkrijk gaan rondrijden, dus wil jij hem die van het voorjaar gaan brengen?'

'Natuurlijk. Nu ik hem heb ontmoet kan ik hem tenslotte makkelijk uitscryen.' Opeens huiverde hij.

'Me dunkt dat je kou hebt gevat. Ik zal nog wat hout op het vuur gooien.'

'Dat is het niet. Ik werd overvallen door de dweomer-kou.'

Devaberiel had zelf ook kunnen huiveren. Het besef dat zijn zoon een van die mensen was die door de elfen 'geestenvrienden' worden genoemd, bezorgde hem altijd kippevel. Hij ging gauw het leren buideltje zoeken en wierp dat Ebañy toe, die de ring in zijn handpalm schudde.

'Het is wel een eigenaardig sieraad, dit.' Ebañy ging al pratend over in het Deverriaans. 'Ik weet nog dat je het me jaren geleden hebt laten zien. Ik wilde het om de een of andere reden vreselijk graag hebben, en toch wist ik dat het niet van mij was.'

'Heb je er nog steeds je zinnen op gezet?'

'Nee.' Hij sloot zijn hand om de ring en staarde in het vuur. 'Ik zie Rhodry. Hij is ergens in het noorden, want hij rijdt door een sneeuwbui. Terwijl ik kijk, trilt de ring in mijn hand, dus hij is inderdaad van hem. Of hij verlangt naar hem, dat is het, maar ik denk dat hij uiteindelijk Rhodry's dood zal veroorzaken.'

'Wat? Bij de barbaarse goden, dan zou ik het ding misschien maar in de rivier moeten gooien.'

'Dan zou het iemand vinden die het er weer uitviste.' Ebañy's stem klonk zacht, halfdronken. 'En onze Rhodry zal heus niet sterven voor zijn Wyrd tot hem komt, en wie kan dat afwenden? Zelfs zijn eigen vader niet, dat weet je best.'

Maar Devaberiel was terneergeslagen dat zijn zoon in de toekomst iets heel ergs voor hen zag opdoemen.

Het duurde lang voor de Oude alle stukjes van het debâcle van die zomer in Deverry aaneengevoegd had. Toen Alastyr en de Haviken niet op de afgesproken tijd terug waren gekomen, had hij geweten dat er iets heel erg mis was gegaan en had hij spionnen naar het koninkrijk gezonden. Maar voor die terug waren, had hij uit gewonere bronnen verontrustend nieuws gekregen. In Deverry hadden de mannen van de koning en van de gwerbret van Cerrmor invallen gedaan en verscheidene van hun belangrijkste agenten in de opiumhandel gearresteerd. Gelukkig was Anghariad vergiftigd voor ze onder foltering geheimen had kunnen verklappen, en Gwenca wist vrijwel niets van de duistere dweomer, afgezien van wat bijgelovige onzin die de gwerbret niet geloofde. Toch waren de arrestaties een zware slag voor de opiumhandel die de duistere broederschap van een belangrijk deel van zijn inkomsten voorzag.

Maar het allerergste bericht werd gebracht door de geschokte spionnen. Zoals de Oude allang had gedacht, waren Alastyr en zijn leerlingen dood en de boeken van de macht in Nevyns handen. De Oude zou graag willen weten wat Sarcyn, voor hij in het openbaar werd opgehangen, de oude man nog had verteld; hij kon eenvoudigweg niet geloven dat Nevyn een kans om elke snipper informatie uit de leerling te persen zou laten lopen. Wat hem echter urenlang deed tieren en vloeken was het feit dat Nevyn hun nog een laatste poets had gebakken. Want toen de koning, in zijn dankbaarheid over het terugkrijgen van de Grote Steen, de dweomerman een beloning had aangeboden, had Nevyn een aanstelling aan het hof gevraagd voor zijn 'neef' Madoc, de Meester van het Vuur en een man met geweldige krachten. Nu die daar alles in het oog hield, zou de duistere dweomer zich nooit meer rechtstreeks in hofzaken kunnen mengen. De Oude sloot zich een aantal dagen in zijn kamer op en bestudeerde de astrologische gegevens en de aantekeningen van zijn meditaties. Daarin moesten zich ergens vage aanwijzingen van komende moeilijkheden bevinden die hij blijkbaar over het hoofd had gezien. Toch vond hij niets dat op de rol wees die Rhodry bij het verstoren van Alastyrs plannen had gespeeld. Jill was nog erger, een volledige onbekende voor hem, omdat hij noch het tijdstip van haar geboorte had, noch dat van haar ouders, mensen van zo'n lage status dat de kostbare tijdstippen niet waren opgetekend en dus voorgoed verloren. Hij kwam tot de slotsom dat hij geen fout had gemaakt, dat er iets aan het werk was dat al zijn zorgvuldig beraamde verrichtingen had verstoord, iets waar hij geen greep op had.

Met een zucht die veel weg had van een grom hees hij zijn kolossale lichaam uit zijn stoel en waggelde naar het raam. Buiten, wiegelend in koele winterwind, plekte de bloeiende wingerd dieprood tegen de tuinmuur. Twee slaven harkten op het vierkante gazon afgevallen blaren bijeen. Hij zag ze nauwelijks, want in gedachten was hij in Deverry. Had hij er maar heen kunnen reizen! Onmogelijk, natuurlijk: niet alleen omdat zijn gezondheid zo zwak was dat de zeereis zijn dood zou zijn geweest, maar ook omdat de Meester van de Ether hem te goed kende. Heel even raakte hij bijna in paniek. Zijn wankele positie in de Broederschap hing af van juiste voorspellingen, niet van adviezen die rampen tot gevolg hadden. Stel dat de andere leden van de bestuursraad vonden dat hij zijn tijd had gehad? Toen bedwong hij zich en hield zichzelf voor dat hij nog steeds meer macht had dan de meeste van hen, dat hij nog lang niet verslagen was.

Hij ging naar de deur, sloeg op de gong om zijn eerste bediende te ontbieden en zei tegen de slaaf dat hij voor niets behalve brand gestoord wilde worden. Toen zette hij zich in zijn stoel en vertraagde zijn ademhaling om zich op zijn meditatie voor te bereiden. De Oude had in zijn lange leven een ingewikkelde en bijzonder eigenaardige vorm van meditatie ontdekt die de bron was van zijn zeer accurate voorspellingen. Geleerden hadden destijds in Bardek, waar perkament en schrijfmateriaal buitengewoon duur waren, een vernuftig systeem van geheugentraining ontworpen om hun herinneringen te kunnen opslaan. De student leerde eerst zich duidelijke beelden voor te stellen van gewone voorwerpen, bijvoorbeeld een zilveren schenkkan. Zodra hij dat beeld enkele ogenblikken kon vasthouden en het zo duidelijk zag alsof het voor hem stond, deed hij datzelfde met steeds meer voorwerpen, tot hij tenslotte een hele, compleet gemeubileerde kamer in gedachten kon houden en het beeld van die kamer, telkens wanneer hij het opriep, precies hetzelfde kon laten zijn.

Dan begon hij zich een huis voor te stellen, kamer voor kamer. In elke kamer zette hij voorwerpen die symbolisch waren voor de dingen die hij wilde onthouden, en die voorwerpen waren gewoonlijk grappig of, beter nog, grotesk om de herinnering te prikkelen. Zo zou een specerijenhandelaar bijvoorbeeld een kamer in dat huis hebben waar hij gegevens opsloeg over bepaalde belangrijke klanten. Als een rijke vrouw een afkeer had van zwarte peper, zou hij er een beeld van haar plaatsen dat haar hevig niesend uitbeeldde. Als hij zich op een gegeven ogenblik herinnerde dat ze een bepaalde eigenaardigheid had, kon hij in gedachten die kamer binnengaan, om zich heen kijken en het beeld zien, waardoor hem te binnen schoot dat hij haar een andere specerij ten geschenke moest geven.

Het is duidelijk dat deze methode van geheugentraining veel overeenkomst vertoont met de eerste fase van een dweomer-leertijd, en de Oude had dat bij het begin van zijn dweomerstudie onmiddellijk beseft. Hij was als jongeman opgeleid tot archivaris, een functie die in de eerste plaats een goed geheugen vereiste, omdat in die tijd het eenvoudige systeem van documenten en gegevens in alfabetische volgorde opbergen nog moest worden uitgevonden. Daarom had de jonge slaaf-eunuch, die toen nog als Tondola bekend stond, in gedachten een groot archief gebouwd waarin hij kon rondlopen en de plaats van elk belangrijk document dat hem was toevertrouwd kon vinden. Zodra hij zich had vrijgekocht en een rijk man was geworden door het uitpersen van een ambtenarenkorps dat voornamelijk op smeergeld functioneerde, had hij een intens plezierige middag doorgebracht met dat tot in details toe gefantaseerde archief tot op de grond toe te laten afbranden.

Deze techniek was echter bijzonder waardevol gebleven, zeker toen hij bij toeval een manier had ontdekt om hem uit te breiden. Dat was zo'n honderd jaar geleden gebeurd, toen hij zich bezig had gehouden met een uitermate moeilijk probleem voor het duistere gilde; de vraag of een jonge archon al dan niet moest worden vermoord. Tondalo had de berichten die spionnen hem hadden gebracht over de archon en de situatie in zijn stad-staat opgeslagen in een geheugenkamer, omdat ze veel te schandelijk waren om op te schrijven. Op een gegeven ogenblik had hij bij het betreden van die kamer gezien dat bepaalde voorwerpen veranderd waren. Een beeld van een naakte jongen (dat de ware liefde van de archon voorstelde) hield een kom in de hand die de Oude daar niet in had geplaatst, en naast de jongen stond een wenende vrouw. Door die verandering had Tondalo de oplossing voor hun probleem gezien: de kom die de jongen vasthield bevatte vergif, de vrouw was zijn moeder. Een van de meer fatsoenlijk uitziende leden van het duistere gilde had op de geest van de moeder ingewerkt tot ze zo woedend was dat ze de archon in het openbaar voor zijn ondeugden aan de kaak had gesteld. Toen de menigte met hem klaar was, had het duistere gilde geen huurmoordenaar meer op hem af hoeven sturen.

Die bepaalde groep symbolen was door een intuïtie veranderd; de Oude had duidelijk ingezien dat, net als in een droom, één deel van zijn brein een probleem had opgelost terwijl zijn bewustzijn de andere kant had opgekeken. En dat had hem op een idee gebracht. Stel dat hij een speciale kamer maakte, of zelfs een tempel, en die vol zette met van dweomer vervulde symbolen? Zouden die soms veranderen als de getijden van de toekomst hen beroerden en de geheimen van komende tijden onthullen? Hoewel het hem jaren had gekost, was de Oude er uiteindelijk toch in geslaagd het idee aan te wenden.

Die middag zat hij in zijn stoel en riep zijn Tempel van de Tijd op. Omdat deze bezigheid louter mentaal was, was hij klaarwakker, alleen concentreerde hij zich met een intensiteit die een ongeschoolde geest nooit zou kunnen opbrengen. Het eerste gebouw was een hoge, vierkante toren, opgetrokken uit witte steen, die op een heuvel stond; de ene kant van de heuvel lag in het volle zonlicht, de andere in het maanlicht. Hij liep naar de maanverlichte kant en ging door een van de vier deuren die uitkwamen op de eerste van twaalf verdiepingen. Elke muur had zeven ramen en in het midden was een wenteltrap van tweeënvijftig treden. Hij ging naar boven, de voorwerpen waarmee elke kamer gevuld was nauwelijks een blik waardig keurend, tot hij de twaalfde verdieping bereikte.

Rond de trap, waar hij ze had neergezet, stonden de beelden van vier elfen, twee mannelijke, twee vrouwelijke, allemaal met hun rug naar de trap, alsof ze uit de ramen keken. Iets verderop stond een beeld van Rhodry, zo goed als de Oude het had kunnen maken naar de beschrijvingen die hij had gehoord, alleen had hij het beeld geheel in het rood gekleed. Aan Rhodry's voeten lag de zilver-met-blauwe draak van Aberwyn. Ernaast stond een gestileerd beeld dat Jill moest voorstellen, een knappe blonde vrouw met een zwaard in de hand. Achter haar was – niets. De Oude voelde een huivering langs zijn rug glijden toen hij zich realiseerde dat Alastyrs beeld volkomen verdwenen was. Hij had het moeten voorzien, dacht hij; het was het bewijs dat de tempel hecht verbonden was met hogere machten. Er stonden verder diverse andere symbolen en voorwerpen: een beeld van Nevyn, een kapotte elfen-handboog en verscheidene wezens van het Natuurvolk met dingen die gedachtenassociaties van de Oude bevatten, maar hij keek aanvankelijk niet naar ze om en liep naar een van de vensters.

Buiten kolkte een nevel, en hij bracht eerst zijn zenuwen tot kalmte voor hij erin keek. Er kwamen daar soms vreemde wezens, omdat de tempel, ook al was die aanvankelijk uitsluitend in zijn brein gebouwd, in de vele jaren dat hij erin had gewerkt, toch een astrale realiteit had verworven, zoals elk gedachtenbeeld zal doen als het maar met voldoende kracht wordt bezield. Maar op die dag zag hij alleen maanlicht door de nevel warrelen in plaats van versluierde beelden van toekomstige gebeurtenissen. Hij ging alle maanverlichte vensters langs, maar werd telkens teleurgesteld. Toen hij weer naar de trap wilde gaan, trok iets zijn aandacht en hij bleef staan om het standbeeld van Rhodry aandachtig te bekijken. Er was iets aan veranderd, iets heel kleins – hij bekeek het hele beeld van onder tot boven tot hij de verandering vond. Rond de wijsvinger van Rhodry's rechter-

hand groeiden piepkleine roosjes, spierwitte roosjes, zo volmaakt gevormd dat hun doorns een druppel bloed uit de vinger van het beeld
hadden geprikt. Hij wendde zich verwonderd af, maar bleef meteen
weer staan en keek met grote ogen: de beelden van de elfen lachten
hem uit.

Hij werd opeens doodsbang. Hij hoorde geluidjes, geruis aan de vensters, alsof iemand probeerde binnen te komen. Toen hij de trap af-
ging, hoorde hij in de verte lachen, en hij hoorde muziek, als gefluister
in de wind die plotseling om zijn toren woei. Hij rende in paniek naar
beneden, hard klepperend op de treden, klepperend, de ene verdieping na de andere achter zich latend, tot hij eindelijk de veilige stilte van de begane grond bereikte, waar de beelden van lang gestorven magistraten hem aanstaarden of ze zijn ongepaste haast
afkeurden. Daar kwam hij tot zichzelf. De toren was maar een gedachtenbeeld, zijn bouwwerk, een visioen, en hij was een onnozele
gek geweest om aan die onverklaarbare angst toe te geven. Hij hoefde alleen maar zijn ogen te openen en de tempel zou weer in zijn geheugen verdwijnen. Toch vroeg hij zich af hoe werkelijk de tempel
kon zijn geworden, of hij hem – of een vreemd, verwrongen visioen
ervan – op een astraal vlak zou kunnen vinden als hij daar zou gaan
zoeken. Heel even was hij bang zijn ogen te openen, voor het geval
hij zou ontdekken dat hij in zijn eigen visioen gevangen zat. Toen
dwong hij zichzelf uit een van de zonverlichte deuren te lopen om
naar het denkbeeldige heuvellandschap te kijken – en zijn ogen te
openen.

Zijn vertrouwde kamer verscheen, zijn schrijftafel, de berg perkamentrollen, de tegelvloer, het open raam. Met een zucht die bijna een
kreunen van opluchting was, stond hij op en ging op trillende benen
naar de gong om een bediende te laten komen. Een van zijn goed ge-
dresseerde jongelieden verscheen bijna ogenblikkelijk.

'Breng gekoelde wijn – witte, maar niet een van de beste jaren.'

De slaaf knikte en schoot de kamer uit. De Oude waggelde weer naar
zijn stoel en liet zich er zwaar inzakken, inwendig Rhodry Maelwaedd en zijn hele clan vervloekend. Toen hield hij zichzelf voor dat
Rhodry maar een onbeduidende ergernis was vergeleken bij de Meester van de Ether. Nevyn was degene die Alastyr ten val had gebracht,
degene die zijn leerling gevangen had genomen. Nevyn was degene
die als een vestingmuur tussen de Oude en zijn uiteindelijke doel
stond, namelijk het verwekken van zoveel haat en achterdocht tussen de Deverrianen en de Elcyion Lacar dat er een openlijke oorlog
tussen hen zou uitbreken. De Deverrianen zouden die oorlog tenslotte winnen. Het elfenras was veel minder talrijk; ze hadden ook

minder kinderen, terwijl mensen zich als ratten voortplantten. Als het tot een lange oorlog kwam, zou de wereld van de elfen afgeholpen worden.

Het was evenwel niet zo dat de Oude een gevoelsmatige haat tegen de elfen koesterde. Ze liepen hem gewoon in de weg met hun aangeboren eergevoel en hun innerlijke verwantschap met de dweomer van het licht. Hij had geen raadselachtige voorspellingen en visioenen nodig om te weten dat als hun dweomer ooit op grote schaal de krachten zou bundelen met de dweomer van Deverry, zijn duistere Broederschap het onderspit zou delven. Hij was niet van plan zoiets te laten gebeuren. De Maelwaedd-clan, en met name Rhodry, waren door de tekenen voorbestemd om op de een of andere ondoorzichtige manier die de Oude niet kon doorgronden, de verzoening tussen elfen en mensen tot stand te brengen, en daarom moesten ze sterven. Maar toen hij die middag bij zijn wijn zat te piekeren, groeide zijn eenvoudige ergernis dat Rhodry zijn plannen in de war had gestuurd, tot iets dat aan haat grensde, en die woede strekte zich uit tot Rhodry's clan en, meest van al, Rhodry's beschermer, Nevyn zelf. Hij zat lang na te denken tot hij eindelijk een zaadje voor een plan vond. De wending die de gebeurtenissen deze zomer hadden genomen, vormde een bedreiging voor alle leden in de duistere broederschap. Daarom moest hij de raad bijeenroepen en die ervan overtuigen de rijen te sluiten om die dreiging weg te vagen. Ze zouden zorgvuldig plannen moeten smeden, langzaam te werk gaan, en hun eigenlijke dweomer tot het einde toe geheim moeten houden, maar als alles goed ging zouden ze winnen.

'O ja,' zei hij hardop. 'De Meester van de Ether moet sterven.'

# INCARNATIES VAN DE DIVERSE PERSONEN

| Heden | ca. 643 | ca. 696 | ca. 773 |
|-------|---------|---------|---------|
| Nevyn | Galrion/Nevyn | Nevyn | Nevyn |
| Jill | Brangwen | Lyssa | Gweniver |
| Rhodry | Blaen | Gweran | Ricyn |
| Lovyan | Rhodda | Cabrylla | Dolyan |
| Cullyn | Gerraent | Tanyc | Dannyn |
| Seryan | Ysolla | Cadda | Macla |

# WOORDENLIJST

*Aber* (Deverriaans) Riviermonding, deltagebied.

*Alar* (Elfentaal) Een groep elfen, wel of geen bloedverwanten, die gedurende onbepaalde tijd met elkaar rondtrekken.

*Alardan* (Elf.) Bijeenkomst van verscheidene alarli, die gewoonlijk op een dronkemanspartij uitdraait.

*Angwidd* (Dev.) Onontdekt, onbekend.

*Archon* (vertaling van het Bardekse *atzenarlen*) het gekozen hoofd van een stad-staat (Bardeks *at*).

*Het Astrale* Het bestaansvlak direct 'boven' of 'in' het etherische (q.v.). In andere magische stelsels vaak omschreven als het Akasisch Denken of de Schatkamer van het Denkbeeldige.

*Aura* Het elektromagnetische krachtveld dat elk levend wezen omgeeft en uitstraalt.

*Aver* (Dev.) Rivier.

*Bara* (Elf.) Tussenvoegsel dat aangeeft dat het voorafgaande, aan een elfenwoord toegevoegd bijvoeglijk naamwoord, de naam is van een op het voorvoegsel volgend element, zoals can + bara + melim = Woeste Rivier. (woest + naam aanduiding + rivier.)

*Bel* (Dev.) De oppergod van het Deverriaanse godendom.

*Bel* (Elf.) Een voorvoegsel met dezelfde functie als bara, met dit verschil dat het aangeeft dat het voorafgaande werkwoord de naam is van het volgende element in de samengestelde uitdrukking, zoals in Darabeldal, Golvend Meer.

*Betoveren* Hier: door een directe manipulatie van iemands aura een effect creëren dat op hypnose lijkt. (Gewone hypnose manipuleert alleen het bewustzijn van het slachtoffer waardoor dit zich er makkelijker tegen kan verzetten.)

*Blauw Licht* Een andere naam voor het etherische vlak (q.v.).

*Brigga* (Dev.) Wijde wollen broek gedragen door mannen en jongens.

*Broch* (Dev.) Een lage, logge toren waar mensen in wonen. In het Thuisland hadden deze torens oorspronkelijk één grote haard in het midden van de begane grond en een aantal hoger gelegen cellen en kamertjes langs de wanden, maar in de tijd waarin dit verhaal speelt, had deze oude bouwstijl plaats gemaakt voor echte verdiepingen met haarden en schoorstenen aan weerszijden van het gebouw.

*Cadvridoc* (Dev.) Legeraanvoerder. De cadvridoc die geen generaal is in de moderne zin van het woord, wordt geacht adviezen en aanwijzingen van de onder hem gestelde edellieden in overweging te nemen, maar de uiteindelijke beslissing ligt bij hem.

*Conaber* (Elf.) Muziekinstrument, zoiets als de panfluit, maar met een nog beperkter bereik.

*Cwm* (Dev.) Dal.

*Dal* (Elf.) Meer.

*Dun* (Dev.) Fort, vesting, bolwerk.

*Dweomer* (vertaling van het Deverriaanse *dwunddaevad.*) Strikt genomen een wijze van toveren gericht op persoonlijke geestelijke verrijking door harmonie met het natuurlijk universum op al zijn vlakken en in al zijn verschijningsvormen; in algemene zin: magie, toverkunst.

*Elcyion Lacar* (Dev.) Elfen; letterlijk: 'vrolijke geesten' of 'Vrolijke Helderzienden'.

*Embleem* een abstracte magische figuur die gewoonlijk ofwel een bepaalde geest ofwel een bepaald soort energie of kracht uitdrukt. Deze figuren, die veel weg hebben van geometrische krabbels, zijn door middel van diverse bewerkingen aan geheime magische diagrammen ontleend.

*Ensorcel* Letterlijk: Betoveren, beheksen. Hier: door directe manipulatie van iemands aura een effect creëren dat op hypnose lijkt. (Gewone hypnose manipuleert alleen het bewustzijn van het slachtoffer waardoor dit zich er makkelijker tegen kan verzetten.)

*Het etherische* Het bestaansvlak direct 'boven' het fysieke. Met zijn magnetische kern en stromingen houdt het het fysieke in een onzichtbare matrix en is de werkelijke bron van wat wij 'leven' noemen.

*Etherische Gedaante* Iemands werkelijke wezen, het elektromagnetische samenstel dat het lichaam bijeenhoudt en de eigenlijke zetel van het bewustzijn is.

*Gedachtenverschijning* Beeld of drie-dimensionale verschijning die uit etherische of astrale substantie wordt gevormd, gewoonlijk door iemand met een getrainde geest. Als er voldoende van deze personen met een getrainde geest samenwerken om dezelfde gedachtenverschijning te vormen, zal deze gedurende een periode, gebaseerd op de energie die erin gestoken is, zelfstandig existeren. (Energie in een dergelijke verschijning steken noemt men het *bezielen* van de gedachtenverschijning.) Manifestaties van goden of heiligen zijn doorgaans de gedachtenverschijningen die door ultra-intuïtieve personen, zoals kinderen, of mensen met een lichte vorm van helderziendheid worden waargenomen. Ook kan een groot aantal personen met een ongetrainde geest met elkaar vage, wazige gedachtenverschijningen vormen die op gelijke wijze waargenomen kunnen worden, zoals UFO's en verschijningen van de duivel.

*Geesten* Levende maar onstoffelijke wezens behorend tot de diverse niet-stoffelijke niveaus van het universum. Alleen de natuurgeesten, zoals het Natuurvolk (vert. van Dev. *elcyon goecl*) kunnen zich rechtstreeks op het stoffelijke niveau manifesteren. Alle anderen hebben een of ander middel nodig, zoals een edelsteen, wierook of het magnetisme dat wordt uitgestraald door vers geplukte planten of gemorst bloed.

*Geis* Een taboe, gewoonlijk een verbod. Verbreken van de geis leidt tot schennis van het ritueel en heeft de afkeuring en soms zelfs de haat van de goden tot gevolg. In samenlevingen waarin men in geis gelooft, zal iemand die het verbreekt doorgaans kort daarna sterven, hetzij aan ziekelijke zwaarmoedigheid of aan een onbewust zelf teweeggebracht 'ongeluk', tenzij hij of zij het op rituele wijze goedmaakt.

*Gerthddyn* (Dev.) Letterlijk 'muziekman', een rondtrekkende minstreel en verteller van veel lagere status dan een echte bard.

*De Groten* Geesten, ooit mensen maar nu voorgoed zonder stoffelijk lichaam, die op een ongekend hoog bestaansvlak existeren en zich geheel wijden aan de verlichting van alle bewust levende wezens. Bij de boeddhisten staan ze ook bekend als bodhisattwa's.

*Gwerbret* (Dev.) Hoogste rang van de adel direct onder de koninklijke familie. Gwerbrets (Dev. *gwerbretion*) zijn de hoogste gezagdragers van hun regio, en zelfs koningen aarzelen hun besluiten terzijde te schuiven vanwege hun vele eeuwenoude privileges.

*Hiraedd* (Dev.) Een typisch Keltische vorm van zwaarmoedigheid, die wordt gekenmerkt door een diep, smartelijk verlangen naar iets onbereikbaars; ook en in het bijzonder, heimwee in de derde graad.

*Hoofdman* (vertaling van het Dev. *pendaely.)* Onderbevelhebber van de krijgsbende van een edelman. Interessant is het feit dat het woord *taely* (dat de oorspronkelijke vorm van -*daely* is,) zowel krijgsbende als familieverband kan betekenen.

*Javelin* (vert. van het Dev. *picecl.*) Aangezien het wapen in kwestie nog geen meter lang is, zou een andere vertaling 'strijdpijl' kunnen zijn. De lezer moet hem zich niet voorstellen als een echte werpspies of als een van die enorme speren die bij de moderne Olympische Spelen worden gebruikt.

*Lichtgedaante* Een kunstmatige gedachtenverschijning (q.v.) opgebouwd door een dweomermaster om hem of haar in staat te stellen door de binnenste bestaansvlakken te reizen.

*Lwdd* (Dev.) Zoengeld; verschilt van weergeld in dit opzicht dat onder sommige omstandigheden over het bedrag van lwwd te onderhandelen valt en het niet onherroepelijk door de wet is vastgesteld.

*Malover* Voltallig rechtscollege waarin zowel een priester van Bel als een gwerber of een tieryn zitting hebben.

*Melim* (Elf.) Rivier.

*Mor* Zee, oceaan.

*Pan* Voorvoegsel, zoals 'fola' hierboven omschreven, alleen geeft dit aan dat het voorafgaande zelfstandig naamwoord meervoud is, evenals de naam van het volgende woord, zoals in Corapanmelim, Rivier van de Vele Uilen. Onthoud dat het meervoud in de Elfentaal altijd wordt aanduid door toevoeging van een semi-zelfstandige betekeniseenheid, en dat deze semi-zelfstandigheid uitgedrukt wordt in de diverse samenhang aanduidende tussenvoegsels.

*Pecl* Ver, afgelegen.

*Rhan* (Dev.) Staatkundige eenheid van land; dus is gwerbretrhyn, tierynrhyn, het gebied dat wordt bestuurd door een bepaalde gwerbret of tieryn. De grootte van de diverse rhans (Dev. rhannau) is zeer verschillend, eerder als gevolg van de grillen van erflaters en oorlog dan van wettelijke bepalingen.

*Scryen* De kunst om door middel van toverkracht ver verwijderde personen of plaatsen te zien.

*Taer* (Dev.) Grond, land.

*Tieryn* (Dev.) Tussenrang bij de adel; lager dan een gwerbret maar hoger dan een gewone edelman. (Dev. *arcloedd.*)

*Wyrd* (vert. van Dev. *tingedd.*) Noodlot, bestemming; de onontkoombare problemen die een bewust levend wezen uit zijn vorige incarnatie meeneemt.

*Ynis* (Dev.) Eiland.

# DE SCHRIJFSTER EN HAAR WERK

KATHARINE KERR is in 1944 in Cleveland, Ohio, geboren in een gezin dat zichzelf meer als Brits-in-ballingschap dan als Amerikaans beschouwde. Ze had na het verlaten van de Stanford Universiteit een aantal slecht betaalde baantjes, terwijl ze veel las op het gebied van klassieke archeologie, literatuur en de duistere middeleeuwen, maar ook moderne romans. Uiteindelijk kwam ze een oude studievriend tegen, Howard Kerr, die net zoveel van katten, boeken en honkbal hield als zij; ze trouwden in 1973. In 1979 kreeg Katharine Kerr van een vriendin haar eerste fantasie rollenspel. Ze raakte zo geboeid door alles wat zowel het spel als de fantasie betrof, dat ze artikelen in speltijdschriften begon te schrijven. Ze was een tijdlang redactrice van het tijdschrift Dragon en werkte bovendien mee aan spelmodules voor TSR, Inc. en Chaosium, Inc. Tegenwoordig echter wijdt ze zich uitsluitend aan het schrijven van romans, om de eenvoudige reden dat een dag maar vierentwintig uur heeft.

F